JAN VAN GOYEN

I

EINFÜHRUNG

KATALOG DER HANDZEICHNUNGEN

257. (Seite 91): Versteigerung Lord Northwick in London (So) am 5.7.1921 Nr. 80

286. (Seite 102): Das Wasserzeichen wurde auch LC und PC gelesen

292. (Seite 104): Kunsthandlung Fred. Muller & Co. in Amsterdam
Ausgestellt: Amsterdam, 1906 Nr. 145

322b. (Seite 114): *Nachzeichnungen:* Wahrscheinlich Z 848 I I und II.

348. (Seite 121): Versteigerung in London (So) am 5.7.1921 Nr. 212
(zusammen mit Z 502: £ 8 Parsons)

377. (Seite 131): Sammlung N. Massaloff in Moskau, seit 1924 im
STAATL. A. S. PUSCHKIN-MUSEUM DER BILDENDEN KÜNSTE IN
MOSKAU; Inv. Nr. 4690
Ausgestellt: Brüssel, Rotterdam, Paris, 1972/73 Nr. 47
mit Abb.

475A. (Seite 161): *Nachzeichnung:* I) Von K. S. von Bemmel (?). Im
Gegensinn; ohne die vorn sitzende Figur, ohne Hunde,
nur ein Reiter etc.
Aquarell und Gouache auf Pergament 131 × 178
Versteigerung in Heidelberg am 14.10.1972 Nr. 272
mit Abb.

502. (Seite 168): Versteigerung in London (So) am 5.7.1921 Nr. 212
(zusammen mit Z 348: £ 8 Parsons)

510. (Seite 172): Wahrscheinlich: Versteigerung S. Feitama in Amsterdam
am 16.10.1758 Nr. I 66 (zusammen mit Nr. I 65: fl 29.10
Huquier)

552. (Seite 186): Kunsthandlung Fred. Muller & Co. in Amsterdam
Ausgestellt: Amsterdam, 1906 Nr. 138

553. (Seite 186): die folgenden drei Zeilen ersatzlos streichen:
Vielleicht: Versteigerung Jan Danser Nijman in Amsterdam am 19.3.1798 Nr. S 19 (zusammen mit Nr. S 20:
fl 32 Temminck)

562 I. (Seite 189): Vielleicht: Versteigerung E. Boers im Haag am 21.9.1818
Nr. I 39

608A. (Seite 203): 608A. DREI FIGUREN vor einer Bauernhütte rechts, die
von einem hohen Baum überragt wird. Der Weg führt
nach links in die Tiefe. – Um 1630.

Links bezeichnet: VG
Schwarze Kreide, grau laviert 145 × 192
STÄDELSCHES KUNSTINSTITUT IN FRANKFURT/MAIN; Inv. Nr.
3229 als Pieter Molyn

JAN VAN GOYEN

VON

JAN DE BRAY (?)

JAN VAN GOYEN

1596 – 1656

EIN OEUVREVERZEICHNIS

IN ZWEI BÄNDEN

VON

HANS-ULRICH BECK

MIT EINEM GELEITWORT

VON

WOLFGANG STECHOW

I

EINFÜHRUNG

KATALOG DER HANDZEICHNUNGEN

1972

VAN GENDT & CO

AMSTERDAM

A. L. VAN GENDT & CO N.V. AMSTERDAM

Library of Congress Catalog Card Number 72-80450

I S B N
Vol. 1: 90-6300-306-4
Vol. 2: 90-6300-307-2
Vol. 1 & 2: 90-6300-318-8

Gesetzt in der Bembo Schrift, Monotype Serie 270
Klischees von der Algemene Cliché Industrie Van Tijn & Zack, Amsterdam
Buchgestaltung Huib van Krimpen
Schutzumschlagentwurf Charlotte van Regteren Altena
Druck und Einband St.-Augustinusdrukkerij, Brügge
MADE IN BELGIUM

MEINEM VATER

IN DANKBAREM GEDENKEN

GELEITWORT

Es ist mir eine Freude, diesem Buch einige Worte der Einführung vorausschicken zu dürfen. Ich bin davon überzeugt, daß es sich allen Freunden holländischer Kunst des 17. Jahrhunderts als kenntnisreicher Führer im Reiche eines der größten Landschaftsmaler seiner Zeit und allen Fachleuten und Sammlern auf diesem Gebiet als unentbehrliches Hilfsmittel bewähren wird.

Die Kunst Jan van Goyens braucht Modeschwankungen von der Art, der die Wertschätzung kleinerer Meister unterworfen ist, nicht zu befürchten. Gewiß, zur Zeit von John Smith (um 1830) hatte sich dies noch nicht entschieden; aber für Cornelis Hofstede de Groot stand es schon im Jahre 1907 fest, daß seine Neuausgabe von Smiths *Catalogue Raisonné* unter allen Umständen um das Oeuvre-Verzeichnis des Jan van Goyen (wie auch die des Jan van de Cappelle und des Aert van der Neer) vermehrt werden müsse. Kein Buch über die holländische Kunst des 17. Jahrhunderts war nun denkbar ohne eine mehr oder weniger eingehende Behandlung des Meisters, und die Verdienste Wilhelm von Bodes und Charles Sedelmeyers an dieser Neubewertung sind wohlbekannt.

Gewiß war diese neue Einschätzung van Goyens die logische Folge der Verwandtschaft seiner Kunst mit der damals vorherrschenden Kunst des Realismus und Impressionismus. Aber es handelt sich hier um mehr; wenn dem nicht so wäre, hätte sich der Ruhm van Goyens in den Zeiten der Reaktion gegen die Kunstansichten seiner Wiederentdecker nicht so stetig weiter bewährt. Andere und tiefere künstlerische Eigenschaften des Meisters sind in ein helleres Licht gerückt, ohne freilich den vorher entdeckten Abbruch zu tun. Seine Kunst war in der Tat auf Wirklichkeit gegründet, aber sie rang sich mehr und mehr zu jener höheren Wahrheit durch, die Goethe als die „innere Wahrheit, die aus der Konsequenz eines Kunstwerks entspringt" bezeichnete. Es ist heute leichter als um 1900 zu sehen, daß selbst die Werke aus van Goyens früher und mittlerer Zeit nicht „Wiedergaben" der Natur sind. Die frühen Bilder sind Umwandlungen der von älteren Meistern erarbeiteten Anschauungsweisen und Kompositionsgesetze, die mittleren sind Übersetzungen selbständigerer Naturstudien in einen ihm selbst eigentümlicheren malerischen Stil; und angesichts der größten Werke seiner Reifezeit, Bildern wie der New Yorker Flachlandschaft von 1646 und der Frankfurter Marine aus des Meisters letztem Lebensjahr, werden wir von einer Kunst berührt, die über *alle* Nachahmung, solche der Natur und solche seiner Vorgänger, hinausgewachsen ist und, ohne die Tradition zu verleugnen, ihren eigenen, unverwechselbaren Maßstab künstlerischer Vollendung aufgestellt hat. Diese großartige und immer von neuem faszinierende Entwicklung kann der Leser und Benutzer dieses Buches nun zum ersten Male *lückenlos* verfolgen und genießen. Er wird dabei feststellen, daß ihr nichts Automatisches anhaftet und daß sie ihre Gipfel und Täler hat, aber gerade so die Wahrheit künstlerischen Schaffens getreuer widerspiegelt als alle theoretischen Spekulationen es tun könnten.

Und dies gilt von van Goyens Zeichnungen nicht minder als von seinen Gemälden. Es ist eines der Hauptverdienste dieses Buches, uns den Zeichner van Goyen wie den Maler *ganz* zu zeigen und es uns zu ermöglichen, seine Spannweite, auch seine Schwankungen im einzelnen zu ermessen. Auch hier, wo gelegentlich „Wirklichkeit" ein Hauptanliegen war — wie etwa in der Deichbruch-Sequenz des Skizzenbuches von 1650-51, zu der uns der Verfasser dieses Werkes schon früher den Schlüssel geliefert hat —, ist das Natur-Motiv in eine neue Kunstform umgeschmolzen; und wo aus ein paar Strichen und dem Weiß des Papiers ein Zauberbild von ein paar Häusern, Booten, Figuren, Wasser und Himmel vor uns erwächst, ist es doch nicht so sehr die natürliche Wirklichkeit als die künstlerische Wahrheit, die uns aufs tiefste berührt. Man braucht sich keineswegs nur auf die große (und schöne) Reihe der signierten und datierten, als „Bildersatz" gedachten, nachdrücklicher „komponierten" Blätter zu verlassen, um sich dieser Eigenschaft von van Goyens Zeichnungen bewußt zu werden.

Der Leser wird dem Verfasser Dank dafür wissen, daß er ihm die vollständige Ausbreitung der Dokumente zu van Goyens Leben, soweit sie uns noch zugänglich sind, nicht vorenthalten hat. Damit und mit seinen wichtigen Feststellungen über des Meisters künstlerische Entwicklung und sein Verhältnis zu seinen Vorgängern, Zeitgenossen und Nachfolgern, den schlüssigen Angaben über Signaturen und der Aufstellung der bisherigen Literatur hat er uns eine feste Grundlage gegeben, die sich neben der außerordentlichen Leistung des Oeuvrekatalogs den Dank aller Leser und Benutzer verdienen wird.

Oberlin, Ohio, im Januar 1969   Wolfgang Stechow

INHALTSVERZEICHNIS

VORWORT

Die Bedeutung Jan van Goyens für die holländische Landschaftsmalerei des 17. Jahrhunderts, sein Rang als Künstler und die Einflüsse, unter denen sich sein Malstil formte, sind so bekannt, daß sie nicht Gegenstand dieses Buches sein sollen; vielmehr ist die vorliegende Arbeit der kritischen Sichtung seines umfangreichen Werkes gewidmet. Seit dem Erscheinen von Hofstede de Groots „Beschreibendem und kritischem Verzeichnis" wurden so viele Gemälde Jan van Goyens veröffentlicht, die Hofstede de Groot noch nicht kannte, daß ein neues Verzeichnis seiner Gemälde notwendig ist; außerdem erforderten die in den letzten Jahren aufgedeckten Beziehungen zwischen seinen Zeichnungen und Gemälden eine Katalogisierung seiner Handzeichnungen und Skizzen.

Ein solches Vorhaben konnte nicht ohne jahrelange Unterstützung vieler Kunstwissenschaftler, Sammler und Kunstfreunde ausgeführt werden. An erster Stelle gebührt mein Dank Prof. Dr. Horst Gerson und Dr. S. J. Gudlaugsson (†) sowie ihren Mitarbeitern im Rijksbureau voor kunsthistorische Documentatie im Haag, besonders Fräulein H. A. J. Hos (†) für ihre Hilfe bei der topographischen Bestimmung. Dann danke ich Peter Murray und John Sunderland für die Erlaubnis zur Auswertung der Abbildungssammlung des Courtauld Institute of Art in London. Auch der Frick Art Reference Library in New York danke ich für liebenswürdige Unterstützung. Stets hilfsbereit gab Dr. Eduard Trautscholdt in Düsseldorf als Freund und Berater wertvolle Hinweise; seine unzähligen Notizen über Werke im Kunsthandel und in Galerien waren bei der Aufstellung beider Verzeichnisse unentbehrlich. Viele bislang unbekannte Angaben zur Familiengeschichte van Goyens verdanke ich der Stadtarchivarin von Leiden, Mr. A. Versprille. Prof. Dr. W. Stechow, Oberlin/Ohio, bin ich für seine einführenden Worte und manchen Rat ganz besonders zu Dank verpflichtet; sein Werk über Salomon van Ruysdael war mir in jeder Beziehung Vorbild. Weiterhin gilt mein herzlicher Dank: Dr. Walther Bernt in München; P. de Boer in Amsterdam; Alfred Brod in London; J. Byam Shaw, Andrew Clark und Miss Mayer von P. & D. Colnaghi & Co. in London; H. M. Cramer in Den Haag; E. Douwes in Amsterdam; Ch. E. Duits (†) und Clifford Duits (†), London; Myrtil Frank (†), New York; Prof. Dr. J. G. van Gelder in Utrecht; Dr. F. Gorissen in Kleve; Carlos van Hasselt in Paris; Dr. R. Herzig in Wien; D. A. Hoogendijk in Amsterdam; Richard N. Kingzett von Thos. Agnew & Sons in London; E. W. Kornfeld in Bern; Dr. I. H. F. Lütjens, Amsterdam; Frits Lugt (†), Paris; Dr. Eduard Plietzsch (†) früher in Berlin; Mr. Willem M. J. Russell in Amsterdam; H. Schubart in Bristol; Margarete Schulteß in Basel; Georg Sprengel in München, früher in Berlin; William Suhr und C. F. Louis de Wild in New York — und vielen Sammlern holländischer Gemälde und Handzeichnungen, Kunsthändlern, Museumsdirektoren und ihren Assistenten. Allen, die dieses Werk hilfreich gefördert haben, sei mein herzlichster Dank ausgesprochen. Nicht unerwähnt soll bleiben, daß einige Kunsthändler, die zur weiteren Klärung der Bildgeschichte hätten beitragen können, leider abseits geblieben sind und etliche Sammler sich weigerten, ihre Schätze zu zeigen.

Die in beiden Verzeichnissen beschriebenen Gemälde und Handzeichnungen halte ich auf Grund persönlicher Besichtigung oder guter Abbildungen für eigenhändige Werke Jan van Goyens. Mancher

Sammler wird seinen „van Goyen" nicht verzeichnet finden — deshalb ist mein Katalogwerk nicht unvollständig, weil ich eine andere Meinung vertrete; auch bekanntere und häufig reproduzierte Werke sind von mir manchmal nur mit kleinen Titelbuchstaben aufgeführt: ich bin mir hier über die endgültige Zuschreibung nicht vollkommen sicher, häufig sollte auch nur nach einer schlechten Abbildung geurteilt werden. Es wird über nicht zweifelsfreie Werke immer unterschiedliche Ansichten von Kunstwissenschaftlern und Kunstfreunden geben, besonders bei van Goyen, weil die Unterscheidung von seinen Nachfolgern recht schwierig sein kann. Ablehnung oder Zuweisung lassen sich oftmals nicht mit Worten genügend exakt begründen, sofern nicht der Tatbestand einer Kopie als sicherer Nachweis vorliegt. Auf die Frage nach dem Namen des Nachfolgers oder Imitators bleibt man leider allzu oft die Antwort schuldig.

Zur Klärung der wechselhaften Bildgeschichte war Frits Lugts „Répertoire des Catalogues de Ventes" unentbehrlich. Die aufgefundenen Angaben zur Bildgeschichte erinnern an Sammler und Sammlungsschicksale, die meist allzu schnell in Vergessenheit geraten. Auf eine Beschreibung aller in alten Katalogen erwähnten Werke habe ich jedoch verzichtet, da ich mich beim Studium fast sämtlicher in Frits Lugts Standardwerk aufgeführter Kataloge wiederholt davon überzeugen konnte, daß sich unter van Goyens Namen viel zu oft Nachahmungen verbergen. Ich habe lediglich einige wenige verschollene Gemälde und Handzeichnungen aus bekannteren Sammlungen aufgenommen, die seinerzeit durch eine ausführliche Beschreibung und Signaturangabe ausgezeichnet wurden oder einen hohen Verkaufserlös erzielten. Manche dieser Zeichnungen werden an ihren Sammlerstempeln leicht zu erkennen sein, bei den übrigen Werken ermöglichen Überlieferung oder Zufall vielleicht ihre Identifizierung. Ob es sich bei diesen Gemälden und Zeichnungen aber stets um echte Werke van Goyens handelt, wird sich dann erst erweisen.

Der vor allem im Himmel äußerst dünne Farbauftrag van Goyens hat es leider mit sich gebracht, daß manche Gemälde nicht mehr gut erhalten sind; darunter hat ihr Eindruck oft ebenso sehr gelitten wie eine die Komposition entstellende Beschneidung des ursprünglichen Bildformats. Ich habe solche Werke trotz mangelhafter Erhaltung in den Katalog aufgenommen, um das Gesamtwerk abzurunden. Im Katalog habe ich kritische Angaben über den Erhaltungszustand bewußt vermieden.

Vor der Benutzung der beiden Werkverzeichnisse bitte ich, die jeweils besonderen „Vorbemerkungen zum Katalog" zu lesen; wegen der verschiedenartigen systematischen Ordnung der Gemälde- und Zeichnungskataloge waren Abweichungen bei der Katalogisierung unvermeidbar.

Für wichtige kritische Mitteilungen und „Funde", fehlende Preisergebnisse, Käufernamen, gesicherte Provenienzen etc. bin ich stets dankbar.

Augsburg, 1971   Hans-Ulrich Beck

Katalog-Manuskripte abgeschlossen im Frühjahr 1971.

I. EINFÜHRUNG IN LEBEN UND WERK

1. LEBEN UND NACHRUHM

Die einzige zeitgenössische Biographie Jan van Goyens stammt von J. J. Orlers aus dem Jahre 1641 [1]. Orlers' Bericht ist jedoch ein unvollständiges Lebensbild, weil er noch zu Lebzeiten van Goyens abschließt; außerdem erzählt er nur von der Ausbildung und den Lehrern des jungen van Goyen und erwähnt kaum etwas Persönliches aus seinem späteren Leben. Hierzu geben die dokumentarischen Notizen und Urkunden, die A. Bredius in unermüdlicher Arbeit aus verschiedenen Archiven zusammengetragen hat, eine erwünschte Ergänzung [2]; aus ihnen erfahren wir etwas vom Menschen Jan van Goyen, seiner Spekulationssucht und ihren unglücklichen Folgen, aber auch von anderen, glücklicheren Ereignissen. Bislang unveröffentlichte Urkunden aus dem Leidener Gemeente Archief über die Familie und die Leidener Zeit des Meisters, die ich der Stadtarchivarin Mr. A. Versprille verdanke, erweitern das Lebensbild [3].

Die Großeltern Jan van Goyens wohnten in Leiden im Korte Schoolsteeg an der Ecke der Langebrug (der damals noch nicht zugeworfenen Voldersgracht), wo Jans Großvater, der Schuhmacher Jan Gijsbertsz. Hoochcouter, im Jahre 1561 Haus und Hof erworben hatte. Seinen Großvater kannte van Goyen nicht mehr, wohl aber seine Großmutter, Katharina Pietersdr. van der Heyde, die ein auf demselben Grundstück später noch errichtetes Haus an ihren Sohn Joseph Jansz. van Goyen, Jans Vater, vermietet hatte. Joseph Jansz. van Goyen, wie sein Vater Schuhmacher, heiratete am 17. September 1594 in Leiden Geertgen Dircxdr. van Eyck aus Utrecht [1]*. Wohl als erstes von mindestens fünf Kindern aus dieser Ehe wurde JAN JOSEPHSZ. VAN GOYEN am 13. Januar 1596 — am St. Pontiusabend — in Leiden geboren. Seine Jugendjahre verlebte Jan im Haus am Korte Schoolsteeg, der Umzug der Familie an den Aalmarkt in Leiden erfolgte wahrscheinlich erst viele Jahre später.

Das väterliche Kunstverständnis, seine Liebe zur Malerei und Zeichenkunst, bestimmte die Berufswahl des Sohnes: Jan sollte zeichnen lernen und Glasmaler werden. Wenn man die Lebensbeschreibungen anderer Maler vergleicht, so war es damals üblich, daß diese ihre Ausbildung bereits in jungen Jahren begannen; und so überrascht es auch nicht, wenn wir lesen, daß Jan erst zehn Jahre alt gewesen sein soll, als sein Vater ihn in Leiden zu dem Landschaftsmaler COENRAET ADRIAENSZ. VAN SCHILPEROORT in die Lehre gab (1606) [4]. Das erste Lehrverhältnis währte (nach Orlers) drei Monate;

---

* Die Zahlen in [ ] beziehen sich auf „Urkunden und Dokumente zur Biographie" (Seite 29 ff.), die Zahlen in ⟨ ⟩ auf Zusätze zum „Familienstammbaum" (Seite 22 ff.).

1. J. J. ORLERS, *Beschrijvinge der Stadt Leyden*, Leiden 1641, Seite 373-374. Eine Abschrift des entsprechenden Textes bei A. Bredius (1).

2. A. BREDIUS (1). – Einige unveröffentlichte Notizen enthält das Archiv des Rijksbureau voor kunsthistorische Documentatie in Den Haag.

3. Der Familienstammbaum (Tafel 1, S. 26-27) orientiert über Abstammung und nächste Familienangehörige van Goyens; die Zusätze (Seite 22-28) ergänzen diese tabellarische Übersicht und unterrichten über entferntere Verwandte. Der Ursprung des Zunamens „van Goyen" kann nicht erklärt werden.
Es gab zu Beginn des 17. Jahrhunderts noch eine andere Familie van Goyen in Leiden, die mit Jan van Goyen jedoch in keinem (nachweisbaren) verwandtschaftlichen Verhältnis stand.

4. Van Schilperoort war ein sehr gebildeter Mann, er besaß eine große Bibliothek. Man kennt von ihm eine Zeichnung von 1624 – also achtzehn Jahre nach van Goyens Lehrzeit (zitiert bei VAN DE WAAL, a.a.O., Seite 1); einige Federzeichnungen mit Szenen aus dem Gebirge werden ihm zugeschrieben (W. WEGNER, a.a.O.).

es wird nicht überliefert, warum Jan nur so kurze Zeit bei van Schilperoort war. Auch bei seinem zweiten Lehrer, ISAAC NICOLAI VAN SWANENBURGH [1], der einst van Schilperoorts Lehrmeister war, blieb Jan nicht lange und ebenfalls nicht bei seinem dritten Lehrer, JAN ARENTSZ. DE MAN [2]. Da der Vater nun meinte, Jan verstünde genug vom Zeichnen, gab er ihn zu einem Glasmaler namens HENDRIK CLOCK [3], damit er die Kunst der Glasmalerei lerne. Jan jedoch hatte sich entgegen dem Willen seines Vaters entschlossen, Bildermaler zu werden. Der Vater fügte sich der Neigung und Begabung seines Sohnes und schickte ihn nach Hoorn in Nordholland zu dem Landschaftsmaler WILLEM GERRITSZ [4]. Jan blieb etwa zwei Jahre in Hoorn und kehrte dann (um 1610 oder 1615) [5] nach Leiden zurück, ohne hier noch einmal ein Lehrverhältnis einzugehen; jedenfalls wird uns davon nicht berichtet.

Wie sein Chronist Orlers erzählt, wanderte Jan im Alter von 19 Jahren fast ein Jahr lang durch Frankreich (1615/1616) [6]. Da der Vater nach seiner Rückkehr zwar bedeutende Fortschritte in Jans Malkunst wahrnahm, aber wohl doch nicht ganz zufrieden war, schickte er seinen nunmehr zwanzigjährigen Sohn zur Vollendung seiner Ausbildung nochmals als Schüler für ein Jahr nach Haarlem zu ESAIAS VAN DE VELDE (um 1617) [7], der nur sechs Jahre älter als Jan war. Welche Einflüsse die ersten fünf Lehrer auf Jan van Goyens Ausbildung genommen haben, können wir nicht beurteilen, da wir deren eigene Werke kaum oder garnicht kennen; um so deutlicher aber ist der Einfluß Esaias van de Veldes, weil wir diesen ohne weiteres aus seinen Frühwerken ablesen können.

Nach Abschluß seiner Lehrzeit bei van de Velde kehrte van Goyen nach Leiden zurück. Am 5. August 1618 heiratete er in Leiden Annetje Willemsdr. van Raelst [2]. Nachdem er seinen eigenen Hausstand als Maler („Mr Schilder") gegründet hatte, muß er es bald zu Wohlstand und Ansehen gebracht haben. Im Jahre 1622 wohnte van Goyen mit seiner Frau und Tochter Elsgen im Zonneveldsteeg in Leiden, wo er ein Haus gemietet hatte. Als Bürger von Leiden erwähnen ihn Urkunden bis zum Frühjahr 1632 [8].

Die schlechte Bezahlung der künstlerischen Leistung zwang van Goyen nach zusätzlichen Verdienstmöglichkeiten zu suchen. Hin und wieder ließ er sich als Taxator für Gemäldesammlungen zuziehen [7] [8]. Er legte sein Geld in Grundstücken und Häusern an und betätigte sich als Makler, später auch als Bauherr; aber diese anfangs nebenberufliche Liebhaberei — wie es scheint — artete in den kommenden Jahren zu einer sein weiteres Leben bestimmenden Spekulationssucht aus. Wir lesen

1. Isaac Nicolai van Swanenburgh (1538-1614) war seit 1582 (oder früher) Rat der Stadt Leiden, seit 1586 einige Male Schöffe und zwischen 1596 und 1607 fünfmal Bürgermeister. Er starb am 10. März 1614. – Sein Selbstporträt (von 1568) ist im Katalog von B. Houthakker, Amsterdam, Herbst 1966 abgebildet. Abgesehen von seinen Entwürfen der Glasfenster der St. Janskerk von Gouda (1601) und der Kirche von Valkenburg (1608/1609) kennen wir von ihm sieben Gemälde im Leidener Museum (Kat. 1949, Nr. 419-424, 442), die zum Teil noch vor der Lehrzeit van Goyens entstanden sind. Van Goyen konnte bei van Swanenburgh die zeichnerischen Voraussetzungen für die Glasmalerei lernen.

2. „een constich en gestich landschapschilder, seer aerdigh mede bevalligh in de vervallen ruinen na te conterfeyten" – so rühmt ihn Orlers. De Man wird 1610 in einer Urkunde als Leidener Maler erwähnt (BREDIUS, Künstler-Inventare, VII, 194). Werke von ihm sind nicht mit Sicherheit bekannt, ein Gemälde in Dessau wird ihm zugeschrieben.

3. P. MANTZ a.a.O. nimmt an, Orlers habe den Namen unrichtig wiedergegeben und meine den berühmten Leidener Glasmaler Cornelis Clock. Da ein Hendrik Clock in den Leidener Archiven unbekannt ist, sollte dieser Ansicht zugestimmt werden.

4. B. J. A. RENCKENS a.a.O. hat sich bemüht, nach diesem Maler, dessen Name nirgend anderswo erwähnt wird, zu forschen. Er äußert die Vermutung, daß Orlers den Namen verwechselt habe und einen Maler namens Gerrit Willemsz. meine, den Urkunden in Enkhuizen 1607-1612 erwähnen.

5. Jan van Goyens Lehrzeit in Hoorn wird im allgemeinen von 1608-1610 angenommen; von P. Mantz a.a.O. jedoch: 1613-1615. Der letzten Ansicht könnte zugestimmt werden, wenn es sich bei dem Hoorner Maler um jenen Gerrit Willemsz. handelt, der nach 1612 aus Enkhuizen unbekannt verzog. Es ist außerdem anzunehmen, daß die einzelnen Lehrverhältnisse mehr oder minder zeitlich aneinander anschlossen und keine längere lehrzeitfreie Zeit bestand (wie z.B. von 1610 bis 1615, wenn man sich der zuerst erwähnten, üblichen Meinung anschlösse).

6. A. BREDIUS, Künstler-Inventare, II, 557, äußert die Vermutung, daß van Goyen auf dieser Reise von van Schilperoort begleitet wurde, da er keine Urkunden über van Schilperoort aus den Jahren 1615/1616 in Leiden finden konnte.

7. Der Haarlemer Aufenthalt bei Esaias van de Velde wird um 1617 angenommen, da Esaias 1617 noch in Haarlem nachgewiesen ist; am 10. November 1618 wurde Esaias in die St. Lucasgilde im Haag aufgenommen.

8. FLOERKE a.a.O., Seite 52: Als Künstler schätzte van Goyen ein Kunstwerk höher als der öffentliche Auktionator. Als der Auktionator Arent Barentse im Jahre 1629 die von J. van Goyen und C. Lieffrinck 1628 taxierte Sammlung von Aernout Elsevier [7] nachschätzte, ergaben sich ganz beachtliche Wertunterschiede: während van Goyen beispielsweise zwei Gemälde von J. Pynas auf fl. 36 und fl. 40 schätzte, taxierte A. Barentse diese nur auf fl. 8 und fl. 15! (siehe auch Oud-Holland, XIV, 1896, Seite 16).

zum ersten Mal im Jahre 1625 von einem urkundlich belegten Hauskauf in der St. Pieterskerkstraat [4]; dieses Haus verkaufte er dann wieder am 14. Mai 1629 an den Maler Jan Porcellis, der seit 1626 in Leiden wohnte; beide Maler kannten sich also persönlich[1]. Aus dieser Zeit besitzen wir außerdem Urkunden von zwei anderen Grundstücksgeschäften [8, 9], bei denen auffällt, daß die Verkäufe ziemlich rasch nacheinander erfolgten. So kaufte van Goyen im Februar 1631 ein Grundstück in Leiden, um es bereits im November wieder abzugeben [9], wahrscheinlich ohne Gewinn. Vielleicht standen diese Verkäufe mit seinem bevorstehenden Wegzug von Leiden in Zusammenhang.

Orlers berichtet, daß van Goyen „bis zum Jahre 1631" in Leiden gewohnt habe und darauf nach Den Haag gezogen sei. Da er keine Gründe für den Umzug nennt, sind wir hierin auf Vermutungen angewiesen. Zwar war Leiden seit der Universitätsgründung von 1575 ein wichtiges Zentrum geistigen Lebens, wahrscheinlich aber versprach sich van Goyen von der kosmopolitischen Atmosphäre der Residenzstadt Den Haag bessere Lebensbedingungen[2]. Aus den vorliegenden Urkunden[3] ist zu folgern, daß van Goyen im Sommer (?) 1632 von Leiden nach Den Haag umzog. Am 13. März 1634 erwarb er das Bürgerrecht im Haag durch Bezahlung von fünf Gulden[4]. In den Jahren 1638 und 1640 war van Goyen Obmann (hoofdman) der St. Lucasgilde im Haag; und das beweist, daß er unter seinen Kollegen ein entsprechendes Ansehen genossen haben muß. Bis zu seinem Tode im Jahre 1656 blieb Den Haag sein ständiger Wohnsitz.

Sein unternehmungs- und wanderlustiges Temperament führte van Goyen kreuz und quer durch die Niederlande[5]. Auf der Suche nach Motiven für seine Gemälde wanderte er von Ortschaft zu Ortschaft, wobei er die naturgegebene Wirklichkeit in Skizzen festhielt, um diese vielleicht später einmal im Werdegang eines lebendigen, geistigen Prozesses künstlerischer Umgestaltung zu Gemälden auszuarbeiten. An vielen Beispielen können wir das Werden des Kunstwerkes vom ersten Entwurf zum vollendeten Gemälde verfolgen[6]. Wohl Anfang der 40er Jahre muß er eine Reise zu den Garnisonen am Rhein unternommen haben, wie die zahlreichen datierten Ansichten um Emmerich, Elten und Schenkenschanz vermuten lassen; Sicheres wissen wir darüber allerdings noch nicht. — Zwei umfangreiche Skizzenbücher berichten von anderen, größeren Wanderungen van Goyens. Ende der 40er Jahre (um 1648) unternahm er eine Reise südwärts nach Antwerpen und Brüssel und zurück über Zeeland; mit seinem flinken Zeichenstift hielt er Gesehenes und Erlebtes fest: Landschaften und Städte, aber auch Szenen eines frohen Volksfestes. Ob van Goyen auf dieser Reise oder später bis in das Maastal (Mosel? Rhein?) kam (Zeichnung mit Ansicht von Huy, 1653, und andere Zeichnungen und Gemälde der 50er Jahre) ist nicht bekannt. Im Sommer 1650 wanderte van Goyen noch im Alter von fünfundfünfzig Jahren von Nimwegen nach Kleve und Arnheim; 1651 besuchte er Amsterdam und Haarlem und berichtete in seinen Skizzen — gleichsam als Reporter — von den Überschwemmungen, die der Bruch des Antoniusdammes (5. März 1651) angerichtet hatte[7]. Die Skizzen, die van Goyen auf diesen beiden größeren Reisen anfertigte, sind eine Fundgrube für Entdeckungen über seine Arbeitsweise[6,7], die uns nun in einem neuen, bislang unbekannten Licht erscheint. Ein drittes Skizzenbuch, das er im Jahre 1644 mit Zeichnungen zu füllen begann, hat er nur auf kleineren Aus-

Z 846

Z 257, 274, 282, 330, 521
G 707
Z 847

Z 845

---

1. Lange nach van Goyens Tod heiratete seine Enkelin Catharina Steen einen Urenkel Jan Porcellis' (siehe: Familientabelle unter ⟨29⟩).
2. A. P. A. Vorenkamp a.a.O. vermutet außerdem, daß die größere religiöse Freiheit im Haag für van Goyen ein wesentlicher Grund zum Umzug war; Vorenkamp erwähnt in diesem Zusammenhang, daß Jan Lievens und J. D. de Heem, Katholiken wie van Goyen, Leiden etwa zur gleichen Zeit verließen.
3. In der Hausverkaufsurkunde vom 24.4.1632 [8] wird van Goyen noch als „Schilder, wonende tot Leyden" bezeichnet; dagegen fehlt dieser Zusatz – im Gegensatz zu allen früheren Akten – auf der Urkunde vom 19.5.1633 [6]. Ich nehme deshalb an, daß van Goyen zur Zeit der Unterzeichnung dieser Urkunde bereits im Haag wohnte. Für den Umzug im Jahre 1632 spricht außerdem, daß er seine Tochter am 30.11.1632 im Haag begraben läßt [11].
4. Bredius (1).
5. In einem westfälischen Adelsarchiv soll sich eine Eintragung über den Besuch Jan van Goyens befinden, bei dem dieser auch Gemälde verkauft haben soll. Ich habe dazu leider bisher nicht die Bestätigung finden können.
6. Beck (1).
7. Beck (4). – Ein anderes, bisher wenig beachtetes Thema sind die Walfisch-Strandungen auf verschiedenen Zeichnungen (Z 202 von 1651, Z 368 und 372 von 1653, dazu Z 778 als Vorzeichnung). Leider sind für diese Jahre keine Walfisch-Strandungen bisher nachgewiesen (freundliche Mitteilung von Th. Mol in Arnheim).

flügen in die nähere Umgebung vom Haag bei sich geführt; handschriftliche Eintragungen, Ortsnamen oder Ansichten größerer Städte, fehlen hier [1]. Auch ein viertes Skizzenbuch (um 1630), das heute im Britischen Museum in London aufbewahrt wird, hat noch nicht den Charakter der Motivsammlung für die spätere malerische Auswertung. — Die großen Städte Hollands und ihre bekannteren Bauwerke und Schlösser hat van Goyen sicher gut gekannt; sie werden mit ihren architektonisch-perspektivischen Problemen besonders ab 1640 wiederholt Gegenstand seiner Gemälde, wobei er es meisterhaft verstand, den bekannten Stadtansichten durch geringfügige Veränderungen der topographischen Gegebenheiten und Wechsel der Staffage stets neue Reize abzugewinnen.

Am 18. August 1634 malte van Goyen einige Bilder in Haarlem im Haus des Kunsthändlers und Rahmenschnitzers ISAAK RUYSDAEL [2]. Da er kein Mitglied der Haarlemer St. Lucasgilde war, wurden ihm drei Gulden als Strafe auferlegt, die er am 5. September 1634 bezahlte [3]. Wie lange der Haarlemer Aufenthalt dauerte und zu welchen Begegnungen (Salomon van Ruysdael?), Studien und Anregungen er Anlaß bot, darüber können nur Vermutungen geäußert werden.

Van Goyen hatte drei Töchter: Elsgen, Maria, Margaretha. Von Elsgen wissen wir nur, daß sie im Jahre 1622 im elterlichen Haus im Zonneveldsteeg in Leiden lebte; wahrscheinlich ist sie schon als Kind im Jahre 1632 gestorben [11]. — Maria bestellte am 11. April 1649 in Den Haag das Aufgebot zur Hochzeit mit dem Stillebenmaler JACQUES DE CLAEUW [4]; Geertruyt, van Goyens erstes Enkelkind aus dieser Ehe, wurde am 16. Juli 1649 getauft. Etwa ein halbes Jahr nach ihrer Schwester, am 3. Oktober 1649, heiratete Margaretha, Grietje genannt, den Schüler ihres Vaters und später berühmten Genremaler JAN STEEN [5]. Steen hat seine lebenslustige Frau wiederholt gemalt [6]; auch kennen wir von seiner Hand ein großes Gruppenporträt, das in der Überlieferung als die Familie Jan van Goyen (um 1650) gilt [7]. Etwa zur gleichen Zeit ist Gerard Terborghs bekanntes Porträt van Goyens mit dem freundlichgewinnenden Gesichtsausdruck entstanden [8], heute in der Fürstlich-Liechtenstein'schen Gemäldegalerie in Vaduz (Titelabbildung, Band II).

1. BECK (3). – Siehe Z 845/55 und /57.
2. Isaak Ruysdael war der Vater Jacob van Ruisdaels, dessen Oheim Salomon van Ruysdael war.
3. A. BREDIUS (3).
4. Jacques de Claeuw war seit dem 15. Juli 1646 Mitglied der Haager St. Lucasgilde. Er wohnte mit seiner Ehefrau noch im Februar 1651 im Haag; zu dieser Zeit leistete Jan van Goyen für ihn Bürgschaft auf 500 Gulden, die de Claeuw sich geborgt hatte [26]. Noch im selben Jahr zog de Claeuw nach Leiden, wo Maria im Jahre 1662 (?) starb. De Claeuw war vom 23.9.1651 bis zum Jahre 1666 Mitglied der Leidener St. Lucasgilde ⟨25⟩.
5. Jan Steens erstes Kind wird 1651 im Haag geboren. A. Houbrakens spöttische Erzählung von Steens „eiliger Heirat" trifft also nicht zu; sie gilt vielmehr Jacques de Claeuw und Maria (siehe auch W. MARTIN, *Jan Steen*, Amsterdam 1954, Seite 14 und Anmerkung 20). – Jan Steen verläßt Den Haag im Jahre 1654. – Beim Tode van Goyens bezeichnen ihn die Urkunden als „brouwer in de Roscam tot Delft" im Gegensatz zu van Goyen und de Claeuw, die beide „Schilder" genannt werden [37].
6. Das bekannteste Bildnis von Margaretha besitzt das Mauritshuis im Haag, Kat. 1952, Nr. 779. – Grietje wurde am 8. Mai 1669 in der Haarlemer St. Bavokerk begraben.
7. Versteigerung d'Oultremont in Paris am 27.6.1889, Nr. 11 mit Abb. – Sammlung Heugel in Paris. – Nelson Gallery, Atkins Museum Kansas City/Miss., ausgestellt 1967/68 Nr. 20. – Siehe: H. VAN DE WAAL, a.a.O., Seite 50 mit Abb. (van Hall 8).
8. Über Beziehungen zwischen Terborgh und van Goyen siehe: S. J. GUDLAUGSSON, *Gerard Terborgh*, Den Haag 1960, Band II unter den Katalognummern 35, 80, 93. – Gudlaugsson datiert das Porträt van Goyens um 1652/1653 (van Hall 2). Nach diesem Gemälde hat Carel de Moor seine bekannte Radierung (van der Kellen und Hollstein 1) geschaffen. Andere gesicherte Porträts van Goyens sind nicht bekannt. Unsicher – trotz der Ähnlichkeit des Dargestellten mit dem Terborgh'schen Gemälde – ist die Zuschreibung einer Zeichnung in roter und schwarzer Kreide, angeblich von A. van Dijk (von 1638!), von Ploos van Amstel in Crayonmanier gestochen (Wurzbach 9); das Original, aus der Sammlung Goll van Franckenstein, wurde auf der Versteigerung Verstolk van Soelen, 1847, Nr. 62 für 332 Gulden an Brondgeest verkauft, heute als J. de Bray in den Gemeentemusea in Amsterdam. Titelabbildung (van Hall 12). – Eine Replik dieser Zeichnung aus der Sammlung Vertue (schwarze und rote Kreiden 159 × 142 mm) wurde mit der Sammlung Henry Oppenheimer in London (Chr) am 10. Juli 1936, Nr. 334 versteigert (ebenfalls zugeschrieben an J. de Bray, 26 gns an Colnaghi). – Bei den angeblich von Barth. van der Helst (van Hall 4 und 5) und von Jan Steen (van Hall 6 und 7) geschaffenen Porträts könnte es sich um das im Testament der Witwe van Goyens [41] als Kopie beschriebene Gemälde handeln.
Fragwürdig und mit unbekanntem Verbleib sind auch:
a) Zeichnung im Oval von A. Brouwer (!), Versteigerung R. P. Roupell in London (Chr) am 12. Juli 1887, Nr. 954 (5/- an Hogarth).
b) Selbstbildnis, Versteigerung M. J. Schüler, Wien, 5.12.1870, Nr. 118 (HdG 1; van Hall 1).
c) Van Goyen, his wife and child, Sammlung G. W. Taylor, ausgestellt Brit. Institution 1823, Nr. 107 (van Hall 3); wohl identisch mit einem Gemälde von Frans Hals (!) in der Sammlung Th. Woodington, 1771 (Wurzbach 3).
d) Zeichnung von L. de Monie nach Terborgh, schwarze und weiße Kreiden auf farbigem Papier, 7 × 5¼ d.: Versteigerung J. van der Marck in Amsterdam am 29.11.1773 Nr. 1822.

Da van Goyens Einnahmen aus seiner künstlerischen Tätigkeit auch im Haag nicht ausreichten, bemühte er sich um zusätzliche Einkünfte aus anderen Berufen und durch Spekulation. So versuchte er in den 30er Jahren sein Glück in der beliebten Spekulation mit Tulpenzwiebeln, die ihm aber wahrscheinlich erhebliche Verluste zugefügt hat [1]. Auch als Kunsthändler betätigte er sich; als Mitglied der St. Lucasgilde durfte er sogar Versteigerungen abhalten. Am 8. April 1647 versteigerte er zusammen mit seinem Nachbarn Johan Schoeff 191 Gemälde mit einem Gesamterlös von 2179 Gulden [21]. Den Aufzeichnungen dieser Versteigerung können wir entnehmen, daß es nur zu einem geringen Teil eigenhändige Werke waren, zumeist handelte es sich um Gemälde anderer Meister. Ein anderes Mal finden wir auf der Rückseite eines Skizzenbuchblattes eine Abrechnung über verschiedene Bilder zeitgenössischer Meister, die ihm vielleicht gehörten [2].

Nachdem van Goyen von 1635 an [12, 13] seine Grundstückskäufe in steigendem Maße fortgesetzt hatte, trat er bald auch als Bauherr auf. Ständig muß er mit Bauplänen und Entwürfen für die Einrichtung seiner Häuser umgegangen sein; denn auch hierfür benutzte er Skizzenbuchseiten. Die von A. Bredius gesammelten zahlreichen Urkunden über Erwerb, Bau oder Verkauf von Häusern geben ein buntes Bild von seinen Spekulationen; eine Auswahl sei im folgenden zusammengestellt.

Auf zwei benachbarte, in den Jahren 1636 und 1639 [13, 16] erworbene Grundstücke am Stadtrand an der Singelgracht ließ van Goyen Häuser bauen; in einem dieser Häuser wohnte er selbst bis zum Jahr 1654 [3]. Auf dieses Haus nahm er 1642 eine Hypothek mit Schuldbrief auf [19], nachdem er das benachbarte Grundstück (heute: Dunne Bierkade 17) schon 1641 durch eine ähnliche Hypothek belastet hatte [17]. Der Juwelier Pieter Schoeff und sein Sohn, der Maler Johan Schoeff, waren ab 1639 (?) für einige Jahre seine Nachbarn und Mieter [15, 17]. Von 1649 bis 1652 wohnte Paulus Potter als Nachbar von Goyens bei diesem zur Miete [4]. — Im Jahre 1641 erwarb van Goyen ein Grundstück in der Nieuwe Molstraat, um dort Häuser zu bauen [18]. Im Jahre 1646 waren die Häuser erbaut und vermietet [20]. Nur noch eines der beiden Häuser war bei seinem Tode sein Eigentum. — Im Jahre 1649 baute van Goyen zwei Häuser [23] und auch im darauffolgenden Jahr noch zwei Häuser an der Prinsegracht [24].

Der Hausbau kostete viel Geld. Zahlreiche Urkunden zeigen, daß van Goyen in den 40er Jahren wiederholt Geld borgen oder Hypotheken und Schuldverschreibungen auf seine Häuser aufnehmen mußte, um allen Verpflichtungen, denen er sich ständig neue aufbürdete, nachzukommen. Zu einer Zeit, als seine künstlerische Entwicklung ihren Höhepunkt erreicht hatte, war sein finanzieller Zusammenbruch unvermeidlich und eine weitere Steigerung seiner Produktivität nicht mehr möglich.

Wegen seiner Schulden bei der Stadtverwaltung, bei der er für seine Häuser in der Nieuwe Veerkade Geld aufgenommen hatte, mußte er 1651 um einjährigen Zahlungsaufschub einkommen [25]. Die Miete seiner Häuser wurde gepfändet, zum Beispiel einmal hundert Gulden, die ihm sein Mieter, der Maler Jacob van der Does, schuldete [34]. Desgleichen bekam er jene 650 Gulden, die er für einen städtischen Gemäldeauftrag erhalten sollte [27], garnicht erst ausgehändigt. Im April 1652 mußte er seinen Kunstbesitz in der Bierkade von dem Auktionator Joris Bock öffentlich versteigern lassen [29]. Diese Gemäldeversteigerung brachte die beachtliche Summe von 3749.9 Gulden. — Zwei Jahre später, am 13. April 1654, ließ er wiederum Gemälde und Graphik für insgesamt 2812 Gulden versteigern [30]. Doch der Erlös dieser Versteigerung wurde sofort von einem Gläubiger beschlagnahmt [5]. Kurz darauf zog van Goyen in ein Haus in der Wagenstraat, das er am 25. September 1654 gekauft

1. Im Jahre 1637 kaufte van Goyen beispielsweise einmal für 843 Gulden (!) Tulpenzwiebeln vom Bürgermeister A. C. van Ravesteijn; dabei legte er für manche Zwiebel weitaus mehr Geld an als er üblicherweise für eines seiner Gemälde erhielt. Wir kennen aus dem Jahr 1641 ein anderes Dokument, aus dem hervorgeht, daß er seine Schulden bei van Ravesteijn noch nicht beglichen hatte [Bredius (1)].
2. Abbildung und Besprechung im *Burlington Magazine*, XXXII, 1918, Seite 234 ff.
3. Heute: Dunne Bierkade, Nr. 16. Der Giebel des Hauses ist seit vielen Jahren abgetragen. Aus Anlaß des 300. Todestages Jan van Goyens, am 27. April 1956, wurde an diesem Haus eine Gedenkplastik des Bildhauers Bram Roth angebracht.
4. Paulus Potter heiratete im Jahre 1650 die Tochter Adriana des bekannten Haager Stadtbaumeisters Claes Dircx van Balkeneynde, der Potters anderer Nachbar war.
5. A. BREDIUS (2).

hatte [32]. In diesem Haus starb er zwei Jahre später, am 27. April 1656, im Alter von sechzig Jahren [35].

Jan van Goyen hinterließ bei seinem Tod eine Schuldenlast von mindestens 18000 Gulden. Die Erben — seine Witwe und beide Schwiegersöhne im Namen ihrer Frauen — reichten bereits am 17. Mai 1656 das Beneficium inventarii ein [35], um zu verhindern, daß sich Gläubiger, die durch den Verkaufserlös der hinterlassenen Güter nicht befriedigt werden konnten, mit ihren Forderungen an die Erben hielten. Am 30. Juni 1656 setzten sich die Gläubiger zusammen[1]. Am 27. September 1656 ließ die Witwe zur Deckung der wichtigsten Schulden den gesamten Hausrat einschließlich des verbliebenen Kunstbesitzes in der Wagenstraat durch Joris Bock versteigern [36]; er ergab immer noch 2415.4 Gulden. — Am 18. Mai[1] und am 6. Juni 1657 [37] wurden die durch Schulden hoch belasteten sechs Häuser, die van Goyen bei seinem Tode noch besaß, verkauft und mit seinen Gläubigern endgültig abgerechnet. Die beiden Häuser in der Bierkade wurden für 5410 Gulden verkauft; das Haus in der Wagenstraat brachte 1450 Gulden und die beiden Häuser in der Prinsegracht 6700 Gulden; das Haus in der Nieuwe Molstraet kaufte für 2110 Gulden Havick Steen aus Leiden, Jan Steens Vater.

Die Witwe, die in Den Haag wohnen blieb, machte am 20. Mai 1672 wegen schwerer Krankheit ihr Testament [41]; die wenigen ihr verbliebenen Habseligkeiten vermachte sie ihren Enkeln, da ihre Töchter schon gestorben waren.

★

In den vergangenen Jahrhunderten erfuhr Jan van Goyens Werk nicht jene Wertschätzung, die ihm heute zuteil wird. Zwar hub van Goyens Zeitgenosse Orlers seine Malkunst lobend hervor, sein Werk aber trat nach seinem Tode für zwei Jahrhunderte in den Hintergrund; die dekorativen Gemälde Berchems, Wouwermans und anderer Maler des „gouden eeuw" waren von Sammlern und Liebhabern begehrter. Solche Gemälde wurden in Auktionskatalogen ausführlich beschrieben und gepriesen, van Goyens Landschaften aber wurden nur wenige Worte gewidmet. Deshalb können wir die Bildgeschichte für Werke van Goyens nicht weit zurückführen.

Als John Smith, der hervorragende Kenner niederländischer Kunst, seinen „Catalogue raisonné" von Gemälden der „most eminent Dutch Painters" veröffentlichte (1829-1842), hielt er van Goyen noch ebensowenig wie Salomon van Ruysdael für dazugehörig. Mit neuen Kunststilen änderte sich aber auch der Kunstsinn. Seit dem Ende des vorigen Jahrhunderts trat mit den Epochen des Realismus und Impressionismus ein Wandel in der Wertschätzung von van Goyens Werk ein. Das Verdienst, diesen Wandel herbeigeführt und van Goyen „entdeckt" zu haben, gebührt dem Pariser Kunsthändler Charles Sedelmeyer. Er widmete van Goyens Werk seine Aufmerksamkeit und kaufte dessen Gemälde auf Versteigerungen auf. Dann schickte er im Jahre 1873 vierundzwanzig Gemälde van Goyens auf eine Ausstellung alter Kunst nach Wien. Hier bot sich erstmals Gelegenheit, Gemälde aus allen Schaffensperioden zu studieren und van Goyens Kunst weiten Sammlerkreisen bekannt zu machen. Wilhelm von Bode erzählt in seinen Lebenserinnerungen, Sedelmeyer habe „eine Zeitlang an hundert Gemälde zusammengebracht und zwar aus allen Zeiten, so daß man die ganze Entwicklung dieses Künstlers dort wie nirgend anderswo verfolgen konnte"[2].

Nach einem ausführlichen Aufsatz von Paul Mantz (1875), in dem er für die verschiedenen Malperioden van Goyens viele Beispiele von Gemälden aus dem Besitz von Charles Sedelmeyer und von Museen aufführen konnte, erschienen nach und nach weitere Veröffentlichungen. Theodor von Frimmel beschrieb den „polychromen Frühstil" (1905). Wilhelm von Bode widmete ihm zusammen mit Salomon van Ruysdael ein Kapitel in „Meister der holländischen und flämischen Malerschulen"

1. A. BREDIUS (1).
2. W. VON BODE, *Mein Leben*, Berlin 1930, Band I, Seite 162/163. – Im Katalog der Sedelmeyer Gallery, 1894, finden wir folgende bestätigende Anmerkung: „there are forty-five other pictures by van Goyen in the Sedelmeyer Gallery". – Vergleiche auch: Register der Sammlungen und Museen, Band II, unter Sedelmeyer.

(1917). Hofstede de Groot führte im achten Band seines „Beschreibenden und kritischen Verzeichnisses" (1923) etwa 1500 Gemälde auf, die er zum Zeil persönlich kannte; zum überwiegenden Teil waren es aber aus alten Katalogen übernommene Zuschreibungen. Hans Volhard analysierte in seiner Dissertationsschrift (1927) den kompositionellen Gemäldeaufbau nach Grundtypen. In der Palet-Serie gab Hans van de Waal (1941) einen gut bebilderten Abriß von van Goyens Werdegang, Lebenswerk und Persönlichkeit. In jüngster Zeit sind reich mit Abbildungen versehene Veröffentlichungen, allerdings ohne kritische Trennung von Nachfolgerwerken, von Emil Filla (1959) und Anna Dobrzycka (1966) erschienen.

Schon zu Beginn des 19. Jahrhunderts waren besonders in England Gemälde van Goyens auf allen bedeutenden Ausstellungen holländischer Kunst vertreten (nicht auf der Ausstellung in Manchester 1857). Das wachsende Interesse an van Goyens Kunst bewiesen aber zwei Sonderausstellungen seiner Gemälde und Handzeichnungen. Die erste van Goyen-Ausstellung wurde von Frederik Muller & Co. in Amsterdam im Jahre 1903 ausgerichtet. Im Jahre 1960 veranstalteten die Museen von Leiden und Arnheim gemeinsam eine zweite umfassende Gedächtnisausstellung, die rückwirkend der 300. Wiederkehr seines Todestages gelten sollte. Kamen für die Ausstellung von 1903 noch die meisten Gemälde aus dem Kunsthandel, so stammten im Jahre 1960 die meisten Leihgaben aus Museen; fast die Hälfte aller ausgestellten Gemälde war aber erst nach 1900 in Museumsbesitz gelangt.

Wie wurden Jan van Goyens Gemälde früher bewertet? Zu Lebzeiten erhielt der Künstler für seine Gemälde zumeist zwischen fünf und fünfundzwanzig Gulden, für wenige Bilder bis zu zweiunddreißig Gulden, wie wir den Ergebnissen der Versteigerung vom April 1647 entnehmen können [21]. Ähnlich wurden seine Bilder für zeitgenössische Nachlaßinventare geschätzt[1]. Um das Jahr 1651 wurden van Goyen zwei Aufträge erteilt, die ihm unvergleichlich mehr Geld einbrachten. Für eine in ungewöhnlich großem Format ausgeführte „Panoramalandschaft mit Blick auf Den Haag" in städtischem Auftrag erhielt er am 7. August 1651 sogar 650 Gulden [27]. Die riesige Leinwand, einst für   G 332
das Bürgermeisterzimmer bestimmt, weist van Goyens unverkennbare Pinselführung auf, doch ist es (auch wegen der ungewöhnlichen Größe) eine seiner schwächsten Schöpfungen. Als Auftragswerk, wahrscheinlich mit bestimmten Bedingungen, hat der Künstler die übergenaue topographische Wiedergabe nicht mit seinem Malstil in Einklang bringen können. — Eine andere Urkunde berichtet von einem heute verschollenen Gemälde, das eine der fürstlichen Besitzungen in Burgund darstellte und vielleicht für Honselaarsdijk bestimmt war[2]. Es ist anzunehmen, daß van Goyen dieses Gemälde nach einer Kupferstich- oder Zeichnungsvorlage geschaffen hat, da uns über eine so weite Reise nichts bekannt ist. Für dieses Werk wurden ihm am 30. Dezember 1651 300 Gulden ausbezahlt[3]. — Erst vor kurzer Zeit wurde mir ein großes Gemälde aus dem Jahre 1642 bekannt, das ohne Zweifel ebenfalls ein Auftragswerk gewesen sein muß, weil es eine für van Goyen ganz ungewöhnliche Arbeit bedeutet.   G 488
Die Darstellung ist äußerst bemerkenswert: im Zentrum begutachten der Auftraggeber und seine Frau, wohl die Eigentümer von Huis Rouwkoop, den Fang eines Fischerbootes; großfigurige Landleute mit Tieren und Fischer beleben die große Leinwand, auf der in einzelnen Szenen alle Wirtschaftszweige des Gutsbetriebes dargestellt sind. — Ob van Goyen die große „Flußansicht von Nimwegen", heute im Rathaus in Nimwegen, auch im Auftrag gemalt hat — das Gemälde datiert aus   G 349
dem Jahre 1641 — ist noch unbekannt, da Urkunden darüber bislang nicht gefunden wurden.

Im Handzeichnungs- und Gemäldekatalog sind viele Preisergebnisse aufgeführt, die auf Versteigerungen erzielt wurden; sie mögen als Hinweis gelten, wie diese Werke früher bewertet wurden, manchmal lassen sie einen vergleichbaren Rückschluß auf die Qualität zu[4]. Besonders zahlreich kom-

1. BREDIUS, *Künstler-Inventare*. – HOFSTEDE DE GROOT, *Die Urkunden über Rembrandt*, Den Haag, 1906.
2. Nach VAN DE WAAL, a.a.O., Seite 50/51.
3. D. F. SLOTHOUWER, *De Paleizen van Frederik Hendrik*, Leiden 1945, Seite 337: Ordonnantieboeken Nassause Domeinen, 738, fol. 37vo: ... A. van Goijen is competerende de somme van drie hondert gul. over een stuck schilderije, sijnde een van Sijne Hooch[ts] heerlijckheden gelegen in Bourgogne by hem door ordre ende ten dienste van Sijne Hooch[t] gemaeckt ende geleverd... 30 Dec. 1651.
4. Einige besondere Preisergebnisse aus den letzten fünfzig Jahren: im Jahre 1912 galt ein Gemälde für £ 1050 als das seinerzeit höchst bewertete Werk van Goyens (G 363) und im Jahre 1927 eine Winterlandschaft für £ 1150 – Connoisseur, April 1927 – (G 48); bereits im

men Werke unter seinem Namen auf französischen und englischen Versteigerungen im 18. und 19. Jahrhundert vor; freilich können wir die Richtigkeit dieser alten Zuschreibungen oftmals hochgepriesener Gemälde nicht immer beweisen [1].

Die Familie Jan van Goyens – Familienstammbaum (Tafel 1; S. 26-27)

Alle auf Leiden bezüglichen Angaben verdanke ich Frau Mr A. Versprille vom Gemeente Archief in Leiden.

⟨1⟩ JAN GIJSBERTSZ. (GIJSBRECHTSZ.) HOOCHCOUTER
geb.: – ? –
gest.: wahrscheinlich zwischen 1581 und 1594
verheiratet mit ⟨2⟩
Beruf: Schuhmacher
zu ⟨1⟩: kaufte am 16.7.1561 Haus und Hof (mit einem Kamin) im Korte Schoolsteeg (oder Varckensteeg oder Lombaertsteeg) – Ostseite – in Leiden, an der Ecke der Langebrug (der damals noch nicht zugeworfenen Voldersgracht); Grundstücksgröße um 95 m².

⟨2⟩ CATHARINA PIETERSDR. VAN DER HEYDE
geb.: – ? –
gest.: am 5.4.1608 in Leiden begraben
verheiratet mit ⟨1⟩
zu ⟨2⟩: vor 1606 war auf der Parzelle des Hauses im Korte Schoolsteeg ein zweites Haus (mit zwei Kaminen) erbaut worden. Dieses Haus vermietete sie um 1606 an ihren Sohn Joseph Jansz. van Goyen ⟨6⟩

⟨3⟩ VRANCK JACOBSZ. VAN DER BOUCHORST
geb.: in Leiden
gest.: zwischen 1609 und 1622
verheiratet mit ⟨5⟩ seit dem 15.7.1589 (in Leiden)
Beruf: Tuchhändler
zu ⟨3⟩: war Trauzeuge bei der Hochzeit von ⟨6/7⟩ [1]

⟨4⟩ MARIA (MARIJTGEN, MAERTGEN) JANSDR. VAN GOYEN
geb.: in Leiden (vor 1581)
gest.: nach Dezember 1638
zu ⟨4⟩: hieß noch 1581 wie ihr Vater Hoochcouter. – Blieb unverheiratet. Wohnte 1622 mit ihrer Schwester Barbara ⟨5⟩ bei ihrem Neffen Jan Josephsz. van Goyen ⟨10⟩ im Zonneveldsteeg. Machte am 15.2.1632 ihr Testament in Leiden [10]. Ihr, als ältestem Kinde, gehörte das Haus im Korte Schoolsteeg.

Jahre 1928 wurden aber bereits 45 000 Mark für die herrliche Flußlandschaft der Sammlung Oskar Huldschinsky (G 704) geboten. Sensationell schien der Preis für die „Flußansicht von Emmerich" auf der Versteigerung der Sammlung des Duke of Westminster (G 405) im Jahre 1959: £ 24000. Inzwischen ist auch dieser Preis, sogar von einem Frühwerk, im englischen Kunsthandel überboten (1963); andere Gemälde werden folgen, entsprechend der Geldentwertung und Verknappung des Angebots (z.B. G 891: 1969: £38.850).
1. Unter solchen Zuschreibungen finden wir vielfach Arbeiten von Nachfolgern, sofern wir sie überhaupt aus den knappen Beschreibungen identifizieren können. Nur zwei Beispiele:
a) Sammlung Fürstabt Theodor von Brabeck in Corvey, Katalog 1787, Nr. 57 – heute als P. de Bloot (?) in der Staatlichen Gemäldegalerie in Kassel, Katalog 1958, Nr. 387. Eine Nachzeichnung von einem unbekannten Meister in der Eremitage in Leningrad (als van Goyen, Inv. Nr. 15088) läßt darauf schließen, daß beiden Werken vielleicht doch ein Vorwurf van Goyens zugrunde lag.
b) Versteigerung Prevost in Brüssel am 20.7.1775, Nr. 54 – Versteigerung Nagell van Ampsen im Haag am 5.9.1851, Nr. 18 (HdG 638 g) – heute in der Sammlung Baron van Heeckeren van Molencate in Twickel: wohl Umkreis Pieter Molyns, mit falscher Bezeichnung VG 1653.

⟨5⟩ BARBARA JANSDR. VAN GOYEN
geb.:   in Leiden (vor 1581)
gest.:   am 29.8.1625 in Leiden begraben
verheiratet mit ⟨3⟩
zu ⟨5⟩:   hieß noch 1581 wie ihr Vater Hoochcouter. – Wohnte 1622 als Witwe mit ihrer
           Schwester Maria ⟨4⟩ bei Jan Josephsz. van Goyen ⟨10⟩ im Zonneveldsteeg. Bei
           ihrem Tode wohnte sie im väterlichen Haus im Korte Schoolsteeg.
zu ⟨3/5⟩: wohnten 1606 in einem Mietshaus (mit einem Kamin) am Ouden Rijn.

⟨6⟩ JOSEPH JANSZ. VAN GOYEN
geb.:   in Leiden (vor 1581)
gest.:   im Jahre 1625
verheiratet mit ⟨7⟩ seit dem 17.9.1594 (in Leiden)
Beruf: Schuhmacher
zu ⟨6⟩:   hieß 1581 wie sein Vater Hoochcouter; vermutlich war er es, der die Umbenennung
           des Namens vornehmen ließ.

⟨7⟩ GEERTGEN DIRCXDR. VAN EYCK
geb.:   in Utrecht
gest.:   am 16.10.1635 in Leiden begraben
verheiratet mit ⟨6⟩
zu ⟨7⟩:   war wahrscheinlich vor ihrer Ehe Dienstmagd, da ihre Herrin ihre Trauzeugin war.
           Nach dem Tode ihres Mannes wohnte sie wieder im Haus im Korte Schoolsteeg,
           wo sie auch starb.
zu ⟨6/7⟩: wohnten schon vor 1606 im Korte Schoolsteeg (siehe unter ⟨2⟩). Im Jahre 1622
           wohnten sie mit ihrer Tochter Maria ⟨12⟩ am Aalmarkt in Leiden (bei ihnen wohn-
           ten außerdem drei Schneider und ein Tischler).

⟨8⟩ ANNA WILLEMSDR. [VAN RAELST]
zu ⟨8⟩:   nur als Trauzeugin ihrer Schwester ⟨9⟩ bekannt.

⟨9⟩ ANNA WILLEMSDR. [VAN RAELST]
geb.:   in Leiden
gest.:   1672 (?) im Haag; siehe [41]
verheiratet mit ⟨10⟩
zu ⟨9⟩:   über die Familie van Raelst ist im Leidener Gemeente Archief nichts bekannt

⟨10⟩ JAN JOSEPHSZ. VAN GOYEN
geb.:   13.1.1596 in Leiden
gest.:   27.4.1656 im Haag
verheiratet mit ⟨9⟩ seit dem 5.8.1618 (in Leiden)
zu ⟨9/10⟩: wohnten im Oktober 1622 im Zonneveldsteeg in Leiden mit ihrer Tochter Elsgen
           ⟨22⟩ und Van Goyens Tanten Maria ⟨4⟩ und Barbara ⟨5⟩; außerdem wohnte noch
           im Haus Fräulein Weyntgen Huyberts (?), vielleicht eine Hausmagd.

⟨11⟩ ANNETGEN (ANNA) JOSEPHSDR. VAN GOYEN
geb.:   in Leiden
gest.:   –?–
zu ⟨11⟩:   wohnte 1622 nicht mehr im elterlichen Hause, lebte 1632 in Utrecht

⟨12⟩ MARYTGEN (MARIA) JOSEPHSDR. VAN GOYEN
geb.:   in Leiden
gest.:   –?–
zu ⟨12⟩:   blieb wahrscheinlich unverheiratet; lebte noch im Dezember 1638 (in Leiden?).

⟨13⟩ – ? –
     zu ⟨13⟩:   am 25.1.1603 in Leiden begraben

⟨14⟩ CORNELIS JOSEPHSZ. VAN GOYEN
     geb.:   in Leiden
     gest.:   vor 1632 (?)
     verheiratet mit ⟨15⟩ seit dem 23.5.1621 (in Leiden)
     Beruf: Schneider

⟨15⟩ AELTGEN THOMASDR.
     geb.:   in Utrecht
     gest.:   – ? –
     verheiratet mit ⟨14⟩
     zu ⟨14/15⟩: wohnten 1622 am Pieterskerkhof in Leiden; sie hatten im Februar 1632 ein Kind
                ⟨16⟩, das im Testament von Maria van Goyen ⟨4⟩ bedacht wurde

⟨16⟩ – ? –
     siehe: zu ⟨14/15⟩

⟨17⟩ HAVICK JANSZ. STEEN
     geb.:   1602 in Leiden
     gest.:   1669
     verheiratet mit ⟨18⟩ seit 1625 (in Leiden?)
     Beruf: Bierbrauer

⟨18⟩ ELISABETH WYBRANDTSDR. THADDAEUS CAPPITEYN
     geb.:   – ? –
     gest.:   – ? –
     verheiratet mit ⟨17⟩

⟨19⟩ ADOLF (OLOF) FLORISZ. DE CLAEUW
     geb.:   – ? –
     gest.:   – ? –
     verheiratet mit ⟨20⟩
     Beruf: Glaser

⟨20⟩ ELISABETH JACOBSDR. VINCK
     geb.:   – ? –
     gest.:   – ? –
     verheiratet mit ⟨19⟩

⟨21⟩ JAN HAVICKSZ. STEEN
     geb.:   1626 in Leiden
     gest.:   31.1.1679 in Leiden, begraben am 3.2.1679
     verheiratet mit ⟨23⟩ seit dem 3.10.1649 (im Haag); das Aufgebot wurde am 16.9.1649 bestellt.
     Beruf: Genre- und Landschaftsmaler, Bierbrauer
     zu ⟨21⟩:   seit 1648 Mitglied der St. Lucasgilde. –
                In zweiter Ehe verheiratet mit Maria van Egmont, der Witwe des Buchhändlers
                Nicolaes Hercules (den sie 1655 geheiratet hatte). Die Hochzeit fand am 22.4.1673
                in Leiderdorp statt. Aus zweiter Ehe stammt ein Sohn Theodorus, getauft am
                3.7.1674 in der katholischen Kirche im Kuipersteeg in Leiden. Die Witwe starb
                Ende Januar 1687 in Leiden.

⟨22⟩ ELSGEN JANSDR. VAN GOYEN
    geb.:   vor Oktober 1622 in Leiden
    gest.:   wahrscheinlich am 30.11.1632 in der Grote Kerk im Haag begraben [11]

⟨23⟩ MARGARETHA JANSDR. VAN GOYEN (Steen)
    geb.:   nach 1622 (in Leiden?)
    gest.:   am 8.5.1669 in Haarlem begraben
    verheiratet mit ⟨21⟩
    zu ⟨21/23⟩: siehe Anmerkungen 5 und 6 auf Seite 18

⟨24⟩ MARIA JANSDR. VAN GOYEN (de Claeuw)
    geb.:   nach 1622 (in Leiden?)
    gest.:   1662, spätestens 1663 in Leiden; siehe [38 und 39]
    verheiratet mit ⟨25⟩

⟨25⟩ JACQUES DE CLAEUW
    geb.:   Mai 1623 in Dordrecht
    gest.:   nach 1676
    verheiratet mit ⟨24⟩ seit dem 11.4.1649 (im Haag)
    Beruf: Stillebenmaler
    zu ⟨25⟩: siehe Anmerkung 4 auf Seite 18 und [26, 38, 39].
             J. de Claeuw war offensichtlich reformiert, da er seine Kinder in reformierten Kirchen taufen ließ. –
             Nach dem Tode seiner Frau Maria ⟨24⟩ heiratete er in zweiter Ehe 1663 Maria le Cherepy [39]. Drei Kinder aus dieser Ehe wurden in Leiden getauft: Jacobus, am 27.12.1663; Floris am 5.12.1664; Isaac am 7.1.1666. Anfang 1666 verzog de Claeuw aus Leiden unbekannt (Archiv der Zünfte, Nr. 849, 1. Band, Seite 102).

⟨26⟩ THADDEUS STEEN
    geb.:   am 6.2.1651 in der katholischen Kirche in der Oude Molstraat im Haag getauft
    gest.:   –?–
    verheiratet mit Helena Smith aus Leiden seit dem 12.4.1682 (in Leiden)
    Beruf: Maler

⟨27⟩ EVA STEEN
    geb.:   am 12.12.1653 in der katholischen Kirche in der Oude Molstraat im Haag getauft

⟨28⟩ CORNELIS STEEN
    geb.:   um 1656 (in Leiden?)
    gest.:   am 11.2.1697 begraben
    Beruf: Maler
    zu ⟨28⟩: um 1680 in der Gilde zu Leiden. – C. Steen heiratete am 7.5.1679 Maria Overlander oder Hercules aus Leiden (vielleicht eine Tochter aus der ersten Ehe seiner Stiefmutter?); seine Frau wurde am 3.6.1681 begraben. –
             In zweiter Ehe heiratete er am 7.12.1681 Catharina van der Lint. Die Witwe heiratete am 9.2.1698 den Witwer Willem van der Wal.

FAMILIEN-STAMMBAUM
(Die Reihenfolge der Kinder ist nicht immer bekannt)

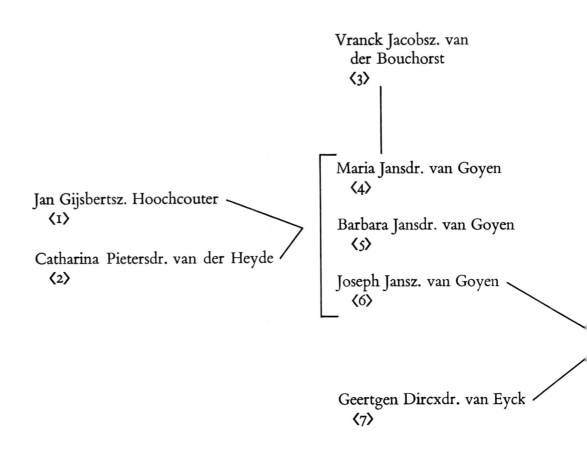

Vranck Jacobsz. van
der Bouchorst
⟨3⟩

Jan Gijsbertsz. Hoochcouter
⟨1⟩

Catharina Pietersdr. van der Heyde
⟨2⟩

Maria Jansdr. van Goyen
⟨4⟩

Barbara Jansdr. van Goyen
⟨5⟩

Joseph Jansz. van Goyen
⟨6⟩

Geertgen Dircxdr. van Eyck
⟨7⟩

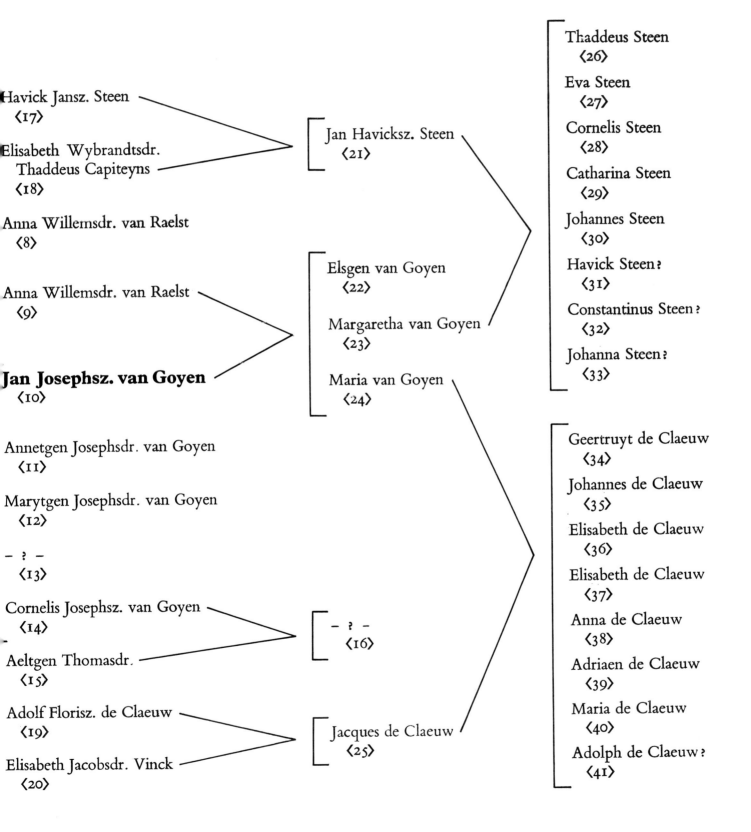

Havick Jansz. Steen
⟨17⟩

Elisabeth Wybrandtsdr.
Thaddeus Capiteyns
⟨18⟩

Anna Willemsdr. van Raelst
⟨8⟩

Anna Willemsdr. van Raelst
⟨9⟩

Jan Josephsz. van Goyen
⟨10⟩

Annetgen Josephsdr. van Goyen
⟨11⟩

Marytgen Josephsdr. van Goyen
⟨12⟩

– ? –
⟨13⟩

Cornelis Josephsz. van Goyen
⟨14⟩

Aeltgen Thomasdr.
⟨15⟩

Adolf Florisz. de Claeuw
⟨19⟩

Elisabeth Jacobsdr. Vinck
⟨20⟩

Jan Havicksz. Steen
⟨21⟩

Elsgen van Goyen
⟨22⟩

Margaretha van Goyen
⟨23⟩

Maria van Goyen
⟨24⟩

– ? –
⟨16⟩

Jacques de Claeuw
⟨25⟩

Thaddeus Steen
⟨26⟩

Eva Steen
⟨27⟩

Cornelis Steen
⟨28⟩

Catharina Steen
⟨29⟩

Johannes Steen
⟨30⟩

Havick Steen?
⟨31⟩

Constantinus Steen?
⟨32⟩

Johanna Steen?
⟨33⟩

Geertruyt de Claeuw
⟨34⟩

Johannes de Claeuw
⟨35⟩

Elisabeth de Claeuw
⟨36⟩

Elisabeth de Claeuw
⟨37⟩

Anna de Claeuw
⟨38⟩

Adriaen de Claeuw
⟨39⟩

Maria de Claeuw
⟨40⟩

Adolph de Claeuw?
⟨41⟩

⟨29⟩ CATHARINA STEEN

       geb.:   in Leiden

       gest.:   am 4.4.1697 in Leiden begraben (gestorben im Nieuwsteeg)

       verheiratet mit dem Maler Johannes Porcellis III aus Leiden seit dem 9.7.1684. Nach ihrem Tode heiratete ihr Mann bereits am 23.6.1697 Catharina Guldemond aus Sassenheim. J. Porcellis III wurde am 18.3.1718 begraben.

       zu ⟨29⟩:   Herkunft des Johannes Porcellis III (1661-1718), reformiert: Sohn das Malers Johannes Porcellis II (um 1629-1680), der mit Geertruyt Jansdr. van Goch verheiratet war; Porcellis III ist der Enkel von Anthony van Delden und Jaecquemijntge Porcellis, einer Tochter des berühmten „Vaters de Marinemalerei" Jan Porcellis I (1585-1632).

⟨30⟩ JOHANNES STEEN

       zu ⟨30⟩:   war 1684 Zeuge beim Aufgebot von ⟨29⟩.

⟨31⟩ HAVICK STEEN

       zu ⟨31⟩:   urkundlich in den Archiven nicht bekannt, außer einer Erwähnung im Testament seiner Großmutter von 1672 [41]

⟨32⟩ CONSTANTINUS STEEN

       zu ⟨32⟩:   urkundlich in den Archiven nicht bekannt, außer einer Erwähnung im Testament seiner Großmutter von 1672 [41]

⟨33⟩ JOHANNA STEEN

       zu ⟨33⟩:   erwähnt von W. Martin in „Jan Steen, over zijn leven en zijn kunst", Leiden 1926, Seite 12. Vielleicht meint W. Martin Catharina ⟨29⟩, die er nicht erwähnt.

⟨34⟩ GEERTRUYT DE CLAEUW

       am 16.7.1649 im Haag getauft. Aufgeführt im Testament der Großmutter [41]

⟨35⟩ JOHANNES DE CLAEUW

       am 9.4.1652 in Leiden getauft. Aufgeführt im Testament seiner Großmutter [41]

⟨36⟩ ELISABETH DE CLAEUW

       am 30.11.1653 in Leiden getauft. Wahrscheinlich jung gestorben.

⟨37⟩ ELISABETH DE CLAEUW

       am 14.1.1655 in Leiden getauft. Aufgeführt im Testament der Großmutter [41]

⟨38⟩ ANNA DE CLAEUW

       am 6.8.1656 in Leiden getauft. Aufgeführt im Testament der Großmutter [41]

⟨39⟩ ADRIAEN DE CLAEUW

       am 6.12.1657 in Leiden getauft. Aufgeführt im Testament der Großmutter [41]

⟨40⟩ MARIA DE CLAEUW

       am 21.5.1659 in Leiden getauft. Nicht im Testament der Großmutter [41] aufgeführt; vielleicht das Kind Jacques de Claeuw's, das zwischen dem 7. und 13.9.1659 in der St. Pieterskerk in Leiden begraben wurde.

⟨41⟩ ADOLPH DE CLAEUW

       zu ⟨41⟩:   urkundlich in den Archiven nicht bekannt, außer einer Erwähnung im Testament seiner Großmutter von 1672 [41]; vielleicht noch im Haag geboren 1650/51?

Urkunden und Dokumente zur Biographie

Die folgende Auswahl der wichtigsten Dokumente zur Biographie Jan van Goyens beruht auf den Forschungen von A. Bredius. Einige Dokumente sind noch unveröffentlicht, andere hat A. Bredius bereits in *Oud-Holland*, 1896, besprochen.

Der Stadtarchivarin von Leiden, Mr. A. Versprille, verdanke ich die dokumentarischen Notizen [4] und [6]

[1] 1594   3.9.1594: aangeteekend voor Schepenen (in Leiden)
　　　　　　　　17.9.1594: getrouwd voor Schepenen:
　　　　　　　　JOSEPH JANSZ. VAN GOYEN, Jonggesel van Leyden, vergeselschapt met VRANCK JACOBSZ. VAN DER BOUCHORST, zyn Zwager,
　　　　　　　　met
　　　　　　　　GEERTGEN DIRCXDR., Jongedochter van Utrecht, vergeselschapt met ADRIAENTGEN ADRIAENS, haer Vrouwe ofte Meestersse.

[2] 1618   5.8.1618: getrouwd voor Schepenen (in Leiden):
　　　　　　　　JAN JOSEPHSZ. VAN GOYEN, Schilder, jongman van Leyden, vergeselschapt met STALPART VAN DER WYELLE, zyn bekende,
　　　　　　　　met
　　　　　　　　ANNETGEN WILLEMS, Jongedochter mede van Leyden, vergeselschapt met ANNETGEN WILLEMS, haer Zuster.

[3] 1622   24.7.1622:
　　　　　　　　JAN VAN GOYEN unterzeichnet in Leiden eine Urkunde als Zeuge:

　　　　　　　　(Not. P. D. van Leeuwen, Leiden, Akte Nr. 24)

[4] 1625   27.5.1625:
　　　　　　　　Jan van Goyen kauft von Jacob Cornelisz. Kuyck, Sticker, ein Haus („De vergulde troffel – Die vergoldete Kelle") an der St. Pieterskerkstraat (Westseite), das zweite Haus nördlich des Friedhofs, für f. 1075 (f. 150 kontantes Geld, der Rest in jährlichen Abzahlungen von f. 150).
　　　　　　　　(Archiv der Secretarie 1575-1851, Inv. Nr. 6754, folio 125 a, Oud Belastingboek A 1).
　　—　　　14.5.1629:
　　　　　　　　Dieses Haus verkauft Jan van Goyen an JOHAN PERCHELLIS (Porcellis) für 1200...
　　　　　　　　(Archiv der Secretarie 1575-1851, Inv. Nr. 6756, folio 127, Oud Belastingboek AA 1).
　　—　　　Am 21.7.1632 verkauft JANNEKEN FLESSIERS, die Witwe J. Porcellis', das Haus an ihren Schwager, den Maler HENRICK ANTHONISZ...
　　　　　　　　(Archiv der Secretarie 1575-1851, Inv. Nr. 6756, folio 127, Oud Belastingboek AA 1).

[5] 1627   16.4.1627:
　　　　　　　　JAN VAN GOYEN unterzeichnet (zusammen mit PIETER DE NEYN) als Zeuge eine Akte:

　　　　　　　　(Not. C. D. v. Grotelande, Leiden)

[6] 1627   5.5.1627:
　　　　　　　　POULS WILLEMSZ. VAN BREDA verkauft an JAN JOSEPHSZ. VAN GOYEN für f. 3900 ein Haus im Nieuwsteeg in Leiden (heute Nr. 4).
　　　　　　　　(Register von Eigentumsübertragungen unbeweglicher Güter, 3 B, folio 121)

—   19.5.1633:
Dieses Haus verkauft J. VAN GOYEN am 19.5.1633 für f. 2800 an die Schwestern CORNELIA und SUSANNA VAN ALCKEMADE; eine Hypothek in Höhe von f. 1200 bleibt zugunsten von POULS WILLEMSZ. VAN BREDA auf dem Haus.
(Register usw., 3 G, folio 278 verso)

[7] 1628 Dezember 1628:
Mr. CORNELIS LIEFFRINCK en JOHAN VAN GOYEN, beyde Schilders te Leyden, – taxieren die Gemäldesammlung von AERNOUT ELSEVIER auf f. 616.10.0.
(Bredius, *Künstler-Inventare*, VI, 2131. – *Oud-Holland*, XIV, 1896, Seite 9 ff. – *Oud-Holland*, XXV, 1907, Seite 57 ff.)

[8] 1629 24.1.1629:
MICHIEL PATYNS tot Leyden transporteert aan Mr J. J. v. GOEYEN, Schilder, wonende tot Leyden een wel beplanten en bepoten thuyn met een speelhuysken daerinne staende gelegen aan de Singel tusschen de Hoogewoertsche en Koepoorte van Leyden... met een belastinge van 8 stuyvers 6 penn: 's-jaars erfpacht voor f. 520.

—   24.4.1632:
Mr JAN VAN GOYEN, Schilder, wonende tot Leyden, bekent vercocht te hebben aan THIMON JANS CORPER, aldaer, een wel bepoten en beplanten thuyn met een speelhuysken daerin staende aan de Singel tusschen de Hoogewoertsche en Koepoorte (belast met een kleine erfpacht) voor f. 413.15.12 in gereden gelde.
(Transporten der Gemeente Soeterwoude)

1629 14.5.1629: siehe unter [4]

[9] 1631 13.2.1631:
PANCRAS PONSZ YSSELSTEYN te Leyden verkoopt aan Mr J. v. GOIEN, Schilder, mede wonende tot Leyden, het westwaertsche gedeelte van een welgelegen thuyn met een speel off thuynhuysgen op 't selve verlofte, gelegen buyten de Koepoort van Leyden aan den Heerwech (onder Zoeterwoude), belast met de helfte van 20 st. 's-jaars... voor f. 240.–, te betalen in drie gedeelten, het laetste in 1633.

—   6.11.1631:
Mr JAN VAN GOYEN, Schilder, wonende tot Leyden, verkoopt an J. GARBRANTSZ. VAN NIEROP, aldaar, een thuyn gelegen buyten de Koepoort (onder Zoeterwoude) van Leyden, voor f. 240.–.
(Transporten der Gemeente Soeterwoude)

[10] 1632 15.2.1632:
MAERTGEN JANSDR. VAN GOYEN ⟨4⟩, unverheiratet, vermacht ihrem Neffen JAN JOSEPHSZ. VAN GOYEN ein Viertel ihres Vermögens. Zwei seiner Schwestern und das Kind seines Bruders erhalten die restlichen drei Viertel.
(Notar J. F. van der Meer, Leiden; Not. Arch. Nr. 343, letzter Teil, Akte Nr. 20.)

1632 24.4.1632: siehe unter [8]

[11] 1632 30.11.1632:
Eine Tochter Jan van Goyens wird in der Grote Kerk im Haag beerdigt.
(Gemeente Archief, Den Haag)

1633   19.5.1633: siehe unter [6]

1634   13.3.1634: siehe Seite 17

1634   18.8.1634: siehe Seite 18

1634   5.9.1634: siehe Seite 18

[12] 1635   13.3.1635:

Wy... Schepenen in s'Gravenhage... oirconden dat voor ons gecomen is GERRIT VAN DRUYVESTEYN ende bekende vercocht ende overgedragen te hebben... aan Mr JAN VAN GOYEN... seecker huys ende erve met een gemeene poort daernevens staende ende gelegen aan de Noortsyde van de Veercade alhier in s'Gravenhage... hebbende aen weder syden gemene muyren ende heyninge enz... van welcke voorsz: coop ende overdrachte hy vercooper bekende al wel voldaen ende betaelt te wesen, als: eerst met 1100 Gulden hem in vryen suyveren gelde aengetelt, ende bovendien met een rentebrieff van 56 gulden 5 ß 's-jaers te lossen den penning sestien met hondert gulden teffens, wel meerder maar niet minder. Enz. Actum den XIIIen Martii 1635

in margine:

compareerde ter Secretarie van s'Gravenhage JACOB VERGIGON de welcke exhibeerde den origineelen schultbrieff int witte deses gemelt, synde voldaen ende betaelt als bleeck by quittancy van dato 25 Juny 1645 ende get: GERRIT VAN DRUYVESTEYN... Actum den 5 Juny 1677

(Register verkoopingen van huizen, Den Haag, Rijksarchief)

[13] 1636   2.9.1636:

Wy... oirconden dat voor ons verschenen is ARNOLT DE VOGEL, Procureur voor den Hogen Rade ende Rade van Brabant, ende bekende vercocht ende overgedragen te hebben by desen Mr JOHAN VAN GOYEN, Schilder, wonende alhier, seeckere erve gelegen besuyden de Cingel van den Hage, wesende een gedeelte van den thuyn van Jonr WILLEM VAN OUTSHOORN, gequoteert No 4... belent ten oosten t'erve get. No 3, gecocht by HANS DE JODE, ten zuyden de Cingel van den Hage... belast synde met 148 £ 7 ß wesende de derde en leste paeye van den coop vant voorsz erve aencomende den voorn. OUTSHOORN, van welcke coop hy vercooper bekende voldaen ende betaelt te wesen mette somme van 301 £ 13 ß hem by den cooper in comptantem gelde aengetelt. Enz. Actum den 2 Sept. 1636

(Register verkoopingen van huizen, Den Haag)

heute: Dunne Bierkade Nr. 17.

[14] 1638   21.12.1638:

JOANNES VAN GOYEN, Mr Schilder, unterzeichnet vor dem Notar H. M. Brasser in Leiden (Not. Arch. Nr. 392, Akte Nr. 185):

[15] 1639   21.5.1639:

... compareerden voor my in den Hage PIETER SCHOEFF, juwelier, out omtrent 60 jaren, en JAN VAN GOYEN, Mr Schilder, out omtrent 43 jaren, ende JOHAN SCHOEFF, mede Schilder, out omtrent 30 jaeren, alle burgers ende inwonders van s'Gravenhage...

Notiz A. Bredius: zy leggen eene voor ons onbelangryke verklaring af, over burengerucht, een bewijs dat zy by elkander woonden [Dazu ausführlicher: BREDIUS (I), S. 123/124] (Notar Anth. van der Drift, Den Haag.)

[16] 1639 31.12.1639:
Wy... Oirconden eenen yegelijcken dat voor ons gecomen ende erschenen es, HANS DE JOODE, Juwelier alhier, ende bekende wel ende wettelijk vercocht ende overgedragen te hebben als hij vercoopt ende overdracht bij desen, JOHAN VAN GOIJEN Mr Schilder present ende d'overdracht accepteerende seeckere erve gelegen bezuiden s'Gravenhage aande Noortzijde vande binnencingel aldaer inde Caerte bij Mr Floris Jacobs Vermits (?) gesworen lantmeeter daervan gemaeckt geteijckent Numero III... ende met alsulcke lijdende ende dominerende servituyten stellinge van waringe als anderssints als hem vercooper 't selve erve opden vierentwintichsten deser Maent December voor Schepenen van s'Gravenhage wettelijck overgedragen es, ... van welcke voorn. coop ende overdrachten hij vercooper bekende al wel voldaen ende betaelt te wesen den lesten penninck metten eersten, ende dat mette somme van vier hondert vijftich car. guldens hem bijden Cooper in vrijen suijveren ende comptanten gelde aengetelt deselve daervan quiterende bij desen. Alles sonder fraude...
Actum den lesten december 1639
(Gemeente Archief s'Gravenhage, Rechterlijk Archief, Inv. No 375, f 13^v, f 14^r)
heute: Dunne Bierkade Nr. 16.

[17] 1641 7.2.1641:
Wy... oirconden dat voor ons gecomen is JOHAN VAN GOYEN, schilder ende burger alhier, ende bekende schuldich te wesen... ende geconstitueert te hebben als hy doet by desen JOHAN ende CATHARINA COULENBIER beyde wonende tot Haerlem, een losrente van 72 £ jegens 4 $\frac{1}{2}$ vant hondert sjaers te betalen alle jaers op den eersten May ende dat vry gelt sonder corting te mogen doen 't sy van X^e, XXe, XLe, LXXXe penn: Enz... Welcke renten ende hooft somme hy comparant specialyck verseeckert ende gehypothequeert heeft op seeckere huysinge ende erve althans bewoont werdende by PIETER SCHOEFF, staende ende gelegen aen de Zuytzyde van de binnencingel (?) van s'Gravenhage, belent ten Noorden Jon^r WILLEM VAN OUTSHOORN, ten Zuyden de Heerstraet, ten Oosten hy Comparant selffs, en ten Westen DIRCK VAN BALCKENEYNDE... Bekennende hy Comparant van de constitutie wel voldaen en betaelt te wesen met de somme van 1600 £, hem by JOHAN en CATHARINA COULENBIER in comptanten gelde aen getaelt. Enz. (Actum 7 febr. 1641)
siehe [37 c]
In margine:
Op huyden is de origineele schultrentebrieff alhier geexhibeert by JOH. MOLEGRAEFF wesende ten vollen voldaen ende betaelt als bleecq by quittancie in dorso van deselve staende op huyden onderteeckent by HAVICK STEEN, versocht daeromme hy comparant uyt den naem van GERARDT BULSINGH dat deselve alhier mocht werden geroyaert. (Actum 12 Sept. 1657)
(Register van de Constitutieen, Den Haag, Rijksarchief)

[18] 1641 8.6.1641:
Wij... oirconden dat voor ons gecomen is Sr ADRIAEN VAN GROENEWEGEN ende bekende vercocht ende overgedragen te hebben als hy vercoopt ende overdracht by desen JAN VAN GOYEN, Schilder wonende alhier, present ende d'overdracht accepterende seeckeren thuyn ende thuynhuysken staende ende gelegen – (?) Van welcke voorsz. coop ende overdracht hy vercooper bekende al wel voldaen ende betaelt te wesen mette somme van

1600 car: guldens als zynch deselve 1600 car: guldens geconprehendeert in de renten brieff van 2000 guldens capitael huyden by den Cooper ten behouve van den vercooper gepasseert breder in deselve geexpresseert. Enz. (Actum 8 Juny 1641)
(Register verkoopingen van huizen, Den Haag)

1641   8.6.1641:
Wij... oirconden dat voor ons verschenen is JOHAN VAN GOYEN, schilder, wonende alhier, ende bekende schuldich te wesen... ende geconstitueert te hebben Sr ADRIAEN VAN GROENEWEGEN een losrente van 125 £ te XL gr: sjaers te betalen alle jaers op ten 1ᵉⁿ May, ende dat vry gelts enz. Daervan t'eerste jaer rente verschenen sall wesen den eersten May 1642 toecomende ende soo voorts van jare tot jare enz. Welcke voorsz. rente ende hooft-somme van dien hy comparant specialyck verseeckert ende gehypothequeert heeft op seeckere thuyn ende thuynhuysken mette twee huysen by den Comparant daerop alrede beginnen te bouwen ende noch verder te bouwen staende ende gelegen bezuyden de Nieuwe Molstraet tegensover de h: Geesthuysen alhier by den voorn: Sr ADRIAEN VAN GROENEWEGEN ten behouwe van hem Comparant op huyden voor Schepenen wettelyck overgedragen, zynde belent ten Noorden d'Heer Ontfanger DOUBLETH, ten Oosten Jonʳ OUTSHOORN, ten Suyden VINCENT CORNELISZ BENNINCK, ende ten Westen s'Heerewech ofte gedestineerde straet. Bekennende hy comparant wel voldaen ende betaelt te wesen mette somme van 1600 £, by hem Comparant geprofiteert en volle betaling over de coop en overdracht van de voorsz thuyn en erve, en bovendien met 400 £ hem by Sr GROENEWEGEN in comptanten gelden aengetelt. (Actum den 8 Juny 1641.)
In margine:
op huyden de origineele rentebrieff geexhibeert, voldaen en betaelt dies hier geroyaert.
(Actum 25 April 1643)
(Register van de Constitutieen, Den Haag)

[19] 1642   7.2.1642:
Wij... oirconden dat voor ons verschenen is Mr JAN VAN GOYEN, Schilder, ende bekende schuldich te wesen... ende geconstitueert te hebben Jonʳ CORNELIS BAM een jaerlicxe los-rente van 100 £ tot XL gr: sjaers t'pont jegens den penn: twintich sjaers te betaelen alle jaers op ten 7 february in de dat vry gelts, enz. Daervan t'eerste jaer rente verschenen sal wesen den 7 february 1643 toecomende ende soo voorts van jare tot jare. Welcke voorsz rente ende hooftsomme hy comparant specialyck verseeckert en gehypothequeert heeft op zeeckere huysinge ende erve staende ende gelegen aen de Zuytbinnencingel van s'Gravenhage. Belent ten Oosten PIETER VAN SONTELANDT, met een cleyn huys en de thuyn van syn groot huys, ten Noorden zeecker stroock lants toecomende Jonʳ WILLEM VAN OUTSHOORN, ten Westen hy compᵗ selffs ende ten Zuyden den voorsz. Cingel. Enz. Bekennende hy comparant van de constitutie ab wel voldaen ende betaelt te wesen mette somme van 2000 £ munte voorsz. hem by Jonʳ CORNELIS BAM in comptanten gelde aengetelt. Enz. (Actum den 7 febr. 1642)
siehe [37 b]
(Register van de Constitutieen, Den Haag)

[19A] 1645   25.1.1645:
MAERTE FRANSZ. VAN DER HULST kauft sechs Zeichnungen Jan van Goyens von Doktor Hooge-Veen für f. 6 (zusammen mit drei Zeichnungen von Rembrandt).
Schilder-Schultboek, 1644, fol. 9
(zitiert nach: Obreen, Archief, Bd. V, S. 175)

[20] 1646 Betimmerde huysen over het H: Geesthuys, oostwaerts van de Groenmarckt:

    a) de huysen van... en JAN VAN GOYEN (sieben Personennamen insgesamt) syn gebouwt 1646 en t'zamen (affgetrocken d'oude verpondinghe) getaux: op 7 £ V ß, resteren 7 jaeren, waervan hier by provisie over de voorsz: drie jaeren: 21 £ 15 ß.

    b) JAN VAN GOYEN heeft een nieuw huys gebouwt, is bevonden verhuyrt te syn voor 80 gulden in't jaer, compt over den 8en penn: 10 £

    siehe [37 f]

[21] 1647 8.4.1647:

Register van Venduwe van Schilderijen...

Vollständiger Katalogabdruck mit Preisen und Käufernamen in: A. Bredius, *Künstler-Inventare*, II, 547 ff.

[22] 1649 JAN VAN GOYEN ist Bürge für den Maler YMANT BOGAERT. – BOGAERT verkauft ebenfalls Gemälde auf der Versteigerung vom 8.4.1647 (siehe Bredius, *Künstler-Inventare*, II, 494). –

YMANT BOGAERT en MARIA HOUTUYN, syne vrouw, bezitten een nieuw huis op de Nieuwe doorgrave Veerkade, belent ten Oosten JAN VAN GOYEN (Actum 6.3.1648)

[23] 1649 JAN VAN GOYEN heeft twee nieuwe huysen gebouwt (over de Valbrugge)... dewelcke bevonden syn yder verhuyrt te zyn voor 96 gulden int jaer, compt samen 192 guld^s int jaer, compt over den 8en penn: 24 £.

[24] 1650 De Princegracht aen de Noortsyde: JAN VAN GOYEN, schilder, heeft een nieuw huys gebouwt, is bevonden verhuyrt syn voor 140 guld^s, compt over den 8en penn: 17 £ 10 ß daarnast: Denselven heeft noch een nieuw huys gebouwt verhuyrt mede als boven, compt over den 8en penn: 17 £ 10 ß.

siehe [37 d, e]

JAN VAN GOYEN, getaux: op 17 £ 10 ß, resteren 11 jaeren vrydom, waervan hier by provisie over de voorsz drie jaeren (1654, 1655, 1656): 52 £ 10 ß.

Deselve (geheel als boven: 52 £ 10 ß).

[25] 1651 Alsoo JOHAN VAN GOYEN aen H^{ren} Burgem^{ren} heeft gesuppliceert om uytstel van betalinge van 100 £ xij ß V d (100.12.5) over een jaer rente van 1610 £ cap^{ls} staende op syne huysinge ende erve gelegen aen de Suytsyde van de Nieuwe Veercade verschenen Mey 1651 onder belofte van d'selve betalinge in corten te sullen doen, soo heeft den rendant daer van niet becomen.

[26] 1651 25.2.1651:

JACQUES DE CLAEUW, Schilder, woonende in s'Gravenhage, borgt sich 500 Gulden mit der Verpflichtung, sie nach 6 Monaten mit $5\frac{1}{2}$ % Zinsen zurückzuerstatten. Sein Schwiegervater, JAN VAN GOYEN, bürgt für ihn.

(Prot. Not. Anth. van der Drift, Den Haag)

[27] 1651 7.8.1651:

Ordonn: 1651 den 7en Augusti geord^t te betalen aen JOHAN VAN GOYEN de somme van ses hondert en vyfties ponds van 40 gr. t'pont over cap. van een schildereye vervattende den Haech int groot soo die leit met vele van de principaelste gebouwen, lantschappen, ende beelden verciert met de apperdientien erde depoender tien van dien, blykende by de ordonnantie ende quintantie (vj^e L £).

(Rechnungsbeleg von ANTHONIS PIETERSEN, Thesaurier von s'Gravenhage, No. 1362 rood, blz. 341, Gemeente Archief, Den Haag).

- 1651 30.12.1651: siehe Seite 21, Anmerkung 3.

[28] 1652 Ontfangen van JOHAN VAN GOYEN de somme van negentienhondert elff ponden seventhien schell: ses denier. Te weten xvjᶜ x £ (1610.– £) tot aflossinge vant capitael en iijᶜ j £xvij ß vj d (301.17.6.–) over drie jaren renten staende op syne huysinge en erve gelegen aen de Suytsyde van de Nieuwe Veercade.
Versch.: Mey 1651, 1652 en 1653.
Dus hier xixᶜ xj £ xvij ß vj d (1911.17.6.–)

[29] 1652 2.4.1652:
Rechnungsbeleg des Haager Auktionators JORIS BOCK: ten huyse van JAN VAN GOYEN aen schildereyen vercoft voor de somme van £ 3749 – 9 ß.

[30] 1654 13.4.1654:
Rechnungsbeleg des Haager Auktionators JORIS BOCK: den 13en April ende volgende daeghen ten versoucke van JAN VAN GOYEN tot zynen huyse op de Buytencingel alhyer aen printen, papierkunst ende schildereyen vercoft voor de somme van £ 2812.– (hiervan bedroeg het recht: 210 £ 18 ß).

[31] 1654 6.6.1654:
JAN VAN GOYEN unterzeichnet eine Urkunde (siehe: Bredius, *Oud-Holland*, XXXIV, 1916, Seite 159):

[32] 1654 25.9.1654:
Wij… oirconden dat voor ons verschenen is ISAACQ BURCHOORN, bouckdrukker alhier ende bekende vercocht te hebben JOHAN VAN GOYEN, Schilder, mede wonende alhier… seeckere huysinge ende erve staende ende gelegen in de Wagestraet alhier… wesende d'voorsz huysinge ende erve belast met de somme van 1150 car: gulden, die de cooper tot synen laste genomen heeft… van welcke coop en overdracht hy vercooper bekende voldaen te wesen met 350 car: gulden hem by den cooper in suiveren ende comptanten gelde aengetelt.
siehe [37 a]
Wij… JAN VAN GOYEN, schilder, ende bekende vercocht te hebben ISAACQ BURCHOORN, bouckdrukker alhier, seeckeren thuyn ende erve gelegen op de Suytbuytencingel alhier… van welcke coop de vercooper bekent voldaen te wesen met de somme van 500 car: guldens hem by den cooper in comptanten gelde aengetelt. (Actum den 25 Sept. 1654).
(Register verkoopingen van huizen, Den Haag)

[33] 1655 1.2.1655:
ABRAHAM JORDAENS, Camerbewaerder van de finantien van de Generaliteyt, tritt zusammen mit JAN VAN GOYEN als Zeuge auf.
(zitiert nach Bredius, *Künstler-Inventare*, V, 1825)

[34] 1655　22.9.1655:

CORNELIS LEENDERTSZ ROELS, ey^r arrestant op de besette huyrpenningen al over lange verschenen, berustende onder JACOB VAN DER DOES, Schilder, toebehoorende JAN VAN GOYEN, mede Schilder, contra deselve en alle andere Die haer party maecken willen, ten eynde den ey^r arrestant sal mogen lichten degearresteerde 100 gld^n ten minste by prae onder suffisante cautie.

[35] 1656　17.5.1656:

Geven reverentelyck te kennen ANNETJE WILLEMSDR. VAN RAELST, Wedue van wijlen Mr JOHAN VAN GOYEN, in zijn leven schilder alhier in den Hage, JOHAN STEEN, brouwer in de Roskam tot Delf als man en voogd van MARGARETHA VAN GOYEN ende JACQUES DE CLAEUW, schilder tot Leyden als getrouwt hebbende MARIA VAN GOYEN, beyde dochters en erfgenamen ab intestato van de voorn. Mr JOHAN VAN GOYEN, dat deselve Mr JOHAN VAN GOYEN op den 27en April laetstleden alhier in den Hage deser wereld overleden is ende sijn boedel, bestaende meest in huysen en erven, dewelcke nu eenige tijd herwaerts merckelijk in prijse zijn gesakt en verminderd, met soo veel schulden daertegens belast, nagelaten heeft, dat sij supplianten haer daermede niet en derven bemoeyen, nochte deselve aenvaerden anders dan onder benefitia van Inventaris (waarom zij den Hoogen Raad verzoeken).
Fiat opene brieven van benefitie van Inventaris met Committimus aen den Gerechte van s'Gravenhage.

[36] 1656　27.9.1656:

Den 27en Sept. ten versoucke van de Wed^e ende erffgenamen onder benefitie van Inventaris van wylen JOHAN VAN GOYEN, in de Wagestraet alhyer aen meubelen, schildereyen ende andere goederen vercoft voor de somme van £ 2415. 4 ß.
(Rechnungsbeleg des Haager Auktionators JORIS BOCK)

[37] 1657　6.6.1657:

Wij... oirconden dat voor ons verschenen zyn ANNETGE WILLEMS VAN RAELST, Wed^e wylen JOHAN VAN GOYEN in sijn leven Mr Schilder alhier, JOHAN STEEN, brouwer in de Roscam tot Delft als man ende voocht van MARGARETHA VAN GOYEN, ende JACQUES DE CLAEUW, Schilder tot Leyden, ende getrouwt hebbende MARIA VAN GOYEN beyde dochters die erffgenamen ab intestato souden sijn van den voorn: VAN GOYEN ende nuals impetranten van beneficie van Inventaris. Ende bekende in dier qualité naer voorgaende affixtie van biljetten, becken geslach langhs s'Gravenhage ende openbare opveyling op de Cloveniers doelen alhier gedaen, vercocht te hebben

a) d'Heer Agent GERARDT BULSINGH... seeckere huysinge ende erve staende aen de Westsyde van de Wagestraet alhier byt Delffsche Wageveer... ende dat (betaelt) mette somme van 1450 car: gulden hen by den cooper in comptanten gelde aengetelt omme gedistribueert te werden ten proffyte van de geene die bevonden sullen werden by preferentie van den E: gerechte van s'Gravenhage daertoe gerechtigt te sijn. Enz.
(Actum 6 Juny 1657)
siehe [32]

b) ... de Heer Rentm^r CORNELIS VAN DER HOOCH eene huysinge ende erve aen de Noortsyde van den binnencingel genaemt de Nieuwe Biercade alhier... betaeld te sijn mette somme van 2410 car: gulden...
siehe [19]

c) ... d'Heer GERARDT BULSINGH seeckere huysinge ende erve staende ende gelegen aen

de Noortsyde van den binnencingel... belent ten Westen CLAES DIRCXSZ VAN BALCKENEYNDE... mette somme van 3000 car: gulden...
siehe [17]

d) ... HERTOCH MOERKERCKEN seeckere huysinge ende erve staende aen de Noortsyde van de Princegracht alhier, belent ten Noorden d'Heeren Magistraet, ten Oosten CORNELIS ROEL, ten Suyden de Heerestraet ende ten Westen den Rector THEODORUS SCHUYLIUS ... mette somme van 3400 car: gulden... [1]
siehe [24]

e) ... d'Heer Rector THEODORUS SCHUYLIUS seeckere huysinge ende erve staende aen de Noortsyde van de Princegracht, belent ten Noorden de Heeren Magistraet, ten Oosten H. MOERKERCKEN, ten Suyden de Heerestraet ... mette somme van 3300 car: gulden (zitiert nach Bredius, *Oud-Holland*, 1896, da Manuskript unleserlich)
siehe [24]

f) ... Sr HAVICK STEEN, wonende tot Leyden, seeckere huysinge ende erve staende aen de Oostsyde van de Vaert tegensover het Heylige Geesthuys alhier ... met een gemeene uytgang uytkomende op de Nieuwe Bierkade voorsz... mette somme van 2110 car: gulden (zitiert nach Bredius, *Oud-Holland*, 1896, da Manuskript unleserlich)
siehe [20]

[38] 1662 6.1.1662:
Testament van de eersame JACQUES DE CLAEUW, constschilder, en d'eerbare MARYA VAN GOYEN, echtelyden wonende opt Steenschuyr by de Vliet in „de vergulde Clauw". MARYA VAN GOYEN is sieck te bedde leggende. Als MARYA VAN GOYEN het eerst overlyde, zal hare moeder, Juff. ANNA VAN RAELST, Wede van za. JAN VAN GOYEN, ontvangen haer simple legitimie partic...
(Notar Corn. van Scharpenbrant, Leiden, Akte Nr. 1)

[39] 1663 7.9.1663:
... compareerde... s'eersaeme JACQUES DE CLAEUW, Mr konstschilder, binne Leyden weduenaer van MARYA VAN GOYEN te kennen gevende, dat syn overleden huysvrouwe hem als erffgenaem in haere naer te laten goederen heeft geinstitueert...
... volgens testament 6.1.1662 voor Notar C. van Scharpenbrant te Leyden verleden... willende zich weder ten huywelycken state begeven... geeft zyne kinderen boven de opvoeding als moederlyk bewys elk de som van f. 150).
(Notar L. van Overmeer, Leiden, Akte Nr. 110)
Unter dem gleichen Datum (Akte Nr. 111) der Ehevertrag von Jacques de Claeuw und Maria le Cherepy (Maria van Leeuwen).

[40] 1666 25.10.1666:
Mr HENDRICK VAN SLINGELANDT, Pastetenbäcker im Haag, erklärt, daß er vor etlichen Jahren seinem Bruder, JOB LAMBERTZ VAN SLINGELANDT, verschiedene Gemälde geliehen habe, u.a. auch eine „Ansicht von Dordrecht", ein Hauptwerk von JAN VAN GOYEN und JACOB VAN DER MERCK, sowie ein weiteres Gemälde dieser beiden Künstler.
Zitiert nach A. Bredius, *Oud-Holland*, XIV, 1896, Seite 124/125; Prot. Not. P. van Groenewegen, Den Haag.

---

1. Die hier und im folgenden aufgeführten Verkaufspreise der Häuser und Grundstücke stimmen nicht überein mit den Angaben auf dem Dokument vom 18. Mai 1657 (BREDIUS, *Oud-Holland*, XIV, 1896, Seite 122).

[41] 1672   20.5.1672:

Anna Willems van Raelst, Witwe von Jan van Goyen, „wonende in't Hoffken van de Heer van Nieucoop" im Haag, macht wegen schwerer Krankheit ihr Testament. Sie vermacht ihren Enkelinnen Anna und Elisabeth de Clauw Kleidungsstücke, ihren Enkeln Jan de Clauw einen goldenen Ring, Cornelis Steen eine goldene Münze im Wert von 15 Gulden, Adolph Clauw ihr Porträtgemälde und die Kopie eines Porträts ihres Mannes; Catharina und Thaddeus Steen erhalten Kleidung.

Als Erben werden aufgeführt:

Geertruijt, Elisabeth, Anna, Jan, Adolph, Adrianus *CLAUW*

Johannes, Havick, Constantinus, Catharina, Thaddeus *STEEN*.

Zitiert nach A. Bredius, *Oud-Holland*, XIV, 1896, Seite 125; Prot. Not. M. van Heuvel, Den Haag.

2. JAN VAN GOYENS KÜNSTLERISCHE PERSÖNLICHKEIT

Tout pour l'harmonie
Paul Mantz, 1875

Der Landschaftsmaler Jan van Goyen

Der letzte Lehrer Jan van Goyens war Esaias van de Velde in Haarlem. Diese Lehr   *Die Frühwerke*
zeit endete spätestens Anfang des Jahres 1618, da van de Velde noch im gleichen Jahr
nach Den Haag zog, während van Goyen am 5.8.1618 in Leiden heiratete [2] und sich
dann dort als Maler niederließ. Aus den Jahren 1618 und 1619 ist uns kein Gemälde
van Goyens erhalten[1]. Somit gilt heute das einzige bekannte Gemälde aus dem Jahre 1620[2], eine
Sommerlandschaft mit mehreren kleinen, über alle Bildräume verteilten, farbigen Figürchen als sein   G 99
frühestes Werk[3].

Die in den Jahren von 1620 bis 1626 entstandenen Gemälde bezeichnen wir als seine Frühwerke; sie
erfreuen sich wegen ihrer erzählerischen Frische steigender Beliebtheit bei Sammlern und Kennern.
Den bunten Frühbildern fehlt noch die Beherrschung des landschaftlichen Raumes sowie die Harmonie
von Naturschilderung und Farbengebung, die wir in seinen reifen Schöpfungen so bewundern. Die
mangelnde Einheit von Landschaft, Atmosphäre und Staffage beruht zum Teil auf dem unzureichenden
Studium der Landschaft in der Natur; erst in späteren Jahren, als van Goyen mit Zeichenstift und
Skizzenbuch die Niederlande durchwanderte, vervollkommnete er auch seine Malweise.

Der starke Einfluß Esaias van de Veldes auf van Goyen ist bei einem Vergleich seiner Werke um
1617 bis 1619 mit frühen Gemälden und Zeichnungen Jan van Goyens unverkennbar[4]. In der persönlichen Auseinandersetzung mit der Überlieferung übernahm van Goyen vieles von seinem Lehrer.
Nicht mit übernahm er dessen Bildthemen mit Schlachtenszenen und Raubüberfällen[5], das allegorische und biblische Motiv[6]. Das einzige *Thema*, das sich van Goyen in seinen Frühwerken stellt,

1. Nach einer mündlichen Mitteilung von E. Plietzsch soll es in einer holländischen Sammlung ein Gemälde van Goyens von 1619 geben;
ich habe dazu bisher keine Bestätigung finden können.
J. van Goyen fängt jünger und einige Jahre vor S. van Ruysdael und P. Molyn zu malen an. Molyns frühestes Werk datiert 1625, als er
dreißig Jahre alt war, und van Ruysdaels erste Gemälde datieren 1626, im Alter von etwa fünfundzwanzig Jahren gemalt (Literatur:
z.B. STECHOW-HOOGENDOORN).
2. Bei G 19 wurde die Datierung seinerzeit falsch gelesen; sie muß 1624 (oder 1625) gelesen werden. – Die Datierung von G 245 a konnte
ich leider nicht nachprüfen, doch ist 1626 wohl die wahrscheinlichere Lesart.
3. Vielleicht sind die beiden runden Sommer-Winter Gemälde (G 14, 131) vor 1620 entstanden, da sie sich wegen ihrer unfertigen Malweise nicht mehr zwischen den Gemälden aus dem Anfang der 20er Jahre einordnen lassen; sie stehen der Malweise E. van de Veldes außerordentlich nahe, insbesondere bei einem Vergleich mit dessen Rundbildern.
4. Beispielsweise wirken die beiden kleinen, farbigen Berliner Rundbilder von 1621 (G 1, 130) wie die direkte Fortsetzung des van de
Velde'schen Werkes.
5. Ein ehemals van Goyen zugeschriebener „Raubüberfall" ist ebenso wie das angebliche Gegenstück „Sommerlandschaft" (HdG 383)
von P. de Neyn. Holz, rund, Durchmesser 36 cm., bezeichnet und datiert 162(2, 5, 7, 9?). – aus: Versteigerung Egon Boehlers in Wien
am 16.10.1893 Nr. 80/81 – Versteigerungen in Köln am 4.6.1894, Nr. 233/234 und am 10.3.1902, Nr. 43/44 mit Abb. – Die „Sommerlandschaft" war ausgestellt in Amsterdam, 1903 (VG), Nr. 7 aus der Sammlung G. Ribbius Peletier; der „Raubüberfall" wurde mit der
Sammlung W. Dahl in Amsterdam am 17.10.1905, Nr. 48 versteigert, später: Versteigerungen in Amsterdam am 25.4.1911, Nr. 37 mit
Abb. und am 4.7.1933, Nr. 21 mit Abb.
6. Hofstede de Groot kannte eine „Landschaft mit biblischer Staffage" (HdG 587), datiert 1618; dieses Gemälde habe ich nicht in das
Katalogwerk übernommen, da es nicht von van Goyen stammt (Holz 41 × 72 cm).

ist das alltägliche Leben und Treiben in der Landschaft, das er in Dorf- oder Küstenlandschaften und Winterszenen, teilweise von genrehaftem Charakter („IJsvermaak"), ausführlich schildert.

Seine Frühwerke sind häufig als Sommer-Winter Gemäldepaare entstanden und auch zusammengehörig überliefert. Mit dieser Themenverbindung knüpft van Goyen an die alten flämischen Jahreszeiten-Landschaften an; und ebenso traditionsgebunden wählt er dafür das kleine, runde *Bildformat*, das das Vorbild Pieter Brueghels erkennen läßt[1]. Neben das Rundformat tritt dann allerdings bald in zunehmendem Maße das rechteckige Querformat; 1623 betont er dieses Bildformat in der Breite vorübergehend sogar bis zum Verhältnis 1:2, sodaß er über eine weite Landschaftsbühne für seine szenische Handlung verfügen kann. Für das Laub wählt er ein bräunliches Grün und für das Mauerwerk der Gebäude ein kräftiges Braun; somit bezeugen die bunte *Farbigkeit* ebenso wie Darstellung und Bildformat die noch engen Bindungen zur älteren Malerei.

Jan van Goyen hat seine ersten Gemälde mit vielen bunten *Figuren* geschmückt, die die landschaftliche Szenerie durch ihren Reichtum an Einfällen beleben. Mensch und Tier hat er liebevoll gemalt, wenngleich die gedrungenen Figuren ein wenig steif und die Pferde etwas hölzern wirken. Ebenso wie er die Trennung der Darstellung in Raumtiefen sorgfältig wahrt, staffelt er auch die Figuren in den Raumzonen hintereinander, um Überschneidungen zu vermeiden. Dabei bewirkt die Fülle an Einzelmotiven manchmal eine gewisse kompositionelle Unruhe.

Die Figuren, deren Kostüme frische Lokalfarben – vorwiegend Rot und Blau – aufweisen, gehören zumeist der Landbevölkerung an; vornehmen Bürgern, wie man sie beispielsweise von A. van de Venne und Esaias van de Velde kennt, begegnen wir hin und wieder auf Eisbildern oder beim Halt auf der Reise. Trotz der kriegerischen Zeit treten Soldaten nur vereinzelt auf.

In der *Landschaft* fallen einzeln stehende Bäume auf; sie sind schattenrißartig modelliert und breiten in Fortführung der Baummalerei der Schule Esaias van de Veldes[2] ihre Krone mit knolligem Ast- und Blattwerk vor dem Himmelsblau korallenartig aus. Anfangs auch in das Zentrum gerückt, zerteilen sie die Komposition und verstellen den freien Einblick in die Landschaft; auf anderen Werken begrenzen sie den Bildraum wie eine Seitenkulisse. Den Hintergrund und die weite Ferne verschließen Dünen, niedriges Buschwerk oder Ortschaften wie mit einer Wand.

Die *Atmosphäre* spielt im Bildgeschehen keine Rolle. Der hellblaue, einen geringen Teil der Darstellung einnehmende Himmel mit großen, weißen Wolken, die beziehungslos, nur zur Vervollständigung der Naturszene, erscheinen, kontrastiert mit der warmbraunen Erdfarbe.

Die Wende um 1627 Lehrer und Schüler durchlaufen zu Beginn der 20er Jahre eine gleichartige Entwicklung. Um 1625 sind die Werke beider Künstler so ähnlich, daß sie mitunter nicht einfach voneinander zu unterscheiden sind[3]. Ab 1626/1627 erfahren jedoch Jan van Goyens Malstil, Kompositionsschema und Farbengebung eine umfassende Wandlung und Reifung,

---

1. VOLHARD a.a.O., Seite 43 ff. erklärt die bevorzugte Wahl des runden Bildformats mit der Funktion des Bildrahmens als Zusammenhalt der Komposition.
Das Rundformat kommt bei van Goyen nach der Frühzeitserie in späteren Jahren nur noch vereinzelt vor: das kleine, intime Bildformat mußte einem größeren Tafeldurchmesser Platz machen. Hin und wieder mögen aber auch durch Restaurierungen Veränderungen der äußeren Form vorgenommen sein, wie wir sie bei allen Formaten immer wieder sehen. Einige Beispiele: ein rundes Eisbild von 1623 (G 4) tauchte seinerzeit im Ovalformat auf. – Eine hochformatige Landschaft von 1624 (G 158) ist auf der linken Seite unter Wegfall eines Teiles der originalen Signatur beschnitten, war also ehemals im Querformat. – Eine ovale Flußlandschaft von 1646 (G 146) war vielleicht früher rechteckig, wie Radierungen aus dem 18. Jahrhundert vermuten lassen. – Vielleicht war einst auch die heute rundformatige „Ansicht von Arnheim" von 1643 (G 127) im rechteckigen Querformat.
2. K. GOOSSENS, *David Vinckboons*, Antwerpen und Den Haag 1954, Seite 59 ff. sieht im Baumschlag enge Beziehungen zwischen Vinckboons und den Frühwerken van Goyens; desgleichen GROSSE, *Die Holländische Landschaftskunst 1600–1650*, Berlin 1925, S. 66.
3. Vergleiche G 234, das von H. Gerson dem Esaias van de Velde zugeschrieben wurde (*Burl. Mag.*, XCV, Febr. 1953, S. 33 und 48). – Ob es um 1624/1625 noch einmal zu einer (gelegentlichen) Zusammenarbeit beider Künstler kam, halte ich jedoch für unwahrscheinlich. Van Goyen hat wohl doch nur die gleichzeitigen Gemälde seines ehemaligen Lehrers gesehen und daraus übernommen, was ihm gefiel. Ein Gemälde, das nach H. Greven (zitiert bei VOLHARD a.a.O., Seite 52) die Signaturen beider Künstler tragen soll, ist G 35. Weder Hofstede de Groot (Nr. 1156) noch der Ausstellungskatalog von 1904 (Nr. 175) erwähnen diese doppelte Signierung. Leider habe ich das Gemälde nie gesehen; nach der Photographie würde ich nur an die Autorschaft van Goyens denken.

die ihn über seinen Lehrer hinauswachsen läßt. Diese Wandlung nimmt ihren sichtbaren Anfang in seinen Zeichnungen. In ständig wachsendem Maße widmet er sich ab 1624 dem Studium der Natur mit der Handzeichnung. Dadurch erlangt seine Landschaftsmalerei mehr Natürlichkeit, sein Malstil wird flüssiger und freier, selbständiger, sein Pinselstrich wird rasch und locker und gleicht damit dem schnell skizzierenden Kreidestrich seiner Zeichnungen: der Künstler findet seine Handschrift.

Diese Wandlung und van Goyens weiteres künstlerisches Lebenswerk stehen in engem Zusammenhang mit der Entwicklung der holländischen Landschaftsmalerei. In Haarlem war im zweiten Jahrzehnt des 17. Jahrhunderts bei den Malern, die sich um die Formung der holländischen Kunst bemühten, die Idee einer mehr naturverbundenen Landschaftskunst entstanden, der Wunsch zur schlichten, natürlichen Wiedergabe der heimatlichen Landschaft, die Abkehr von der Fantasielandschaft (G. van Coninxloo, D. Vinckboons) und der fantastischen, bunten Szenerie des Manierismus. Die Motive der holländischen Landschaft, wie man sie täglich im Wechsel der Jahreszeiten vor Augen sah, wurden „entdeckt". In Fortenwicklung dieser neuen, eigenen Auffassung von der Landschaftsmalerei konzentrierten sich die holländischen Maler dann auf die Vereinfachung des Kompositionsschemas bei möglichst natürlicher Farbengebung, auf die barocke Einheit des Bildgedankens (Gerson): auf die Harmonie von Raum, Licht und Farbe, wie sie Jan Porcellis in seinen Seebildern schon vor den Landschaftsmalern erlangt hatte. Als Hilfsmittel bei der Landschaftskomposition entstand das *Diagonalschema*, mit dem eine bessere Verteilung der Massen in der Bildfläche angestrebt wurde. Gleichzeitig erhielt die zu Beginn des Jahrhunderts noch in die Raumfarbzonen braun-grün-blau gegliederte Landschaft eine natürlichere Farbengebung.

Dieser jungen, vorwärtsstrebenden Malkunst schließt sich van Goyen an[1]. Die Natürlichkeit der Anschauung und Farbigkeit des landschaftlichen Raumes und der Menschen in ihm setzt sich bei ihm durch. Zunächst gibt er die aus der Überlieferung übernommene beiderseitige Begrenzung des vorderen Bildraumes auf und übernimmt das *Diagonalprinzip* (1628). Er stärkt damit die Wichtigkeit der perspektivischen Führung einer Bildseite mit einer diagonal raumeinwärts abgestuften Darstellung, in die sich Häuser, Bäume und Figuren einfügen. Der anderen Bildseite überläßt er den Blick in die Tiefe der Landschaft, den er durch gleichzeitiges Senken des Horizonts zugunsten eines umfangreicheren Wolkenhimmels erweitert. Die Staffage ordnet er der Landschaft zugunsten der Bildeinheit unter, in Farbigkeit und Tätigkeit gehen die Figuren vollkommen in der Landschaft auf. In der Szene handeln jetzt manchmal nur noch zwei oder drei Figuren, die oft, wie in der Zeit um 1624/1625, noch groß herausgestellt werden. Gemälde und Zeichnungen um 1628 sind hier ein äußerst wichtiges Bindeglied zwischen der Frühzeit und den reiferen Werken der 30er Jahre; die vormals mit Figuren so überfüllte Landschaft wirkt nun eher leer. Indem er Überflüssiges wegläßt und das Detail dem Ganzen opfert, vereinfacht er Motiv und Komposition bis zur schlichten Naturstudie; dabei entstehen in seinen Dorflandschaften der 30er Jahre unendlich einfache, anspruchslose Darstellungen.

G 427

G 988
Z 89

Auch in der Farbengebung bahnt van Goyen den Wandel an. Zwar verwendet er noch 1627 und vereinzelt im Jahre 1628 kräftige Lokalfarben, doch gibt er diese Farbigkeit (auch bei Figuren) ab 1629 auf und geht zu einer schlichten, einheitlichen Farbengebung über, wobei er sich mit nur wenigen Farben – vornehmlich vielen Farbwerten von Braun und Grün – begnügt.

---

1. Auch bei van Goyens Lehrer E. van de Velde spüren wir – allerdings nur in wenigen Werken seiner letzten Lebensjahre – die Auseinandersetzung mit der neuen Richtung (siehe auch Seite 57).
Bei P. Molyn sind die beiden einzigen bekannten Werke von 1625 – ein figurenreiches Gemälde in Dublin und eine Federzeichnung in der Samlung P. und N. de Boer (siehe Anmerkung 1b, seite 57) – noch traditionsgebunden, aber bereits ab 1626 malt und zeichnet er ganz im Sinne der neuen Richtung (z.B. das bekannte Gemälde in Braunschweig, Zeichnungen in Brüssel).
Noch ein Jahr vor Molyn – 1625! – malt ein bisher viel zu wenig beachteter Künstler, Pieter van Santvoort (Berlin, Staatliche Museen, Kat. 1931, Nr. 1985), Landschaften in sehr modernem Stil mit Diagonalbetonung. Es ist das frühest bekannte Datum für ein Werk der neuen Richtung der holländischen Landschaftsmalerei. Hier gehört erwähnt auch ein sehr kraftvoll und farbig außerordentlich interessantes Gemälde aus derselben Zeit oder kurz danach mit der Signatur P. Molyns, das den Werken Pieter van Santvoorts sehr nahe steht (Kunsthändler P. de Boer, Amsterdam, Collection Frühjahr 1965, Nr. 45 mit Farbabb.). W. Stechow (*Dutch Landscape Painting*, London 1966, Seite 24) hat mit Recht darauf verwiesen, wie altertümlich in der Malweise doch van Goyens Gemälde von 1625 noch wirken im Vergleich mit P. van Santvoorts Berliner Gemälde.

Malstil, Maltechnik Die charakteristischen Merkmale seines Malstiles prägen sich nun deutlich an den *Staffagefiguren* und in der *Baum- und Laubmalerei* aus; es sind wohl die augenfälligsten Merkmale zur Abgrenzung von seinen Nachfolgern.

Die Ausführung der unauffällig-geschickt in der Landschaft verteilten *Figuren* bildet in allen Schaffensperioden ein wichtiges Kriterium, weil alle Figuren eine lebhafte, schwungvolle und natürliche Bewegungshaltung zeigen; sie sind flott und geistreich gemalt. Bei einigen Winter- und Strand-

G 59, 950 landschaften fällt eine eigenartige Gangart mancher Figuren auf, die dem unsicheren Gang auf dem Eis oder dem mühsamen Vorwärtsschreiten im Sand entsprechen soll[1]. – Kecke große Schlapphüte, die S. van Ruysdaels Figuren kennzeichnen, tragen van Goyens Figuren nie. Sind die Figuren seiner frühen Landschaftsgemälde noch in einzelnen bunten Farbflächen gemalt, so bestehen sie später oftmals nur noch aus auf die Grundfarbe der Landschaft abgestimmten einheitlichen, das heißt nicht mehr flächig zusammengesetzten Farbnuancen, aus einem Umriß von Bögen und Linien, die die lebhafte Augenblicksbewegung markieren; dabei hebt sich manchmal innerhalb einer Figurengruppe eine Person durch helleren oder kontrastierenden Farbtupfen etwas hervor, beispielsweise eine Bäuerin im leuchtend weißlich-gelblichen Rückenumhang. – Das Größenverhältnis der Figuren zur Umge-

G 285, 420 bung hält stets das rechte Maß (was man vom Größenverhältnis der Bauten, insbesondere der Kirchen, zur Landschaft in späteren Fernblick- und Stadtansichten nicht immer behaupten kann). – Seit der Wende gegen Ende der 20er Jahre wählt van Goyen seine Staffagefiguren nur noch aus der Land- und

G 1151 Küstenbevölkerung; vereinzelt begegnen wir (bis 1645) dem Soldaten in Lederwams mit umgeschnalltem Degen.

Auch in der *Baum- und Laubmalerei* – die in hohem Grade zeichnerische Malweise rechtfertigte hier sogar den Ausdruck Baumzeichnung – hat van Goyen einen ungewöhnlich typischen Stil, den seine Nachahmer gern zu imitieren versuchen. Sind die Bäume zu Beginn der 30er Jahre noch oftmals buschartig gedrängt und gruppiert, schlank-hochstämmig, manchmal mit (kugelig-)rundbogiger Krone, das Laub in mehr oder weniger gleichfarbigen Pinseltupfen aneinandergereiht – so bevorzugt er später einzeln stehende, über niedriges Buschwerk erhabene, dickstämmige hohe Eichbäume, deren Laubbehang er um die frei-gelöste Astwerkkomposition tüpfelt, wobei er pastosere hellere an dunklere Farbflecken reiht; dadurch erweckt er den Eindruck, als stünden Bäume und Buschwerk in leichter Windbewegung. Solche urwüchsigen, sturmzerzausten Wettereichen mit knorrigem, geborstenem Stamm von bizarrer, effektvoller Gestalt finden wir vorwiegend auf seinen Werken der 30er

G 254 und 40er Jahre, aber auch noch 1651, in den 40er Jahren außerdem in Verbindung mit den Fern-
G 1144 blick-Landschaften[2].

Landschaften mit und ohne Wasserläufe sind die bevorzugten Themen ab 1628; später werden Bauwerke und Städteansichten in die Szenerie mit einbezogen. Die Erweiterung der Themen und Motive bringt gleichzeitig Überschneidungen und Verbindungen neuer Typen mit Reminiszenzen früherer Entwicklungsphasen. So kann beispielsweise bei den Übergangswerken manches der Datierung nach ältere Werk fortschrittlicher wirken als das spätere.

Die Dorf- und Dünen- In dem einfachen Thema der *Dorf- und Dünenlandschaften*, dem typischen Land-
landschaften der 30er Jahre schaftscharakter Hollands, entdeckt van Goyen die mannigfachsten Motive. Seine von
Z 715 Wanderungen heimgebrachten Kreideskizzen bilden die Grundlage später ausgeführter
zu G 1176 und mit Figuren belebter Gemälde. Hier vermag seine ideenreiche künstlerische Ge-

---

1. FRED. C. WILLIS a.a.O., S. 52, weist mit Recht auf eine andere Eigenart in van Goyens Figurenmalerei hin: „.... die Figuren mit den charakteristisch kleinen eingezogenen Köpfen."
2. Solche markanten Eichbäume haben bei S. van Ruysdael kaum Parallelen (STECHOW). Salomon van Ruysdaels Bäume sind prächtig hochstämmig mit ausladend breiten Kronen und „zartem Weben im Astwerk" (GROSSE), sie sind zugleich majestätisch und romantisch; ein Vergleich der seitlichen und zentralen Bäume von van Ruysdaels Flußlandschaften mit van Goyens großen Eichen läßt die Verschiedenartigkeit der Baum- und Laubmalerei beider Meister erkennen.

staltungskraft durch szenische Änderungen immer neue, überraschende Ausblicke zu finden: die bäuerliche Bevölkerung arbeitet auf dem Felde oder am Brunnen; müde Wanderer rasten vor Holzzäunen und am Wegrand; Reisende zu Pferd und mit Wagen stärken sich vor dem Wirtshaus; mächtige Eichen und Baumgruppen überragen ländliche Gehöfte und Wirtshäuser an der sandigen Landstraße, deren große Windungen durch die öde, flachwellige Dünenlandschaft deren räumliche Weite betont. Kurvige Wagenspuren leiten den Blick des Betrachters vom dunklen Vordergrund in die Tiefe; sie helfen mit, die Illusion der Raumtiefe zu erzeugen. Im Vordergrund liegt manchmal ein (zerbrochenes) Wagenrad oder hängt an einem Brunnen[1].

Die Bäume bilden ein ebenso wichtiges Kompositionselement für die Diagonalführung der Landschaftskulisse – sie bedingen durch ihre Höhe die Steile der Diagonale – wie der den nahen Vordergrund schräg oder fast horizontal, parallel zum unteren Bildrand, durchziehende dunkle Schattenstreifen, den van Goyen aus dem Diagonalprinzip abgeleitet hatte[2]. Dahinter tritt der im milden Sonnenschein hell beleuchtete Mittelgrund kontrastierend hervor: der Gegensatz von gebündeltem Licht und Schatten steigert die Tiefenwirkung.

Die Farbengebung bei den Dorf- und Dünenlandschaften der 30er Jahre ist überwiegend monochrom: hellgrüne bis kühlere graugrüne, vor allem aber warmbraune Töne mit Nuancen nach gelb und gelbbraun überwiegen.

Neben den Dorf- und Dünenlandschaften dringt ab 1627 das *Wasser* mehr und mehr *Die Flußlandschaften* in die Komposition ein: *Flußlandschaften* stellen das zweite Hauptthema in den 30er *der 30er Jahre* Jahren. An flachen Ufern liegen Kirchdörfer, deren Gehöfte und Türme, von Bäumen und dichtem Buschwerk verdeckt, hervorlugen; Boote mit Anglern und Fischern, die Netze auslegen oder einziehen, und Fähren[3] mit Landleuten und Vieh beleben die schmalen Flußläufe; Segelboote, die van Goyen bislang nur auf Eisbildern abgetakelt und am Uferrand eingefroren dargestellt hatte, zeigen in der Ferne ihre klaren, weißen Segel; sie heben sich damit von dem hellblauen Wolkenhimmel ab, dem van Goyen jetzt größere Aufmerksamkeit zumißt, um die ausdrucksteigernde Bedeutung der Wolkenbildung für die Komposition einzusetzen.

Derartige Flußszenen stellen das Diagonalschema in der reinsten Verkörperung bis zur Aufdringlichkeit dar. Um die einseitige, kräftige Diagonale abzuschwächen, ragt auf der Gegenseite ein Ufer- G 438, 450 vorsprung mit Figuren und Fischereigerät in den Vordergrund herein; oder nur Pfähle und Balken treiben auf dem ruhigen, selten stärker bewegten Wasser: oder die höchste Baumgruppe wird vom G 450, 474 Eckpunt in die Nähe der Bildmitte versetzt. Diese „Verschleierung der Diagonale" gelingt van Goyen jedoch nicht immer so überzeugend wie Salomon van Ruysdael.

Die Farben sind im wesentlichen die gleichen wie bei den Landschaften ohne Wasser. Wegen der baum- und gestrüppreichen Ufer überwiegen gelbgrüne bis saftig tiefgrüne und (für das Laub) gelblich-bräunliche Töne; die Erdfarbe ist zu Beginn der 30er Jahre leuchtend warmbraun. Besonders die (hell)gelbbraune Laubfarbe dieser Jahre wurde „von jeher als ein Charakteristikum des Meisters

1. STECHOW (SVR) Seite 43, betont, daß ihm auf Gemälden S. van Ruysdaels dieses bei van Goyen (und seinen Nachtfolgern) beliebte Wagenrad nie begegnet sei.
2. Für die Zeit um 1630 sind unregelmäßig-kurvige schwarze Schlingen und Streifen, die die plastische Dünengestaltung im Vordergrund unterstützen, ganz charakteristisch für van Goyen; in dieser Art finden wir sie weder bei S. van Ruysdael noch Pieter Molyn.
3. Das Fährenmotiv benutzt van Goyen schon in den 20er Jahren (STECHOW: van Goyen lange vor van Ruysdael), wohl erstmals 1623/ 1624 (G 219, 224) in Anlehnung an E. van de Veldes großes Fährengemälde von 1622 im Rijksmuseum in Amsterdam (Kat. 1960, Nr. 2453). In der Folgezeit wächst die kompositionelle Bedeutung der Fähre bei van Goyen, das Fährboot wird größer und mit seiner Fracht beladener. Auf den Flußlandschaften der 30er Jahre sind sie lediglich belebendes Teilmotiv, aber vom Beginn der 40er Jahre an rücken sie weiter in die Bild- und Flußmitte vor bis sie schließlich bei den Städteansichten das kompositionnelle Gegengewicht auf der Flußseite bilden. Wenn Stechow von der „kleinen und krümeligen Art" van Goyen'scher Fähren spricht, so meint er damit hauptsächlich die Fähren der 30er Jahre (G 852). Auch auf Gemälden der 40er Jahre und später (G 481, 492) sind Fährboote nie Hauptmotiv, sondern bleiben der Landschaft ebenso wie die übrige Staffage untergeordnet. Im allgemeinen sind van Goyens Fähren nie so auffällig und dekorativ wie die S. van Ruysdaels, der in den 50er Jahren mit der groß herausgestellten bunten Fülle der Passagiere sogar einen „Fährentyp" als Bildthema geformt hat. Als Ausnahme bei van Goyen sei G 853 erwähnt, das jedoch als Fragment nur beschränkten Rückschluß auf die Bedeutung der Fähre innerhalb der ehemaligen Gesamtkomposition zuläßt; auch Z 302 stellt innerhalb der Zeichnungen eine Ausnahme dar.

und seiner Schule angesehen"[1] (Hofstede de Groot). Doch wirken manche Flußszenen auch ein wenig kühler als die gleichzeitigen Dorf- und Dünenlandschaften, weil ihnen der gelblich-helle Lichteinfall im Mittelgrund und die braune Erdfarbe des dunkleren Vordergrundstreifens fehlen.

Auch bei Salomon van Ruysdael sind seit 1631 (bei van Goyen seit 1628) Flußlandschaften mit Gebüsch und Bäumen auf einseitig dominierendem Ufer das bevorzugte Thema der 30er Jahre. Nur bei diesen ländlichen Flußszenen (und nur für wenige Jahre) bestehen die meisten Parallelen und die engsten Berührungspunkte in den Werken beider Meister. Aber unterstützt nicht vor allem die Wahl des gleichen Bildthemas diese „Ähnlichkeit zum Verwechseln" (Bode)? Stechow hat klar dargelegt, daß die Unterscheidung der Werke beider Meister in den technischen Differenzen der „Baumbehand- lung und Auffassung und Durchführung der Staffagefiguren" zu suchen ist – weniger bei den von Volhard aufgestellten „Grundtypen der Kompositionen", weil deren Unterscheidungsmerkmale G 736 zu gering, unbedeutend und unsicher seien[2]. Bis in den Beginn der 40er Jahre reicht die gemeinsame Entwicklungsphase van Goyens und van Ruysdaels; dann schlägt jeder verschiedene Wege ein[3].

Das Bauwerk
in der Landschaft Zu Begin der 30er Jahre (bei Winterszenen schon 1632) erwacht bei van Goyen das Interesse am Architektonischen im Kunstwerk. Am Ufer ruhiger, selten wind- bewegter Flüsse oder mitten in der Landschaft läßt er Bollwerke oder Stadtbefesti- gungen mit Bastionen, Mauern und Tortürmen aus der Nahsicht aufragen. Besonders G 53, 375, um 1638 verleihen mächtige Stadtmauern (auf Sommer- und Winterlandschaften) der Darstellung 638 einen monumentalen Eindruck. Es folgen in den 40er Jahren Kanäle mit Wasserschlössern und Bastionen mit Windmühlen- in der Mitte der 40er Jahre im Vordergrund-, die ihre weit ausladenden Flügel hoch hinauf in den wolkigen Himmel strecken[4].

Die Städteansichten Mit den *Städteansichten*, die sein thematisches Repertoire ab 1633 bereichern und um 1648/1649 ihren Höhepunkt erreichen, knüpft van Goyen an eine lange Tradition in der holländischen Malerei an (Vroom, Willaerts). Die Verbindung von topographischer Genauigkeit im Detail mit der Freiheit, jedes Motiv in jede beliebige, fremde Umgebung zu versetzen, diese nur der holländischen Malerei merkwürdige Eigenschaft, gilt auch für sein Werk; sie bedeudet die Lösung von der Wirklichkeit, das Nichtgebundensein an die exakte Topographie. Dabei lagen sicherlich allen Gemälden mit Städteansichten ebenso sorgfältige Naturstudien zugrunde, wie sie von den flämischen Städten (Brüssel, Antwerpen) im Dresdener Skizzenbuch oder von Kleve im Skizzenbuch von 1650/1651 überliefert sind[5].

1. Hofstede de Groot: Houbraken schrieb sie der schlechten Qualität des vom Künstler benutzten grünen, aus Blau und Gelb gemischten Farbstoffes zu, aus dem das Blau verbleicht sein soll. Zum Teil mag dies richtig sein, zum anderen Teil hat van Goyen gewiß von vorne- herein beabsichtigt, in diesem Ton zu malen, einem Ton, der in der Natur im Frühling beobachtet werden kann, solange das Braun der Blattknospen noch die Überhand hat über das Hellgrün der vereinzelt hervorsprießenden Blättchen.
2. STECHOW (SVR) Seite 41 ff.
3. In den 30er Jahren, besonders von 1632 bis 1634, experimentiert van Goyen gern mit großen Bildformaten. Zu Unrecht sehen wir in ihm nur einen Meister in der Handhabung kleiner Bildformate; van Goyen vermag besonders in den 40er Jahren auch in großen Gemälden (G 487) eine überragende Gestaltungskraft zu erzielen. Im allgemeinen überschreitet er jedoch sein typisches Quer- format von ca. 60/66 × 90/96 cm nur selten.
4. Salomon van Ruysdael malt Windmühlen nur sehr selten; nie finden wir sie bei ihm im Vordergrund.
5. Auch S. van Ruysdael schätzt die Einbeziehung bekannter Bauwerke in seine Flußlandschaften; selten sind seine Bauwerke jedoch so exponiert, aus der Nahsicht mit mehreckigen Kapellen-, Glocken- oder Tortürmen, mit Zinnen, Taubenschlägen und ruinenhaften Torbögen verziert und „komponiert" wie die van Goyens. Auch fehlt bei S. van Ruysdael fast völlig die Themenverbindung von Seestück mit Stadtansicht; als Ausnahme sei ein „Blick auf Rhenen" (STECHOW (SVR) Nr. 309 mit Abb.) erwähnt; auch seine „Ansicht von Amersfoort" (STECHOW (SVR) Nr. 236 mit Abb.) von 1634 bedeutet eine Ausnahme.
Überraschend wäre die Feststellung, daß allen Stadtansichten van Goyens und van Ruysdaels eine „Ansicht von Rhenen" von P. de Neyn (voll bezeichnet und datiert 1632) vorangehen soll: ein weiter Blick öffnet sich über welliges Gelände, durch das ein Weg die perspek- tivische Führung in die Tiefe übernimmt; im dunklen Vordergrund Figuren (1933 beim Kunsthändler P. de Boer in Amsterdam; abge- bildet bei H. GERSON, *Nederl. kunsthist. Jaarboek*, I, 1947, Seite 95 ff.). Eine gewisse kompositionelle Ähnlichkeit mit dem oben zitierten Werk S. van Ruysdaels von 1634 fällt auf; überraschend die weiter als beim gleichzeitigen van Goyen geöffnete Ferne bei nur geringer Vordergrundseitenkulisse (G 272 erst von 1633!). Sollte bei der vollständigen Abhängigkeit P. de Neyns von seinen Vorbildern nicht das Datum irrig gelesen sein?

Van Goyens früheste Städteansichten stammen von 1633: eine Ansicht von Arnheim über welliges G 272 Dünengelände und eine von Dordrecht aus der windbewegten Noord bei stürmischem Wetter. Im G 290 Jahre 1635 malt van Goyen einen Blick auf Nimwegen[1], 1636 folgt eine Ansicht von Rhenen. Neben G 343, 344 Fantasieveduten finden wir die bekannten großen holländischen und flämischen Städte mit ihren G 374 markanten Motiven: das von festen Wällen geschützte Rhenen mit dem hohen, schlanken Kirchturm von St. Cunera und das monumentale, am Ufer hochkletternde, vom Valkhof beherrschte Nimwegen an der Waal; Arnheim mit den vielen Kirchen oder seine am häufigsten gewählte Stadt: Dordrecht mit dem dicken Frontturm der gotischen Grote Kerk.

Um 1635/1636 klingen die Dorf-, Dünen- und Flußlandschaften des bisherigen Typs *Die Wende um 1638* aus; van Goyen gibt das Diagonalschema und die helle Farbigkeit mit dem Kontrast zwischen dunklem Vordergrund und hellem Mittelgrund auf. Von 1636 bis 1638 währt eine Pause in der schöpferischen Tätigkeit; es gibt nur wenige Gemälde (und fast gar keine Handzeichnungen) aus diesen Jahren. Dann vollzieht sich wieder eine Wandlung bei van Goyen; mit den Werken der 40er Jahre beginnt die Zeit der klassischen Harmonie: der bildlichen und farblichen Einheit. Der stimmungsvolle Gesamteindruck der Landschaft bedeutet nunmehr alles, das szenisch-figürliche Detail hingegen und die Lokalfarbe nur wenig. Mit den Werken der 40er Jahre kommen das gesteigerte architektonische Interesse und die Verlagerung des Blickes in die Tiefe der Landschaft: die *Diagonale* geht in die *Horizontale* mit tiefem Horizontabschluß über (ab 1638/1639). Dadurch gewinnen Wolkenhimmel und Atmosphäre eine stärkere Rolle im Bildgeschehen. Gleichzeitig tritt van Goyen mit neuen Bildgattungen hervor: den *Seestücken* (Marinen) ab 1638 und den *Fernsichten* ab 1640. In Komposition und Malstil folgt nun ein langsamer Reifungsprozeß bis zu seinen bedeutungsvollsten Schöpfungen, den Seestücken der 50er Jahre. Die Entwicklung van Goyens schlägt ruhigere Bahnen ein.

Die wichtigste Themengattung der 40er und 50er Jahre sind *Seestücke* (Marinen). *Die Seestücke* Aus den schmalen Kanälen der 30er Jahre werden durch Zurückweichen der Ufer breite Flußläufe, dann Flußmündungen oder Binnenseen[2]. Entsprechend rückt das Segelboot vom Flußhintergrund immer näher in den Vordergrund und wird zum zentralen Motiv; einzeln oder zu mehreren, geschickt über die Raumtiefen verteilt, bestimmen sie die Perspektive, kreuzen auf der weiten Wasserfläche oder staffeln sich bei der Ausfahrt der Fischerboote wie zu einer Regatta. Fregatten und Salut feuernde Kriegsschiffe treten in den 50er Jahren (im Hintergrund) hinzu.

Die Freude an der Darstellung des Wassers führt van Goyen, wohl unter dem Einfluß des „Vaters der holländischen Marinemalerei" Jan Porcellis, seines ehemaligen Leidener Mitbürgers, zur Seemalerei[3]. Unermüdlich bemüht er sich in den kommenden Jahren, das Meer mit seinen reichen Ausdrucksformen in allen Phasen von der undramatischen Meeresstille bis zur in den Segeln wütenden Gewitterböe darzustellen. Immer wieder reizt ihn der eigentümlich kurze Wellenschlag der holländischen Binnenmeere und Flüsse zur Darstellung, immer wieder stellt er das kompositionell bedeutsame Segelboot heraus. Das Motiv bleibt einfach. Erst von der Mitte der 40er Jahre an wird die Komposition wieder belebter, abwechslungsreicher oder, wie in der Themenverbindung mit den Städteansichten, monumentaler[4].

1. Da ich G 342 (von 1633) nicht persönlich gesehen habe, vermag ich über die Richtigkeit der Datierung keine Angaben zu machen.
2. Es soll hier darauf hingewiesen werden, daß van Goyens Seestücke nur Motive von den großen holländischen Binnenseen wiedergeben; die See hat van Goyen nie gemalt (wie z.B. W. van de Velde).
3. Vorläufer für van Goyens Marinemalerei sind einige kleine Federzeichnungen von 1624 (Z 7, 10, 11); sie sind wohl die unmittelbarste Beeinflussung durch Jan Porcellis (siehe auch Seite 54).
4. Für van Goyens Wendung zur Marinemalerei war m.E. nicht nur ausschlaggebend, daß Seestücke damals beliebt waren und Marinemaler wie J. Porcellis und S. de Vlieger deshalb höhere Preise für ihre Bilder erzielen konnten (vergleiche hierzu VAN DE WAAL, a.a.O., Seite 50).

G 796,
798, 848   Die ersten Marinen datieren von 1638[1]. Sie zeigen, wie die meisten Gemälde von 1638/1639, eine höchst reizvolle koloristische Gestaltung. Das wegen der fein abgestuften grauen und silbergrauen Töne köstlichste Werk dieser Jahre ist das kleine Gemälde der Londoner National Gallery: mit den grauen
G 168   Tönen noch zu den Werken der späten 30er Jahre gehörend, mit den kühleren silbergrauen hinweisend auf die Gemälde vom Anfang der 40er Jahre; über der weiten Wasserfläche, die in der Ferne ein schmaler Ufersaum begrenzt, liegt ein duftiggrauer Schimmer; eine bunte Flagge ist der einzige Farbakzent. Die Segel der Boote ragen weit über die Horizontlinie, hoch hinein in den Wolkenhimmel; der Horizont ist extrem tief verlagert. Das Bildformat paßt sich der Komposition an, beziehungsweise bestimmt diese: das Gemälde ist im Hochformat[2], einem Bildformat, das van Goyen zu allen Zeiten, überwiegend aber doch in den 30er und 40er Jahren (Seestücke!), kaum noch nach 1650 verwendet.

Farb- und Lichtkontraste bestimmen die Dramatik in den Seestücken; van Goyen gibt uns einen Eindruck von dem wetterbedingten Geschehen an der Küste der holländischen Binnenmeere. Das Naturerlebnis bildet die Grundlage seines Schaffens, der unmittelbare Natureindruck hilft sein Werk gestalten, im Gegensatz zu Salomon van Ruysdael, der sein dekoratives Landschaftsthema jeweils mit großem Geschick umwandelt.

G 405   Ab 1645 breitet sich hinter dem braunfarbenen, schattigen Vordergrund bis zu dem fernen grünblauen bis grünlich-braunen Ufer ein brauntoniges Gewässer mit graublauen Schatten aus; der kraftvolle Wolkenhimmel verdeckt die wenigen hellblauen Wolkenlücken. Hervorgehoben seien
G 867, 905   dann einige Marinen von 1647, deren graubrauner Farbton eine reizvolle Stimmung von eigener koloristischer Prägung bietet. Große, graue Wolken ballen sich über dem ruhigen, im Vordergrund dunklen, brauntonigen, trüben Wasser; die Bildtiefe wird in feinsten Farbtonabstufungen über braune und grüne Töne mit olivfarbenen Nuancen aufgebaut. Der Blick des Betrachters wandert über die unendliche Weite des Binnenmeeres zum fernen Horizont, einem flachen Uferstreifen mit zierlichen,
G 804, 807,   in Dunst gehüllten Kirchen, Mühlen, Festungen oder Gehöften. Aus diesen Jahren datieren auch einige
811, 833   Seestücke mit aufkommendem Gewittersturm und Blitzen vor fahlhellgelbem Horizont.

Die Periode der Tonigkeit   Ein wesentlicher koloristischer Wandel am Beginn der 40er Jahre bis etwa 1645 bleibt nachzutragen: *die Periode der absoluten Tonigkeit*. „Der Ton gewinnt die Herrschaft über die Lokalfarbe" (Bode). Die feuchte, dunstgetränkte Meeresluft verdrängt die Lokalfarben aus der Landschaftsszenerie zugunsten einer malerischen, tonigen Färbung; Einzelheiten verlieren sich, verschwimmen im zarten, nebeligen Dunst der Ferne, die

1. Seestücke malt van Goyen vor S. van Ruysdael, dessen früheste Marinen von 1642/1643 datieren (STECHOW (SVR) Nr. 280-283). Die Auffassung bleibt bei van Ruysdael kühler, die Ausführung sorgfältiger. Er wählt von der breiten Skala der Meeresdarstellungen nur die seinem Temperament äquivalente ruhige See und niemals den Gewittersturm.
2. Vielleicht liegt auch hierin eine Beeinflussung durch Jan Porcellis? Sal. van Ruysdael schätzt – mit wenigen Ausnahmen – das Hochformat nicht so sehr wie van Goyen; er hat vor allem in den 30er Jahren gern das Ovalformat gewählt, das wiederum bei van Goyen keine so starke Verbreitung gefunden hat, und eigentlich nur in den 40er Jahren anzutreffen ist, also zu einer Zeit, in der er genügend kompositionelle Sicherheit besaß (VOLHARD). Die meisten van Goyen zugeschriebenen Gemälde im *Ovalformat* stammen von seinen Nachfolgern. Einige Beispiele:
a) HdG 324 a, 361, 362, 603, 614, 796, 843, 1008, 1010, 1077 etc.
b) Drei Bauern im Zentrum, links am Weg zwei Figuren, Gehöfte weiter zurück. Falsch bezeichnet: VG 1630, Holz oval 36 × 49 cm. – Versteigerungen in Wien am 4.12.1939, Nr. 229 mit Abb.- und am 20.5.1940, Nr. 33 mit Abb. – Versteigerung in Köln am 26.11. 1940, Nr. 46 mit Abb.
c) Flußlandschaft mit hohen Bäumen, vier Personen im Ruderboot, in der Mitte legen Fischer ein Netz aus (Umkreis S. v. Ruysdaels) Falsch bezeichnet: VG 1633, Holz oval 37 × 50 cm. – Versteigerung Marquise d'Aoust in Paris am 5.6.1924, Nr. 35 mit Abb.
d) Wasserschloß, Boote. Falsch bezeichnet: VG 1635, Holz oval 38 × 50 cm. – Versteigerungen in London (So) am 21.5.1935, Nr. 115 und (So) am 28.5.1941, Nr. 100. – In Luzern am 7.11.1949, Nr. 3292. – In Köln am 3.11.1950, Nr. 42 mit Abb. – In New York am 3.10.1951, Nr. 65 mit Abb.
e) Stadtmauer mit Mühle und Rundturm. Holz oval 30 × 41 cm. – HdG 688, später Versteigerung E. Max in Paris am 11.5.1917, Nr. 102 mit Abb.
f) Hafenszene. Holz oval 35 × 41,5 cm. – Versteigerung Roerich-Museum in New York am 27.3.1930, Nr. 133 mit Abb.
g) Dorfbrunnen. Holz oval 39 × 53 cm. – Versteigerung Tilt in Brüssel am 29.4.1935, Nr. 125 mit Abb.
h) Eiche rechts vorn am Weg, darunter zwei Figuren (M. F. de Hulft!). Holz oval 39 × 50 cm. – Kunsthändler E. Burg-Berger, Stockholm 1938.
i) Wirtshaus am Fluß. Holz oval 39 × 48 cm. – Museum in Montargis, Inv. Nr. 163.

sich mit der Atmosphäre harmonisch verbindet; die Suggestion der Unendlichkeit, der Unbegrenzbarkeit des landschaftlichen Raumes soll hervorgerufen werden. Bei den Werken von 1642/1644 wird die Tonigkeit bis zum äußersten Grade gesteigert, die Lokalfarbe bis zur Unwirklichkeit unterdrückt. Was veranlaßte van Goyen zu diesem koloristischen Wandel? Zu Beginn der 40er Jahre wendet sich van Goyen von der „naturalistisch-realistischen" Naturschilderung ab und transponiert unter dem Eindruck der künstlerischen Vision die Lokalfarben zu einem eigenen, neuen, nuancenreichen Farbenspiel, mit dem er eine größere Sensibilität erzielt (oder zu erzielen glaubte). Dieses fein abgestimmte Farbenspiel ist durch Farbwerte von blondgelb bis rötlich- und goldbraun gekennzeichnet [1].

Ab 1644/1645 gibt van Goyen die strenge Tonigkeit auf und geht langsam zu einer *Andere Farbperioden* farbigeren Palette über. Das Wesentliche und Eigene der Landschaft gewinnen wieder *der 40er und 50er Jahre* Bedeutung: das Braun des Erdbodens, das Grün der Bäume, sogar das Blau des Himmels entsteht in seiner Eigenfarbe. Die Gegensätze der Farben stärken die Komposition, die Farb- und Lichtkontraste steigern die bildmäßige Wirkung. Damit schließt sich van Goyen der allgemeinen Richtung der holländischen Landschaftsmalerei an, die jetzt ihrem Höhepunkt entgegengeht. So arbeiten um 1650 zwei Generationen Landschaftsmaler gleichzeitig: die ältere, der van Goyen angehört, mit der jüngeren Generation (Jacob van Ruisdael, Aelbert Cuyp, Philips Koninck).

In den Jahren 1646 bis 1648, und zum Teil auch noch 1649, ist bei den Gemälden mit überwiegen- G 529, 534, der Uferszenerie eine kräftigere, satte grüne bis blaugrüne Farbskala vorherrschend, in den Flußszenen 536, 688 dabei an die Werke der 30er Jahre erinnernd; doch enthält die zwanglose, gereifte, freie Komposition fast keine gelbgrünen bis gelbbraunen Farbnuancen jener vergangenen Periode [2].

Um 1650 setzt eine auffallend stark braun-monochrome Farbmalerei ein, die einige Jahre währt [3]. Die breite braune (später bis rotbraune) Farbskala, der aber im Gegensatz zu den Werken aus dem Beginn der 40er Jahre gelblich-goldgelbe Töne fehlen, kontrastiert zum lichten Blau im Wolkenhimmel. Der Farbauftrag ist auf diesen Werken äußerst dünn, sodaß die durchscheinende Untermalung und Holzmaserung mitklingen [4]. Ihren stärksten Ausdruck findet die braune Monochromie in den skizzenhaften *Ölgemälden auf Papier* (1650/1651) [5]; hier ist sogar das abendliche Gewölk in G 245-271 f die feintonige, braune Farbensymphonie einbezogen. Diese Farbidee ist so mächtig ausgeprägt, daß van Goyen sie 1651 vorübergehend als Lavierung auf seine Kreidezeichnungen überträgt, die dadurch eine starke bildmäßige Ausdruckssteigerung erfahren. Dann dringen ab 1654 wieder farbigere Töne in die Szenerie ein; wir nähern uns dem Höhepunkt von van Goyens Schaffen.

Für die Marinemalerei war Jan Porcellis das Vorbild Jan van Goyens; die *Fernsich-* *Die Fernsichten* *ten* beruhen auf der Bekanntschaft mit dem Werk des genialen Hercules Seghers. Seghers wohnte (spätestens) seit 1633 bis zu seinem Tode (1637/1638) in Den Haag [6], war also Mitbürger van Goyens [7]. So dürften nicht nur seine Gemälde, sondern auch seine

1. An den Figuren kann ein helles Blau und Rot zur Belebung des Bildeindrucks vorkommen. Und noch eine winzige, farbige Besonderheit verdient Beachtung: ein unscheinbarer, hellblauer, kommaförmiger Pinseltupfen, zum Beispiel auf einer Kirchturmspitze (G 954) leuchtet wie ein Sonnenreflex auf – sonst bleibt die Tonigkeit gewahrt. Diesen Sonnenreflex hat van Goyen übrigens auch schon früher verwendet (G 378 von 1641).
2. Die Kenntnis der in den einzelnen Schaffensjahren unterschiedlichen Farbengebung gibt uns (in Verbindung mit der Beachtung der andersartigen Komposition) eine Handhabe zur Datierung seiner nicht signierten Werke, und hilft Unstimmigkeiten und Verfälschungen der Datierung aufzudecken.
3. Beispiele: G 394 von 1650, G 547 von 1651, G 560 von 1652, G 708 von 1653.
4. Jan van Goyens Farbauftrag ist – mit Ausnahme der Frühwerke – immer dünn, oft sogar zu dünn; deshalb schimmert vielfach die Untermalung durch oder sie ist mit der lasierenden Farbe zu einem eigenartigen, koloristisch reizvollen Farbton vermischt; auch ist die lichtbraune Holzmaserung oftmals durchgewachsen, besonders auffallend (wegen des ganz dünnen Farbauftrags) im Himmel. Beide Umstände sind Charakteristika für van Goyens Gemälde, deren Erhaltung dadurch manchmal beeinträchtigt wird.
5. BECK (2).
6. J. G. VAN GELDER, *Hercules Seghers erbij en eraf*, Oud-Holland 1950, Seite 216 ff.
7. Es klingt unwahrscheinlich, daß van Goyen erst durch die Pfändung der reichen Bestände des Lagers des Amsterdamer Kunsthändlers

Radierungen mit Fernsichten und Flachlandschaften van Goyen bekannt gewesen sein. Dabei greift van Goyen jedoch auf Seghers' Überbetonung des flachen Breitformats ebensowenig zurück wie auf dessen eigenartige Schilderung der Atmosphäre.

G 1138 Als Vorläufer zu den Fernsichten können wir den „Blick über Felder auf eine ummauerte Stadt" (von 1636) ansprechen, obwohl die ausführlich große Figurengruppe im Vordergrund noch das

G 374 Haften am Stil der 30er Jahre bezeugt, oder die große „Ansicht von Rhenen" (1636) in New York.

G 968 1638 folgt die „Flachlandschaft mit einem befestigten Kirchdorf"; auch hier ist die Überwindung des

G 969 Diagonalprinzips noch nicht gelungen. 1639 unternimmt van Goyen im „Flußtal" einen weiteren Versuch. Aber erst ab 1640 entstehen wirklich panoramaartige Fernsichten, in denen die horizontale Gliederung durchgesetzt ist.

Von niedrigen Höhen blickt der Betrachter über die weite holländische Tiefebene. Flußläufe, die das Bild parallel zum unteren Bildrand durchschneiden, betonen die horizontalen, sich hinter-einander schiebenden Geländelinien. Um den harten seitlichen Abschluß der waagerechten Gelände-

G 972, 975 linien durch die senkrechten Rahmenleisten zu vermeiden, sucht van Goyen anfangs den Übergang

Z 140 auf einer Seite mit einem Hügel abzuschwächen (Volhard), auf dem Figuren, Gebüsch oder eine Mühle die Horizontlinie weit überragen und sich von dem Himmel scharf abheben. Der Horizont und damit auch der Blickpunkt liegen extrem tief, sodaß die Landschaft nur noch etwa ein Fünftel der Darstellung einnimmt; wiederum ein Kontrast: die ebene Erde zu dem hohen Himmel. Über der Tiefebene breitet sich ein prächtiger, sonnig durchglänzter Wolkenhimmel aus. Hierin liegt der wesentlichste Unter-schied zu Seghers' Fernsichten, der mit seinem wolkenlosen, diesigen Himmel eine ganz andersartige Stimmung wiederspiegelt als van Goyen sie beabsichtigt: van Goyen benutzt die geballten Wolken-massen zur belebenden Bildwirkung, bis zur Steigerung in die Dramatik der Naturgewalten. Licht und Schatten, wie die Wolken sie verteilen, geben seinen Landschaften durch ihre gegensätzlichen Be-leuchtungseffekte das malerisch-reizvolle Aussehen[1].

G 983 Das eigentlich letzte Bild und gestaltungsreifste unter den Fernsichten datiert 1647. Hier ist die Seitenkulisse aufgegeben, die freie, horizontal gegliederte Komposition vollkommen durchgeführt, die schier unendliche Weite sichtbar gemacht. Ein gewaltiger Wolkenhimmel schwebt über der flachen Erde, köstliche Sonnenblicke huschen über von Buschwerk durchzogene Felder und veran-schaulichen Leben und Bewegung in der Natur.

G 249, 250, Ganz anders wirken auf uns jene „Nachzügler", die braun-monochromen Fernsichten von 1651
269, 270 aus der Serie der Papiergemälde. Hier fehlt die Monumentalität vorangegangener Fernsichten, hier ist die Fernsicht lediglich als Landschaftsthema studienhalber – für die monochrome Farbwirkung – gewählt. Obwohl die Ölstudien auf Papier nur eine vorübergehende Episode im Spätwerk van Goyens darstellen, sind sie in ihrer skizzenhaften Pinselführung eine um so mehr typische und farblich ganz besonders reizvolle Erscheinungsform[2].

Bisher unerwähnt, weil sie für die Entwicklung ohne wesentliche Bedeutung bleiben, sind die Strand-szenen, die Winterlandschaften und die Dorffeste.

Die Dorffeste und Märkte In Übertragung und Fortführung der (großfigurigen) Tuschpinselzeichnungen von 1624/1625 mit Szenen von *Dorffesten und Märkten* hat van Goyen solche Motive

---

Johannes de Renialme (im April 1640) auf Seghers' Werk aufmerksam geworden sein soll (vergleiche hierzu aber VOLHARD a.a.O., Seite 105). Hier soll erwähnt werden, daß das Seghers'sche Werk auch an P. Molyn wohl nicht spurlos vorübergegangen ist, während es Salomon van Ruysdael nicht berührt hat.

1. Ein besonderes Charakteristikum Salomon van Ruysdaels: „jene schrägen, abendlichen Streifen von Rosa und Gelb" (STECHOW) dicht über dem Horizont kennen wir von van Goyen nicht.

2. Das Papier mußte für den Farbauftrag besonders vorbereitet werden; der Überlieferung nach hat van Goyen dazu Terpentin benutzt, das auch heute noch von Künstlern genommen wird, um eine besonders flüssige Farbmalerei zu erzielen. Zur Bemalung hat van Goyen das Papier vielleicht auf einer Holzunterlage befestigt.

(seit 1627) vereinzelt auch auf Gemälden dargestellt. Das bedeutendste Werk stammt von 1644; die G 1025
Vielfalt des figurenreichen bunten Festtreibens hebt es aus dem Gesamtwerk hervor[1]. So recht
scheint van Goyen aber ein solch genrehaftes Thema nicht gefallen zu haben, weil er nur sehr
wenige Werke mit Kirmesdarstellungen gemalt hat. So haben beispielsweise die Skizzen mit Szenen
von einer Kirmes, die er auf mehreren Blättern seines Skizzenbuches (um 1648) festhielt, keinen
Niederschlag in einem Gemälde, wohl aber in einer Handzeichnung gefunden; wie er ja überhaupt Z 376
das Gewimmel vielfiguriger Feste und Märkte vor allem auf seinen späten Kreidezeichnungen (1651-
1656) gern festgehalten hat.

Neben wenigen Beispielen der 20er Jahre, die an A. Willaerts erinnern, treten *Strand-* *Die Strandlandschaften*
szenen eigentlich erst ab 1632, stärker in den 40er Jahren hervor. Van Goyen bleibt
mit diesem Thema führend vor S. van Ruysdael, nicht nur der Zahl nach, sondern auch
in der Meisterschaft der Komposition und freien Gestaltung; jedoch ist gerade bei dieser
Themengattung die Qualität der Gemälde van Goyens nicht immer gleichmäßig[2].

Die *Winterlandschaften* nehmen einen breiteren Raum ein, obwohl wir nicht aus je- *Die Winterlandschaften*
dem Schaffensjahr – beispielsweise den 30er Jahren – und nach 1650 fast gar keine
Winterszenen mehr kennen. In der Frühzeit zeigen die Eisbilder den gleichen Aufbau wie
die Sommerlandschaften: die Überfülle der Staffagefiguren, die Seitenkulisse und die
genrehafte Schilderung des Wintervergnügens. Während 1626 die Schar bunter Figuren noch groß ist,
sind die Werke von 1627 zum Teil schon „moderner", nur wenige Figuren sind sorgfältig verteilt G 40
und fördern damit die Ausgeglichenheit der Komposition.

Wie bei allen anderen Themen überrascht auch hier der Reichtum an Einfällen. Ab 1632 folgt auf G 27
Winterszenen die Einbeziehung des Bollwerktyps und später auch der Städteansichten in die landschaftliche Darstellung; Vorläufer für erstere sind die Gemälde von 1627. In den 30er Jahren geht G 43
wiederum das Interesse an der Einzelfigur zugunsten einer zahlreicheren, jetzt aber wohl- und unter-
geordneten Staffage zurück: van Goyen bewahrt sich die Schilderung des „Wintervergnügens",
eines beliebten Themas, das beispielsweise Isack van Ostade auch gern ausführt. Die weite, matt
graublau schimmernde Eisfläche, der hohe Himmel mit dem dunklen, schneeverhangenen Winter-
gewölk und die kahlen Bäume zwingen zur tonigen Gesamthaltung. Das Diagonalschema, bedingt
durch die Landschaftskulisse, wird um 1640 verlassen, um auch hier der horizontalen Gliederung den
Vorrang zu geben. Die in den Raumtiefen gestaffelten Figuren(gruppen), die von den Eckpunkten G 59
bildeinwärts streben, übernehmen die Raumwirkung und bestimmen den Bildaufbau[3].

Bis zum Ende seines Lebens beschäftigen van Goyen das Problem der Wiedergabe der *Der Höhepunkt:*
dunstigen Atmosphäre, die den Charakter der heimatlichen Landschaft so wesent- *die Seestücke der 50er Jahre*
lich beeinflußt, und die Darstellung des Wassers als unerschöpfliche Quelle des ewig
wechselnden Spieles von Ruhe und Bewegung, von Licht und Schatten, mit den sich
auf dem Wasser spiegelnden Lichteffekten des Wolkenhimmels, der den friedlichen
oder dramatischen Akzent bestimmt.

Die reifsten Schöpfungen sind ausnahmslos Seestücke; in ihrem kleinen Bildformat hat van
Goyen die adäquate Bildgröße gefunden. Die Marinen aus dem Jahre 1655 sind der Höhepunkt

1. Wohl das gleiche Fest hat auch S. van Ruysdael besucht und auf einem Gemälde des gleichen Jahres (1644) festgehalten (STECHOW
(SVR) Nr. 139). – S. van Ruysdael malte ab 1633 ähnlich vielfigurige Feste; Esaias van de Velde dürfte für beide Künstler die gemeinsame
Grundlage gewesen sein.
2. Die frühesten Strandszenen von S. van Ruysdael datieren von 1635-1637. – Irrtümliche Zuschreibungen und falsche van Goyen Signaturen sind bei den Strandszenen besonders häufig. Maerten Fransz. van der Hulft und Willem Kool dürften bei dieser Bildgattung wohl
die bekanntesten und begabtesten Nachahmer sein. Manche Gemälde stehen auch Simon de Vlieger sehr nahe.
3. S. van Ruysdael beginnt sein Schaffen 1627 mit Eisbildern; er nimmt aber dieses Thema erst wieder 1650 auf. Den Unterschied zwischen
den Winterszenen beider Maler hebt Stechow hervor.

G 883-897	seines Schaffens. Sie strahlen innere Ruhe und Reife des Alters aus; sie besitzen eine außerordentliche Leuchtkraft und bestechen durch die Wahrheit, die unmittelbare Lebendigkeit der Naturbeobachtung und die Meisterschaft der Wiedergabe der klaren Perspektive; sie zeigen die vollkommene Beherrschung der Komposition und ihrer Gesetze. Die Szenerie ist der von keiner Brise beein-
G 881-883	trächtigte stille Abendfrieden über See. Der Kanonenschuß einer fernen Fregatte läßt an Jan van de Cappelles und Willem van de Veldes Werke (vor allem G 884 und 889) anklingen.

G 898 Als die schönste und stimmungsvollste Schöpfung, „die Apotheose seines Wirkens" (Van de Waal), gilt das „Haarlemer Meer" aus seinem letzten Lebensjahr (1656), heute im Städelschen Kunstinstitut in Frankfurt/Main. Seit der Periode der braun-monochromen Werke um 1650/1653 hat die Palette wieder eine reichhaltigere, fast bunte Farbengebung erhalten. Lokalfarben sind hin und wieder angedeutet; in den Schatten überwiegt ein graublauer Ton; durch dunstiges Gewölk leuchtet helles Himmelsblau. Die Pinselführung ist locker, spritzig und von größter Sicherheit; der Malstil ist unverändert, auch die Figuren sind noch die gleichen. Aber die immanente Ausdruckskraft der künstlerischen Vision, der unvergeßliche, stimmungsvolle Gesamteindruck dieser so holländischen Landschaft bedeuten die höchste Stufe von van Goyens künstlerischer Leistung, bedeuten Abschluß und Verklärung seines Lebenswerkes.

Wenngleich van Goyens Schöpfungen nicht die Vollendung der Kunst eines Rembrandt van Rijn oder des großen Jacob van Ruisdael erreichten, so bieten sie doch durch ihre friedvolle Beschaulichkeit seinen Freunden und Liebhabern die Freuden stiller Versenkung, Entspannung und Ablenkung, und damit unerschöpflichen Genuß.

Über die Zusammenarbeit mit anderen Künstlern

Wir kennen kein Gemälde van Goyens, in dem die Staffage nicht von seiner Hand gemalt wäre. Hat van Goyen überhaupt mit anderen Künstlern zusammengearbeitet, seine Landschaften in fremde Gemälde gemalt? In der Literatur werden gelegentlich Porträtgemälde erwähnt, auf denen der landschaftliche Hintergrund van Goyen zugeschrieben wird. Alle diese Zuschreibungen beziehen sich auf großformatige Gemälde und basieren auf einer von A. Bredius veröffentlichten Urkunde, in der ein Haager Bäckermeister im Jahre 1666 erklärte, er hätte seinem Bruder vor Jahren zwei Gemälde geliehen, die gemeinsam von Jan van Goyen und Jacob van der Merck gemalt seien [40]. Wohl auf Grund dieser Notiz schrieb W. Martin auf einem großen Gemälde von J. van der Merck die Landschaft Jan van Goyen zu. Der landschaftliche Hintergrund dieses Gemäldes [1] ist jedoch meines Erachtens ebensowenig von van Goyen wie der jener anderen ihm zugeschriebenen Gemälde.

Wohl die bekannteste Zuschreibung ist das Porträt eines Ehepaares in Kopenhagen [2]. Schon Hofstede de Groot hat van Goyens Urheberschaft mit Recht abgelehnt [3], desgleichen bei drei weiteren Gemälden, auf denen die Landschaft seines Erachtens ebenfalls nicht von van Goyen, sondern von einem ihm unbekannten Haarlemer Meister herrührt.

Der landschaftliche Hintergrund auf dem „Selbstbildnis" von Pieter Nason [4] kommt van Goyens Malstil wesentlich näher als der der oben erwähnten Gemälde. Nach der Abbildung zu urteilen scheint die Landschaft auf diesem Werk mit dem Stil gleichzeitiger Gemälde van Goyens (1648) viel Verwandtes aufzuzeigen. In dieser Richtung sind weitere Nachforschungen notwendig.

1. Kunsthändler Le Roy frères in Brüssel; bezeichnet: J. v. Merck 1643, Leinwand 145 × 195 cm. – Siehe W. Martin in „*Feestbundel...*" 1915, a.a.O., mit Abb.
2. Kopenhagen, Statens Museum for Kunst, Kat. 1946, Nr. 883 mit Abb. – Holz 76 × 106,5 cm. (HdG 2). – Ein anderes Porträtgemälde mit landschaftlichem Hintergrund, Th. de Keyser und J. van Goyen zugeschrieben, war in einer Münchener Versteigerung am 17.3.1901, Nr. 99 mit Abb.; auch hier stammt die Landschaft nicht von van Goyens Hand.
3. Hofstede de Groot, *Jan van Goyen and his followers*, Burl. Mag. XLII, 1923, Seite 4 ff., mit zahlreichen Abbildungen. – Vergleiche hierzu auch Stechow (SVR) Seite 21, Fußnote 7.
4. Warschau, Nationalmuseum, Inv. Nr. A 806, bezeichnet und datiert 1648, Leinwand 94 × 77,5 cm. – Literatur: Bialostocki a.a.O., mit Abb. 263; vergleiche außerdem: B. J. A. Renckens in *Oud-Holland*, LXIX, 1954, Seite 246 ff. mit Abb. (als J. van der Merck!). – Pieter Nason war seit 1639 Mitglied der Haager St. Lucasgilde; somit könnte eine Fühlungnahme beider Künstler durchaus bestanden haben, wenngleich sich darüber noch keine Bestätigung finden ließ.

Jan van Goyen als Zeichner

Wie für viele große Maler, so stand auch für van Goyen die Zeichnung am Beginn künstlerischen Gestaltens; mit dem Zeichenstift verlieh er seinen Ideen, seinem unmittelbaren Eindruck von der Landschaft faßbaren Ausdruck, erste Gestalt. Wir kennen kaum einen zeitgenössischen Künstler, der so wie van Goyen die Landschaft in der Natur studierte und zeichnete und aus diesen ersten Entwürfen im Prozeß künstlerischer Gestaltung später seine Gemälde schuf.

Mit Ausnahme weniger Jahre (1620-1623, 1630, 1637, 1639, 1643, 1645) kennen wir Zeichnungen aus jedem Lebensjahr, allerdings nur wenige Beispiele aus den 30er und 40er Jahren sowie von 1654, 1655 und 1656. In manchen Jahren hat van Goyen mehr gezeichnet, in anderen überwiegend gemalt. Beispielsweise stammen die meisten signierten Zeichnungen von 1651, 1652 und besonders von 1653, während wir aus diesen Jahren verhältnismäßig wenige Gemälde besitzen. Nach den so reichen Zeichenjahren 1651 bis 1653 wendet sich van Goyen dann wieder mehr der Malerei zu und erlangt mit den Gemälden von 1655/1656 den Höhepunkt seiner Malkunst, auf den die vorangegangene starke Zeichenperiode sicher nicht ohne Einfluß war.

Van Goyen hat erstaunlich viel gezeichnet[1]. Ganz schlichte *Landschaftsstudien*, zu- meist Kreideskizzen ohne Staffage, hat er auf seinen Wanderungen in Skizzenbücher gezeichnet, um sich in ihrer flüchtigen Niederschrift die bildliche Erinnerung zu be- wahren[2]. Diese in ihrer äußeren Form anspruchslos anmutenden Studienblätter bezeugen seine ausge- zeichnete Beobachtungsgabe, sein großes zeichnerisches Können und seine hohe Kultur im Zeichnen. Solche Landschaftsstudien aus Skizzenbüchern dienten in den 50er Jahren wiederholt Gemälden und großen, figurenreichen Zeichnungen als Vorlage[3], besonders die Zeichnungen des Dresdener Skizzen- buches und des Skizzenbuches von 1650/1651[4]. Wahrscheinlich hat van Goyen aber weitaus mehr Vorlagestudien (auch von Städten und Bauwerken) für seine später ausgearbeiteten Werke verwendet als wir heute noch nachweisen können.

Diesen einfachen Landschaftsstudien steht die große Zahl *bildmäßig ausgeführter Handzeichnungen* gegenüber, die jedem Sammler als typische Zeichnungen van Goyens bekannt sind. Sie waren als

Die Motive

---

1. Nicht alle Zeichnungen, die man ihm zuschreibt, können von seiner Hand stammen. So rühren beispielsweise einige ungewöhnlich große Zeichnungen, die komponierten Gemälden seiner Spätzeit gleichen, nicht von ihm her. Der eigentümlich unsicher-zitterige Strich etc. verrät den nachzeichnenden Nachahmer; zu einigen dieser Zeichnungen sind die Vorlagen bekannt.
   a) Ansicht von Leiden. Nach G 338, Nachzeichnung I.
   b) Ansicht von Dordrecht. Seitenverkehrt nach G 301, Nachzeichnung I.
   c) Zwei Segelboote an einer Landzunge. Nach G 891, Nachzeichnungen I und II.
   d) Flußlandschaft mit großem Ruderboot rechts. Ähnlich G 253.
       I) Bezeichnet: VG 1646, schwarze Kreide 226 × 360, Kupferstichkabinett der Staatl. Museen Berlin, Inv. Nr. 2750.
       II) Bezeichnet: VG f. 1653, schwarze Kreide 222 × 363, Albertina in Wien, Inv., Nr. 8523.
   e) Stadt ähnlich Nimwegen, vorn eine Fähre.
       I) Bezeichnet: VG 1656, schwarze Kreide, laviert 177 × 240, aus Sammlung Stroganoff; Versteigerung in Berlin am 5.6.1912, Nr. 244 mit Abb.; Sammlung Mrs. Richardson in England; Versteigerung in London (Chr) am 21.11.1967, Nr. 80.
       II) Seitenverkehrt. Bezeichnet: VG 16.., Feder, grau laviert 176 × 232; Sammlung B. H. in Amsterdam.
   f) Zweitürmiges Wasserschloß, Ruder- und Segelboote. Bezeichnet: VG 1655, schwarze Kreide 200 × 305, Sterling and Francis Clark Art Institute, Williamstown/Mass.
   g) Flußlandschaft mit Fähre, links Gehöft. Schwarze Kreide 142 × 225, Versteigerung Mrs. J. N. van Lessen aus Wassenaar in London (So) am 11.3.1964, Nr. 186.
   h) Flußlandschaft. Gehöfte am linken Ufer. Ruder- und Segelboote.
       I) Schwarze Kreide, laviert 180 × 260, Versteigerung Octave Linet in Paris am 23.3.1963, Nr. 32 mit Abb.
       II) Mit Signaturresten. Kreide, laviert 175 × 260, Versteigerung Mad. A. Doucet in Paris am 21.11.1966, Nr. 46 mit Abb.
   i) Wirtshaus am Ufer. Nach Z 141 (Nachzeichnung I).
   j) Wohl von der gleichen Hand: Sal. van Ruysdael bezeichnet. Flußlandschaft. Albertina in Wien, Inv. Nr. 10118 (Stechow: seiten- verkehrte Kopie nach einem Gemälde S. van Ruysdaels, STECHOW (SVR) Nr. 414).
2. Es gibt nur noch zwei in ihrem ursprünglichen Zustand bewahrte Skizzenbücher Jan van Goyens; alle übrigen Skizzenbücher sind aufgelöst. Aber einzelne lose Skizzen lassen sich mit anderen Blättern als ehemals zusammengehörig vereinen (siehe Zeichnungskatalog).
3. BECK (I).
4. Im Zeichnungs- und Gemäldekatalog wird auf Vorlagestudien jeweils verwiesen.

selbständige Kunstwerke geschaffen und sicherlich auch mehrfach in zusammenhängender Folge veräußert, manchmal sogar mit einem Titelblatt[1]. Bei diesen mit Figuren reizvoll belebten Landschaften sind Winter- und Strandszenen auffallend seltener als die üblichen van Goyen'schen Motive mit Dünen- und Flußlandschaften. Sehr beliebt und von Sammlern begehrt sind figurenreiche Szenen von Volksfesten und Märkten, belebte Straßen und Kanäle (wie sie auf seinen Gemälden nach 1627 kaum noch vorkommen). Flußlandschaften mit bewegtem Wasser oder Seestücke mit Segelbooten fehlen hingegen fast vollkommen auf Zeichnungen selbst in den Jahren, in denen diese Motive auf Gemälden dominieren.

Die Zeichenmittel   Das ideale *Zeichenmittel* für seine schnelle Zeichentechnik fand van Goyen in der schwarzen Kreide, die er ab 1630 ausschließlich als Zeichenstift verwendete. Da er mit der Kreide viele Nuancen von weich bis hart auszudrücken imstande war, kam sie der von ihm gewünschten Wiedergabe von Natur und Atmosphäre am nächsten. Mit weichem, feinfühligem Strich vermochte er dem Betrachter den der holländischen Landschaft eigenen Reiz außerordentlich naturwahr zu vermitteln, das Gewimmel vieler Figuren sehr lebendig und die flimmernde, dunstgesättigte Atmosphäre über der weiten, küstennahen Landschaft besonders anschaulich wiederzugeben. Bei der Darstellung der unendlich wirkenden Ferne ließ er Bauwerke, Kirchtürme und Windmühlen über die Streifen der Horizontbegrenzung in eben angedeuteten, sich in den Details verflüchtigenden Gestaltsformen hervorragen.

Um das malerische Element zu steigern, die Schatten- und Tiefenwirkung zu fördern und die Kontraste zu unterstützen, lavierte van Goyen (ab 1647) die meisten seiner großen, ausgeführten Kreidezeichnungen mit grautonigem Tuschpinsel; die Zeichnungen aus den 30er und frühen 40er Jahren sind nur selten ganz leicht laviert. Einige Zeichnungen von 1651 hat van Goyen mit brauner Tusche laviert, um eine Steigerung des bildmäßig-malerischen Ausdrucks zu erzielen[2].

Außer den Kreidezeichnungen kennen wir aus van Goyens Frühzeit Zeichnungen mit Feder oder farbigem Tuschpinsel. Eigenhändige Rötelzeichnungen kenne ich nicht[3]. Die bunte Aquarellierung einiger Kreidezeichnungen dürfte überwiegend spätere, fremde Zutat sein.

Zeichenpapier, Format,   Für seine bildmäßig ausgeführten, signierten Zeichnungen wählte er hauptsächlich die
Wasserzeichen   beiden *Querformate* 110 × 190 mm und 170 × 270 mm (ungefähre Maße) und gutes weißes *Zeichenpapier*. Diese Zeichnungen umgibt häufig eine (nicht immer eigenhändige) Einfassungslinie, an der die Blätter später meist beschnitten wurden. Einige unbezeichnete Studienblätter zeichnete er auf wesentlich gröberes und stärkeres Papier, das fälschlich an ein Papier des 18. Jahrhunderts zu denken verleitet. Ganz ungewöhnlich ist die Zeichnung auf
Z 188, 190   Pergament. – Mit Hilfe der *Wasserzeichen* gelingt es, die Datierung unsignierter Zeichnungen zu bestimmen und Nachzeichnungen aufzufinden. Die Zusammenstellung der Wasserzeichen im Zeichnungskatalog bleibt jedoch unvollständig, da einige graphische Sammlungen ihre Zeichnungen auf der Unterlage aufgezogen haben.

---

1.   Eine solche Folge (ohne Titelblatt) von 1650 besitzt das Kupferstichkabinett in Kopenhagen (Z 193 A-L). – Der Kunsthändler R. Weigel besaß um 1860 eine Folge von dreizehn Dorf- und Flußlandschaften mit Titelblatt (Z 331 a-m). – Eine weitere (?) Folge von dreizehn Zeichnungen besaß Dirck van Vliet in Leiden (28.11.1693, Not. Q. Raven in Leiden. – Notiz aus dem Bredius-Archiv im Rijksbureau). – Auch Molyn entwarf ähnlich gestaltete Titelzeichnungen mit Girlandenabschluß am oberen Rand (z.B. Berlin, Inv. Nr. 13417) und Monatsfolgen.
2.   Zu Beginn der 50er Jahre überwog bei van Goyen eine stark braun-monochrome Farbmalerei, die ihren stärksten Ausdruck in den Ölgemälden auf Papier 1650/1651 fand (siehe Seite 47), zu denen jene brauntonig lavierten Zeichnungen aus demselben Jahr in enger Beziehung stehen. – Auch P. Molyn hat in späteren Jahren manche Zeichnung mit (hell) brauner Tusche laviert, doch wirken die Zeichnungen van Goyens kraftvoller und vigouröser getuscht.
3.   Alle mir bekannten, unsignierten Rötelzeichnungen (Z 375 I und II, 562 I) sind nach originalen Kreidezeichnungen entstanden (auch im Gegensinn!); sie sind meines Erachtens Nachzeichnungen von Zeitgenossen oder Schülern.

Die Zeichnungen aus der Mitte der 20er Jahre sind – wie seine Gemälde – noch im Stil seines Lehrers Esaias van de Velde entstanden. Erst ab 1626/1627 erlangt van Goyen seinen eigenen Zeichenstil, der sich dann nicht mehr ändert; lediglich seine Technik wird im Laufe der Jahre routinierter. So bestehen in der Zeichentechnik zwischen den Zeichnungen der 30er und denen der 50er Jahre trotz gewisser äußerer Ähnlichkeit manche Unterschiede; die wenigen Zeichnungen der 40er Jahre zeigen keine eigenen, wesentlichen Merkmale; sie stellen eine Übergangsform dar.

Van Goyens frühe Kreidezeichnungen weisen einen festen, bogigen Strich auf. Mit der zunehmenden Verwendung der Zeichenkreide und ihrer schnelleren und wendigeren Handhabung werden die Bögen in der Folge kürzer und routinierter; sie werden bei der Baumzeichnung zu bogen- oder hufeisenförmigen *Haken,* bei der Terraingestaltung zu *Schleifen* und *Spiralen,* die dann jeweils untereinander verbunden werden. Auf den ersten Kreidezeichnungen von 1626/1627 sind Schleifen bereits angedeutet, obwohl sie eigentlich erst das Charakteristikum der 30er Jahre sind; hier formt van Goyen beispielsweise den welligen Erdboden aus spiraligen Schleifen, um Raumwirkung sowie Licht- und Schattenpartien anzudeuten. In späteren Jahren werden die Schleifen durch die schnellere Zeichentechnik unregelmäßiger, offen-freier und schließlich in den 50er Jahren selten.

Bäumen und Laubwerk gibt der locker gleitende Kreidestrich nur die umreißende Gestalt; der Baum mit Ästen und Blattwerk entsteht als lebendiges Wesen aus einem Guß. In den 30er Jahren kennzeichnet eine Vielzahl schleifenförmig miteinander verbundener, bogenförmig-offener, kurzer, feingliederiger Haken den laubbehangenen Baum, dessen Blattwerk wie von zartem Windhauch bewegt erscheint; die Lavierung fehlt noch meist. In den 50er Jahren hingegen ist der hakenförmige Strich routiniert-flotter, die laubreichen Äste erscheinen zusammenhanglos und zerfahren, das Ast- und Laubwerk wirkt wie ein vom Stamm gelöstes Gebilde; hier gibt die Lavierung mit dem Tuschpinsel dem Baum räumlichen Zusammenhalt und lebendige Vorstellung.

Aus einem Strich, gleichsam als seien sie soeben vor unseren Augen mit der Kreide in spontaner Bewegung fixiert, beleben van Goyens Figuren die Szenerie. Bis in die Mitte der 30er Jahre bilden größere Figuren, wie sie beispielsweise auf Volksfesten oder Märkten bedächtig, zuweilen ein wenig steif herumstehen eine Reminiszenz an die Tuschpinselzeichnungen von 1624/1625. Betrachten wir aber die Figuren von 1638, so besitzen diese bereits jenen Schwung, der sie nie mehr in voller Ruhe erstarren läßt; sie sind nur noch Umriß ohne (fremd anmutende) Ausschmückung der Kleidung (wie in der Frühzeit); ihre lebendige Haltung veranschaulicht das Geschehen. Die in natürlich-flüssiger Bewegung gezeichneten Figuren, der Aufbau der szenischen Handlung und die Aufgelockertheit der Gruppierung charakterisieren am anschaulichsten den Unterschied zwischen den Zeichnungen der 30er Jahre und denen der Jahre von 1650 bis 1656.

Der Wolkenhimmel ist auch dort, wo die wenigen zarten Kreidestriche durch Lavis verstärkt sind, ohne wesentliche Bedeutung für die Gesamtdarstellung. Die ihm auf Gemälden zugewiesene Aufgabe braucht er auf Zeichnungen nicht zu erfüllen.

Bei van Goyens Zeichnungen kennen wir (wie bei den Gemälden) zwei *Signaturen*: *Die Signatur* die frühe, volle Namenssignatur I. v. GOIEN (1624-1627) und das bekannte, ligierte Monogramm VG (ab 1628). Außer diesen beiden Signaturarten verwendete er auf einigen Titelzeichnungen von 1653 eine seiner Unterschrift gleichende Bezeichnung[1]. Z 333, 334

Als van Goyens früheste Handzeichnungen gelten seine Zeichnungen mit brauner *Die Federzeichnungen* Feder, die J. G. van Gelder wegen ihrer auffallend gleichen Größe nach Skizzenbüchern (A, B, C, D) eingeteilt hat[2]. Es sind aber keine skizzenhaften Studienblätter, sondern

---

1. Weitere Einzelheiten im Kapitel „Bezeichnung und Datierung".
2. J. G. VAN GELDER in *Kunstmuseets Aarskrift,* XXIV, 1937, Seite 31-45.

voll ausgeführte und bildlich durchgestaltete Landschaftszeichnungen. Bei den signierten Feder-zeichnungen unterscheiden wir zwei Gruppen: jene, die die volle Namenssignatur I. v. GOIEN tragen und andere, die mit dem ab 1628 gebräuchlichen, ligierten Monogramm bezeichnet sind.

Z 1-13 Die kleinen, miniaturhaften, voll signierten Federzeichnungen, die sicherlich einmal einem zu-sammenhängenden Zeichenbuch angehört haben[1], sind im Jahre 1624 entstanden; sie stehen in enger Beziehung zu einigen sehr frühen Gemälden (G 1-7, 99-106). Es sind bereits reine Landschaftsdarstel-lungen, das heißt die Landschaft tritt als wesentlichstes Merkmal hervor und die Staffage zurück – eine Beobachtung, die wir bei van Goyen eigentlich erst nach der Wende von 1626/1627 sowohl bei Zeichnungen als auch bei Gemälden machen. Außerdem zeichnet van Goyen nicht nur Flußszenen, sondern auch Seestücke mit großen Segelbooten, ein Thema, das er bei seinen Gemälden viele Jahre später (ab 1638) aufgreift. Da Seebilder im Werk Esaias van de Veldes fehlen, so dürfen wir in diesen Federzeichnungen wohl die unmittelbare Beeinflussung durch Jan Porcellis vermuten, dessen Werk van Goyen schon vor dessen Wohnungnahme in Leiden gekannt haben muß.

Z 13a-19 Wesentlich sicherer in der Federführung sind die größeren, monogrammierten Zeichnungen. Sie zeigen den Zeichenstil nach der Wende von 1626/1627 mit Schleifen und Spiralen und stehen auch mit der Darstellung ländlicher Motive den Gemälden um 1630 so nahe, daß sie vermutungsweise wohl um 1629/1630, jedenfalls nicht nach 1631 entstanden sind.

Ein Problem für sich stellen die unsignierten Federzeichnungen dar. Einige Blätter mögen viel-leicht von van Goyen kurz vor oder nach 1624 gezeichnet sein, andere sind in der Ausführung so abweichend und unterschiedlich, daß sie nicht von van Goyen, sondern von Künstlern im Umkreis E. van de Veldes und Claes Jansz. Visschers herrühren[2]; zumeist wurden solche Zeichnungen nicht in das Katalogwerk aufgenommen; aber auch bei manchen in den Katalog aufgenommenen Blättern bin ich von der Autorschaft van Goyens nicht immer überzeugt.

Die Tuschpinselzeichnungen Abgesehen von den Federzeichnungen, bilden alle anderen Zeichnungen von 1624/1625, nicht nur wegen der fast gleichen Größe, eine zusammengehörige Gruppe: in zart-farbigem Tuschpinsel stellen sie genrehafte Szenen aus dem Volksleben dar. Dabei liegt die Betonung auf den humorvoll gezeichneten Figuren; sie sind groß, viel größer und wichtiger als je auf seinen Gemälden. Durch ihre fest umrissene Formgebung und die man-gelnde natürliche Bewegungswiedergabe erscheinen sie im ganzen noch unbeholfen, manchmal auch wie gestellt. Die Landschaft tritt zurück, sie wird mit dem Tuschpinsel nur eben angedeutet, um der Handlung einen gewissen Rahmen zu geben. Die Aufteilung der Darstellung auf die Bildräu-me wird, wie bei den Gemälden, beachtet, sodaß auch bei diesen Zeichnungen ein kulissenhafter Eindruck der Darstellung entsteht.

Die Kreidezeichnungen Die Wendung zur neuen Richtung (siehe Seite 40) mit Formung des eigenen Zei-chenstils beginnt bei den Zeichnungen im Jahre 1626; hier finden wir auch die ersten Kreidezeichnungen. Die neue Richtung ist bei den Zeichnungen früher und schneller gefestigt als bei den Gemälden: die Landschaft tritt als bedeutungsvolleres Motiv hervor, dagegen die Figurenstaffage unter-, beziehungsweise eingeordnet zurück, wobei manchmal frei gegen den Himmel gestellte Figuren auffallen. Das Diagonalprinzip, das bei den Gemälden einen so breiten Raum als Kompositionsschema einnimmt, erlangt auf Zeichnungen keine Bedeutung: van Goyen hat fast keine Flußszenerien mit einseitig dominierendem Ufer gezeichnet; die Komposition der Zeich-nungen bleibt ungebunden-freier und natürlicher.

---

1. Von Gillis Neyts kennen wir beispielsweise auch solch ein Zeichenbuch mit 200 miniaturhaften, ausgeführten Federzeichnungen (von 1652/1653) in Wiener Privatbesitz.
2. Leider sind nicht alle Originale der von J. Gronsvelt gestochenen acht angeblich frühen Zeichnungen van Goyens (Z 852 a-h) bekannt; sie würden mithelfen, die frühe Zeichnungsperiode van Goyens und E. van de Veldes kennenzulernen und abzugrenzen

Eigenhändige Wiederholungen gibt es bei Zeichnungen ebensowenig wie bei Gemälden. Mehrere angeblich eigenhändige Repliken, zumeist völlig darstellungsgetreue *Nachtzeihnungen*, stellen sich beim Vergleich mit dem Original stets als Nachzeichnungen unbekannter Künstler heraus; es sind raffinierte Fälschungen unter van Goyens Namen, sofern auch seine Signatur nachgezeichnet ist; doch wirken hier die Zahlen breit, plump und ungelenk oder aus Unkenntnis der wirklichen Entstehungszeit absichtlich (?) verwaschen. Bei diesen Nachzeichnungen führt die Kenntnis der Wasserzeichen und die Beurteilung der Qualität des Zeichenpapiers meist zur Aufdeckung solcher den Zeichenstil van Goyens äußerst geschickt und täuschend nachahmenden Zeichnungen. Dann erkennt man die Nachahmung an zumeist geringfügigen Einzelheiten der Zeichnung: die Vordergrundschleifen und Spiralen sind ungenau, nicht intuitiv gestaltet oder überhaupt fortgelassen und durch Schraffierung etc. ersetzt; für die feinen Häkchen der Baumzeichnung gilt ein gleiches; nie sind sie einfache kommaförmige Striche. Die Verteilung von Licht und Schatten ist dem Nachzeichner nicht immer gelungen; der Schatten im Vordergrund oder am Dünenhügel ist wiederholt nur durch einfache Schraffierung ersetzt. Die Figuren sind grob-unsicher umrissen und bestehen vielfach aus nicht weiter ausgezeichneten „hohlen" Bögen; ihre schräge Schraffierung wirkt schematisch. Die Spiegelung der Landschaft, der Kähne und Figuren im Wasser ist unvollständig oder übergenau-unwirklich gezeichnet. Die Flußufer im Hintergrund, die van Goyen gern mit überragenden Gebäudespitzen und Buschwerk schmückt, zeigen eine mehr großzügige Behandlung. Die Tuschpinsel-Lavierung hat der Kopist häufig besonders stark ausgeprägt (auch mit brauner Tusche), um die Schwächen seiner Zeichnung zu „vertuschen".

Der Wandel in der *Wertschätzung* der Zeichnungen van Goyens erfolgte (wie bei den Gemälden) erst am Ende des 19. Jahrhunderts. Allerdings bezeugen zahlreiche Crayonstiche von Künstlern des 18. Jahrhunderts (Ploos van Amstel, W. Baillie, J. J. Bylaert, Busserus, Schreuder), daß van Goyens Zeichnungen auch in früherer Zeit, als die Zeichenkunst hoch geschätzt wurde, beliebt waren. Diese Stiche sehen einem zarten Kreidestrich so ähnlich, daß Verwechslungen mit Originalzeichnungen garnicht so selten vorkommen.

Radierungen von van Goyen kenne ich nicht. Die seltenen fünf Radierungen mit der Bezeichnung „Jan van Goye" (Dutuit 1-5) gelten auf Anregung Dr. C. J. Bierens de Haans (und F. G. Wallers) als Arbeiten Jan van de Cappelles[1]. Dieser Ansicht kann ich mich nicht ohne Vorbehalt anschließen[2]. Auffallend ist nämlich die Übereinstimmung der Darstellung von Dutuit 1 mit der Radierung VIII von J. Gronsvelt. Es könnte meines Erachtens eine beiden Radierungen gemeinsame Vorlage van Goyens (?) vorgelegen haben, die heute verschollen ist. Ich sehe deshalb in Dutuit 1, die ja im Stil von den übrigen vier Radierungen (Dutuit 2-5) abweicht, eine Radierung (von einem unbekannten Stecher) vielleicht nach van Goyen.

Auch die beiden Radierungen Hollstein 1 und 2 (Unika!) sind meiner Meinung nach von unbekannten Stechern ausgeführt; außer der Darstellung in van Goyens Art deutet nichts darauf hin, daß diese nicht einmal im Stil zusammengehörigen, in der Ausführung recht schwachen Radierungen tatsächlich von van Goyen selbst stammen. Und auch eine dritte Radierung (ebenfalls Unikum), bezeichnet: J. van Goyen 1624 (!), im Prentenkabinet der Rijksuniversiteit Leiden „Figuren auf einem Dünenweg zu einem Fischerdorf" ist sicher nicht von van Goyen selbst radiert. Vorlagezeichnungen oder Gemälde zu diesen drei Radierungen sind bisher nicht bekannt.

Es gibt keine zeitgenössischen Berichte, daß van Goyen selbst radiert habe. Da es sich bei den von Dutuit aufgeführten fünf Radierungen um frühe Werke handeln müßte, hätte van Goyens Chronist Orlers diese Tatsache sicher erwähnt. Van Goyens schneller Schaffensart konnte die bedächtige Sorgfalt und peinlich minutiöse Arbeit eines Radierers nicht entsprechen.

1. Unter Jan van de Cappelles Namen auch bei HOLLSTEIN a.a.O. und VAN DE WAAL a.a.O.
2. Auch STECHOW (1), Seite 208 (Anmerkung 37) äußert sich gegen diese Zuschreibung.

3. ABGRENZUNG UND NACHWIRKUNG DES WERKES

Esaias van de Velde, Pieter Molyn, Salomon van Ruysdael

ESAIAS VAN DE VELDE (um 1590/1591-1630) [1] und Jan van Goyen entwickelten sich bis 1625 gleichartig; dann wandte sich van Goyen der neuen Richtung zu (siehe Seite 40/41), während van de Velde sich anzuschliessen zögerte. Seine Tätigkeit als Hofmaler in Den Haag, wo er mit der bevorzugteren flämischen Malkunst zwangsläufig stärker in Berührung kam, mag vielleicht der Grund gewesen sein. Immerhin spüren wir in einigen Werken seiner letzten Lebensjahre die beginnende Auseinandersetzung mit der neuen Richtung, bei seinen Zeichnungen früher als bei seinen Gemälden [2]. Landschaften mit klarem Diagonalaufbau oder weite Fernblicke kennen wir allerdings von ihm nicht.

Die Malweise van de Veldes ist breiter und sicherer als die des jungen van Goyen. Bis zu seinen letzten Gemälden behält er die eigentümlich „alte" Baummalerei bei, die noch unorganischer als die des frühen van Goyen wirkt. Mit den Flußlandschaften und dem Fährenthema geht er van Goyen voran, wobei er gern von einem leicht erhöhten Standpunkt eine Übersicht über den stillen Fluß oder zugefrorenen Kanal gibt, der etwa in der Bildmitte, von beiden Ufern fast gleichgewichtig begrenzt, in die Tiefe zieht; der Horizont bleibt verhältnismäßig hoch. – Seine schlanken Figuren tragen schmalrandige, hohe Zylinderhüte (besonders auf Eisbildern), während die gedrungenen Figuren van Goyens nie solche Hüte tragen. Auf den Gehöften, die Esaias malt, liegt das Stroh auf dem Dach in kompakten, streifig geordneten Bündeln, bei van Goyen ist das Strohdach genauso ärmlich verlottert wie das ganze Gehöft.

Esaias van de Veldes Zeichenstil läßt bei den Kreidezeichnungen wohl kaum Verwechslungen mit van Goyens Zeichnungen zu, auch nicht bei den großfigurigen Szenen um 1627/1628; bei manchen Federzeichnungen hingegen wechselt die Zuschreibung.

PIETER MOLYN (1595-1661) [3]. Die ersten Werke Pieter Molyns, der in Haarlem tätig war, datieren von 1625; das Gemälde in Dublin mit den auffallend vielen Figuren ist noch ganz im Stile E. van de Veldes und A. van de Vennes gemalt, nur die Landschaft (Baumschlag) ist seinem späteren Malstil schon

---

1. Die folgenden van Goyen zu Unrecht zugeschriebenen Gemälde gehören zu Esaias van de Velde oder dessen Umkreis:
a) Sommer-Winter. Holz je 19,5 × 36 cm. Statens Museum for Kunst in Kopenhagen, Kat. 1946, Nr. 264 und 265.
b) Winter. Bezeichnet: ... N 1612. Holz, rund, Durchmesser 25 cm. Leiden, Stedelijk Museum, Kat. 1949, Nr. 114 (HdG 1163).
c) Winter. Holz 28,5 × 37,5 cm. Haarlem, Frans-Hals-Museum, Kat. 1955, Nr. 508 b.
2. Das bekannteste Beispiel: Dünenlandschaft. Amsterdam, Rijksmuseum, Kat. 1955, Nr. 2453 (von 1629).
3. Die folgenden, van Goyen zu Unrecht zugeschriebenen Werke sind charakteristische Gemälde P. Molyns:
a) HdG 340 und 341. – HdG 488? – Daß P. Molyn Jan van Goyen kopiert habe, halte ich nicht für glaubwürdig (G 1130).
b) Landschaft mit Wagen, Figuren, Hütte. Falsch bezeichnet und datiert 1643. – Holz 42 × 58,5 cm. – Versteigerungen in London (Chr) am 14.3.1924, Nr. 141 und am 4.3.1927, Nr. 108.
c) Baumreiche Landschaft mit Hütte und Figuren. Falsch bezeichnet. Leinwand 147 × 195 cm. – Versteigerung Prinz Reuß in Berlin am 23.4.1928, Nr. 105 mit Abb. – Kunsthändler J. Goudstikker in Amsterdam. – Versteigerung in Brüssel am 8.5.1929, Nr. 53 mit Abb. – Versteigerung in Wien am 17.11.1942, Nr. 37 mit Abb.

verwandt.[1] Bereits ein Jahr später, mit dem Gemälde in Dublin kaum vergleichbar, ist die bekannte „Dünenlandschaft" in Braunschweig[2] entstanden; es ist mit diesem Datum weitaus „moderner" und kühner als van Goyens gleichzeitige Werke. Charakteristisch ist der Diagonalaufbau mit leichtem Dünenanstieg auf einer Seite und dem kontrastierenden Lichteinfall in den Mittelgrund, den wir dann wenig später auch bei van Goyen sehen. Wir kennen von 1626 (außer den vier Radierungen B. 1-4) noch zwei Federzeichnungen[3], die beide ebenfalls „fortschrittlicher" wirken als van Goyens gleichzeitige Zeichnungen. Diese und andere frühe Werke zeigen P. Molyns erstaunlich „moderne" Farbbehandlung[4] und kraftvolle Begabung, die wir in manchem späteren Werk vermissen.

Molyns künstlerisches Lebenswerk erschöpft sich in der malerischen Wiedergabe eines nüchternen, welligen Dünenterrains mit überschneidenden Geländelinien, anfangs mit starker Betonung des Diagonalprinzips; noch in den 50er Jahren liebt er das Motiv des Hohlwegs oder der sandigen Landstraße, die sich durch die Einöde einen Hügel hinaufschlängelt. Die Fernsicht und das harmonische Ineinanderübergehen von Landschaft und Atmosphäre glücken ihm nicht immer so wie van Goyen, der auch in seinen Themen, insbesondere der Fluß- und Marinemalerei, vielseitiger ist. Molyns Figuren – im Vordergrund meist in Rückansicht, oft großfigurig und mit bunter Kleidung – und Bauernkarren heben sich scharf vom Horizont ab, den sie überragen, beziehungsweise gegen den sie gestellt sind. Ebenso charakteristisch ist Molyns Baummalerei durch die fächerförmigen Blattzweige, grundverschieden von der van Goyens. Die farbige Tönung der Szenerie – mit auffälliger Beachtung der Lokalfarben – ist oft köstlich abgestimmt[5], wenngleich der Wolkenhimmel im Vergleich mit van Goyens Gemälden ausdrucksloser erscheint.

Als Zeichner erreicht Molyn mit seinen getuschten Kreidezeichnungen der 50er Jahre beinahe van Goyens Rang. Er verfolgt dabei im Aufbau der Landschaftsszenerie eine so selbständige und ausgeprägt eigentümliche Linienführung des Zeichenstiftes (ohne Schleifen, Spiralen etc.), daß bei diesen Zeichnungen keine Fehlzuschreibung vorkommen dürfte; allerdings mag man bei der Zuschreibung einiger Studienblätter vielleicht geteilter Meinung sein.

SALOMON VAN RUYSDAEL (um 1602-1670)[6]. Van Ruysdaels frühe Landschaften enthalten bereits vielfach, was van Goyen seinerzeit erst erlernen mußte: Malweise und stilistische Auffassung hatten sich zwischen 1620 (erstes Gemälde van Goyens) und 1626 (erstes Gemälde van Ruysdaels) ganz entscheidend geändert. Um 1630 wendet sich van Ruysdael der neuen Richtung zu.

Zwischen van Ruysdaels und van Goyens Gemälden bestehen in den 30er Jahren enge Beziehungen, die vielfach Anlaß zu Fehlzuschreibungen boten, ehe sie von W. Stechow analysiert wurden. In diesen Jahren herrscht vor allem in der Motivwahl, weniger in der Farbwahl Gleichheit (van

1. a) Ausritt des Statthalters zur Jagd. Bezeichnet und datiert 1625. Holz 33 × 55 cm. – National Gallery in Dublin, Kat. 1928, Nr. 8.
b) Biblische Szene. Zeichnung mit brauner Feder. Voll bezeichnet und datiert 1625. – Sammlung P. und N. de Boer in Amsterdam, 1964.
c) In der ehemaligen Sammlung Graf Nostitz in Prag, heute National Galerie in Prag, befindet sich ein Gemälde von P. Molyn, das angeblich 1624 datiert sein soll; dieses Datum wird jedoch angezweifelt und die Entstehung um 1628 angesetzt. Es entspricht in Darstellung und Ausführung van Goyens Werken von 1628/1629 (siehe auch: STECHOW (1), 2. Auflage, Anmerkung 16, S. 192).
2. Herzog-Anton-Ulrich-Museum in Braunschweig; Kat. 1932, Nr. 338. – Früher sogar fälschlich J. van Goyen zugeschrieben (Kat. 1776, Nr. 88).
3. Musée des Beaux-Arts, Brüssel; Inv. Nr. 2568 und 2569.
4. Im Gegensatz stehen die beiden Deckfarbenmalereien des Berliner Kupferstichkabinetts (Inv. Nr. 4329, 4330), von denen das eine Bildchen das Datum 1629 trägt; die Buntheit der Szene und altertümlich-farbige Gliederung der Landschaft (braun-grün-blau) stehen im Widerspruch zu Molyns üblicher Farbwahl dieses Jahres.
Auf Pieter van Santvoort als Vorläufer der neuen Richtung der holländischen Landschaftsmalerei wurde bereits Seite 41 verwiesen.
5. Farbig besonders reizvoll ist die Neuerwerbung (1960) des Frans-Hals-Museums in Haarlem (Jaarverslag, Haarlem 1960, Seite 21 mit Abb.), bezeichnet und datiert 1647, Leinwand 73 × 91,5 cm.
6. Van Goyen zu Unrecht zugewiesene Gemälde hat bereits STECHOW (SVR) beschrieben. Hier bleibt nachzutragen:
a) HdG 611 stammt nicht von van Goyen.
b) G 1025 ist irrtümlich bei STECHOW (SVR) Nr. 144 beschrieben.
c) G 971 ist bei STECHOW (SVR) unter Nr. 582 aufgeführt.

Goyen: gelbgrün, van Ruysdael: blaugrün); beide Künstler benutzten das Diagonalschema, van Goyen früher als van Ruysdael (1631), van Ruysdael oftmals geschickter als van Goyen.

Die Spätwerke van Ruysdaels sind von denen van Goyens leichter zu trennen; hier ist er (abgesehen von der Farbwahl) unproblematischer als van Goyen; der Niederschlag der unterschiedlichen Temperamente und Charaktere findet sich in ihren Werken. Van Ruysdael war (wie Molyn) ein mehr bedächtiger Maler; van Goyen hingegen war temperamentvoller, unternehmungslustiger und erfindungsreicher, er experimentierte mit Farben und Motiven gleichsam und versuchte die Licht- und Dunstprobleme der heimatlichen Landschaft und Atmosphäre bildlich zu lösen. Die Seestücke beider Maler offenbaren am besten ihre verschiedenen Temperamente. Nie wählte van Ruysdael den Sturm oder die Gewitterböe, selten sind auch seine Seestücke mit spitzen Wellenkämmen und kurzbogigen Wellentälern. Das eigene Naturerlebnis hilft van Goyen bei der Gestaltung seiner Seestücke. Van Ruysdael beherrscht ein mehr beschauliches, dekoratives Schema, das er raffiniert variiert, während van Goyen bestrebt ist, die Ursprünglichkeit der Natur immer wieder aufs neue mit feiner Empfindung im Bild zu gestalten.

Auf den streifigen Abendhimmel van Ruysdaels wurde schon hingewiesen (Anmerkung 2, Seite 48). – Die Ruderkähne van Ruysdaels sind breiter, die Segelboote mehr porträtierend gestaltet, die Fährboote bis zum „Fährentyp" (Anmerkung 3, Seite 43) herausgestellt. Seine „zentralen" Bäume sind mächtige Prachtexemplare an Wuchs und majestätischer Schönheit (Anmerkung 2, Seite 42). – Salomons Bauwerke sind von klarer Baulinie, nicht überkomponiert wie manchmal bei van Goyen (oder gar dessen Nachfolgern).

Zeichnungen Salomon van Ruysdaels sind nicht bekannt (Stechow) [1].

Schüler

Wenn A. Houbraken nicht JAN STEEN, NICOLAES BERCHEM und A. VAN DER KABEL als Schüler van Goyens erwähnte, würden wir einen Schüler eher unter seinen vielen Nachfolgern vermuten. Da die Werke dieser drei Künstler, die wohl nur vorübergehend bei van Goyen gelernt haben, fast keine künstlerische Beeinflussung erkennen lassen, brauchen wir uns ihnen nicht ausführlicher zu widmen. Unbestätigt ist auch die Notiz, daß Herman Saftleven d.J. Schüler van Goyens war (um 1630?).

In einigen Gemälden von JAN STEEN (1626-1679) sehen wir in der ausgeprägten landschaftlichen Szenerie den einzigen Hinweis auf eine entsprechende Ausbildung bei seinem Schwiegervater (um 1648).

NICOLAES BERCHEM (1620-1683) hat bei van Goyen wohl nur Zeichenunterricht genommen, wie Hofstede de Groot beim Vergleich mit frühen Berchem-Zeichnungen vermutete.

Am meisten scheint A. VAN DER KABEL (1631-1705) von van Goyen beeindruckt worden zu sein [2]; er hat anfangs in van Goyens Stil gemalt (und gezeichnet?) und vielleicht manches Werk seines großen Lehrers kopiert [3]. Vielleicht müssen wir in ihm sogar den genialsten Kopisten der Werke van Goyens sehen. Er hat auch in späteren Jahren verstanden, den Malstil anderer Künstler gut zu imitieren.

1. Die bei STECHOW (SVR) abgebildete Zeichnung (Abb. 64) des Berliner Kupferstichkabinetts gehört meines Erachtens zu van Goyens Zeichenwerk (Z 775).
2. Wenn das mit dem Monogramm AK 1648 bezeichnete Gemälde der ehemaligen Sammlung des Duke of Sutherland (HdG 876) wirklich von seiner Hand stammt, dann hat Van der Kabel bereits mit 17 Jahren eine außerordentlich beachtenswerte Malkunst besessen, die ganz im Stil seines Lehrmeisters stand.
Besonders erwähnenswert ist aber eine voll signierte Strandszene van der Kabels: Holz 37,5 × 49,5 cm (Paul Drey Gallery, New York 1964), die unmittelbar an van Goyens Gemälde um 1650 erinnert. Auch HdG 1123 ist von A. van der Kabel.
3. G 1018 II ist eine Kopie von A. van der Kabel nach van Goyen; eine andere, etwas freiere Kopie ist G 1004 I. Wahrscheinlich dürfen wir noch unter einige andere, bislang unbenannte Nachfolgerwerke seinen Namen setzen und auch unter manche Zeichnung (vergleiche Z 376 I, 821).

Nachfolger

Jan van Goyen hat von seinen Werken keine Wiederholungen geschaffen; er besaß genügend künstlerische Fantasie, um seine Landschaften stets neu zu gestalten. Alle im Katalog als Kopien beschriebenen Gemälde und Zeichnungen stammen deshalb nicht von seiner Hand, sondern fast ausnahmslos von unbekannten Künstlern, zum überwiegenden Teil erst aus dem 18. Jahrhundert; es gibt aber auch moderne Fälschungen, wenn auch sehr selten. Solche Kopien können völlig darstellungsgetreu sein oder weichen bei gleicher Szenerie in der Staffage ein wenig vom Original ab.

Umfangreich und verschiedenartig sind die Nachahmungen; es muß zahllose zeitgenössische und spätere Nachahmer van Goyens gegeben haben. Wie A. Bredius aus dem Katalog der Versteigerung vom April 1647 [21] nachgewiesen hat, wurde van Goyen bereits zu Lebzeiten von damals schon nicht mit Namen genannten Malern kopiert, deren Bilder auf dieser Auktion bis zu drei Gulden erzielten. Wahrscheinlich haben Johannes Schoeff (siehe Seite 63) und A. van der Kabel (siehe Seite 58) manches Gemälde mehr oder minder werkgetreu nachgemalt. Mit den Kopisten von Zeichnungen verbinden wir vorläufig fast überhaupt keine Namensvorstellung, sofern nicht auch hier A. van der Kabel die Zeichnungen seines Lehrers in dessen Stil nachzeichnete.

Viele Künstler wählten die erfolgreichen Landschaftsmaler ihrer Zeit – Jan van Goyen und Salomon van Ruysdael – zum Vorbild ihrer Malweise. Das Ergebnis ist oft eine eigenartige Mischung der Stile und Malperioden ihrer Vorbilder, die durch „Anleihen" bei anderen Künstlern noch weitere, kaum mehr zu identifizierende Verschiedenheiten erlangten. Dabei haben manche dieser kleinen Talente schließlich eine gewisse selbständige Malweise ausgebildet, ohne jedoch den Rang ihrer Vorbilder zu erreichen. Von den bekannteren Nachfolgern wie Anthony J. van Croos, Maerten F. van der Hulft, Wouter Knyff und Johannes Schoeff kennen wir signierte Gemälde, sodaß wir durch Stilvergleich manches bislang unbenannte Werk diesen Künstlern wieder zuweisen können. Aber die meisten übrigen Gemälde werden wohl für immer namenlos bleiben; und sind uns andererseits Künstlernamen überliefert, so verbinden wir damit manchmal keine Vorstellung zu Werken.

Die Beschreibung der Unterschiede von Original und Nachahmung muß bei dem inhaltlich umfangreichen Werk van Goyens und den zahllosen Nachfolgern unzulänglich bleiben, weil sich nicht alle Unterschiede in Worten ausdrücken lassen. Wollen wir van Goyens Werk abgrenzen, so müssen wir hervorheben, daß die farblich-ausgeglichene, harmonische Stimmung und die selbstsichere, natürliche Figuren-, Baum- und Laubmalerei das Wesen seiner meisterhaften Landschaftswiedergabe ausmachen. Dabei bilden Darstellung, Farbengebung und Datierung (Signierung) eine Einheit. Die Farbengebung ist für die verschiedenen Malperioden ebenso typisch wie die Wahl und Ausführung der Motive. Von der weiten Skala grüner und braungelber bis dunkelbrauner Farbtöne hat van Goyen zeitweilig nur bestimmte Farbnuancen gewählt; und durch Kenntnis dieser Farbperioden können wir beispielsweise Unstimmigkeiten bei der Lesart der Datierung aufdecken[1]. Die Form der schnittigen Fischerboote, die in richtigem Tiefgang auf dem Wasser gleiten, die normale Körpergröße und natürliche Bewegungshaltung der Figuren, das Verhältnis der in Booten rudernden, angelnden und stehenden Männer zur Bordwandhöhe, die wirkungsteigernde Wolkenbildung und der (nicht übermäßig betonte) eigentümlich kurze Wellenschlag der holländischen Binnenmeere und Flüsse – alles weist auf eingehende Studien in der Natur und eine gute Beobachtungsgabe (mit für Farben sehr empfindsamem Auge), die seinen Nachfolgern meist fehlt. Die Unselbständigkeit der Nachfolger zeigt sich beispielsweise an der Ausführung der Licht- und Schattenpartien, die in hartem Kontrast aneinander grenzen, an der gröberen Farbwahl oder der Komposition, ihrem mangelnden Gleichgewicht und mehr schematischen Aufbau.

---

1. So muß beispielsweise wegen der grau-silbergrauen Farbstimmung die Datierung auf G 848: 1638 (und nicht 1650 oder 1656) gelesen werden – oder das bekannte Berliner Winterbild (G 46) wegen seiner bunten Farbigkeit, Figurenmalerei und Darstellung um 1630 (und nicht 1650) entstanden sein.

Erhebliche Zweifel und Fehlzuschreibungen können vor allem bei Gemälden mit Strandlandschaften und Flußszenerien mit Bauwerken bestehen. Bei ersteren neigt man heute dazu, die unbedeutenderen, schwachen Gemälde dem Maerten Fransz. van der Hulft zuzuschreiben. Bei Flußlandschaften mit hervortretenden Gebäuden sind van Goyens Nachfolger nüchterner und kühler in der Komposition und (farbigen) Ausführung, zuweilen aber sind die Bauwerke auch so unnatürlich im architektonischen Aufbau, daß jede Zuschreibung von vornherein fragwürdig ist. Man erkennt, daß der Nachfolger seiner Fantasie allzu freien Lauf gelassen hat. Diesem Thema haben sich vor allem Wouter Knijff, Jan Coelenbier und Frans de Hulst gewidmet.

Ein Augenmerk ist schließlich auf den Verlauf der Holzmaserung zu richten, der bei (unbeschnittenen) querformatigen Gemälden waagerecht, bei (unbeschnittenen) hochformatigen Gemälden senkrecht sein soll.

Z 134 I
G 988 N I Signierte oder gesicherte Zeichnungen von van Goyens Nachfolgern sind ziemlich selten; zumeist werden sie mit falscher Zuschreibung an van Goyen gehandelt.

Die folgende kurze Charakterisierung einzelner Nachfolger – auf alle lohnt es nicht, in diesem Rahmen hier einzugehen – kann keine vollkommene Analyse ihrer Werke darstellen; sie soll vor allem Anregungen zu kritischen Vergleichen vermitteln. Eine ausführliche, mit vielen Abbildungen versehene Publikation scheint mir hier sehr notwendig, um den heutigen Stand der Forschung darzulegen.

JAN COELENBIER (um 1610-nach 1677) steht, wie Stechow betont, Salomon van Ruysdael und van Goyen gleichermaßen nahe; er imitiert den Malstil beider Künstler.

Noch mehr als W. Knijff mangelt ihm die Lebendigkeit der Darstellung und die Technik des Bildaufbaues (Perspektive!). Auf seinen Flußlandschaften werfen Fischer von breiten Booten ihre Netze im weitem Bogen aus; seine burgartigen Gebäude wirken spielzeughaft. Viele seiner Gemälde sind im Ovalformat; außer sehr gelbtonigen Gemälden gibt es auch andere, deren Farbwahl mehr den Gemälden van Goyens aus der Mitte der 40er Jahre ähnlich sieht[1].

ANTHONY JANSZ. VAN CROOS (1604-1663) liebt ein kleines, betontes Querformat mit vorwiegend gelbtoniger Palette. Er malt Landschaften und Fernsichten wohl unter direktem Einfluß van Goyens; bei anderen Gemälden ist auch eine Verwechslung mit Salomon van Ruysdaels mittlerer Zeit denkbar. Seine Laubmalerei ist durch auffallend gleichmäßig spritzig getupftes Blattwerk ganz charakteristisch, wirkt aber schematisch-unnatürlich. Seine Figuren sind ebenso eigentümlich und fallen besonders durch ihre unnatürliche Haltung und schattenrißartige Wiedergabe auf. Van Croos' Monogramm ist oftmals in das van Goyens umgefälscht oder wird als dessen Monogramm ausgegeben[2].

Zeichnerische Ausführung und Komposition seiner seltenen Bleistiftzeichnungen (auf Pergament) entsprechen seinem Malstil; sie sind meist voll bezeichnet.

1. Werke von Jan Coelenbier, die fälschlich van Goyen zugeschrieben wurden:
    HdG 324a – HdG 409 – HdG 810 – HdG 840 – HdG 981 – HdG 1004.
2. Werke von A. J. van Croos, die fälschlich van Goyen zugeschrieben wurden:
a) Zwei Landschaften, je 4,5 × 9 cm. Kunsthändler J. Goudstikker, 1935.
b) Zwei Flußlandschaften. Falsch bezeichnet. Holz je 9 × 20 cm. Narodni Galerie in Prag, Inv. Nr. 01613 und 01614.
c) Flußlandschaft mit Schloß Montfoort, Holz 36 × 51 cm. Sammlung des ehem. Königs von Rumänien, Kat. mit Abb.
d) Flußlandschaft mit ummauerter Stadt rechts, links vorn drei Fischer. Bezeichnet: VC 1646, Holz 37 × 34 cm. Sammlung Dr. C. Baumann in Utrecht, 1960.
e) Weite Landschaft bei Rhenen, vorn drei Figuren. Falsch voll bezeichnet und datiert 1646. Holz 33,5 × 49 cm. Kunsthändler D. Katz in Dieren, um 1930.
f) Landschaft mit Ruine, vorn Figuren bei einer Hütte und Weidenstümpfe. Bezeichnet: VG 1633, Holz 35,5 × 52 cm. Sammlung P. Simons in Neuß, ausgestellt: Düsseldorf, 1928, Nr. 28.
g) Landschaft mit Schloß. Falsch bezeichnet. Holz 45,5 × 62 cm. Versteigerung Mayer van den Broeck in München am 15.5.1905, Nr. 18 mit Abb. – Versteigerung in Berlin am 5.12.1905, Nr. 24 mit Abb.
h) HdG 29 = 429a – HdG 900.]

MAERTEN FRANSZ. VAN DER HULFT (HULST) (tätig in Leiden um 1630-1645). Wir kennen von ihm Landschaften zu allen Jahreszeiten, vor allem aber braungelbe Strandszenen (Hauptwerk in Gotha) und Flußlandschaften mit windbewegtem Wasser; außer der eigenartigen Wellenform kennzeichnen die Körperhaltung seiner großen Fischerfiguren und sturmgebeugte Bäume viele seiner Landschaften[1].

Seine Gemälde tragen oftmals noch eine gefälschte Van Goyen-Signatur. Wiederholt trifft man seine Werke auch mit Zuschreibung an Frans de Hulst (Gotha, Liechtenstein).

Die einzige bekannte, signierte und 1640 datierte Handzeichnung besitzt das Berliner Kupferstichkabinett.

FRANS DE HULST (um 1610-1661) malt Stadtansichten und Flußszenen, auf denen eine Bildseite durch Diagonalaufbau kompositionell überwiegt. Er bevorzugt das Ovalformat.

Seine Bauwerke wirken in ihrer düsteren Farbigkeit kühl-nüchtern, seine goldbraunen Landschaften haben vielfach helle gelbgrünliche Lichteffekte, vor allem im Laubwerk[2].

FRANÇOIS KNIBBERGEN (1597-um 1665). Die Gemälde dieses Haager Landschaftsmalers werden kaum Anlaß zu Verwechslungen bieten. Aber seine schwungvollen Kreidezeichnungen findet man häufig noch unter van Goyens Namen (Albertina, Besançon, Rijksprentenkabinet Amsterdam). Dabei ist sein Zeichenstil durch die großzügig weiten Bögen, mit denen er Wolken und Szenerie gleichermaßen entwirft, gut unterscheidbar von dem van Goyens. Am besten vertreten sind seine Zeichnungen in Stockholm.

WOUTER KNIJFF (um 1607-nach 1693). Von allen Nachfolgern kommen W. Knijff, A. van Croos und M. F. van der Hulft van Goyens Landschaftsmalerei am nächsten[3]. W. Knijffs Monogramm ist mehrfach in das van Goyens umgefälscht.

Knijff bevorzugt stahlgrau als Farbe für Dächer von Gebäuden und Türmen, die Schatten im Wasser malt er grauschwarz. Seine Landschaften sind nicht so sorgfältig gemalt und feintonig empfunden wie van Goyens Werke; auch gestaltet er das Laubwerk zu schematisch-trocken und dürr. Unter seinen Figuren findet man wiederholt eine Frau mit hellem Mieder, meist in Rücken- oder Seitenansicht.

---

1. Werke von M. F. van der Hulft, die fälschlich van Goyen zugeschrieben wurden:
a) HdG 52 – HdG 570 – HdG 572 – HdG 705 – HdG 722 – HdG 830 – HdG 1014 – HdG 1160 – HdG 1203.
b) Turm und Seglerplatz am rechten Ufer. Falsch bezeichnet. Kunsthändler J. Goudstikker in Amsterdam, Kat. 35/1928, Nr. 14 mit Abb.
c) Turm, Torbogen und Seglerplatz am rechten Ufer. Falsch bezeichnet. Art Collectors Association, London 1924. – Versteigerung in Amsterdam am 1.7.1924, Nr. 352.
d) Hohes Ufer mit Holzhäuschen, vorn zwei Kähne mit Figuren. Holz 34,5 × 41,5 cm. – Sammlung Ch. T. Yerkes und W. M. Chase. – Versteigerungen in New York am 23.1.1918, Nr. 45 mit Abb. und am 10.2.1919, Nr. 19 mit Abb. – Kunsthändler D. Katz in Dieren, 1934-1938. – Versteigerung A. Holle in Paris am 23.6.1950, Nr. 2 mit Abb. – Versteigerung in Paris am 9.5.1952, Nr. 92 mit Abb.
e) Doppelturm und Häuser am rechten Ufer, umfahren von Segel- und Ruderbooten mit Figuren. Falsch bezeichnet. Holz 40,6 × 50,8 cm. Versteigerungen in New York am 21.2.1916 und am 19.11.1926, Nr. 51.
f) Winter, links eine Stadt mit Turm, vorn Schlittschuhläufer. Falsch bezeichnet. Holz 24 × 29 cm. – Sammlung Mrs. D. Hart in London. – Versteigerung in London (Chr) am 20.5.1966, Nr. 102. – Kunsthändler L. Koetser in London, Kat. Herbst 1966, Nr. 3 mit Abb.
g) Zwei Figuren auf einem Dünenhügel im Sturm. Sammlung Ivar Hellberg, Stockholm, Kat. 1938 mit Abb. – Kunsthändler P. de Boer in Amsterdam, Kat. Winter 1958 mit Abb. (bei der Restaurierung 1955 wurde die echte Signatur aufgedeckt).
2. Werke von F. de Hulst, die fälschlich van Goyen zugeschrieben wurden:
HdG 394 = 494 d – HdG 796 – HdG 957.
3. Werke von W. Knijff, die fälschlich van Goyen zugeschrieben wurden:
a) HdG 86 – HdG 764. – Siehe „Topographische Hinweise" unter: Woerden.
b) Kirche und Türme links, Boote auf dem Wasser. Falsch bezeichnet. Holz 48 × 64,5 cm. – Versteigerung in Luzern am 31.8.1933 Nr. 507 mit Abb.
c) Turm inmitten einer Mauer rechts, vorn eine Rundbastion. Zwei Kähne unterhalb der Mauer rechts. Falsch bezeichnet. Holz 50 × 70 cm. – Privatsammlung in Holland.
d) Kirche hinter einer Ufermauer; links vorn landet ein Kahn an einer Treppe, rechts vorn drei Fischer im Kahn. Falsch bezeichnet. Holz 42 × 56 cm. – Kunsthändler E. Slatter, London, Kat. Sommer 1947, Nr. 20 mit Abb.

WILLEM KOOL(EN) (1608-1666) malt vorwiegend Strand- und Eislandschaften; die ersteren kennzeichnet eine sandig-ockerfarbene Tönung, an der man seine Gemälde ebenso sicher erkennen kann wie an seinen eigenartig gedrungenen Figuren, an deren Kleidung oftmals helle streifenartige Tupfer (Kragen etc.) auffallen. Die Verteilung der Staffage ist unbeholfen und langweilig. Die Dünenhügel am Strand sind „leer" und ausdruckslos, es fehlt die belebende Wirkung von Licht- und Schattenpartien. Seine Signatur findet man wiederholt in die van Goyens umgefälscht[1]. Manche seiner Gemälde stehen auch Simon de Vlieger nahe.

JAKOB VAN MOSCHER (um 1605-tätig um 1650 in Haarlem)[2]. Moschers Gemälde erinnern an P. Molyn und J. van Goyen, andere an S. van Ruysdael, Dubois und Vroom (Stechow). Charakteristisch sind seine fächerförmig aufgezweigten Bäume, die großen Farnkräutern ähnlich sehen. Seine fernblickartigen Dünenlandschaften sind farblich sehr reizvoll, von hellen braunen und grünen Tönen.

Seine Kreidezeichnungen in Leiden und in der Sammlung J. Q. van Regteren Altena entsprechen seinem Malstil.

PIETER DE NEYN (1597-1639)[3] war Schüler bei E. van de Velde. In der Frühzeit malt er Raubüberfälle und Schlachtenszenen (1625). Seine Flußlandschaft von 1626 (Leiden) hat ebenso bunte Staffagefiguren wie van Goyens gleichzeitige Werke. Am Ende der 20er Jahre (1627-etwa 1633) schließt er sich seinem Leidener Kollegen van Goyen eng an und übernimmt dessen fortschrittlichen neuen Stil der Landschaftsmalerei in Komposition und Farbengebung. Auch die Werke der Folgezeit zeigen seine Abhängigkeit von Vorbildern. Mit seinen Gemälden der 30er Jahre steht er P. Molyn und S. van Ruysdael in Farbwahl und Figurenmalerei näher als van Goyen.

Die Bäume sind unorganisch gewachsen gemalt, das Laubwerk wirkt „wolkig" durch ein Zuviel an Blättern je Ast. Die Spiegelung der Bäume im Wasser vermeidet de Neyn darzustellen, während van Goyen diese genau beobachtet hat.

De Neyns Figurenmalerei ist plump und unbeholfen. Pferd und Reiter sind auffallend steif und manchmal sogar verzeichnet. Bei seinen Flußlandschaften stehen Baumgruppen schematisch raumeinwärts abgestuft am Ufer, auch als einzelne hohe Bäume (z.B. München), eine primitive Anwendung des Diagonalprinzips (in dieser Form weder bei van Goyen noch bei S. van Ruysdael). Die Ruderkähne laufen am Bug oftmals eigentümlich spitz zu. Der Farbton des Blattwerks neigt mehr nach blau bis blaugrau, in der Landschaft überwiegen manchmal hell-gelbbraune, grelle Töne. Seine Gemälde mit Dünen- und Dorflandschaften werden häufig unter van Goyens Namen gehandelt, ebenso unter seinem aber auch Werke, die unter seinem Niveau liegen (Stechow).

Von CORNELIS SYMONSZ. VAN DER SCHALCKE (1611-1671)[4] kennen wir nur wenige authentische Werke; außer van Goyens Einfluß sehen wir den P. Molyns und S. van Ruysdaels. Seine Landschaften, beispielsweise der „Dünenweg" in Berlin, können in ihren hellen gelbbraunen und grünen Farben sehr ansprechend sein.

1. Beispiel: Versteigerung in London (Chr) am 27.5.1960, Nr. 154 – später mit richtiger Zuschreibung beim Kunsthändler Terry-Engell, Kat. Herbst 1961, Nr. 17 mit Abb.
2. J. Q. VAN REGTEREN ALTENA in *Oud-Holland*, XLIII, 1926, Seite 18-28.
3. H. GERSON in *Ned. Kunsthist. Jaarboek*, I, 1947, S. 95-111. Mit dieser Arbeit dürfte der Streit um die Identität des Monogrammisten PN mit Pieter de Neyn oder Pieter Nolpe beendet sein.
Siehe auch Anmerkung 5, Seite 44.
Werke von Pieter de Neyn, die fälschlich van Goyen zugeschrieben wurden:
a) HdG 383 und das Gegenstück (siehe Anmerkung 5, Seite 39) – HdG 304 – HdG 434 – HdG 451.
b) Sandiger Dorfweg mit Reiter, Figuren, Gehöft, Heustock. Falsch bezeichnet. Holz 37,5 × 58,5 cm. – Versteigerung E. Roberts in New York am 15.11.1928, Nr. 76 mit Abb. – Versteigerung in New York am 4.1.1935, Nr. 16.
c) Vier Landleute unterhalten sich über einen Zaun, links zurück ein Dünenhügel. Falsch bezeichnet. Holz 41 × 59 cm. – Versteigerung Mrs. Barnard in London (Chr) am 12.6.1925, Nr. 64. – Versteigerungen in Amsterdam am 13.6.1926, Nr. 724 mit Abb. – am 8.4.1930, Nr. 155 mit Abb. – am 9.5.1933, Nr. 24 – am 5.11.1938, Nr. 35.
4. J. Q. VAN REGTEREN ALTENA in *Oud-Holland*, XLIII, 1926, S. 49-61.

Signierte Kreidezeichnungen besitzen die Hamburger Kunsthalle und das Lubomirski Museum in Lemberg, andere in den Sammlungen Frits Lugt und G. Marasli.

JOHANNES SCHOEFF (1608-nach 1666) wohnte (etwa seit 1638) als Nachbar van Goyens im Haag. Er versteigerte mit ihm zusammen im Jahre 1647 [21] eigene und zeitgenössische Gemälde.

Schoeff malt Dünen- und Flußlandschaften sowie Fernsichten über Land und Flüsse mit fernem, niedrigem Horizont, aber eigenartig reihenförmiger Buschwerkanordnung mit übertrieben maniriertem Blattwerk. Die Farbengebung variiert zwischen braun und gelbbraun bis olivbraun und hellen gelb- bis bläulichgrünen Tönen. Die Figuren können kräftigere Farben aufweisen; in Haltung und Ausführung fehlt ihnen die Natürlichkeit und Lebendigkeit van Goyen'scher Figuren. Insgesamt steht Schoeff van Goyen näher als S. van Ruysdael, obwohl seine Flußlandschaften manchmal auch diesem fälschlich zugeschrieben werden [1]. Eines seiner bekanntesten Gemälde ist eine freie Kopie nach einem Gemälde van Goyens; es basiert nicht, wie Stechow meint, auf einem Werk van Ruysdaels.   G 209 II

ABRAHAM SUSENIER (um 1620-um 1667), dem Dordrechter Stillebenmaler, wurden in letzter Zeit [2] einige Strandlandschaften zugeschrieben, die van Goyens Malstil ähnlich sehen. Diese Gemälde in kräftigem dunkelgelbraunem Farbton mit gelblichen Lichteffekten sind mit dem Monogramm AS oder AVS (mit verschiedener Stellung der Buchstaben zueinander) bezeichnet. Malstil und Ausführung der einzelnen Gemälde sind zu unterschiedlich, um von einer Hand stammen zu können; sie sind aber insgesamt oberflächlich ausgeführt, beispielsweise sind die Figuren in den Bildraum ohne Beziehung zur Umgebung gestellt und gesetzt, sodaß die Nachahmung van Goyens nur sehr unvollkommen gelingt.

JOOST DE VOLDER (tätig in Haarlem um 1630-1640). Von diesem Haarlemer Landschaftsmaler sind nur wenige Gemälde überliefert [3]. Aber eines dieser Gemälde zeigt eine so täuschende Ähnlichkeit mit dem Malstil und der farbigen Haltung van Goyens, daß Stechow es mit Recht als warnendes Beispiel zu Beginn seines Buches erwähnt und abbildet [4]; mit der sehr hellen Farbengebung des Terrains und der Bäume erinnert es ein wenig auch an die Landschaften Frans de Hulsts.

An weiteren Nachfolgern seien noch erwähnt: P. BOOLS, JACOB VAN DER CROOS, WILLEM VAN DIEST, REINIER VAN DER LAECK (mehr im Stile Schoeffs), aber auch einige Gemälde von AELBERT CUYP (vor allem auch Zeichnungen!), FRANS DE MOMPER, JAN PORCELLIS, HERMAN SAFTLEVEN, SIMON DE VLIEGER (auch dessen Zeichnungen) und JAN DE VOS, manchmal auch von P. J. VAN ASCH können zu Fehlzuschreibungen und Verwechslungen Anlaß geben, worauf schon Hofstede de Groot (1923) hingewiesen hat.

Zu den Zeichnungen von A. WATERLOO, S. DE VLIEGER und AELBERT CUYP bestehen enge Beziehungen.

Abschließend seien noch drei Künstler aufgeführt, die uns nur in ihrem Monogramm bekannt sind: LB und PHB sowie J. W. (G 752 I).

---

1. Beispiel: Versteigerung in Köln am 17.5.1962, Nr. 8 mit Abb. – Später mit richtiger Zuschreibung: Versteigerung in München am 2.10.1963, Nr. 878 mit Farbabb.
2. *Duits Quarterly* 6, Winter 1965, S. 12 mit Abb. – Die Strandszene in der Brera, Mailand, Kat. 1933, Nr. 659, ebenfalls angeblich bezeichnet AS 1645, rührt wiederum von einem anderen Künstler her.
3. B. J. A. RENCKENS, *Joost de Volder*, in *Oud-Holland*, LXXXI, 1966, Seite 58-59 und Seite 268-269. – STECHOW (1) mit Abb. – Inzwischen sind noch weitere Gemälde aufgetaucht.
4. STECHOW (1)

4. BEZEICHNUNG UND DATIERUNG

Fast alle Gemälde und die meisten Handzeichnungen hat van Goyen signiert, oft auch datiert. Die folgende Aufstellung seiner Signaturformen in ihrem zeitlichen Zusammenhang soll die garnicht so selten verfälschten oder falschen Bezeichnungen aufzufinden erleichtern.

Wir unterscheiden zwischen der Signatur mit dem vollen Namen und der mit dem Monogramm, den ligierten Anfangsbuchstaben seines Namens[1].

	Gemälde	Zeichnungen	Im Katalogteil bezeichnet mit:
I. V. GOIEN	1620-1628	1624-1627	I
I. V. GOYEN	1628?	–.–	I a
VG	1629-1656	1628-1656	II
I V G	1627/1628	–.–	II a
VGOIEN	1630?	–.–	–.–
VGOYEN	1630-1650	–.–	III
J. VGOYEN	1630-1653	–.–	III a
J. v. Goyen	–.–	1653	III b

(siehe Abbildungen von Originalsignaturen auf Tafel 2)

Alle Gemälde und Zeichnungen bis 1627/1628 tragen nur die volle Namenssignatur I mit der Schreibweise „GOIEN"[2]; ebenso unterzeichnet van Goyen Urkunden [3, 5][3]. – Die Signatur I ohne nachfolgende Datierung fand ich bisher nur auf jeweils einem Gemälde von runden und ovalen Sommer-Winter Gegenstücken. Auf Zeichnungen kommt die Signatur I ohne nachfolgende Datierung nur auf den kleinen Federzeichnungen vor (Z 1-13).

Bei der Signatur I a handelt es sich wohl um eine Übergangsform der Namensrechtschreibung. Auf einigen Gemälden von 1628 (1629?) soll diese Signatur vorkommen (z.B. G 45).

Das bekannte Monogramm (Signatur II) verwendet van Goyen von 1628 bis 1656, also fast während seiner gesamten Schaffenszeit. Sind die Buchstaben V G deutlich voneinander getrennt, handelt es sich um eine Verfälschung oder um eine irrtümliche Zuschreibung eines Gemäldes, beispielsweise von A. J. van Croos, an van Goyen (Ausnahme: die nur um 1627/1628 gebräuchliche Signatur II a). –

1. Soweit mir bekannt, habe ich bei der Signaturangabe im Gemäldekatalog gekennzeichnet, mit welcher Signatur ein Gemälde bezeichnet ist.
2. Zur Datierungsfrage siehe auch STECHOW (4). – Auf G 158 ist die Jahreszahl 1624 echt, das Monogramm jedoch spätere Zutat, weil das Gemälde früher linksseitig beschnitten wurde (Holzmaserung!), wobei die originale volle Namenssignatur fortfiel. – Ausnahme (?): G 160 (von 1630), die Signierung wird hier VGOIEN gelesen (freundl. Hinweis von Prof. Stechow).
3. Bei einigen frühen Zeichnungen kann die volle Signatur ausnahmsweise auch anstelle von „N" ein „И" aufweisen, d.h. anstelle des großen Druckbuchstaben einen der Schreibschrift ähnelnden Buchstaben.

J.VGOIEN
1621

I.V.GOIEN

J V.GOIEN
1623.

I.V. GOIE?

I. V. GOIEM 1625

·IV GOIEN 1628

I

ʋG 1632   ʋG

ʋG 1638

ʋG

ʋG 1659

II

I.V.G   IV G 1628

IIa

VGOYEN   1635

VGOYEN 1641

VGOIEN 1645

VGOYEN 1646

III

J VGOYEN 1641

I.VGOYEN 1645

IIIa

IIIb

Alle Zeichnungen nach 1628 hat van Goyen ausschließlich mit dem Monogramm bezeichnet[1], abgesehen von den Titelzeichnungen (III b, siehe unten).

Die Signatur III benutzt van Goyen von 1630 bis 1647 häufig, dann vereinzelt noch bis 1650 auf großformatigen Gemälden; nach 1650 ist sie mir nicht mehr begegnet. Signatur III ohne nachfolgende Datierung kommt nur äußerst selten vor (z.B. G 154, 580); vielleicht waren früher Datierungen vorhanden?

Die Signatur III a ist großformatigen (und vielleicht vom Künstler besonders gekennzeichneten?) Meisterwerken vorbehalten. Es ist denkbar, daß die Signaturen III und III a auch vor 1630 und nach 1653 vorkommen, doch besitzen wir dafür bislang keinen Beweis; auf Zeichnungen sehen wir sie nie. Wir kennen aber Titelzeichnungen von 1653 (Z 333, 334) mit einer Abart dieser Signierung (III b), wie wir sie wiederum nicht von eigenhändigen Gemälden kennen[2]; ähnlich dieser Signierung III b ist van Goyens Namenszug auf einer Urkunde von 1654 [31].

Seine Gemälde und Zeichnungen hat van Goyen in der unteren Bildhälfte signiert, manche Zeichnungen aber auch in den oberen Ecken – bevorzugt der linken. Zur Aufschrift der Bezeichnung verwendet van Goyen einen Gegenstand im Vordergrund, vielfach den Bootsrand, oder er setzt seine Signatur in die freie Landschaft. Die Lokalisierung der Bezeichnung auf einem im Wasser treibenden Balken haben vor allem seine Nachfolger übernommen; oder seine Signatur ist dort in fälschender Absicht angebracht.

Mit flottem Pinselstrich steht die Bezeichnung in dunkler Farbe auf hellerem Grund, nur ausnahmsweise (von 1627-1633) in heller Farbe auf dunklerem Grund[3].

Fast immer folgt die Datierung dem Namen in gleicher Höhe[4]; ganz selten, zumeist auf Frühwerken (G 4), steht das Datum unter dem Namen. Leider hat van Goyen seine Ziffern manchmal so undeutlich geschrieben, daß sie zu Mißdeutungen und falschen Ablesungen führten[5].

1. Nach J. MEDER, *Die Handzeichnung*, Wien 1919, Seite 200, sollen diese uniform anmutenden Signaturen nachträglich eingesetzt sein. Ich kann mich dieser Ansicht nicht anschließen. – W. Bernt vertritt mit Recht die Auffassung, daß eine Signierung von Studienblättern oft spätere Zutat ist.
2. Ein Gemälde mit einer solchen Signatur (HdG 714) ist nicht von van Goyen, sondern von einem unbekannten Nachahmer.
3. Beispiele: G 443, 577, 1000, 1002, 1055, 1058, 1060, 1074, 1080, 1121.
4. Ich kenne nur ein Gemälde, bei dem die Datierung vor dem Monogramm steht (G 807). Vielleicht ist das Datum spätere Zutat?
5. Häufige Fehllesungen (zum Teil nach VOLHARD):

    6 = 9 = 0   8 = 3 = 5

    4 = 7 = 1   3 = 7

    2 = 3

5. TOPOGRAPHISCHE HINWEISE

Jan van Goyen hat – wie alle zeitgenössischen Landschaftsmaler – nicht in der freien Natur gemalt, aber Kreideskizzen auf seinen Wanderungen in seine Skizzenbücher gezeichnet. Folglich dürfen wir auf seinen Gemälden keine getreue Wiedergabe von Bauten und Ortschaften in ihrer Beziehung zur Landschaft erwarten. Eine exakte topographische Darstellung lag Jan van Goyen fern; als Landschaftsmaler wollte er nur Landschaften malen, in denen topographisch bedeutsame Motive aufgehen, als „freie Schöpfungen einer mit Motiven gesättigten Phantasie" (Gerson).

Bei der später vorgenommenen Umarbeitung des skizzierten landschaftlichen Vorwurfs zum Gemälde stellte er manchmal einzelne Bauwerke räumlich voneinander entfernter dar als naturgegeben oder umgekehrt weit voneinander entfernte Bauwerke nahe beieinander [1]; dann wieder versetzte er ein bekanntes Bauwerk in eine fremde Umgebung [2] oder gestaltete Stadtsilhouette und Uferszenerie für jedes Gemälde aufs neue. Selbst bei den sich so sehr gleichenden „Flußansichten von Nimwegen" liegt nur eine gewisse Ähnlichkeit des gesamten Stadtkomplexes vor, in den Einzelheiten der Gestaltung der Festungsmauern oder Bauten und ihren topographischen Beziehungen zueinander bestehen manche Unterschiede. Dies gilt nicht nur für bekannte Bauwerke, sondern auch für kleinere Objekte. So finden wir ein Wirtshaus an der Landstraße (G 1028, 1030) im Aufbau geringfügig verändert am Flußufer wieder (G 612); oder während G 780 eine zweiufrige, weite Flußlandschaft wiedergibt, verbindet auf Z 520 eine Brücke beide Ufer.

In diesem Sinne müssen die folgenden Hinweise zur Topographie verstanden werden, so weit man sie mit mehr oder weniger Recht örtlich bestimmbar wiedererkennen und eingliedern kann. Die Ansichten der großen Städte Hollands (Arnheim, Dordrecht, Nimwegen, Rhenen) werden als bekannt vorausgesetzt und deshalb im Katalogteil auch gesondert eingruppiert. Die folgende Zusammenstellung verweist besonders auf kleine, unbekanntere Ortschaften, Bauwerke und Dörfer, deren Identifizierung wir zumeist eigenhändigen Ortsangaben auf Skizzenblättern verdanken.

Alphen aan den Rijn, unweit von Leiden – angeblich auf Z 850a
Amersfoort – Blick auf die Stadt (Z 652, 672)
Amsterdam – auf mehreren Skizzenblättern (1651) Ansichten aus Amsterdam und Umgebung:
    Haarlemer Tor: Z 847/160 A,/161,/163; Vorlageskizzen für G 712
    Haringpakkerstoren: Z 847/155 als Vorlageskizze für Z 230 und G 421
    Montelbaanstoren mit Turm der Zuiderkerk: Z 847/165
    Oude Stadhuis (vor dem Brand vom 6./7. Juli 1652): Z 847/149
    St. Antoniusdeich und Houtewael (nach dem Deichbruch vom 5.3.1651): Z 847/166 – /184;
    Z 847/170 als Vorlageskizze für Z 243; auf Z 847/171 im Hintergrund die Türme der Zuiderkerk
    und Montelbaansturm (?). – *Literatur*: Beck (4)

1. Beispiel: die Pelkuspoort wird neben die Mariakerk in Utrecht gestellt (G 74).
2. Beispiel: die Hooglandse Kerk wird mitten aus Leiden an eine weite Flußbucht versetzt (G 333).

Antwerpen – Um 1648 war van Goyen in Antwerpen (Dresdener Skizzenbuch).
Ansicht über die Schelde: Z 846/64 und 165 als Vorlageskizzen für G 408; Z 846/67 (2. Reihe).
Ufer- und Hafenanlagen: Z 846/66 als Vorlageskizze für G 698
Vorort *Brasschaat* s.d.
Rodepoort: Z 846/15
Viskoperstoren: Z 846/18
Arnheim – zahlreiche Ansichten über den Rhein von Westen und Südwesten, sowie von den Höhen
im Norden und Nordwesten aus den Jahren 1633 bis 1646/47 (G 127, 129, 272-289, 422?); Wir
erkennen die Grote Kerk mit dem dicken Frontturm und die doppeltürmige St. Walburgskerk;
am Horizont manchmal der *Elterberg* mit der Abtei (s.d.)
Mehrere Skizzenblätter (1650) zeigen Arnheim (Z 847/84, /89, /90, /95) und die Flußkrümmungen
des Rheins bei der Stadt (Z 847/81, /82, /92)
Grote Kerk: Z 847/77, Z 716
St. Janspoort: Z 741
Wageningen und Grebbeberg s.d.
Die Wildbahn bei Arnheim: Z 847/69
Austruweel (Oustruwel, Osterwele) – am rechten Scheldeufer. Skizzenblatt mit Ortsbezeichnung:
Z 846/14
De Batsentoren – im Meer versunkenes Land von Zuid-Beveland (Zeeland) mit charakteristischer
Turmruine: G 181, 205, eventuell auch auf Z 502
Bergen (Nordholland) – die Kirche auf Z 404 (von 1653)
Bergen op Zoom – die Stadtsilhouette auf einem Skizzenblatt (Z 846/66)
St. Bernaerts – Abtei in *Hemiksem* an der Schelde. Auf Skizzenblättern Z 846/59 und /62 als Vor-
lageskizzen für G 539
De Bilt – die Petronella-Kapelle auf G 220, 221 und Z 692, 710, 799, 838. – *Literatur:* Damsté
Blankenburg, Schloß – topographische Angabe auf einer Radierung von T. Major (siehe G 146 und 885)
Bodegraven – Skizzenblatt mit Ortsbezeichnung (Z 847/100)
Bommel (Zaltbommel) – St. Maartenskerk und Gasthuiskerk auf einem Skizzenblatt mit Ortsbezeich-
nung (Z 847/A)
Boom – Skizzenblätter Z 846/53 und /57 als Vorlageskizzen für Z 435
Boos, Schloß van der Boos bei Dordrecht – angeblich auf G 179
Brasschaat (Vorort von Antwerpen) – auf Skizzenblättern Z 846/11 und /12
Breda – das Schloß auf Z 846/3; Stadtbefestigung auf Z 846/5
Brüssel – Um 1648 war van Goyen in Brüssel (Dresdener Skizzenbuch). Gesamtansichten auf G 407,
411, denen die Skizzenblätter Z 846/49 und /50 als Vorlage dienten. Eine Teilansicht auf G 418. –
Die Vororte *Diegom, Haren, Laken* s.d.
Clarissen-Kloster: Z 846/42
Église de la Chapelle mit St. Gudule, Palais de Nassau: Z 846/24
Palais de Nassau: Z 846/36; zusammen mit Palais du Roy: Z 846/47
Porte de Flandre: Z 846/25, /27
Porte à Frais-Perdus: Z 846/48
Porte de Laeken: Z 846/29
Porte de Louvain: Z 846/45; mit Kloster der Annunziaten und St. Gudule: Z 846/49
Porte de Namur: Z 846/23, 35, /47
St. Gudule: Z 846/21, /30, /31, /49
Burcht (Borcht) – auf Skizzenblatt Z 846/63
Burgvliet (Borgvliet) bei Bergen op Zoom – auf Skizzenblatt Z 846/68. – Die Ruine des Kastells
Borgvliet vielleicht auf G 169 und 176.
Culemborg (Kuilenburg) – wohl auf G 182, 536, 649, 722, 725, 733

Delfshaven – vielleicht auf Z 316 (alte rückseitige Ortsbezeichnung); die Kirche auf Z 479 (von 1653)

Delft – Ansicht von Norden mit Nieuwe Kerk, Rathaus und Oude Kerk auf Z 486 als Vorlagezeichnung für G 420. Eine andere Zeichnung von 1652 (Z 314) gibt einen Blick auf Nieuwe Kerk, De Wal und Rietveldse Toren.

Oostpoort: die charakteristischen Rundtürme auf G 413, 710 sowie auf Z 694, 748, 803, 845/4, /35, /36, zumeist jedoch ohne getreue topographische Beziehungen (G 664, 668, 676)

Oude Kerk: Z 583

Den Deyl – zwischen Den Haag und Leiden, auf Skizzenblättern mit Ortsbezeichnung (Z 761, 765)

Diegom – auf Skizzenblatt Z 846/51 unten

Doorwerth – zwischen Arnheim und Wageningen, auf G 151 und 518

Dordrecht – die bekannteste Stadtansicht, auf Gemälden von 1633 bis 1655 (G 28, 61, 65, 68, 69, 75, 168, 214, 264, 290-317, 802, 855, 892, 905). Die Grote Kerk, ein gotischer Bau aus dem 14. Jahrhundert, dominiert über Hafenanlagen. Es gibt Sommer- und Winteransichten über Oude Maas, Kil (Z 846/71), Noord und Merwede. Den zahlreichen Gemälden stehen nur wenige Zeichnungen der Stadt gegenüber (Z 682, 837, 846/72)

Blauwpoort, Rondeel Engelenburg, Grote Kerk: Z 846/72 oben

Grote Kerk: Z 682

Groothoofdspoort: Z 136, 529

Huis te Merwede: die markante Ruine des im 13. Jahrhundert erbauten, um 1420 zerstörten Schlosses auf einer Grasinsel in der Merwede auf mehreren Gemälden mit und ohne Dordrecht im Hintergrund (G 51, 80, 183, 812, 826, 847a, 862, 878, 880, 893, 910, 921) und auf einigen Zeichnungen (Z 137, 175, 188, 236, 461a, 525, 846/74, 848 t)

Joppenturm und Ufermauer bei der Groothoofdspoort: Z 529

Oude Wachthuis an der Kil: Z 846/71 unten; G 558A, 586, 624, 897, 907, 914. — *Literatur:* Gerson (4)

Papenbolwerk und Rondeel Engelenburg (Oude Stadswal), 1647 geschleift: auf Z 697 und Z 849e

Papendrecht: s.d.

Riedijkse Poort (im Osten von Dordrecht) erbaut um 1590, geschleift im Jahre 1833, oft mit der Ruine des Huis te Merwede zusammen dargestellt (G 63, 66, 67, 124)

Rondeel Engelenburg: Z 682, 846/73

Egmond-aan-Zee – der viereckige stumpfe Kirchturm und der ruinenhafte Chor ragen auf einigen Strandbildern über den Dünenkamm (G 925, 933, 934, 943, 949, 951, 954, 956, 963, 965A sowie Z 189 und Z 367). Ein Studienblatt (Z 802) ist Vorstudie für ein Gemälde von 1641 (G 935)

Eik-en-Duinen – Ruine zwischen Den Haag und Loosduinen, auf Z 71 (von 1627) und 138 (von 1638) und einigen van Goyen zugeschriebenen Gemälden

Elten, Elterberg – um 1640 floß der Rhein unterhalb des Elterberges vorbei. Auf vielen Gemälden mit Ansichten von *Arnheim* ragt der Elterberg mit der Abtei im Hintergrund auf. Im Skizzenbuch von 1650/1651 sind zahlreiche Skizzen am Elterberg entstanden (Z 847/30, /31, /56, /57, /58, /59, /63). – Vergleiche außerdem: G 318, 319, 320, 321, 322a, 323a, 975 sowie Z 248, 687

Neer-Elten: Z 847/66; im Hintergrund auf G 154

Schenkenschanz und Tolhuis: s.d.

Emmerich – Flußansicht auf G 405, mit Fantasieumgebung auf G 730. – Fernsicht vom Elterberg auf Emmerich: Z 847/62

St. Martini: Z 847/55

Geertruidenberg – die Grote Kerk auf Z 846/2 (Rückseite)

Gorinchem – auf G 415

Graefenthal, Zisterzienser-Kloster bei Kleve – auf G 1158(?)

Grebbeberg – siehe Wageningen und Arnheim

Den Haag ('s-Gravenhage) – Ansichten auf Gemälden von 1636 bis 1653, auch im Hintergrund (G 72,

324-332, 970, 974, 1151, 1209g). Man erkennt die Grote Kerk (St. Jacobskerk) mit dem überhöhten Chor (Z 223, 805), den schlanken Rathausturm, die Nieuwe Kerk und die Dächer des Binnenhofes. Im Jahre 1651 malte van Goyen in städtischem Auftrag eine große Panoramaansicht (G 332). Auch auf Zeichnungen Den Haag und Umgebung (Z 20, 47, 207, 210, 223, 278, 591, 607, 646, 691, 845/30, 846/135, /137)

Hofvijver: G 11

Huis ten Bosch: im Hintergrund auf Z 846/83

Markttag an der Nieuwstraat: Z 388 und Markttage an anderen Plätzen: Z 47, 207, 210, 384

Haarlem – die Grote oder St. Bavokerk ragt mit ihren charakteristischen Umrissen mehrfach über den Horizont von Marinebildern (Haarlemer Meer), z.B.: G 894, 898, 899, 973, 980. Das Haarlemer Meer wurde in der Mitte des 19. Jahrhunderts eingepoldert. Auf Z 847/250 und /260A ein Blick auf Haarlem von Overveen mit St. Bavokerk, Bakenesser Kerk und St. Annakerk.

Am Spaarne: Z 845/73, /74, /75, für G 520; Z 845/78 für Z 176

Houtpoort: die große und kleine Houtpoort auf Skizzenblättern (Z 845/76, /77, 669, 809) und in freier Topographie auf G 673 und 737

Huis te Cleef, Ruine bei Haarlem: Z 844/69

Haeren (Haren) – auf Skizzenblättern (Z 846 /50 unten, /52 unten, /53 oben sowie 846/22)

Heembeek (Over-Neder-Heembeek) – auf Skizzenblättern mit Ortsbezeichnung (Z 846/19 und /52 oben)

Heemstede, Schloß Oud-Haerlem – vielleicht auf Z 844/46.

Hemiksem – siehe St. Bernaerts

's-Hertogenbosch – die Silhouette mit der Kathedrale (St. Janskerk) auf G 76

Hofwijk – Landsitz C. Huyghens' an der Vliet bei Voorburg (Z 553)

Hoorn – die Noorderpoort auf G 7, wohl auch in freier Topographie auf G 655

Houtewael – siehe: Amsterdam (Deichbruch des St. Antoniusdeiches 1651)

Huy (Hoei) – im Maastal (Z 521)

Jaarsveld – auf G 567

De Kaag – am Kaagermeer, Kirche und Ortschaft auf Z 845/83 und Z 847/131, /270B sowie auf Gemälden, zumeist im Hintergrund die Silhouette von Leiden (z.B.: G 819, 866, 871, 887, 890)

Katwijk – vielleicht auf G 936; siehe auch Z 756

Kleve – im Sommer 1650 hielt sich van Goyen längere Zeit in Kleve auf (Skizzenbuch von 1650/1651). –
Literatur: Gorissen
Kleve von der Nimweger Straße: Z 847/1,/44 (als Vorzeichnung für Z 408), Z 847/45, /46
vom Lamersberg und Mühlenberg: Z 847/33,/48
die Burg: Z 847/37, /49, /50, /53, /54
Melatenkapelle: Z 847/40,/41, /42
Palantsturm: Z 847/51 als Vorzeichnung für Z 489
Stadtmauer: Z 847/35A, /39, /52
Reformierte Kirche: Z 847/38
Ruine des Kuhhirtenturmes: Z 847/35A, /36 als Vorzeichnungen für Z 399

Laken – Skizzenblatt (Z 846/51 oben). – De Laken Poort: siehe Brüssel

Leiden – die Silhouette mit Hooglandse Kerk, Rathausturm, St. Pieterskerk und dem Kuppelbau der Marekerk auf Gemälden bis 1653 (G 77, 81, 333-341, 983), außerdem auf einer Federzeichnung von 1624 (Z 4) und einer Skizze von 1650/1651 (Z 847/127), wohl auch auf Z 197, 347, 845/19
Hooglandse Kerk: Z 845/27, in Fantasielandschaft auf G 333
Markt an der Vischbrug: Z 560 (von 1654)

Leiderdorp – auf mehreren Gemälden (G 177, 216, 606) und Zeichnungen (Z 281, 492, 708)

Liefkenshoek, Fort – in der Scheldemündung. Skizzenblatt mit Ortsbezeichnung (Z 846/68 oben)

Lillo, Fort – in der Scheldemündung. Skizzenblatt mit Ortsbezeichnung (Z 846/68 Mitte). – Eine Fantasieschöpfung ist G 751, das bisher als Fort Lillo angesehen wurde.

Lis (Lisse) – die Dorfkirche auf Z 21

Lobith (Tolhuis, heute: Tolkamer) – auf G 706. – Tolhuis, Schenkenschanz und Haus Biland auf G 773

Loevestein, Schloß – wahrscheinlich im Hintergrund auf G 828, 835, 837, 1161h

Middelburg – vielleicht auf G 404

      Hofstede Arnestein bei Middelburg: G 769

Monnikhuizen, Kloster – bei Arnheim, vielleicht auf Z 847/75

Montfoort, Schloß – auf Z 808 und einigen Gemälden (G 20, 38, 48, 691, 768)

Muiderberg, Schloß – angeblich im Hintergrund auf G 823

Nimwegen – von einigen Zeichnungen (Z 847/21, /23, /25) und vielen Gemälden (G 144, 342-373a),
      die von 1633 bis 1654 datieren, kennen wir die malerische, am linken Ufer der Waal hochgebaute
      Stadt mit der alten Burgfestung, dem Valkhof, der karolingischen Kapelle, der gotischen Grote
      oder St. Stevenskerk und dem Belvedere, einem alten Wachtturm.

      Hertsteegpoort, Hertogsteegpoort: Z 847/22

      Kran und Uferanlagen: Z 847/23 als Vorzeichnung für Z 589

Noordwijkerhout – die Kirche auf Z 480 und Z 845/23

Ooy, Schloß – östlich von Nimwegen. Skizzenblatt mit Ortsbezeichnung (Z 847/26)

Ouderkerk – an der IJssel, auf G 547 (von 1651)

Overschie (Oudeschie) – gesicherte Darstellung nur auf G 263, 505, 529, 555, 593. Alle übrigen, auch bei
      Hofstede de Groot als Ansichten von Overschie bezeichneten Gemälde geben ein bislang unbe-
      kanntes Dorf wieder. Die irreführende Ortsbezeichnung im Bredius'schen Skizzenbuch (Z 845/55,
      /57) ist von späterer Hand und bedarf der Korrektur.

Papendrecht – am gegenüberliegenden Ufer bei Dordrecht, kenntlich an der Kirche mit dem ruinen-
      haften Chor (G 52, 311, 619, 641, 812 sowie Z 175, 303, 322)

Pelkuspoort – siehe unter Utrecht

Rammekens, Fort – Radierung mit Ortsangabe nach einem verschollenen Gemälde (G 922a)

Renkum – Skizzenblatt mit Ortsbezeichnung (Z 847/99) als Vorlage für Z 214, 224a, 298 und G 1053

Rhenen – bekannte Ansicht durch den schlanken, hohen Kirchturm von St. Cunera und den Palast
      des Königs von Böhmen (1812 abgerissen). Gemälde datieren von 1636 bis 1655 (G 374-400a). –
      Das Schloß im Vordergrund auf G 732 ist Fantasiezutat.

      Auf Zeichnungen unsicher, vermutungsweise auf Z 544

Rijnsaterswoude – die Kirche vielleicht auf G 430

Rijswijk – siehe: Valkenburg

Rotterdam – eine frei gestaltete Zeichnung (von 1653) mit dem Standbild des Erasmus von Rotterdam,
      dem Turm des alten Rathauses, von der Nieuwstraat gesehen auf Z 392a

Rouwkoop, Huis – an der Vliet bei Voorschooten (G 488)

Rupelmonde, Schloß – auch Ryvermonde: Dorf mit Schloß an der Schelde, gegenüber der Mündung
      des Flüßchens Rupel. Skizzenblätter (Z 846/60 unten und /62 unten) als Vorlageskizzen für
      G 682, 701, 705

Sandvliet (Zandvliet) – an der Scheldemündung (Z 846/67)

Schenkenschanz, Fort – im Rhein, unweit des Elterberges (G 256). Ortsbezeichnung auf Z 847/43, /64. –
      Mehrere Gemälde mit Wachtturm und Kanone stellen Schenkenschanz dar, ohne daß die Topo-
      graphie immer gewahrt bliebe (Z 458, G 757, 761).

Scheveningen – die Strandbilder van Goyens sind zumeist Szenen bei Scheveningen (G 923, 937, 939,
      940, 941, 942, 944, 945, 950, 953, 955, 957, 959, 981) desgleichen ist auf einigen Zeichnungen die
      Dorfkirche gut zu erkennen (Z 123, 125, 158, 164, 178, 193H, 203, 286, 287, 361, 366, 370, 573, 677,
      846/93, 847/180 B)

Soeterwoude – handschriftliche Notiz auf Z 633

Spaernwoude – auf Z 29

De Sterre (de Star), Fort – an der Rupel (Z 846/58)

Tholen (Tertolen) – Flußansicht auf G 416 und Z 846/69 unten

Tiel – Skizzenblatt mit Ortsbezeichnung (Z 847/8), Gesamtansicht: Z 847/17-18. – Andere Skizzenblätter: Z 847/9,/10,/11. – Das Gemälde G 717 entstand nach der Skizze Z 847/8 (St. Martinskerk).

Tolhuis bei Lobith (s.d.)

Tol Huys, Fort – an der Rupelmündung (Z 846/59 oben)

Utrecht – aus der Stadt sind nur einige Motive bekannt:
>   Bijlhouderstoren: Z 684
>   Dom: Z 664, mit Gaardbrug und Bisschopshof: Z 695 als Vorlage für G 178
>   Mariakerk (im 19. Jahrhundert abgerissen): mehrere topographisch und architektonisch freie
>   Varianten: Z 229, 665, 746 und G 210, 742
>   Oude Gracht mit Vredenburg und Huis Oudaen: Z 680
>   Pelkuspoort (Pellekussenpoort): an der Vecht außerhalb Utrechts, zumeist topographisch und
>   architektonisch frei gestaltet (G 74, 639, 640, 690, 693, 711, 721, 762, 765, 788, 1210a). – Van
>   Goyens Ansichten der Pelkuspoort liegen zeitlich vor S. van Ruysdaels. – *Literatur*: Stechow (2)
>   Tolsteegpoort, Manenburg, Bijlhouderstoren: G 679

Valkenburg – mit großem Marktfest auf G 1025 (von 1644) und Z 380 (von 1653); außerdem auf
>   Skizzenblättern Z 846/87, /89, /90, /98 und einer Zeichnung von 1629 (Z 93).
>   Der Ort wurde früher als Rijswijk gedeutet. – *Literatur*: Stechow – Hoogendoorn

Veere – auf Walcheren; die Ansichten (G 247, 402, 403) galten früher fälschlich auch als Ansichten von
Arnheim

Vianen – am Lek; Flußansichten auf G 256, 412
>   Schloß Batestein mit Turm St. Pol: G 35
>   St. Pol: 423, 736

Vilvoorde – Schloß und Notre Dame auf einem Skizzenblatt (Z 846/55)

Wageningen – befestigtes Kirchdorf mit großen Windmühlen, von denen eine heutzutage noch
>   existiert (G 968, 1138, 1144); im Hintergrund der Grebbeberg. Die Kirchen sind nicht ganz
>   topographisch getreu. – *Literatur*: Duits Quarterly 1 und 2/1963

Wamel – die Kirchenruine auf Z 847/19

Warmond – die Kirche auf Z 845/24,/25,/26 (unvollendete Skizze), Z 845/26 ist Vorzeichnung für
>   G 755

Wijk bei Duurstede, Schloß – mit einigen freien Änderungen auf G 414, 637, 697.
>   *Literatur*: Duits Quarterly 2/Christmas 1963

Willebroeck – auf Z 846/56

Willemstad – auf Z 846/70 und G 419

Woerden, Schloß – auf einem van Goyen fälschlich zugeschriebenen Gemälde (Holz 34 × 53 cm, 1938
>   beim Kunsthändler Abels in Köln, Kat. mit Abb.) von Wouter Knijff

Woudrichem – auf G 919

IJsselmonde – auf Z 847/1 oben und unten

IJsselstein, Schloß – auf Skizzenblatt Z 806 und mit einigen Änderungen auf G 675, 692

Zandvliet – siehe: Sandvliet

Zandvoort – der Leuchtturm auf Z 844/144

Handschriftliche Angaben auf Zeichnungen ohne nähere topographische Beziehungen:
>   op de lage mors (Z 744)
>   achter den moniken boogaert (Z 745)
>   by Adriaen Willems steenplaets (Z 766)
>   tot Catwijk(?) aan Zee (Z 756)

6. LITERATURVERZEICHNIS UND ABKÜRZUNGEN

BALLARD, Louise	BALLARD	*Three Panels by Jan van Goyen*, Los Angeles Museum, II, 1942, 11-15.
BAUCH, Kurt	BAUCH	*Der frühe Rembrandt und seine Zeit*, Berlin, 1960.
BAX, D.	BAX	*Hollandse en Vlaamse Schilderkunst in Zuid-Afrika*, Kapstadt, 1952.
BECK, Hans-Ulrich	BECK (1)	*Jan van Goyens Handzeichnungen als Vorzeichnungen*, Oud-Holland, LXXII, 1957, 241-250.
BECK, Hans-Ulrich	BECK (2)	*Jan van Goyen: The sketchy monochrome studies of 1651*, Apollo, LXXI, Juni 1960, 176-178.
BECK, Hans-Ulrich	BECK (3)	*Ein Skizzenbuch von Jan van Goyen*, Den Haag, 1966.
BECK, Hans-Ulrich	BECK (4)	*Jan van Goyen am Deichbruch von Houtewael (1651)*, Oud-Holland, LXXXI, 1966, 20-33.
BEGEMANN, E. Haverkamp		*Willem Buytewech*, Amsterdam, 1959.
BERNT, Walther	BERNT (1)	*Die niederländischen Maler des 17. Jahrhunderts* (4 Bände), München, 1948 (1. Auflage), München, 1960 (2. Auflage).
BERNT, Walther	BERNT (2)	*Die niederländischen Zeichner des 17. Jahrhunderts* (2 Bände), München, 1957.
BIALOSTOCKI, Jan und WALICKI, Michal	BIALOSTOCKI	*Europäische Malerei in polnischen Sammlungen*, Warschau, 1957.
BODE, Wilhelm von	BODE	*Die Meister der Holländischen und Flämischen Malerschulen*, Leipzig, 1917.
	BODE-POSSE	*Rembrandt und seine Zeitgenossen* (Neue Ausgabe mit Vorwort von H. Posse, Leipzig, 1934).
BODE, Wilhelm von		*Mein Leben* (2 Bände), Berlin, 1930.
BREDIUS, Abraham	BREDIUS (1)	*Jan Josephszoon van Goyen. Nieuwe bijdragen tot zijne biographie*, Oud-Holland, XIV, 1896, 113-125.
BREDIUS, Abraham	BREDIUS (2)	*Het juiste sterf-datum van Jan van Goyen*, Oud-Holland, XXXIV, 1916, 158-159.
BREDIUS, Abraham	BREDIUS (3)	*Heeft van Goyen te Haarlem gewoond?* Oud-Holland, XXXVII, 1919, 125-127.
BREDIUS, Abraham		*Künstler-Inventare* (7 Bände), Den Haag, 1915.

BREMMER, H. P.	BREMMER	*Stadje aan de vaart*, Maandblad voor beeldende kunsten, XVI, 1939, 40-43.
CHURCHILL, W. A.	CHURCHILL	*Watermarks in Paper*, Amsterdam, 1935.
DAMSTÉ, P. H.		*De St. Petronellakapel aan De Bilt,* Jaarboekje van Oud-Utrecht, 1957, 72 ff.
DATTENBERG, Heinrich	DATTENBERG	*Niederrheinansichten holländischer Künstler*, Düsseldorf, 1967.
DESCAMPS, J. B.	DESCAMPS	*La vie des peintres flamands, allemands et hollandais*, Paris, 1753, Band I, 419-422.
DOBRZYCKA, Anna	DOBRZYCKA	*Jan van Goyen*, Posen, 1966.
DODGSON, Campbell		*A Dutch Sketchbook of 1650:* Burlington Magazine, XXXII, 1918, 234-240; Burlington Magazine, XXXIII, 1918, 112; Burlington Magazine, LXVI, 1935, 284.
DROST, Willi		*Barockmalerei in den germanischen Ländern*, Wildpark-Potsdam, 1926.
FILLA, Emil	FILLA	*Jan van Goyen*, Prag, 1959.
FLOERKE, Hanns		*Studien zur niederländischen Kunst- und Kulturgeschichte*, München und Leipzig, 1905.
FRANCŒUR, J.		*Une marine de van Goyen*, Le Courrier graphique, III, 1938, 39.
FRIEDLÄNDER, Max J.	FRIEDLÄNDER	*Die niederländischen Maler des 17. Jahrhunderts* (Propyläen-Kunstgeschichte), Berlin, 1923.
FRIMMEL, Theodor v.	FRIMMEL, 1905	*Bemerkungen über den polychromen Frühstil des Jan van Goyen*, Blätter für Gemäldekunde, II, Sommer 1905, Heft 4, 71-76.
FRIMMEL, Theodor v.	FRIMMEL	*Lexikon der Wiener Gemälde-Sammlungen* (2 Bände), München, 1913/1914.
GELDER, J. G. van	VAN GELDER	*Pennetegninger af Jan van Goyen*, Kunstmuseets Aarskrift, XXIV, 1937, 31-45.
GELDER, J. G. van		*Hercules Seghers erbij en eraf*, Oud-Holland, LXV, 1950, 216 ff.
GELDER, J. G. van	VAN GELDER	*Prenten en Tekeningen* (De Schoonheid van ons Land), Amsterdam, 1958.
GELDER, J. J. de	J. J. DE GELDER	*Honderd Teekeningen van Oude Meesters in het Prentenkabinet der Rijksuniversiteit te Leiden*, Rotterdam, 1920.
GERSON, Horst	GERSON (1)	*Het tijdperk van Rembrandt en Vermeer* (De Schoonheid van ons Land), Amsterdam, 1952.
GERSON, Horst	GERSON (2)	*De Meester P. N.*, Nederlandsch Kunsthistorisch Jaarboek, I, 1947, 95-111.
GERSON, Horst	GERSON (3)	*Enkele vroege werken van Esaias van de Velde*, Oud-Holland, LXX, 1955, 131 ff.
GERSON, Horst	GERSON (4)	*Albert Cuyps gezichten van het „Wachthuis in de Kil"*, im Feestbundel voor Prof. Dr. M. D. Ozinga, Assen, 1964, 257 ff.

Goosens, Korneel		*David Vinckboons*, Antwerpen und Den Haag, 1954.
Gorissen, Friedrich	Gorissen	*Conspectus Cliviae*, Kleve, 1964.
Granberg, Olof	Granberg	*Les Collections privées de la Suède*, Stockholm, 1886.
	Granberg	*Inventaire général des trésors d'art en Suède* (3 Bände), Stockholm, 1911/1913.
Grosse, Rolph	Grosse	*Die holländische Landschaftskunst, 1600-1650*, Stuttgart, 1925.
Grosse, Rolph	Grosse, 1936	*Niederländische Malerei des 17. Jahrhunderts*, Berlin, 1936.
Hall, H. van	van Hall	*Portretten van Nederlands beeldende kunstenaars*, Amsterdam, 1963.
Hall, H. van und Wolterson, B.		*Repertorium voor de Geschiedenis der nederlandsche Schilder- en Graveerkunst* (2 Bände), Den Haag, 1936 und 1949.
Havelaar, Just	Havelaar	*De Nederlandsche Landschapskunst tot het einde der zeventiende Eeuw*, Amsterdam, 1931.
Heawood, Edward	Heawood	*Watermarks mainly of the 17th and 18th Centuries* (Monumenta Chartae Papyraceae), Hilversum, 1950.
Heitz, Paul	Heitz	*Les filigranes avec la Crosse de Bâle*, Straßburg, 1904.
Henkel, M. D.	Henkel	*Le dessin hollandais des origines au XVIIe siècle*, Paris, 1931.
Hofstede de Groot, Cornelis	HdG	*Beschreibendes und kritisches Verzeichnis der Werke der hervorragendsten holländischen Maler des XVII. Jahrhunderts* (Band VIII), Eßlingen und Paris, 1923.
Hofstede de Groot, C.		*Jan van Goyen and his Followers*, Burlington Magazine, XLII, 1923, 4-27.
Hofstede de Groot, C.		*Die Urkunden über Rembrandt*, Den Haag, 1906.
Hollstein, F. W. H.		*Dutch and Flemish Etchings, Engravings and Woodcuts, ca. 1450-1700*, Amsterdam (Band VIII), 1953.
Holst, Niels von	N. v. Holst	*Beiträge zur Geschichte des Sammlertums und des Kunsthandels in Hamburg von 1700-1840*, Zeitschrift für Hamburgische Geschichte, 38, 1939, 253 ff.
Kay, Arthur	Kay	*Treasure Trove in Art*, London und Edinburgh, 1939.
Knuttel, G. Wzn.	Knuttel	*Twee nieuwe Van Goyens in het Gemeente Museum*, Mededeelingen van den Dienst voor Kunsten en Wetenschappen der Gemeente 's-Gravenhage, I, 1919/1925, 133-135.
Leporini, Heinrich	Leporini	*Die Künstler-Zeichnung*, Berlin, 1928.

LUGT, Frits   *Répertoire des Catalogues de Ventes*, Band I 1600-1825, Band II 1826-1860, Band III 1861-1900, Den Haag, 1938, 1953, 1964.

LUGT, Frits   L.   *Les Marques de Collections de Dessins et d'Estampes* (2 Bände), Amsterdam, 1921-Den Haag, 1956.

LUGT, Frits   LUGT   *Beiträge zu dem Katalog der niederländischen Handzeichnungen in Berlin*, Jhrb. d. preuß. Kunstsammlungen, LII, 1931, 36-80.

MANTZ, Paul   MANTZ   *Jan van Goyen*, Gazette des Beaux-Arts, 2e pér., XII, 1875, 138-151 und 298-311.

MARTIN, W.   MARTIN   *De Hollandsche Schilderkunst in de zeventiende Eeuw*, Band I: Frans Hals en zijn tijd; Band II: Rembrandt en zijn tijd, Amsterdam, 1935/1936.

MARTIN, W.   *Feestbundel Dr. Abraham Bredius*, aangeboden den achttienden April 1915. „Zeven onbekende Schilderijen", Amsterdam, 1915.

MARTIN, W.   *Alt-Holländische Bilder*, Berlin, 1917.

MARTIN, W.   *Jan Steen*, Amsterdam, 1954.

MARTIN, W. und MOES, E. W.   *Alt-Holländische Malerei*, Leipzig, Band I, 1912; Band II, 1914.

MELLAART, J. H. J.   MELLAART   *Two Masterpieces by Jan van Goyen*, Burlington Magazine, XLV, 1924, 238.

MIREUR   MIREUR   *Dictionnaire des Ventes d'Art* (7 vol. in 4), Paris, 1911.

MÖHLE, Hans   MÖHLE   *Holländische Zeichnungen*, Berlin, 1948.

POL DE MONT   POL DE MONT   *La Peinture Ancienne au Musée Royal des Beaux-Arts d'Anvers*, Brüssel und Paris, 1914.

NAGLER, G. K.   NAGLER   *Die Monogrammisten etc.* (5 Bände), München und Leipzig, 1871-1879, Band III, Nr. 2406; Band IV, Nr. 581; Band V, S. 229 und 235.

ORLERS, J. J.   ORLERS   *Beschrijvinge der Stadt Leyden*, Leiden, 1641.

PARTHEY, G.   PARTHEY   *Deutscher Bildersaal* (2 Bände), Berlin 1863/1864.

PAULI, Gustav   PAULI   *Zeichnungen alter Meister in der Kunsthalle zu Hamburg*, Band I, Frankfurt/Main, 1924.

RADEMAKER, A.   *Kabinet van Nederlandsche Outheeden en Gezichten* (2 Bände), Amsterdam, 1725.

REGTEREN ALTENA, J. Q. van   *Holländische Meisterzeichnungen des 17. Jahrhunderts*, Basel, 1948.

RENCKENS, B. J. A.   *Jan van Goyen en zijn Noordhollandse leermeester*. Oud-Holland, LXVI, 1951, 23-34.

RENCKENS, B. J. A.   *Twee vermeldingswaardige portretten door Jacob Fransz. van der Merck*, Oud-Holland, LXIX, 1954, 246-247.

RICHARDSON, E. P.	RICHARDSON	*The landscape of Jan van Goyen*, Bulletin of the Detroit Institute of Arts, XIX, 1939, Nr. 2, 12-17.
ROH, Franz	ROH	*Holländische Malerei*, Jena, 1921.
ROMANOW, N. J.	ROMANOW	*A Landscape with Oaks by Jan van Goyen*, Oud-Holland, LIII, 1936, 187-192.
SHIPP, Horace	SHIPP	*The Dutch Masters*, London, 1952.
STECHOW, Wolfgang	STECHOW (SVR)	*Salomon van Ruysdael*, Berlin, 1938.
STECHOW, Wolfgang	STECHOW (1)	*Dutch Landscape Painting of the Seventeenth Century*, London, 1966; 2. Auflage 1968
STECHOW, Wolfgang	STECHOW (2)	*Die „Pellekussenpoort" bei Utrecht auf Bildern von J. van Goyen und S. van Ruysdael*, Oud-Holland, LV, 1938, 202-208.
STECHOW, Wolfgang	STECHOW (3)	*Esajas van de Velde and the beginnings of Dutch Landscape Painting*, Ned. kunsthist. Jaarboek, I, 1947, 83-94.
STECHOW, Wolfgang	STECHOW (4)	*Über das Verhältnis zwischen Signatur uud Chronologie bei einigen holländischen Künstlern des 17. Jahrhunderts*, in „Festschrift Dr. h.c. Eduard Trautscholdt", Hamburg 1965, 111 ff
STECHOW, Wolfgang	STECHOW (5)	*Dutch Drawings of the Seventeenth and Eighteenth Centuries in the Allen Art Museum*, Allen Memorial Art Museum Bulletin, XXVI, Nr. 1 (1968), S. 11 ff.
STECHOW, Wolfgang und HOOGENDOORN, Annet	STECHOW-HOOGENDOORN	*Het vroegst bekende werk van Salomon van Ruysdael*, Kunsthistor. Mcdcdclingcn, Den Haag, II/1947, Nr. 3-4, Seite 36 ff.
STEENHOFF, W.	STEENHOFF	*Van Goyen-Tentoonstelling in Amsterdam*, Onze Kunst, September 1903, 65-72.
STHYR, J.	STHYR	*Nederlansk landskabmaleri i danske Samlinger*, Kopenhagen, 1929.
THIEME-BECKER		*Jan van Goyen* (von O. Hirschmann) in: Allgemeines Lexikon der bildenden Künstler usw. (Band XIV, 460 ff.), Leipzig, 1921.
VOGEL, Julius	VOGEL	*Studien und Entwürfe älterer Meister im Städt. Museum in Leipzig*, Leipzig, ohne Jahr (um 1910).
VOGELER, Charles A. W.	Art in America, 1918	*A Landscape by Jan van Goyen*, Art in America and elsewhere, VI, 1918, 151-152.
VOLHARD, Hans	VOLHARD	*Die Grundtypen der Landschaftsbilder Jan van Goyens und ihre Entwicklung* (Dissertation), Halle, 1927.
VORENKAMP, A. P. A.	VORENKAMP	*A View of Rynland by Jan van Goyen*, Smith College Museum of Art Bulletin, 1942, Nr. 23, 10-15.

VOSMAER, C.   *Johan Josefszoon van Goyen*, Zeitschrift für bildende Kunst, IX, 1874, 12-20.

WAAGEN, G. F.   WAAGEN (1)   *Treasures of Art in Great Britain* (4 Bände), London, 1854.

WAAGEN, G. F.   WAAGEN (2)   *Die vornehmsten Kunstdenkmäler in Wien*, Wien, 1866.

WAAGEN, G. F.   WAAGEN (3)   *Kunstwerke und Künstler in Deutschland* (2 Bände), Leipzig, 1843/1845.

VAN DE WAAL, H.   VAN DE WAAL   *Jan van Goyen*, Amsterdam, 1941 (Palet-Serie).

WEGNER, W.   WEGNER   *Zeichnungen von Gillis van Coninxloo und seiner Nachfolge.* Oud-Holland, LXXXII, 1967, 203-224 mit Abb.

WEIGEL, Rudolph   WEIGEL   *Die Werke der Maler in ihren Handzeichnungen*, Leipzig, 1865.

WESTRHEENE, T. van   *Twee en misschien nog meer kunsthistorische vliegen in één klap*, De Nederlandsche Spectator, 1866, 236-237.

WILLEMSEN   *Jan van Goyen*, Constghesellen, I, 1946, 4-7.

WILLIS, Fred. C.   WILLIS   *Die Niederländische Marinemalerei*, Leipzig, ohne Jahr (um 1910).

WURZBACH, Alfred v.   WURZBACH   *Niederländisches Künstler-Lexikon* (3 Bände), Wien und Leipzig, 1906.

ZOEGE VON MANTEUFFEL, K.   *Die Künstlerfamilie van de Velde*, Bielefeld und Leipzig, 1927.

G. R.   News   *A Landscape by Jan van Goyen*, News. The Baltimore Museum of Art, Juni 1950, 1-3.

H. S.   *The Landscape Art of Jan van Goyen*, Apollo, LXXI, Juni 1960, 217.

—   Children's Museum News   *How Van Goyen composed a Picture*, Toledo Children's Museum News, 1937, Nr. 14, 1-4.

—   *Jan van Goyen, a Landscapist Leader*, Art News, 9.12.1939.

—   *Het verheerlykt Nederland of Kabinet van hedendagsche Gezichten*, Amsterdam, 1745-1757.

—   Bulletin Boston   *Three Dutch Pictures*, Bulletin of the Museum of Fine Arts, Boston, 1907, 57-58.

—   *Zwei Radierungen nach Jan van Goyen von F. Böttcher*, Zeitschrift für bild. Kunst, XVIII, 1883, 135-136.

—   Duits Quarterly (1)   *The Town of Elten*, Duits Quarterly, I, Herbst 1963, 4-5.

—   Duits Quarterly (2)   *The Castle of Wijk bij Duurstede by Jan van Goyen*, Duits Quarterly, I, Christmas 1963, 11-13.

—   *Abraham Susenier*, Duits Quarterly, No. 6, Winter 1965, 12-13.

Andere Abkürzungen im Gemälde- und Handzeichnungskatalog

G	Gemälde – im Gemäldekatalog aufgeführt unter Nummer
Z	Zeichnung – im Zeichnungskatalog aufgeführt unter Nummer
N	Nachzeichnung
R	Radierung
hd	handschriftliche Notiz oder Ortsbezeichnung auf Zeichnungen, zum Teil eigen-händig
(Chr)	Christie, Manson & Woods Ltd., London
(So)	Sotheby & Co., London
R. A.	Royal Academy, London
Ill. Ld. News	Illustrated London News
Burl. Mag.	Burlington Magazine

Abbildungsnachweis

Die meisten Abbildungen des Gemäldekatalogs und fast alle Abbildungen des Handzeichnungskatalogs stammen von Photographien aus dem Archiv des Verfassers. Dem Verfasser fehlende Abbildungsvorlagen stellten in dankenswerter Weise für die Reproduktionen beider Katalogteile aus ihren Archiven zur Verfügung:

Rijksbureau voor Kunsthistorische Documentatie, Den Haag
Courtauld Institute of Art, London
Rijksprentenkabinet Amsterdam
Staatliche Museen, Berlin-Dahlem
Dr. Walther Bernt, München
P. de Boer, Amsterdam
E. Douwes, Amsterdam
Dr. Robert Herzig, Wien
Dr. Eduard Trautscholdt, Düsseldorf

II. KATALOG
DER HANDZEICHNUNGEN

VORBEMERKUNGEN ZUM KATALOG

1) Die *Maße der Handzeichnungen* sind in Millimetern angegeben; die Höhe ist der Breite vorangestellt. Geringfügige Unstimmigkeiten bei den Maßangaben sind möglich (mit oder ohne Einfassungslinien, Blattrand etc.).
   Rechts und links gelten vom Betrachter aus.

2) Die mir bekannten Handzeichnungen und diejenigen, die mir auf Grund guter Photographien echt erschienen, sind im *Titel* mit VERSALIEN hervorgehoben. Alle Zeichnungen, über deren Zuschreibung an van Goyen ich mir nicht vollkommen im klaren bin, tragen gewöhnliche Lettern im Titel. (Ausnahme: die Skizzenbucher Z843-847.)
   Kleine Buchstaben neben der Katalognummer kennzeichnen aus Literatur und Katalogen zitierte Zeichnungen, deren Abbildungen mir unbekannt sind. *Große Buchstaben neben der Katalognummer* deuten auf Handzeichnungen, die erst nach Abschluß des Manuskripts bekannt wurden.

3) *Nachzeichnungen* (Kopien) sind mit römischen Zahlzeichen gekennzeichnet. Eigenhändige Wiederholungen sind mir nicht bekannt.

4) Die „Systematische Übersicht" legt die *für den Katalog maßgebende Ordnung* fest, die innerhalb jeder Darstellungsgruppe und Jahreszahl nach der Zeichnungsgröße erfolgt. Zeichnungen, die sich wegen unbekannter Maßangaben nicht einordnen ließen, sind jeweils am Ende jeder Darstellungsgruppe bzw. Jahreszahl aufgeführt oder in einem besonderen Kapitel zusammengefaßt. Schlecht lesbare Ziffern oder nicht zweifelsfreie Lesarten der Datierung sind in Klammern ( ) gesetzt.

5) Die *Topographie* ist für Gemälde- und Handzeichnungskatalog im ersten Teil als gemeinsame Übersicht zusammengefaßt.

6) Unter *Literatur* sind Erwähnungen in Büchern, Kunstzeitschriften oder sonstigen Publikationen mit Abbildungshinweisen aufgeführt. Diese Literaturangaben können nicht vollständig sein. Die zur Textabkürzung benutzten Autorennamen können im ersten Teil im „Literaturverzeichnis", andere Abkürzungen im Katalogtext unter „Abkürzungen" dechiffriert werden.

7) Von mehrtägigen Versteigerungen wird nur der erste Versteigerungstag zitiert.

8) Aus naheliegenden Gründen konnten der derzeitige Besitzer und Aufenthaltsort der Handzeichnungen nicht immer ermittelt werden, vielfach durften sie nicht erwähnt werden.

SYSTEMATISCHE ÜBERSICHT

I. FEDERZEICHNUNGEN

A) SIGNIERTE ZEICHNUNGEN

1624

Zeichenbuch A
(NACH J. G. VAN GELDER: SKIZZENBUCH A) *Siehe auch: Z 20*

1a. Winter; viele Schlittschuhläufer auf zugefrorenem Kanal.

Voll bezeichnet (und datiert 1624?)
Feder (in Braun) 50 × 90
Versteigerung A. G. de Visser aus Den Haag in Amsterdam am 16.5.1881 Nr. 156 (zusammen mit Z 1b: fl 46 Fred. Muller & Co. oder Hogarth & Sons in London)

1b. Dorfansicht.

Voll bezeichnet (und datiert 1624?)
Feder (in Braun) 50 × 90
Versteigerung A. G. de Visser aus Den Haag in Amsterdam am 16.5.1881 Nr. 156 (zusammen mit Z 1a: fl 46 Fred. Muller & Co. oder Hogarth & Sons in London)

2. FÄHRBOOT MIT PLANWAGEN im Zentrum; am linken Ufer zwei Gehöfte und Bäume.

Links unten bezeichnet: I. V. GOIEN
Feder in Braun 53 × 87
Literatur: Van Gelder, Nr. 5. – Van de Waal, Seite 4 mit Abb. – Dobrzycka, mit Abb.
Sammlung Ernst Harzen in Hamburg, 1869 vermacht der
KUNSTHALLE IN HAMBURG; Inv. Nr. 21986
   Ausgestellt: Leiden und Arnheim, 1960 (VG) Nr. 55 mit Abb.

3. VIER FIGUREN links bei einem Baum am Fluß-ufer; in der Mitte ein Ruderkahn. Bäume und Hügel am jenseitigen Ufer.

Rechts unten bezeichnet: I. V. GOIEN
Feder in Braun 53 × 87
Literatur: Van Gelder, Nr. 6. – Dobrzycka, mit Abb.
Sammlung Ernst Harzen in Hamburg, 1869 vermacht der
KUNSTHALLE IN HAMBURG; Inv. Nr. 21985
   Ausgestellt: Leiden und Arnheim, 1960 (VG) Nr. 54

4. ANSICHT VON LEIDEN: Kirchen und Türme am Horizont. Vorn ziehen Fischer vom Land aus ein Netz ein. Auf dem Fluß ein Kahn (rechts).

Rechts oben bezeichnet: I. V. GOIEN
Feder in Braun 53 × 87

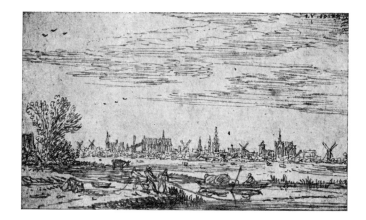

4

Literatur: Van Gelder, Nr. 7. – Van de Waal, Seite 5 mit Abb. – J. G. van Gelder in Oud-Holland, LXV, 1950, Seite 223. – Jaarverslag Museum Boymans, 1935, Seite 3 mit Abb.
Sammlung Jules Steurs in Antwerpen, 1934 erworben vom
MUSEUM BOYMANS-VAN BEUNINGEN IN ROTTERDAM; Inv. Nr. Van Goyen 11

5. ZWEI FIGUREN links vorn; dahinter Weideland mit Kühen (rechts); in der Ferne eine Kirche.

Rechts oben bezeichnet: I. V. GOIEN
Feder in Braun 53 × 87
Literatur: Van Gelder, Nr. 8. – Jaarverslag Museum Boymans, 1935, Seite 3 mit Abb.
Sammlung Jules Steurs in Antwerpen, 1934 erworben vom
MUSEUM BOYMANS-VAN BEUNINGEN IN ROTTERDAM; Inv. Nr. Van Goyen 12

6. EIN HAUS am linken Flußufer; davor auf dem Weg (links) vier Figuren; am jenseitigen Ufer ein Boot, weiter zurück ein von Bäumen umgebenes Schloß.

Rechts unten bezeichnet: I. V. GOIEN
Feder in Braun 53 × 87
Literatur: Van Gelder, Nr. 4. – Stechow (1) mit Abb.
STÄDELSCHES KUNSTINSTITUT IN FRANKFURT/MAIN; Inv. Nr. 3588

7

7. MARINE. Links ein Segelboot, rechts ein Ruderkahn. Andere Segelboote weiter zurück. Links ein Signal.

Links oben bezeichnet: I. V. GOIEN
Feder in Braun 53 × 88
Literatur: Van Gelder, Nr. 3. – Stechow (1) mit Abb.
STÄDELSCHES KUNSTINSTITUT IN FRANKFURT/MAIN; Inv. Nr. 3589

8. TORGEBÄUDE MIT ZWEI TÜRMEN an einem Teich. Links drei Figuren; weiter zurück Bäume und Häuserdächer.

Rechts oben bezeichnet: I. V. GOIEN
Feder in Braun 53 × 88
Literatur: Van Gelder, Nr. 1 mit Abb.
Versteigerung W. P. Knowles aus Wiesbaden in Amsterdam am 25.6.1895 Nr. 262 (zusammen mit Z 13: fl 60 Roos)
Departement van Binnenlandse Zaken, 1899 überwiesen an das
RIJKSPRENTENKABINET IN AMSTERDAM; Inv. Nr. A 4317
Ausgestellt: Amsterdam, 1903 (VG) Nr. 28
– Leiden und Arnheim, 1960 (VG) Nr. 53 mit Abb.

8

15. BAUERNGEHÖFT IM ZENTRUM; links ein Kahn mit Figuren auf einem Fluß. Rechts vorn bückt sich ein Mann über einen Korb.

Rechts bezeichnet: VG
Feder in Braun 110 × 194
Wasserzeichen: Drache mit Basler Stab, unten dre Kugeln (ähnlich Heawood 839 und Heitz 167, 171 173); vgl. Abb. 71
Literatur: Van Gelder, Nr. 26
Vergleiche: Z 128 (gleiche Landschaftsszene)
Sammlung E. Joseph-Rignault in Paris
 – F. Koenigs in Haarlem, seit 1940 im
MUSEUM BOYMANS–VAN BEUNINGEN IN ROTTERDAM;
Inv. Nr. H 155

16. VIER FIGUREN bei einem überbrückten Kanal rechts vorn. Ein Gehöft und Gebüsch in der Ferne.

Halbrechts bezeichnet: VG
Feder in Braun 110 × 195
Versteigerung J. Werneck aus Frankfurt/Main in Amsterdam am 23.6.1885 Nr. 110 (fl 19)
 – Anton Brück in Frankfurt/Main am 11.12.1893 Nr. 219
 – E. Habich aus Kassel in Stuttgart am 27.4.1899 Nr. 311 (Mk 15 Habich)
 – William Bateson in London (So) am 23.4.1929 Nr. 213 (£ 21 Dr. Beets)
Kunsthandlung C. G. Boerner in Leipzig
Versteigerung in Leipzig am 9.5.1930 Nr. 165 (Mk 400 zurück)
 – in Hamburg am 7.2.1948 Nr. 1589 (Mk 1500 Dr. Beck)
Sammlung Dr. W. Beck (†) in Berlin

17. DREI LANDLEUTE auf einem Hügel bei einem Zaun rechts vorn. Einige Gehöfte im Mittelgrund. Ein Weg führt links in die Tiefe.

Rechts bezeichnet: VG
Feder (auf Pergament?) 112 × 192
Versteigerung William Esdaile in London (Chr) am 18.6.1840 Nr. 915 (zusammen mit zwei anderen Zeichnungen: 4/ – Heath)
Sammlung Kaye Dowland, 1862
 – T. Ellis
 Ausgestellt: Barnard Castle (Bowes Museum) 1961, Nr. 146
Versteigerung in London (So) am 12.3.1963 Nr. 69 (£ 240 G. M. Moller)

18. HÜTTE AM WEG rechts; davor drei Figuren unter einem Wirtshausschild. Ganz rechts ein Baum. Links geht ein Mann mit einer Schaufel.

Rechts bezeichnet: VG (links von anderer Hand: HS)
Feder in Braun (später grau laviert) 114 × 197
Wasserzeichen: Gekröntes Wappen mit Basler Stab, unten AV (Abb. 54); ähnlich Churchill 287
Literatur: Van Gelder, Nr. 27

Sammlung H. M. Montauban van Swijndregt, 1926
vermacht dem
MUSEUM BOYMANS-VAN BEUNINGEN IN ROTTERDAM;
Inv. Nr. MvS 274 (früher H. Saftleven zugeschrieben)

19. GROSSER BAUERNHOF unter einem Baum
links. Davor ein ausgespanntes Pferd neben einem
Wagen. Rechts vier Bauern bei einem Zaunstück. In
der Mitte ein Weg.

Am Zaun rechts bezeichnet: VG
Feder in Braun 117 × 200
Literatur: Van Gelder, Nr. 25
Versteigerung in Amsterdam am 27.5.1913 Nr. 105
mit Abb. (fl 290)
RIJKSPRENTENKABINET IN AMSTERDAM; Inv. Nr. 13.156
Ausgestellt: Paris, Orangerie, 1950/51 Nr. 126
– Leiden und Arnheim, 1960 (VG) Nr. 58 mit Abb.

B) UNSIGNIERTE ZEICHNUNGEN

AUS VERSCHIEDENEN ZEICHENBÜCHERN

20. EIN MAULESEL UND FIGUREN auf einem
Uferweg rechts. Links ein Kahn auf dem stillen Gewässer. Weiter zurück ein einzelner hoher Baum, Gehöfte
und eine Kirche ⟨St. Jacobsturm von Den Haag?⟩.

Feder in Braun 53 × 84 (zum Zeichenbuch A gehörig)
Versteigerung R. Peltzer aus Köln in Stuttgart am
13.5.1914 Nr. 84 als P. Brueghel d. Ä.
Sammlung E. J. Otto in Berlin, um 1960
Kunsthandlung C. G. Boerner in Düsseldorf; Neue
Lagerliste 34/1962 Nr. 58 mit Abb. (Mk 950)
– A. Brod in London; ausgestellt: Juli-August 1962
Nr. 32 mit Abb.
Sammlung George S. Abrams in Boston

21. DIE DORFKIRCHE VON LIS (links); rechts eine
Brücke über einen Bach. Figurenstaffage.
Rückseite: Skizze von Bauernhäusern.

Feder in Braun 74 × 142
Literatur: Van Gelder, Nr. 13 mit Abb.
1906 von C. M. van Gogh in Amsterdam erworben
für die
Sammlung J. Rump in Kopenhagen
Versteigerung in Berlin am 25.5.1908 Nr. 550
(Mk 32)
1916 geschenkt dem
STATENS MUSEUM FOR KUNST, KGL. KOBBERSTIKSAMLING,
IN KOPENHAGEN; Inv. Nr. 7358

22. WINTER. Zwei Pferdeschlitten rechts auf dem Eis; links am Ufer ein Gehöft. In der Ferne eine Windmühle.

Feder 74 × 144
Literatur: Van Gelder, Nr. 11
Sammlung J. de Grez in Brüssel, 1914 vermacht den MUSÉES ROYAUX DES BEAUX-ARTS IN BRÜSSEL; Inv. Nr. 3716 als E. van de Velde

22A. EINE MÜHLE, umgeben von Gehöften und Bäumen, in der Hintergrundsmitte. Links vorn steht eine Figur an einem Gatter bei Bäumen.

Feder in Braun 75 × 145
Kunsthändler A. Stein in Paris, 1968
  - Gebr. Douwes in Amsterdam, 1969

22a. Flachlandschaft mit von Bäumen umgebenen Gehöften.

Feder 75 × 145
Wahrscheinlich: Sammlung A. Mos in Arnheim
  Ausgestellt: Amsterdam, 1903 (VG) Nr. 88
Versteigerung in Amsterdam am 15.6.1908 Nr. 244
  (zusammen mit Z 22b: fl 48)

22b. Eine Herberge mit altem Turm am Flußufer.

Feder 75 × 145
Wahrscheinlich: Sammlung A. Mos in Arnheim
  Ausgestellt: Amsterdam, 1903 (VG) Nr. 89
Versteigerung in Amsterdam am 15.6.1908 Nr. 244
  (zusammen mit Z 22a: fl 48)

23R°

23V°

23. EIN PFERDEWAGEN fährt halblinks einen Weg herauf zu einer Mühle mit angebautem Gehöft. Rechts Fernblick.
Rückseite: Skizzen von Dünen am Meer; Kirche mit Häusern.

Feder 75 × 146
Literatur: Van Gelder, Nr. 12 mit Abb.
1906 von C. M. van Gogh in Amsterdam erworben für die
Sammlung J. Rump in Kopenhagen
  Versteigerung in Berlin am 25.5.1908 Nr. 552 (Mk 20)
  1916 geschenkt dem
STATENS MUSEUM FOR KUNST, KGL. KOBBERSTIKSAMLING, IN KOPENHAGEN; Inv. Nr. 7359

23A. Flachlandschaft, rechts zwei Figuren und Hund.

Feder in Braun 75 × 144
RIJKSPRENTENKABINET IN AMSTERDAM (ohne Inv. Nr.)

23B. Gehöfte am Weg; links zwei Figuren.

Feder in Braun 75 × 146
RIJKSPRENTENKABINET IN AMSTERDAM (ohne Inv. Nr.)

24. STADT MIT BASTIONEN und Türmen am Flußufer. Links vorn ein Boot.

Feder (in Braun) 75 × 150
Sammlung J. de Grez in Brüssel, 1914 vermacht den MUSÉES ROYAUX DES BEAUX-ARTS IN BRÜSSEL; Inv. Nr. 3720 als E. van de Velde

24

25. ZWEI BÄUME AUF EINEM HÜGEL (Zentrum) Rechts naht ein Reisewagen; links geht ein Mann über eine Brücke.

Feder (in Braun) 75 × 151
Sammlung J. de Grez in Brüssel, 1914 vermacht den MUSÉES ROYAUX DES BEAUX-ARTS IN BRÜSSEL; Inv. Nr. 3721 als E. van de Velde

25

26. BAUERNHÄUSER am rechten Ufer eines zugefrorenen Kanals; kahle Bäume zu beiden Seiten. Auf dem Eis kniet ein Mann links vorn neben seinem Schlitten.

Feder in Braun 76 × 145
Literatur: Van Gelder, Nr. 9 mit Abb.
Sammlung Jacob de Vos; 1889 als Claes Jansz. Visscher erworben vom
RIJKSPRENTENKABINET IN AMSTERDAM; Inv. Nr. 2121

27. EINE KAPELLE auf einem Hügel; zwei Figuren gehen rechts den Weg herauf. Links Blick auf ferne Ortschaft.

Feder in Braun 77 × 145
Literatur: Van Gelder, Nr. 10
Sammlung Prof. Dr. J. Q. van Regteren Altena in Amsterdam
  – Frau L. Nystad-Einhorn in Den Haag, 1964

28. EIN WIRTSHAUS am linken Wegrand. Auf dem Weg, der in Windungen zu einem fernen Kirchdorf in die Tiefe zieht, Figuren und ein Wagen.

Feder in Braun 78 × 145
Versteigerung Jhr. D. Bicker in Amsterdam am 25.1.1881 (fl 15)
Sammlung Victor de Stuers
  Ausgestellt: Den Haag, 1898 Nr. 180 als Esaias van de Velde
  – Almelo, 1961 Nr. 72 mit Abb.

29. SPAERNWOU ⟨oder Lis?⟩ Inmitten von Bäumen und Häusern ein hoher Kirchturm. Vorn auf dem Weg zwei Figuren.

Feder in Braun 78 × 145
Literatur: Wurzbach (als E. van de Velde). – Kleinmann, II, Nr. 10 (als E. van de Velde). – Van Gelder, Nr. 14
Versteigerung Jhr. D. Bicker in Amsterdam am 25.1.1881 (fl 11,50)
Sammlung Victor de Stuers
  Ausgestellt: Den Haag, 1898 Nr. 182 als E. van de Velde
  – Almelo, 1961 Nr. 70

30. FLUSSBUCHT; am Ufer ein leerer Kahn. Auf dem Weg halbrechts zwei Figuren. Entlang dem Ufer Bäume, Gehöfte und ein Mühle.

Feder in Braun 78 × 145
Literatur: Wurzbach (als E. van de Velde). – Kleinmann, II, Nr. 10 (als E. van de Velde). – Van Gelder, Nr. 15
Versteigerung Jhr. D. Bicker in Amsterdam am 25.1.1881 (fl. 15)
Sammlung Victor de Stuers
  Ausgestellt: Den Haag, 1898 Nr. 182 als E. van de Velde
  – Almelo, 1961 Nr. 71

31. BAUERNGEHÖFT MIT NEBENGEBÄUDEN rechts; links ein hoher Baum bei einem Zaun. Figurenstaffage.

Feder in Braun 79 × 145
Literatur: Van Gelder, Nr. 16
Versteigerung [J. Rump aus Kopenhagen] in Berlin am 25.5.1908 Nr. 547 mit Abb. als E. van de Velde (Mk 41)
RIJKSPRENTENKABINET IN AMSTERDAM; Inv. Nr. 48: 403

32. WINTER. Schlitten und Schlittschuhläufer auf dem Eis; links Häuser und ein Tor.

Feder 86 × 141
Literatur: Van Gelder, Nr. 31
Sammlung J. de Grez, 1914 vermacht den
MUSÉES ROYAUX DES BEAUX-ARTS IN BRÜSSEL; Inv. Nr. 3723 als E. van de Velde

33. WINTER. Pferdeschlitten und andere Figuren auf dem Eis. Links eine Häuserreihe.

Feder 86 × 142
Literatur: Van Gelder, Nr. 32
Sammlung J. de Grez, 1914 vermacht den
MUSÉES ROYAUX DES BEAUX-ARTS IN BRÜSSEL; Inv. Nr. 3722 als E. van de Velde

34. Ein großer Baum links am Wegrand, etwas erhöht vor einem Zaun. Weiter zurück einige Gehöfte und ein Heustock. Rechts vorn zwei Figuren, von denen eine sitzt.

Feder in Braun 98 × 141
Literatur: Van Gelder, Nr. 29
Sammlung Prof. Dr. J. Q. van Regteren Altena in
    Amsterdam
    Ausgestellt: Leiden und Arnheim, 1960 (VG) Nr. 59

35. WIRTSHAUS AM FLUSSUFER (links) mit Nebengebäuden. Vorn in der Mitte drei Figuren; rechts auf dem Wasser ein Kahn. Baumreiches Ufer. – Um 1628-1630.

Feder in Braun 104 × 171
Vergleiche: G 605 (dieselbe Landschaftsszene)
Versteigerung Jean F. Gigoux in Paris am 20.3.1882
    Nr. 324 (ffrs 90) – Bezeichnet
    – Baron de Beurnonville in Paris am 16.2.1885
    Nr. 163 (ffrs 62)
Sammlung Peter Dalbert in London
Kunsthandlung Durlacher Bros. in New York
Sammlung Walter C. Baker in New York; Kat. 1962
    Nr. 48
    Ausgestellt: New York, Metropolitan Museum, Juni-
    September 1960

36. DREI BÄUME AM TEICH (Zentrum). Rechts Figuren auf einem Weg; links zurück ein Gehöft.

Feder in Braun 105 × 177
Literatur: Van Gelder, Nr. 17 mit Abb.
Sammlung Destailleur
Versteigerung Prinz W. Argoutinsky-Dolgoroukoff in
    Amsterdam am 27.3.1925 Nr. 383 (fl 30)
Sammlung Prof. Dr. J. Q. van Regteren Altena in
    Amsterdam
    Ausgestellt: Leiden und Arnheim, 1960 (VG) Nr. 56

37. EINE KLOSTERSIEDLUNG im Zentrum, in der Mitte das Kirchlein. Links vorn zwei Figuren auf einem Weg am Kanal; ganz links Bäume; rechts, jenseits des Kanals, ein Gehöft.

Feder in Braun 105 × 182
Sammlung Dr. C. R. Rudolf in London
Kunsthändler A. Brod in London, 1964
    – C. G. Boerner in Düsseldorf; Neue Lagerliste
    38/1964 Nr. 67 mit Abb. und 44/1966 Nr. 41 mit Abb.

38. Windmühle auf einer Mauer links, zu der eine Zugbrücke über einen Bach führt. Rechts ein Weg, weiter zurück Häuser. Vorn ein Angler. – Nicht überzeugend.

Feder, grau laviert 107 × 180
STÄDELSCHES KUNSTINSTITUT IN FRANKFURT/MAIN; Inv.
    Nr. 5531 als unbekannter niederländischer Meister

39. Zwei Figuren und ein Hund vorn auf einem Weg; rechts zurück hält ein Karren vor einem Gehöft, dahinter Bäume. Links ein Pferd. – Nicht überzeugend.

Feder, grau laviert 107 × 180
STÄDELSCHES KUNSTINSTITUT IN FRANKFURT/MAIN; Inv. Nr. 5532 als unbekannter niederländischer Meister

39a. Landschaft mit Mühle.

Feder 108 × 180
Literatur: Van Gelder, Nr. 21 A
Kunsthändler Wertheimer in Paris
Versteigerung A. W. M. Mensing in Amsterdam am 27.4.1937 Nr. 756 als E. van de Velde

40. MÜHLE etwas erhöht (halbrechts). Rechts dahinter ein Gehöft; ganz links ein Baum am Weg. Figurenstaffage.

Feder in Braun 110 × 181
Literatur: Van Gelder, Nr. 22 mit Abb.
ALBERTINA IN WIEN; Inv. Nr. 10023 als W. Schellinks

40a. Landschaft mit Brücke (Mittelgrund), Bauernhäuser. Vorn zwei Männer.

Feder 110 × 181
Literatur: Van Gelder, Nr. 23
Versteigerung [J. Rump aus Kopenhagen] in Berlin am 25.5.1908 Nr. 551 als E. van de Velde (Mk 32 Artaria)

41. Bauerngehöft, aus dessen Schornstein Rauch aufsteigt (rechts). Halblinks rasten zwei Figuren. Links Fernblick. – Nicht überzeugend.

Feder in Braun 110 × 184
Literatur: Van Gelder, Nr. 20
Sammlung von Beckerath, 1902 erworben vom
KUPFERSTICHKABINETT DER STAATLICHEN MUSEEN BERLIN; Inv. Nr. 12345

41A. Düne mit Bäumen und Gebüsch rechts, eine Figur auf dem ansteigenden Weg. Links Fernblick.

Feder in Hellbraun 110 × 191
KUNSTHALLE IN HAMBURG; Inv. Nr. 22660 als Simon de Vlieger

41B. Turm und Anbauten links, davor ein Mühlstein und daneben ein Tor. Rechts ein Weg.

Feder in Braun, grau laviert 111 × 183
KUNSTHALLE IN HAMBURG; Inv. Nr. 1957/261

42. ZIEHBRUNNEN VOR EINEM WIRTSHAUS
(rechts); davor mehrere Figuren und zwei Reisewagen.
Links zieht die Straße in die Tiefe.

Feder 111 × 222
Literatur: Van Gelder, Nr. 24
Vergleiche: Z 609A (fast gleiche Darstellung)
Im Jahre 1899 erworben vom
RIJKSPRENTENKABINET IN AMSTERDAM; Inv. Nr. A 3671
   Ausgestellt: Amsterdam 1903 (VG) Nr. 36

42A. Mühle und Gehöfte in Flachlandschaft.

Feder in Braun 112 × 182
KUNSTHALLE IN HAMBURG; Inv. Nr. 22861 als S. de
   Vlieger

43. BACH BEI EINEM DORF, dessen Häuser links
zwischen Bäumen stehen. Links ein Pferd, vorn zwei
Figuren und eine Schubkarre.

Feder in Braun 112 × 183
Literatur: Van Gelder, Nr. 21
Sammlung K. E. von Liphart (vielleicht: Versteigerung
   in Leipzig am 26.4.1898 Nr. 962 oder 963 als Jan
   van de Velde)
Kunsthändler de Vries in Amsterdam, bei diesem 1906
   erworben für die
Sammlung J. Rump in Kopenhagen
   Versteigerung in Berlin am 25.5.1908 Nr. 544 mit
   Abb. als E. van Velde (Mk 25). – Seit 1916 im
STATENS MUSEUM FOR KUNST, KGL. KOBBERSTIKSAMLING,
   IN KOPENHAGEN; Inv. Nr. 7355

44. LANDWEG MIT WANDERNDER FAMILIE
(Zentrum). Links zurück ein Gehöft; rechts Baum und
Zaun.

Feder in Braun 112 × 183
Literatur: Van Gelder, Nr. 18
Sammlung Prof. Dr. J. Q. van Regteren Altena in
   Amsterdam
   Ausgestellt: Leiden und Arnheim, 1960 (VG) Nr. 57
MUSEUM BOYMANS-VAN BEUNINGEN IN ROTTERDAM;
Inv. Nr. 1962/T3

45. GEHÖFT HINTER EINEM ZAUN links; rechts
davon zwei Bäume. Links vorn zwei Figuren. Rechts
in der Ferne eine Ortschaft.

Feder in Braun 113 × 182
Literatur: Van Gelder, Nr. 19
Sammlung von Beckerath, 1902 erworben vom
KUPFERSTICHKABINETT DER STAATLICHEN MUSEEN BERLIN;
Inv. Nr. 12344

45a. Landschaft mit einer Brücke; links ein Turm
rechts auf dem Ufer eine Frau.

Feder
Wahrscheinlich: Sammlung Rev. John Sanford of
   Nynehead in Florenz (um 1830 erworben)
Sammlung Lord Methuen, Corsham Court, Wiltshire
   1966

1624

46.

46. EIN HÄNDLER sitzt auf einer Kiste vor einem Faß, das ihm als Verkaufstisch dient; um ihn herum mehrere kauflustige Personen. Weiter raumeinwärts ein Zelt. Links hält unterhalb eines Fensters eine Frau einen erbrechenden Bauern fest; ein Landmann mit großer Kiepe und ein Hund nahen halblinks.

Links bezeichnet: I. V. GOIEN 1624
Tuschpinsel, wenig schwarze Kreide 138 × 243
Im Jahre 1884 aus der Sammlung van Gogh erworben vom
RIJKSPRENTENKABINET IN AMSTERDAM; Inv. Nr. A 395
   Ausgestellt: Amsterdam, 1903 (VG) Nr. 1

47. LANDLEUTE UND ZWEI KINDER am Uferkai links; Waren werden aus einem Boot ausgeladen (Zentrum); ein Mann beugt sich mit einem Krug über Bord. Zahlreiche Figuren im Hintergrund vor Häusern und einer Kirche ⟨ähnlich der Groote Kerk vom Haag⟩.

Rechts auf einem Balken bezeichnet: I. V. GOIEN 1624
Tuschpinsel, wenig schwarze Kreide 143 × 245
Versteigerung in Utrecht am 18.4.1939 Nr. 50 mit Abb.

48.

48. FISCHHÄNDLER. Eine Frau läßt Fische in einen Kübel schütten, ein Stocknetz lehnt am Verkaufstisch; andere Käufer weiter rechts. Links trägt ein aus einem Kahn steigender Fischer Fische in einem Netz heran.

Links bezeichnet: I. V. GOIEN 1624
Tuschpinsel in Lila, wenig schwarze Kreide 143 × 250
Literatur: Dobrzycka, mit Abb.
Versteigerung H. Busserus in Amsterdam am 21.10.1782
   Nr. 345 (zusammen mit Z 49: fl 49 Heemskerk)
Sammlung Ernst Harzen in Hamburg, 1869 vermacht der
KUNSTHALLE IN HAMBURG; Inv. Nr. 21989
   Ausgestellt: Leiden und Arnheim, 1960 (VG) Nr. 61 mit Abb.

49.

49. KARTENSPIELENDE BAUERN vor einem Wirtshaus mit Aushängeschild. Um einen umgestürzten Kübel drei Kartenspieler; zu beiden Seiten Figuren, die zuschauen. Ein Gehöft und eine Kirche weiter zurück.

Rechts bezeichnet: I. V. GOIEN 1624
Tuschpinsel in Lila, schwarze Kreide 145 × 249
Literatur: G. Pauli, I, 1924, mit Abb. – Bernt (2), I, Nr. 265 mit Abb. – Dobrzycka, mit Abb.
Versteigerung H. Busserus in Amsterdam am 21.10.1782
   Nr. 345 (zusammen mit Z 48: fl 49 Heemskerk)
Sammlung Ernst Harzen in Hamburg, 1869 vermacht der
KUNSTHALLE IN HAMBURG; Inv. Nr. 21990
   Ausgestellt: Leiden und Arnheim, 1960 (VG) Nr. 62

50. WINTER. Ein mit vier Personen besetzter ein-
spänniger Pferdeschlitten fährt links raumeinwärts, der
Kutscher geht mit geschwungener Peitsche nebenher.
Rechts andere Figuren am Rand des Eises oder auf dem
Eis. Ein Gehöft und kahle Bäume im Hintergrund.

Rechts von der Mitte bezeichnet: I. V. GOIEN 1625
Tuschpinsel 139 × 260
Sammlung Charles Rogers in London († 1784)
  – William Cotton, Ivybridge, 1883 geschenkt der
CITY ART GALLERY IN PLYMOUTH

50a. Fischmarkt. Figurenreiche Komposition.

Bezeichnet: I. V. GOIEN 1625
Tuschpinsel 142 × 250
Versteigerung Guichardot in Paris am 7.7.1875 Nr. 158
  (zusammen mit Z 99: ffrs 50 Suermondt)
  – Dr. August Straeter aus Aachen in Stuttgart am
  10.5.1898 Nr. 1124 (Mk 61 Gutekunst)

51. DER MUSCHELMANN; er steht hinter seiner
Schubkarre und füllt einer Frau einen Eimer (rechts).
Weiter zurück Häuser; links ein Baum.

Links bezeichnet: I. V. GOIEN 1625
Tuschpinsel in Grau 143 × 246
Wasserzeichen: großer einköpfiger, gekrönter Adler
  mit Basler Stab (Abb. 58); ähnlich Heawood 1248
  (von 1618)
Unbekannter blauer Sammlerstempel
Versteigerung H. Busserus in Amsterdam am 21.10.1782
  Nr. 94 (zusammen mit Nr. 95: fl 11 Fouquet)
Seit 1931 im
PRENTENKABINET DER RIJKSUNIVERSITEIT IN LEIDEN; Inv.
  Nr. 2510

51

52. DREI ANGELFISCHER am linken Ufer. Rechts,
weiter zurück, zwei Fischer in einem Kahn nahe dem
jenseitigen Ufer, auf dem Kühe vor einem Gehöft
weiden. Eine Windmühle in der Ferne.

Links bezeichnet: I. V. GOIEN 1625
Tuschpinsel in Braun und Grau 145 × 260
Literatur: Grosse, mit Abb.
Sammlung B. Suermondt in Aachen, 1874 erworben
  vom
KUPFERSTICHKABINETT DER STAATLICHEN MUSEEN BERLIN;
  Inv. Nr. 2738

52

52A. DIE VOGELFÄNGER. In der Mitte sitzen zwei Rückenfiguren auf einer Bank und schauen auf die rechts auf einer Wiese aufgespannten Netze.

Links bezeichnet: I. V. GOIEN 1625
Tuschpinsel in Grau 145 × 260
Wahrscheinlich: Versteigerung Jacob de Vos in Amsterdam am 30.10.1833 Nr. D 20 (fl 22 de Vries, zusammen mit Z 842a)
Sammlung Heim-Gairac in Paris, 1969
    Ausgestellt: Amsterdam, CINOA, 1970 Nr. 70 mit Abb.

52B. EIN FISCHERBOOT LANDET in der Mitte vorn. Links im Hintergrund eine Brücke und Mühle. Halbrechts vorn am Ufer ein Baum vor einer Häuserreihe; viele Figuren.

Signaturreste in der Mitte: I. V. ... 1 .. 5
Tuschpinsel in Grau 145 × 260
Kunsthandlung Paul Prouté et ses fils in Paris, 1969
Sammlung Emile E. Wolf in New York

53. KIRMES IM DORF. Links steht ein Geiger auf einer Tonne vor einem Wirtshaus mit Aushängeschild. Rechts ein tanzendes Paar und andere Landleute.

Rechts bezeichnet: I. V. GOIEN 1625
Tuschpinsel in Grau über Kreide 146 × 251
Literatur: E. Trautscholdt in „Imprimatur", XII, 1954/55, S. 34 ff. mit Abb. – Cicerone VIII/1916, S. 404
Sammlung Bastiaans in Deventer
Versteigerung W. P. Knowles aus Wiesbaden in Amsterdam am 25.6.1895 Nr. 263 (fl 25)
    – in Amsterdam am 11.6.1912 Nr. 107 mit Abb (fl 230 Hofstede de Groot)

Sammlung Dr. C. Hofstede de Groot in Den Haag
    Ausgestellt: Leiden, 1916, I, 50
    – Den Haag, 1930, III, 56
    Versteigerung in Leipzig am 4.11.1931 Nr. 99
    (Mk 440)
RIJKSPRENTENKABINET IN AMSTERDAM; Inv. Nr. 31: 175
    Ausgestellt: Leiden and Arnheim, 1960 (VG) Nr. 63

54. BAUERN BEIM HOLZFÄLLEN und Sammeln.
Ein Holzfäller steht auf einer Leiter am Baum.

Rechts bezeichnet: I. V. GOIEN 1625
Tuschpinsel in Grau 146 × 256
Versteigerung in Amsterdam am 9.3.1920 Nr. 178
1925 erworben vom
KUPFERSTICHKABINETT DER STAATLICHEN MUSEEN BERLIN;
    Inv. Nr. 12009. – Kat. 1931 (Prestel) mit Abb.

55. ZWEI GEFANGENE WERDEN ABGEFÜHRT;
Kinder beschimpfen und verhöhnen sie. Links drei
Figuren und zwei Kinder unter einem großen Baum.

In der Mitte bezeichnet: I. V. GOIEN 1625
Tuschpinsel in Grau 146 × 260
Wasserzeichen: großer einköpfiger, gekrönter Adler
    mit Basler Stab (Abb. 59). – Vergleiche: Heitz 121
Literatur: Henkel, mit Abb.
Vielleicht: Versteigerung J. Gildemeester in Amsterdam
    am 24.11.1800 Nr. H 62 (mit H 61: fl 13.10 Wend)
Sammlung F. Koenigs in Haarlem
    Ausgestellt: Rotterdam, 1934 Nr. 51.
    Seit 1941 im
MUSEUM BOYMANS-VAN BEUNINGEN IN ROTTERDAM;
    Inv. Nr. H 102
    Ausgestellt: Leiden und Arnheim, 1960 (VG) Nr. 64

55A. ROMMELPOTSPIELER in der Dorfstraße.

Halblinks bezeichnet: I. V. GOIEN 1625
Tuschpinsel in Grau über Kreide 148 × 258
Sammlung Thévenot, 1897 vermacht dem
MUSÉE DES BEAUX-ARTS IN DIJON

55a. Schlittenfahrt.

Bezeichnet und datiert 1625
Tuschpinsel, kl. qu. fol.
Versteigerung in München am 23.11.1863 Nr. 121

55b. Marktszene.

Bezeichnet: I. V. GOIEN 1625
Vielleicht identisch mit Z 50a, 51 oder 53?
Kunsthandlung Fred. Muller & Co. in Amsterdam
    Ausgestellt: Amsterdam, 1903 (VG) Nr. 52

III. KREIDEZEICHNUNGEN UND AQUARELLE

A) DATIERTE ZEICHNUNGEN

1. Die Zeichnungen von 1626–1650

1626

56. FLUSSLANDSCHAFT MIT ZUGBRÜCKE im rechten Mittelgrund. Links Bäume am Ufer und Gehöfte.

Links oben bezeichnet: (I.) V. GOIEN 162(6)
Schwarze Kreide, leicht aquarelliert 105 × 175
Kunsthändler Rud. Weigel in Leipzig; Lagerkataloge um 1834/35 und 1860 Nr. 3022 (Reichsthaler 3.—)
Sammlung H. W. Campe in Leipzig; Kat. 1863 Nr. 17 (Datum „1620" gelesen)
Versteigerung [Brockhaus] in Leipzig am 25.4.1921 Nr. 55 mit Abb. (Mk 5200 Nebehay)
– [Czeczowiczka aus Wien] in Berlin am 12.5.1930 Nr. 82 mit Abb. (Mk 580)

56A. Dorflandschaft mit einem Fluß (Zentrum). Zu beiden Seiten Gehöfte und Bäume; im Hintergrund Hütten und ein Kirchturm. Halblinks ein leeres Ruderboot, halbrechts zwei Figuren im Kahn. Links ein Mann mit geschulterter Stange.

Links bezeichnet: I V. GOIEN 1626
Aquarell 114 × 218
Sammlung J. C. Tadema, Styal, Cheshire, 1966

57

57. WINTER. Schlittschuhläufer links vor abgetakeltem Segelboot, rechts Gehöfte und kahle Bäume.

Rechts unten bezeichnet: I. V. GOIEN 1626
Aquarell 115 × 220
Gegenstück: Z 58
Versteigerung D. Muilman in Amsterdam am 29.3.1773 Nr. 281 (zusammen mit Nr. 280: fl 22 Fouquet)
Sammlung Zar Paul I.
EREMITAGE IN LENINGRAD; Inv. Nr. 5951

58

58. SOMMER. Landschaft mit Gehöft (links) und Heustock (rechts) an einem Weg. In der Ferne ein Kirchturm.

Rechts oben bezeichnet: I. V. GOIEN 1626
Aquarell 116 × 221
Gegenstück: Z 57
Versteigerung D. Muilman in Amsterdam am 29.3.1773 Nr. 280 (zusammen mit Nr. 281: fl 22 Fouquet)
Sammlung Zar Paul I.
EREMITAGE IN LENINGRAD; Inv. Nr. 5952

58a. Rondeel tot Amsterdam.

Voll bezeichnet (I. V. GOYEN?) und datiert 1626
Sepia 125 × 165
Versteigerung K. E. von Liphart aus Florenz in Leipzig
    am 26.4.1898 Nr. 409 (Mk 24 an das Museum)
MUSEUM DER BILDENDEN KÜNSTE IN LEIPZIG; Inv.
    Nr. I 358 (seit 1945 nicht mehr im Museum, wahr-
    scheinlich Kriegsverlust)

58b. Mauer einer Stadt; auf dem Eis Schlitten und
Schlittschuhläufer.

Bezeichnet und datiert 1626
140 × 260
Versteigerung in Amsterdam am 13.11.1894 Nr. 716

59. FISCHER AM STRAND beladen rechts einen
zweispännigen Wagen; davor eine Figurengruppe;
dahinter ein Turm, eine Kirche und Häuserdächer. Links
vorn zwei Fischer bei einem am Boden liegenden Anker;
dahinter Boote auf dem Strand.

Halblinks bezeichnet: I. V. GOIEN 1626
Schwarze Kreide, laviert 180 × 297
Sammlung E. Cockburn Kyte in Kingston, Ontario
    (Kanada), 1946
Kunsthandlung P. & D. Colnaghi & Co. in London
    Ausgestellt: London, 1959 Nr. 31
    – Paul Drey Gallery in New York
Sammlung Mrs. C. Phillip Miller in Chicago, seit 1961
    als Leihgabe im
ART INSTITUTE OF CHICAGO

59

60. EIN EINSPÄNNIGER WAGEN mit einem
Insassen in der Mitte auf einer Straße bei einem Gehöft.
Halblinks vorn ein Bauernpaar und ein Junge unter
Bäumen. Vorn in der Mitte liegt ein Landmann auf
dem Bauch. Rechts ein Tümpel, weiter zurück zwei
Kühe.

In der Mitte bezeichnet: I. V. GOIEN 1626
Schwarze Kreide, grau laviert 187 × 304
Sammlung Herzog Albert von Sachsen-Teschen
ALBERTINA IN WIEN; Inv. Nr. 8528

Nachzeichnung: I) Wie beschrieben.
    Falsch signiert und datiert 1661
    Kreide, laviert 193 × 304
    Kunsthandlung E. Parsons & Sons in London; Lager-
    katalog 45 (um 1925) Nr. 109 mit Abb.

60

61. Uferlandschaft mit sieben Personen, die zwei Fischern zusehen. Im Hintergrund Häuser am Wasser und eine Kirche, weiter links reitet ein Mann über eine Brücke. – Nicht überzeugend.

Halbrechts (echt?) eine Bezeichnung: VG 1626
Schwarze Kreide, grau laviert 190 × 305
Wasserzeichen: Wappen mit Basler Stab
Sammlung E. Calando
Versteigerung in Stuttgart am 19.5.1953 Nr. 439 mit Abb. (Mk 600)
Norddeutsche Privatsammlung

Nachzeichnung: I) Wie beschrieben.
    Von alter Hand rechts unten bezeichnet: J. van Goyen
    Schwarze Kreide 197 × 308
    Wasserzeichen: Schellenkappe mit 4 Kugeln, über Buchstaben IC (oder LC?)
    Unbekannter Sammlerstempel S.P.W.
    Kunsthandlung E. Parsons & Sons in London; Lagerkatalog 33 (um 1918) Nr. 602 mit Abb. (£ 18.18.0)
    Versteigerung in Amsterdam am 11.5.1948 Nr. 122 mit Abb.
    – in Stuttgart am 27.5.1952 Nr. 960 (Mk 315 Otto)
    Sammlung E. J. Otto in Berlin
    Kunsthändler A. Brod in London, Sommer-Ausstellung 1963 Nr. 50 mit Abb.
    – Schaeffer Galleries in New York, 1964

62. WINTER. Kahle Bäume und ein Gehöft am Ufer; links im Hintergrund eine Kirche. Fünf Figuren rechts auf dem Uferweg; links auf dem Eis sieben Figuren.

Rechts bezeichnet: I. V. GOIEN 1626
Schwarze Kreide, grau laviert 194 × 320
Wasserzeichen: großer einköpfiger, gekrönter Adler mit Basler Stab (Abb. 58); ähnlich Heawood 1248 (von 1618)
Seit 1903 als Geschenk im
RIJKSPRENTENKABINET IN AMSTERDAM; Inv. Nr. A 4701 c

62a. Eine Dünenlandschaft bei einem Dorf.

Datiert 1626
Tuschpinsel
Versteigerung S. Feitama in Amsterdam am 16.10.1758 Nr. B 66 (fl 12.10 Kalkoen oder Fouquet)

62b, c. Zwei reich staffierte Landschaften mit vielen Figuren.

Datiert 1626
Tuschpinsel
Versteigerung W. A. Kops in Haarlem am 4.3.1808 Nr. 35 (zusammen mit Kat. Nr. 36: fl 2,75)

62d. Holländische Dorfstraße.

Bezeichnet und datiert 1626
Kreide, aquarelliert, qu. 4
Sammlung Grünling
Versteigerung J. C. Ritter von Klinkosch in Wien am 15.4.1889 Nr. 423 (Kr 11. – Ephrussi)

63. AM FUSSE EINER ALTEN WETTEREICHE
sitzt ein Landmann mit Rückenlast (Zentrum); links
neben ihm stehen zwei Männer, von denen einer sich
auf seinen Stock stützt. Links in der Ferne eine Kirchturmspitze.

Halbrechts bezeichnet: I. V. GOIEN 1627
Schwarze Kreide 140 × 188
Wahrscheinlich: Versteigerung Prince Charles de Ligne
   in Wien am 4.11.1794, Seite 197 Nr. 4
Sammlung Herzog Albert von Sachsen-Teschen
ALBERTINA IN WIEN; Inv. Nr. 8531

64. FÄHRE MIT FÜNF FIGUREN UND DREI
KÜHEN im Zentrum. Rechts zwei Bäume, dahinter
Gehöft und Taubenschlag. Links zurück ein abgeta-
keltes Segelboot, eine Bogenbrücke und ein Kirchdorf.

Links oben bezeichnet: I. V. GOIEN 1627
Schwarze Kreide, grau laviert 143 × 257
Wasserzeichen: Greif mit Haus (Abb. 53a)
Kunsthändler W. von Wenz in Eindhoven, Januar 1955
Sammlung E. J. Otto in Berlin
   Ausgestellt: Leiden und Arnheim, 1960 (VG) Nr. 67
Kunsthändler A. Brod in London, 1963
   – Gebr. Douwes in Amsterdam; Katalog 1964
   Nr. 51 mit Abb. – und ausgestellt in Delft, Anti-
   quitätenmesse 1964
   – Gebr. Douwes in Amsterdam, 1969
Privatsammlung in Augsburg

64

65. EIN FISCHER mit einem Korb auf dem Rücken
steht links vorn. Weiter rechts zurück vier auf dem Eis
spielende Kinder. Im Hintergrund ein Haus, Bäume und
eine Kirche.

Links unten bezeichnet: I. V. GOIEN 1627
Schwarze Kreide, wenig Lavierung 145 × 201
Sammlung Graf Solms-Braunfels; seit 1919 (als
   Geschenk) im
KUPFERSTICHKABINETT DER STAATLICHEN MUSEEN BERLIN;
   Inv. Nr. 9884

65

66. GRUPPE VON FÜNF FISCHERN und einer Frau
am Strand (Zentrum); rechts davon packt ein knieender
Fischer Fische in einen Korb, ein zweiter steht rechts
daneben. Im Hintergrund ein auf den Strand gezogenes
Boot. Links eine Kirche.

Links oben Reste der Bezeichnung (von späterer Hand
   nachgezogen): I. V. GOIEN 1627
Schwarze Kreide, grau laviert 147 × 307
Sammlung von Beckerath, 1902 erworben vom
KUPFERSTICHKABINETT DER STAATLICHEN MUSEEN BERLIN;
   Inv. Nr. 11804

67

67. DREI SOLDATEN BEIM KARTENSPIEL (Zentrum); vier andere stehen um sie herum. Bäume und ein Haus in der Ferne.

Rechts von der Mitte bezeichnet: I. V. GOIEN 1627
Schwarze Kreide, laviert mit Indigo und brauner
    Tusche 150 × 210
Versteigerung A. G. de Visser in Amsterdam am
    16.5.1881 Nr. 152 (fl 40 van Gogh)
    – W. F. Piek in Amsterdam am 1.6.1897 Nr. 105
    (fl 35 Vischer Barckhaar)
    – A. W. M. Mensing in Amsterdam am 27.4.1937
    Nr. 217 mit Abb. (fl 230 de Boer)
Kunsthandlung Schaeffer Galleries in New York
Sammlung Le Roy M. Backus in Seattle/Washington
    Ausgestellt: San Francisco, 1940 Nr. 444; in Portland 1941
SEATTLE ART MUSEUM (Le Roy M. Backus Memorial
    Collection); Kat. 1952 Nr. 9 mit Abb.

68

68. EIN REITER naht auf einem Uferweg (halblinks); ein Mann mit Rucksack und Stab entfernt sich. Links einige Bäume am Wegrand. Rechts ein Teich, dahinter Gehöft und Bäume.

Halblinks bezeichnet: I. V. GOIEN 1627
Schwarze Kreide 155 × 226
Wasserzeichen: Wappenschild mit doppelköpfigem
    Adler, unten Basler Stab (Abb. 60)
Sammlung Arnold Ingen-Housz in Breda
    – J. de Grez in Brüssel, 1914 vermacht den
MUSÉES ROYAUX DES BEAUX-ARTS IN BRÜSSEL; Inv.
    Nr. 1397
    Ausgestellt: Brüssel, 1937/38 Nr. 51
    – Leiden und Arnheim, 1960 (VG) Nr. 65
    – Brüssel, 1962/63 Nr. 154

68a. Der Angelfischer.

Bezeichnet und datiert 1627
Schwarze Kreide 160 × 250
Versteigerung Marquiset in Paris am 28.4.1890 Nr. 92
    (zusammen mit Z 314a: ffrs 110)

69. FLUSSLANDSCHAFT MIT FÄHRBOOT; auf der Fähre ein Reiter, fünf Männer, eine Frau mit Kopflast und zwei Kühe. Rechts ein großer Baum am Uferrand, zwei Bauern und ein Gehöft.

In der Mitte bezeichnet: I. V. GOIEN 1627
Schwarze Kreide (laviert ?) 170 × 300
Literatur: B. Rose, The Golden Age of Dutch Painting,
    1969, S. 26 mit Abb.
Sammlung Rudolph, später J. A. G. Weigel in Leipzig;
    Kat. 1836 Nr. 252a; Kat. 1869 Nr. 358
    Versteigerung in Stuttgart am 15.5.1883 Nr. 378
    (Mk 17 Habich)
Versteigerung E. Habich aus Kassel in Stuttgart am
    27.4.1899 Nr. 313 (Mk 25 Scheltema)

69a. Flußlandschaft. Im Vordergrund zwei Männer im Kahn bei einem grossen Baum.

Voll bezeichnet und datiert 1627
Schwarze Kreide 172 × 271
Gehört vielleicht zum Zeichenbuch von 1627 (siehe:
    Z 73-88)
Versteigerung Dr. August Straeter aus Aachen in
    Stuttgart am 10.5.1898 Nr. 1128 (Mk 30 Mathey)

70. EIN BAUERNPAAR unterhält sich im Zentrum
mit einem sitzenden Mann; ein Bauer mit Kiepe naht
rechts zurück; zwei Bäume am linken Wegrand.
Rechts weiter zurück ein Gehöft; links Dünen.

Rechts unten bezeichnet: I. V. GOIEN 162(7)
Schwarze Kreide 175 × 272
Wasserzeichen: Greif mit Haus (Abb. 50)
Sammlung Dr. C. Hofstede de Groot in Den Haag
    Ausgestellt: Den Haag, 1902 Nr. 22
    – Amsterdam, 1903 (VG) Nr. 59
    – Leiden, 1916, I, Nr. 52
    – Den Haag, 1930, I, Nr. 54.
    1931 geschenkt dem
GRONINGER MUSEUM VOOR STAD EN LANDE; Kat. 1967
    Nr. 28 mit Abb. (Inv. Nr. 1931 – 159)
    Ausgestellt: Groningen, 1931 Nr. 60 und 1948 Nr. 95
    – Den Haag, 1955 Nr. 25
    – Vancouver, 1958 Nr. 30.
    – Leiden und Arnheim, 1960 (VG) Nr. 68

71. LAGERSZENE. Vier Reiter im Zentrum, ein
fünfter naht links. Links vorn eine Soldatengruppe und
Marketenderinnen. Andere Figuren rechts zurück vor
Zelten, links eine Kirche. ⟨Eik-en-Duinen⟩.

Halblinks bezeichnet: I. V. GOIEN 1627
Schwarze Kreide, grau laviert 188 × 302
Wasserzeichen: Adler mit Basler Stab
Sammlung von Beckerath, 1902 erworben vom
KUPFERSTICHKABINETT DER STAATLICHEN MUSEEN BERLIN;
    Inv. Nr. 11803 (z. Zt. in Ost-Berlin)

72. WINTER. Zahlreiche Schlittschuhläufer und
Schlitten auf zugefrorenem Fluß. Links unter Bäumen
eine Schenke, davor zwei Schlitten.

Voll bezeichnet und datiert 16(2)7 (im Katalog: 1647)
Schwarze Kreide, braun laviert, qu. fol.
Versteigerung J. C. Ritter von Klinkosch in Wien
    am 15.4.1889 Nr. 429 mit Abb. (Kr 130)

71

Das Zeichenbuch von 1627

Die folgenden Blätter gehörten einst zu einem Zeichenbuch, wie der durchlaufenden Numerierung in der
rechten unteren Ecke zu entnehmen ist. Das Buch mag
einst ca. 50 Blätter umfaßt haben. Viele Zeichnungen
haben als *Wasserzeichen* das Wappen von Neuchâtel
(siehe Abb. 45, 46)
Es sind keine eigentlichen Naturstudien, wie wir sie
von den späteren Skizzenbüchern van Goyens her
kennen, sondern sorgfältig komponierte und ausgeführte
Zeichnungen.

73

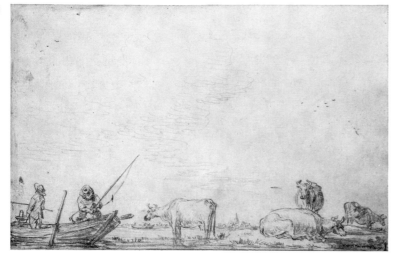

73. ZWEI ANGLER IM KAHN (links); in der Mitte steht eine Kuh im seichten Wasser; rechts an Land drei Kühe. („13")

Rechts bezeichnet: I. V. GOIEN 1627
Schwarze Kreide 172 × 265
Sammlung Pacetti, 1844 erworben vom
KUPFERSTICHKABINETT DER STAATLICHEN MUSEEN BERLIN;
  Inv. Nr. 2739

74. ZWEI FIGUREN AUF EINEM EINSPÄN-NIGEN FUHRWERK (links). Weiter links zurück ein Wanderer mit Stab und Rucksack. Rechts ein Steg und ferne Gehöfte. („14")

Halbrechts bezeichnet: I. V. GOIEN 1627
Schwarze Kreide 169 × 264
Sammlung Georg von Rosen
KONGL. AKADEMIEN FÖR DE FRIA KONSTERNA IN STOCK-
  HOLM; Inv. Nr. P. 6: 28
  Ausgestellt: Stockholm, 1953 Nr. 143 und 1967
  Nr. 220

75

75. KALKÖFEN werden beschickt. Ein Mann läuft mit einer Last über einen Steg. Am Ufer bückt sich eine Person, dahinter ein abgetakeltes Segelboot und Gehöfte. („15")

In der Mitte bezeichnet: I. V. GOIEN 1627
Schwarze Kreide (von späterer Hand aquarelliert)
  171 × 265
Wasserzeichen: Wappen von Neuchâtel
Vergleiche: Z 844/17 linke Seite
STAATLICHES MUSEUM IN SCHWERIN; Inv. Nr. 1254

76

76. FLUSSUFER. In der Mitte ein von Pfählen gestützter, erhöhter Uferweg. Zwei Männer im Gespräch, ein dritter naht. Rechts zurück Segelboote und ein kleiner Kahn. Im linken Hintergrund Kirche und Windmühle. („16")

Halblinks bezeichnet: I V. GOIEN 1627
Schwarze Kreide 170 × 261
Sammlung B. Suermondt in Aachen, 1874 erworben vom
KUPFERSTICHKABINETT DER STAATLICHEN MUSEEN BERLIN;
  Inv. Nr. 2741

77. FLACHLANDSCHAFT MIT EINEM ZAUN-STÜCK halblinks; links dahinter ragt ein Bauernhaus-dach mit rauchendem Kamin über eine Geländewelle. Rechts Fernblick. („21")

Rechts bezeichnet: I. V. GOIEN 1627
Schwarze Kreide (von späterer Hand aquarelliert)
171 × 262
Wasserzeichen: Wappen von Neuchâtel
STAATLICHES MUSEUM IN SCHWERIN; Inv. Nr. 1253

77

78. SCHLITTSCHUHLÄUFER links auf einem Kanal,
am fernen Ufer ein hoher Galgen. Rechts am Uferrand
zwei Figuren vor einer kleinen Holzhütte. („22")

Rechts von der Mitte bezeichnet: I. V. GOIEN 1627
Schwarze Kreide 170 × 265
Versteigerung R. Peltzer in Stuttgart am 13.5.1914
    Nr. 155 (Mk 280 C. G. Boerner)
Sammlung Th. Apel-Ermlitz in Leipzig
    Ausgestellt: Leipzig, 1937 Nr. 117
Kunsthandlung C. G. Boerner in Leipzig, 1949
Westdeutscher Privatbesitz

79. ZWEISPÄNNIGER PFERDEWAGEN MIT
FÜNF INSASSEN naht halblinks über eine Stein-
brücke mit Geländer. Rechts Flachlandschaft mit
Fernblick. („25")

Halbrechts bezeichnet: I. V. GOIEN 1627
Schwarze Kreide (von späterer Hand aquarelliert)
170 × 271
STAATLICHES MUSEUM IN SCHWERIN; Inv. Nr. 1249

80

80. ZWEI ALTE WETTEREICHEN halblinks. Rechts
fährt ein Karren raumeinwärts.

Halblinks bezeichnet: I. V. GOIEN 1627
Schwarze Kreide 169 × 266
Wasserzeichen: gekröntes Wappen (wahrscheinlich von
    Neuchâtel)
Versteigerung Baron d'Isendoorn à Blois in Amsterdam
    am 19.8.1879 Nr. 61 (zusammen mit einer anderen
    Zeichnung: fl 41 Bredius)
    – Graf G. Stroganoff in Rom am 18.4.1910 Nr. 488
Kunsthandlung Gutekunst & Klipstein in Bern, 1953
Sammlung E. J. Otto in Berlin
    Ausgestellt: Leiden und Arnheim, 1960 (VG) Nr. 66
    mit Abb.
Kunsthändler A. Brod in London, Frühjahr 1963
    – Dr. Scharf in London, 1963

81

81. BAUER MIT KORB, Bäuerin mit Käfig als Kopflast und ein Junge nahen im Zentrum. („32")

Links bezeichnet: I. V. GOIEN 1627
Schwarze Kreide 166 × 261
Wasserzeichen: Wappen von Neuchâtel (Abb. 45)
Sammlung Johann Wilhelm Nahl in Kassel
Versteigerung W. J. Nahl aus Kassel in Philadelphia
    am 7.3.1898 Nr. 776
MUSEUM BOYMANS-VAN BEUNINGEN IN ROTTERDAM;
    Inv. Nr. Van Goyen 1

82

82. RUDERBOOT MIT FÜNF FIGUREN im Zentrum. Zwei Segler bei Gehöften am rechten Ufer weiter zurück. Links in der Ferne eine Kirche. („38")

Links bezeichnet: I. V. GOIEN 1627
Schwarze Kreide 162 × 254
Versteigerung Boguslaw Jolles in München am 28.10.1895 Nr. 276 (Mk 18)
Sammlung A. J. Domela Nieuwenhuis in Amsterdam, 1923 geschenkt dem
MUSEUM BOYMANS-VAN BEUNINGEN IN ROTTERDAM; Inv. Nr. DN 229/126

83. EINE HERDE VON VIER KÜHEN wird von zwei Hirten rechts über eine kleine Anhöhe raumeinwärts getrieben. Rechts zurück ein Gehöft und Gebüsch. („39")

Rechts bezeichnet: I. V. GOIEN 1627
Schwarze Kreide 163 × 257
Wasserzeichen: Wappen von Neuchâtel (Abb. 46); ähnlich Heawood 518a (von 1629)
Wahrscheinlich: Versteigerung Daigremont in Paris am 3.4.1866 Nr. 477
Sammlung Georg von Rosen
KONGL. AKADEMIEN FÖR DE FRIA KONSTERNA IN STOCKHOLM; Inv. Nr. P. 6: 29
Ausgestellt: Stockholm, 1953 Nr. 144 und 1967 Nr. 219

84

84. BÄUERIN UND MÄDCHEN MIT KORB nahen im Zentrum über eine kleine Anhöhe. Links zurück Bäume und ein Hausdach. Rechts Fernblick. („40")

Halbrechts bezeichnet: I. V. GOIEN 1627
Schwarze Kreide 164 × 258
Literatur: Grosse, mit Abb.
Sammlung Pacetti, 1844 erworben vom
KUPFERSTICHKABINETT DER STAATLICHEN MUSEEN BERLIN; Inv. Nr. 2740. – Kat. 1931 (Prestel) mit Abb.

85

85. WINTER. Kahle Bäume und ein Gehöft am Ufer (Zentrum). Links auf dem Eis ein einspänniger Pferdeschlitten und vier Schlittschuhläufer. („41")

Halbrechts bezeichnet: I. V. GOIEN 1627
Schwarze Kreide 161 × 254
Versteigerung C. B. Brüsaber aus Hamburg in Berlin am 13.4.1874 Nr. 1246
Kunsthändler Mohrbutter in Kopenhagen, 1924 verkauft an
STATENS MUSEUM FOR KUNST, KGL. KOBBERSTIKSAMLING, IN KOPENHAGEN; Inv. Nr. 9356

86. EIN BACH fließt im Zentrum in Windungen in die Tiefe. Bei einem Zaunstück rechts vorn ein Mann in Rückansicht; weiter zurück zwei Kühe. Im linken Mittelgrund Gehöft, Heustock, Bäume; in der Mitte Fernblick. („42")

Rechts von der Mitte bezeichnet: I. V. GOIEN 1627
Schwarze Kreide (von späterer Hand aquarelliert)
  159 × 252
Wasserzeichen: Wappen von Neuchâtel
STAATLICHES MUSEUM IN SCHWERIN; Inv. Nr. 1248

87. EIN BAUERNPAAR kommt halbrechts. Links
Bäume und ein Gehöft jenseits eines Teiches. Rechts
Dünen („45").

Halblinks bezeichnet: I. V. GOIEN 1627
Schwarze Kreide 162 × 253
Wasserzeichen: Wappen (von Neuchâtel?)
Sammlung S. Larpent, 1913 vermacht dem
STATENS MUSEUM FOR KUNST, KGL. KOBBERSTIKSAMLING,
  IN KOPENHAGEN; Inv. Nr. 6598

88. DREI KÜHE am Flußufer links vorn. Halbrechts,
am jenseitigen Ufer, eine Mühle und ein Gehöft („47").

Halblinks bezeichnet: I. V. GOIEN 1627
Schwarze Kreide 162 × 254
Versteigerung W. P. Knowles aus Wiesbaden in
  Amsterdam am 25.6.1895 Nr. 264 (zusammen mit
  Z 750a: fl 5)
Kunsthändler Fr. Meyer in Dresden; Lagerkatalog 39
  (um 1908/09) Nr. 135 (Mk 110)
Sammlung Kröller-Müller in Den Haag; seit 1935
  Staatsstiftung in Otterlo
RIJKSMUSEUM KRÖLLER-MÜLLER IN OTTERLO; Inv. Nr. 88
Kl. 1-28 (Kat. 1959 Nr. 100)

1628

89. DREI BAUERSLEUTE stehen vorn im Gespräch
auf der Landstraße; unter ihnen eine Bäuerin mit
einem Kind auf dem Rücken; ein Mann trägt einen
Henkelkorb, ein anderer stützt sich auf einen Stock.
Weiter zurück kauert eine vierte Figur.

Halbrechts bezeichnet: VG 1628
Schwarze Kreide 152 × 196
Wasserzeichen: Wappenschild mit doppelköpfigem
  Adler, unten Basler Stab (Abb. 60a)
Sammlung P. Crozat? (L. 474)
Versteigerung Mrs. J. M. Carr in London (Chr) am
  26.3.1968 Nr. 97 mit Abb. (£ 682.10.0 Brod)
Privatsammlung in Augsburg

90. ZWEI MÄNNER UND EIN JUNGE rechts vorn
am Wegrand bei Gebüsch. Links Fernblick auf ein
Bauernhaus zwischen Bäumen.

Rechts bezeichnet: VG 1628
Schwarze Kreide 155 × 225
Literatur: Grosse, mit Abb.
Radiert von O. C. Sahler, Nr. 7 (Weigel 2987)
Versteigerung Jean Casanova in Dresden am 16.1.1797
  Nr. 1170 (zusammen mit Z 91)
Sammlung Pacetti, 1844 erworben vom
KUPFERSTICHKABINETT DER STAATLICHEN MUSEEN BERLIN;
  Inv. Nr. 2742

91. ZWEI MÄNNER IN UNTERHALTUNG auf einem kleinen Hügel (Zentrum). Links eine Turmruine und Gebüsch, rechts ein Fluß.

Halblinks bezeichnet: VG 1628
Schwarze Kreide 155 × 225
Radiert von O. C. Sahler, Nr. 6 (Weigel 2988) ohne die Bezeichnung
Versteigerung Jean Casanova in Dresden am 16.1.1797 Nr. 1170 (zusammen mit Z 90)
Sammlung Pacetti, 1844 erworben vom KUPFERSTICHKABINETT DER STAATLICHEN MUSEEN BERLIN; Inv. Nr. 2743

92. EINE GRUPPE SÄNGER auf einer zweibogigen, hohen Brücke: zwei Rückenfiguren stehen auf dem Brückengeländer, zahlreiche andere Figuren stehen oder sitzen um sie herum; von links läuft ein Junge herzu. Am rechten Brückenende geht ein Mann durch ein Gattertor. Auf dem Fluß mehrere Ruderboote; durch die Brückenbogen sieht man auf ferne Gehöfte.

Links bezeichnet: VG 1628
Schwarze Kreide 151 × 222
Sammlung Georges Ryaux in Paris, 1966

1629

93. JAHRMARKT IM DORF VALKENBURG. Im Zentrum ein großes, fahnengeschmücktes Zelt. Pferdewagen, ein Reiter und viele Figuren im Mittelgrund vor einer Kirche. Links zwei zweispännige Fuhrwerke mit Reisenden.

In der Mitte bezeichnet: VG 1629
Schwarze Kreide, grau laviert 198 × 310
Wasserzeichen: Greif mit Haus (Abb. 51)
Schon 1862 im STÄDELSCHEN KUNSTINSTITUT IN FRANKFURT/MAIN; Inv. Nr. 3598

1630

93a. Pfahlwerk. Landleute schöpfen Wasser aus einem tiefer liegenden Fluß, an dessen Ufer Häuser stehen.

Bezeichnet: VG 1630
Kreide, laviert
Vergleiche: eine (der Beschreibung nach) vielleicht ähnliche, lavierte Kreidezeichnung, 152 × 250, eines unbekannten Nachfolgers in der NATIONAL GALLERY OF SCOTLAND IN EDINBURGH; Inv. Nr. D 1261
Versteigerung B. Lasquin in Paris am 21.5.1884 Nr. 54 (ffrs 120 George)

93A. EIN ZWEISPÄNNIGER HEUWAGEN naht
links auf einer Landstraße; rechts Korngarben.
Links (beschnitten) bezeichnet: G 1631
Schwarze Kreide 98 × 187
Zwei unbekannte Sammlerzeichen
Versteigerung in London (So) am 23.3.1972 Nr. 28
mit Abb.

94. DREI ANGLER IM KAHN (rechts); einer hält
einen Fisch an der Angel. Am rechten Ufer Gehöfte,
zwei Kühe und Bäume. Im Mittelgrund ein Segel- und
ein Ruderboot. Eine Kirche links in der Ferne.

Am Kahn rechts bezeichnet: VG 1631
Schwarze Kreide 100 × 193
Departement van Binnenlandse Zaken, 1902 überwiesen
an das
RIJKSPRENTENKABINET IN AMSTERDAM; Inv. Nr. A 4692
Ausgestellt: Amsterdam, 1903 (VG) Nr. 3

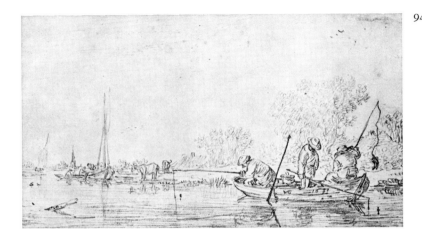
94

95. AFFENJAGD. Links schießt ein knieender Mann
auf mehrere nach rechts fliehende Affen; neben ihm
steht ein anderer Mann. – Skizze.

Im Unterrand beschriftet: „Den – 1 – Juli 1631"
rückseitig von alter Hand: Cornelis Zaftleven
Schwarze Kreide 100 × 210
Versteigerung P. Mathey in Paris am 18.5.1901 Nr. 40
– Léon Arnoult in Paris am 31.3.1938 Nr. 101 als
Holländische Schule (ffrs 500 Lugt)
Sammlung Frits Lugt in Paris; Inv. Nr. I 5419
FONDATION CUSTODIA IN PARIS

96

96. EIN SOLDAT (Rückansicht) lagert am Boden; vor
ihm ein Bauernpaar mit Hund, rechts von ihm eine Frau
mit Kind auf dem Rücken und ein Junge. Links
Fernblick.

Links bezeichnet: VG 1631
Schwarze Kreide, grau laviert 109 × 184
Literatur: Richardson, 1939 mit Abb.
Versteigerung Graf A. Thibaudeau in Paris am
20.4.1857 Nr. 341 (ffrs 7)
– Louis Deglatigny aus Rouen in Paris am 28.5.1937
Nr. 45 (ffrs 1300 Wertheimer)
THE DETROIT INSTITUTE OF ARTS IN DETROIT; Inv. Nr.
38.19

97

97. VOR EINEM WIRTSHAUS (links) am Wegrand
halten zwei Fuhrwerke. Die Pferde werden gefüttert,
ein anderer Pferdewagen im Hintergrund. Rechts vorn
sitzen zwei Landleute.

Links bezeichnet: 1631 (Monogramm abgeschnitten)
Schwarze Kreide 110 × 184
Departement van Binnenlandse Zaken, 1902 überwiesen
an das
RIJKSPRENTENKABINET IN AMSTERDAM; Inv. Nr. 4690
Ausgestellt: Amsterdam, 1903 (VG) Nr. 4
– Leiden und Arnheim, 1960 (VG) Nr. 70

98

98. STRAND. Ein zweispänniger Wagen wird vorn beladen; in der Mitte eine Figurengruppe. Links im Hintergrund ein Segelboot auf dem Strand.

Halblinks bezeichnet: VG 1631
Schwarze Kreide, grau laviert 110 × 198
Literatur: Cicerone VIII/1916, Seite 404
Versteigerung in Amsterdam am 19.1.1904 Nr. 128 (fl 52 van Gelder)
Sammlung Dr. C. Hofstede de Groot in Den Haag
  Ausgestellt: Leiden, 1916, I, Nr. 51
  Versteigerung in Leipzig am 4.11.1931 Nr. 101 (Mk 160)
Sammlung H. Goldsche in Berlin
Kunsthändler Dr. E. Plietzsch in Berlin, 1949
Sammlung Dr. W. Beck (†) in Berlin

Nachzeichnung: I) Wie beschrieben.
  Halbrechts falsch signiert: VG 1647
  Schwarze Kreide 110 × 196
  NATIONAL GALLERY OF SCOTLAND IN EDINBURGH; Inv. Nr. D 2797

99. EIN SCHARLATAN steht links auf einer Tribüne, umgeben von vielen Personen. Im Zentrum unterhält sich ein Bauernpaar. Gehöfte und vier Figuren rechts etwas zurück.

Rechts bezeichnet: VG 1631
Schwarze Kreide, grau laviert 111 × 186
Versteigerung Guichardot in Paris am 7.7.1875 Nr. 158 (zusammen mit Z 50a: ffrs 50 Suermondt)
Versteigerung Dr. August Straeter aus Aachen in Stuttgart am 10.5.1898 Nr. 1125 (Mk 41 Gutekunst)
  – de Ridder aus Cronberg in Frankfurt/Main am 18.2.1932 Nr. 74 mit Abb.
  – in London (So) am 9.12.1936 Nr. 47a
BARBER INSTITUTE OF FINE ARTS; University of Birmingham

100

100. EIN HOCHBELADENER ERNTEWAGEN entfernt sich rechts, ein Mann mit geschulterter Stange folgt ihm. Links Kornernte mit Puppen auf dem Feld.

Links bezeichnet: VG 1631
Schwarze Kreide, grau laviert 111 × 194
Wasserzeichen: Horn, unten Buchstaben (AB?) – vergleiche Abb. 8
Sammlung Sir Bruce Ingram
  Ausgestellt: Leiden und Arnheim, 1960 (VG) Nr. 71
  – Rotterdam und Amsterdam, 1961/62 Nr. 43 mit Abb.
  1963 vermacht dem
FITZWILLIAM MUSEUM IN CAMBRIDGE; Inv. Nr. PD 357-1963

101

101. AUF EINER BRÜCKE vier Figuren am linken Geländer; ein Angler und ein anderer Mann am rechten Geländer. Im Hintergrund Gebüsch und ein Kirchturm (Mitte); rechts ein Teich.

Links bezeichnet: VG 1631
Schwarze Kreide 111 × 195
Wasserzeichen: Horn, unten Buchstaben AB (Abb. 8)

Departement van Binnenlandse Zaken, 1902 über-
wiesen an das
RIJKSPRENTENKABINET IN AMSTERDAM; Inv. Nr. A 4693
Ausgestellt: Amsterdam, 1903 (VG) Nr. 5

102. DREI REITER reiten rechts vorn raumeinwärts;
ein Mann mit Stab und Rückenlast geht ganz rechts.
Auf dem Weg naht in der Ferne ein Planwagen. Weite
Aussicht in die Ebene mit einem Galgen.

Links von der Mitte bezeichnet: VG 1631
Schwarze Kreide 111 × 195
Literatur: Henkel, mit Abb. (fälschlich gelesen 1634)
Departement van Binnenlandse Zaken, 1902 über-
wiesen an das
RIJKSPRENTENKABINET IN AMSTERDAM; Inv. Nr. A 4694
Ausgestellt: Amsterdam, 1903 (VG) Nr. 6

102

103. EIN SCHARLATAN rechts auf einem Holzgerüst, von vielen Leuten umstanden.

Bezeichnet: VG 1631
(Falsch überzeichnet und nachgezogen mit Feder:
DT 1631)
Schwarze Kreide 111 × 195
ALBERTINA IN WIEN; Inv. Nr. 9281

104. LAGERSZENE. Viele Figuren links; rechts
zurück Zelte und eine Kirche.

Halbrechts bezeichnet: VG 1631
Schwarze Kreide 111 × 197
Sammlung König Ludwig I. († 1868)
STAATLICHE GRAPHISCHE SAMMLUNG IN MÜNCHEN; Inv.
Nr. 21087

104

105. FLUSSLANDSCHAFT. Am rechten Ufer halten
Fuhrwerke und ein Reiter vor Gehöften; Bäume rechts
und links davon. Am Ufer liegt ein Kahn; links Enten,
weiter zurück eine Bogenbrücke.

Halbrechts (echt?) bezeichnet: VG 1631
Schwarze Kreide 112 × 194
Sammlung J. de Grez in Brüssel, 1914 vermacht den
MUSÉES ROYAUX DES BEAUX-ARTS IN BRÜSSEL; Inv.
Nr. 1399

106. MÜHLE AM KANAL (halbrechts). Vorn ziehen
drei Fischer vom Ufer aus ein Netz ein; ein vierter
Fischer bückt sich ganz rechts. Weiter zurück (Mitte)
ein Segel- und ein Ruderboot. Das linke Ufer im
Hintergrund.

Rechts bezeichnet: VG 1631
Schwarze Kreide 113 × 190
Sammlung Marquis de Lagoy
Versteigerung H. Danby Seymour in London (So)
am 26.4.1927 Nr. 52 (zusammen mit drei anderen
Zeichnungen: £ 18 Parsons)
Sammlung B. H. in Amsterdam, 1964

106

107

108

109

107. FÜNF FIGUREN (rechts) in Unterhaltung vor einem Zaunstück; einer sitzt, ein anderer schleppt eine große Rückenlast. Am linken Wegrand zwei gelagerte Landleute. Fernblick auf eine Kirche und Mühle.

Halblinks bezeichnet: VG 1631
Schwarze Kreide 115 × 200
Wasserzeichen: Horn, unten Buchstaben AB (Abb. 8)
Sammlung J. de Grez in Brüssel, 1914 vermacht den
MUSÉES ROYAUX DES BEAUX-ARTS IN BRÜSSEL; Inv. Nr. 1398

107A. FISCHVERKAUF AM STRAND. Im Zentrum sitzt eine Fischverkäuferin; zwei Leute umstehen sie; von rechts trägt ein Fischer eine Last herbei. Halblinks zurück eine Frau an einem Radgestell, noch weiter zurück ein Ziehbrunnen. In der Hintergrundmitte die Häuser des Dorfes hinter Dünen und eine Kirche ⟨Scheveningen?⟩. Rechts zurück Boote und Figuren.

Etwa im Zentrum bezeichnet: VG 1631
Schwarze Kreide 115 × 200
Im Londoner Kunsthandel erworben
Kunsthandlung Gebr. Douwes in Amsterdam, Herbst 1971

108. UFERLANDSCHAFT BEI STÜRMISCHEM WETTER. Links im Schatten zwei Bauersfrauen, dahinter ein Gehöft zwischen Bäumen. In der Mitte ein Kahn mit drei Fischern.

Links von der Mitte bezeichnet: VG 1631
Schwarze Kreide, grau laviert 122 × 208
Sammlung von Savigny, 1925 erworben vom
KUPFERSTICHKABINETT DER STAATLICHEN MUSEEN BERLIN; Inv. Nr. 12259

109. BAUERNGEHÖFT UND HEUSTOCK unter Bäumen an der Landstraße. Rechts vorn vor der Tür vier Figuren in Unterhaltung. Links in der Ferne ein Kirchturm.

Rechts bezeichnet: VG 1631
Schwarze Kreide, grau laviert 146 × 261
Vorzeichnung zu: G 1097
Literatur: Beck (1) mit Abb. – J. J. de Gelder, mit Abb.
PRENTENKABINET DER RIJKSUNIVERSITEIT IN LEIDEN; Inv. Nr. 272
Ausgestellt: Leiden, 1915 Nr. 19
– Gent, 1952/53 Nr. 18
– Leiden und Arnheim, 1960 (VG) Nr. 69

110. HÄUSER AM FLUSSUFER. Zwischen verkrüppeltem Gesträuch und hohen Bäumen drei Gehöfte; vor dem vordersten (links) drei Landleute. Drei Boote auf dem Wasser, in einem Boot Fischer.

Rechts bezeichnet: VG 1631
Schwarze Kreide, grau laviert 146 × 265
Versteigerung in Amsterdam am 15.6.1908 Nr. 233
(fl 52 Dirksen)

– in Amsterdam am 14.12.1911 Nr. 1327 (fl 150 de Vries)
– in Amsterdam am 5.7.1927 Nr. 204 mit Abb. (fl 350 Mensing)
– A. W. M. Mensing in Amsterdam am 27.4.1937 Nr. 225 (fl 200)
– in London (So) am 11.5.1960 Nr. 13 (£ 80 Katz)
Kunsthändler Dr. W. Katz in London, 1960
– Schaeffer Galleries in New York
Sammlung P. und N. de Boer in Amsterdam, 1963
Ausgestellt: Laren, 1966 Nr. 94

110

110a. Kalkofen, Hütten und Mühle am Ufer. Drei Boote ankern am Ufer.

Bezeichnet: VG 1631
Schwarze Kreide, grau laviert 155 × 270
Versteigerung in Amsterdam am 11.6.1912 Nr. 102 (fl 220 Haverkamp)
– in Amsterdam am 15.6.1926 Nr. 381 (fl 270 Cassirer)

111. EIN MANN AM ZIEHBRUNNEN; am Hebebalken, der an einem entlaubten Baum befestigt ist, hängt ein zerbrochenes Rad. Fässer liegen herum. Rechts zurück ein Gehöft. Links vorn zwei am Boden gelagerte Landleute; eine Kirche in der Ferne.

Rechts bezeichnet: VG 1631
Schwarze Kreide 155 × 273
Wasserzeichen: einköpfiger, gekrönter Adler mit Basler Stab (Abb. 62)
Literatur: Beeld. Kunst, II, 1915, Nr. 16 mit Abb.
1903 erworben vom
RIJKSPRENTENKABINET IN AMSTERDAM; Inv. Nr. A 4696
Ausgestellt: Amsterdam, 1903 (VG) Nr. 2

111

112. HÜTTEN UND HEUSTOCK am linken Ufer; auf dem Wasser zwei Männer im Kahn. Am Ufer sitzt ein Angler.

Rechts bezeichnet: VG 1631
Schwarze Kreide, braun laviert 156 × 271
Vorzeichnung: Z 844/35
Literatur: Jahresbericht d. Vorstandes d. Kunstvereins in Bremen, 1913/14 mit Abb.
Sammlung Johann Heinrich Albers in Bremen (1774-1855); seit 1856 in der
KUNSTHALLE IN BREMEN; Inv. Nr. 1775 (von 1945-1965 verschollen)

112

113. FÄHRE MIT FÜNF FIGUREN und drei Kühen links vorn. Am rechten Ufer liegt (halbrechts) ein Kahn mit einem Fischer; weiter zurück ein Gehöft und Gebüsch. Links in der Ferne ein Segelboot.

Links bezeichnet: VG 1631
Schwarze Kreide, grau laviert 156 × 272
Wasserzeichen: einköpfiger, gekrönter Adler mit Basler Stab (Abb. 61)
Sammlung J. Masson in Amiens und Paris
ÉCOLE DES BEAUX-ARTS IN PARIS; Inv. Nr. M 1.657 (Kat. Lugt 1950 Nr. 225 mit Abb.)

Nachzeichnung: I) Wie beschrieben.
   Rechts falsch signiert: VG 1642
   Schwarze Kreide 196 × 319
   Sammlung A. Sigwalt in Paris
   Kunsthändler J. Wiegersma in Utrecht
   Versteigerung in München am 20.5.1941 Nr. 623 mit Abb. als P. Molyn (Mk 350)

114. HÜTTEN AM KANAL; davor ein Mann am Brunnen; rechts ein Reiter und zwei Figuren bei einem Brückensteg.

Rechts bezeichnet: VG 1631
Schwarze Kreide, braun laviert 156 × 273
Literatur: Jahresbericht d. Vorstandes d. Kunstvereins in Bremen, 1913/14 mit Abb.
Sammlung Johann Heinrich Albers in Bremen (1774-1855); seit 1856 in der
KUNSTHALLE IN BREMEN; Inv. Nr. 1776 (seit 1945 verschollen)

115. FLUSSLANDSCHAFT. Auf der Uferhöhe links drei Figuren, auf dem Wasser Fischerkähne bei Gehöften.

Rechts bezeichnet: VG 163(1)
Schwarze Kreide, wenig grau laviert 158 × 272
Vorzeichnung zu: G 588
Literatur: Beck (1) mit Abb.
Versteigerung Boguslaw Jolles in München am 28.10.1895 Nr. 275 (Mk 15)
– in München am 9.3.1939 Nr. 248 mit Abb. (Mk 180)
Deutsche Privatsammlung

116. SEGELBOOTE in der rechten Bildhälfte, ein Ruderkahn halblinks. Flaches linkes Ufer im Hintergrund.

Rechts bezeichnet: VG 1631
Schwarze Kreide, grau laviert 159 × 274
Sammlung Friedrich August II. von Sachsen; Kat. 1921 Nr. 250

116A. EIN BELADENER PFERDEKARREN mit
Bauer und Vogelkäfig hält links unter einem Baum;
davor spricht ein Mann, gestützt auf einen Stock, mit
einer Frau, die einen Korb hält. Rechts vorn lagern zwei
Soldaten an der Landstraße, weiter zurück Hütten und
Bäume.

Links bezeichnet (beschnitten): VG 1631
(von alter Hand halbrechts: Van Goyen)
Schwarze Kreide, grau laviert 183 × 274
Gestochen von Franz Gabet und F. Weirotter (im
    Gegensinn): L'Esté
Versteigerung Baron L. d'Ivry in Paris am 7.5.1884
    Nr. 86 (zusammen mit Z 151: ffrs 130 Lasquin)
    – in Amsterdam am 22.6.1910 Nr. 141 (fl 230
    Danlos)
Sammlung Baron Edmond de Rothschild in Paris;
    seit 1935 als Legat im
MUSÉE DU LOUVRE IN PARIS; Inv. Nr. 3540 dR

Nachzeichnung: I) Von J. E. Marcus, bezeichnet und
    datiert 1789 (nach der Radierung von Weirotter)
    Feder, Blei, laviert 221 × 312
    Versteigerung J. G. Lumnitzer aus Brünn in Leipzig
        am 30.10.1865 Nr. 2308
    Sammlung G. Münch (?)
        – Gruis in Berlin, um 1935
        – Dr. W. Beck (†) in Berlin

117

117. EIN EINSPÄNNIGES FUHRWERK mit zwei
Personen und einem Vogelkäfig hält rechts vorn an
einem Tümpel. Weiter zur Mitte zurück vier Figuren
vor Bäumen. Links im Schatten eines Baumes ein
sitzender Wanderer mit Rückenlast.

Rechts bezeichnet: VG 1631
Schwarze Kreide, grau laviert 185 × 285
Versteigerung in Amsterdam am 2.12.1913 Nr. 330
    (fl 210 van Eeghen)
Sammlung Mr Chr. P. van Eeghen in Amsterdam
    Ausgestellt: Amsterdam, Museum Fodor, 1935
    Nr. 48 mit Abb.
Sammlung Croockewit-van Eeghen in Arnheim

118

118. EINE FRAU AM ZIEHBRUNNEN; am Hebebalken hängt ein zerbrochenes Rad; Fässer liegen
herum. Rechts zurück ein Gehöft. Drei Figuren im
linken Mittelgrund.

Halbrechts bezeichnet: VG 1631
Schwarze Kreide, grau laviert 188 × 263
Sammlung Giovanni Volpato, 1845 vom König Carl
    Albert von Savoyen erworben und übergeben an die
BIBLIOTECA REALE IN TURIN; Inv. Nr. 16605

124a
R

126

127

124a. Ein Ruderboot wird entladen (Zentrum). Links am Ufer sieben Personen. Gehöfte in der Ferne.

Rechts bezeichnet: VG 1632
Gestochen von H. Spilman (im Gegensinn?)

1633

125. STRAND. Links hinter der Dünenhöhe eine Kirche ⟨Scheveningen?⟩, vorn eine große Figurengruppe von etwa 13 Personen um eine sitzende Figur; ein Mann trägt einen großen Fisch; ganz links bückt sich ein Fischer über einen Korb. Rechts der Strand und das Meer mit Booten.

In der Mitte bezeichnet: VG 163(3)
Schwarze Kreide, braun laviert 110 × 195
Vielleicht: Versteigerung Francis Abott in Edinburgh am 22.1.1894 in Lot 353 (zusammen mit Z 437 und zwei anderen Zeichnungen van Goyens)
Versteigerung F. Abott in Brüssel am 22.11.1922 Nr. 38 (zusammen mit Z 437: bfrs 380) – gelesen 1633 – J. Boussac in Paris am 10.5.1926 Nr. 133 mit Abb. (ffrs 3100) – gelesen 1637

126. LAGERSZENE. In der Mitte ein Reiter bei einer Gruppe von drei Soldaten, zwei Bettlern und einem Jungen. Weiter zurück Zelte und ein Kirchturm.

Links bezeichnet: VG 1633
Schwarze Kreide, grau laviert 111 × 195
Sammlung Herzog Albert von Sachsen-Teschen
ALBERTINA IN WIEN; Inv. Nr. 8516

127. FLUSSUFER. Auf dem rechten Ufer einige Gehöfte und ein Heustock zwischen Bäumen. Links auf dem Fluß Kähne mit Insassen.

Links bezeichnet: VG 1633
Schwarze Kreide 117 × 165
Vergleiche: G 525 (gleiche Landschaftsszene)
Kunsthandlung C. G. Boerner in Leipzig; Lagerkataloge XXXI/1909 Nr. 65 und XXXIII/1910 Nr. 77 (Mk 145)
– Franz Meyer in Dresden; Lagerkatalog 52/um 1912 Nr. 137 (Mk 145)
Versteigerung in Amsterdam am 27.5.1913 Nr. 108 (Mk 100 Boerner)
Sammlung Kröller-Müller in Den Haag; seit 1935 Staatsstiftung in Otterlo
RIJKSMUSEUM KRÖLLER-MÜLLER IN OTTERLO; Inv. Nr. Kl 6.88

128. BAUERNHÜTTE im Zentrum; beiderseits Gebüsch. Links auf einem kleinen Gewässer ein Kahn mit zwei Insassen.

Rechts bezeichnet: VG 1633
Schwarze Kreide 155 × 265

Wasserzeichen: Greif mit Haus (wie Abb. 53)
Vergleiche: Z 15 (gleiche Landschaftsszene)
Sammlung Hamel (?) in Den Haag
Versteigerung W. P. Knowles aus Wiesbaden in
    Amsterdam am 25.6.1895 Nr. 265 (zusammen mit
    Z 617: fl 10 Ruysch)
    – Rud. Phil. Goldschmidt aus Berlin in Frankfurt/
    Main am 4.10.1917 Nr. 232 mit Abb. (Mk 1100)
    – Rud. Busch aus Mainz in Frankfurt/Main am
    3.5.1921 Nr. 226 mit Abb.
Sammlung Dr. Alfred Bader in Milwaukee/Wisc., 1967

128a. Winter. Auf dem Eis Figuren und Schlitten.

(Bezeichnet und) datiert 1633
(Kreide? und) Tuschpinsel 170 × 230
Versteigerung Mr H. Gerlings aus Haarlem in Amster-
    dam am 2.10.1888 Nr. 232 (fl 48 Roos)

129. Ländliches Wirtshaus am Kanal. Im Vordergrund
eine Gruppe von zwei Männern und zwei Frauen mit
einem Kind, die auf die Fähre warten. – Beschnitten?
Nicht überzeugend.

Links bezeichnet (nachgezogen?): VG 1633
Schwarze Kreide 175 × 215
Wasserzeichen: RB (oder PB?)
Versteigerung in Frankfurt/Main am 22.11.1927 Nr. 130
    mit Abb. (Mk 380)
    – in Berlin am 8.11.1928 Nr. 520 (Mk 400)
Kunsthändler R. W. P. de Vries in Amsterdam; Lager-
    katalog 1929, Seite 108 mit Abb. (fl 500)
GEMEENTEMUSEA, AMSTERDAM (seit 1939); Inv.
    Nr. 18042

129a. Baumgruppen am Flußufer; in der Mitte eine
Hütte.

Datiert 1633 (und bezeichnet?)
Schwarze Kreide
Sammlung de la Fontinelle
Versteigerung in Paris am 24.11.1874 Nr. 105 (ffrs 27
    Descham?)

130

130. MÄNNER UND FRAUEN AM FLUSSUFER
rechts vorn; weiter links zurück Boote an einem Landungssteg und Figuren.

Links bezeichnet: VG 1634
Schwarze Kreide, grau laviert 112 × 196
Wasserzeichen: kleines gekröntes Lilienwappen, unten Buchstaben LR (Abb. 33)
Versteigerung Dionis Muilman in Amsterdam am 29.3.1773 Nr. 1303 (zusammen mit einer anderen Zeichnung: fl 15 Yver)
Vielleicht: Versteigerung Simon Fokke in Amsterdam am 6.12.1784 Nr. 1208 (zusammen mit einer anderen Zeichnung: fl 5.10 Wubbels)
Sammlung A. Kay in Glasgow
   Ausgestellt: Amsterdam, 1903 (VG) Nr. 63
Versteigerung in Amsterdam am 15.6.1908 Nr. 238 (fl 50)
  – in Amsterdam am 22.6.1910 Nr. 150 (fl 80 Artaria)
  – in Amsterdam am 11.6.1912 Nr. 101 (fl 180)
  – in Amsterdam am 5.7.1927 Nr. 205 mit Abb. (fl 200)
  – A. W. M. Mensing in Amsterdam am 27.4.1937 Nr. 226 (fl 40 Brandt)
Sammlung Dr. A. Welcker in Amsterdam
   Ausgestellt: Leiden, Weihnachten 1948 Nr. 31
   Seit 1957 im
PRENTENKABINET DER RIJKSUNIVERSITEIT IN LEIDEN; Inv. Nr. AW 5316

131

131. SECHS FISCHER UND FISCHFRAUEN am
Strand (halblinks) vorn in einer Gruppe; weiter rechts zurück ein Wagen, der beladen wird; Boote und Figuren am Meer.

Rechts oben bezeichnet: VG 1634
Schwarze Kreide, grau laviert 113 × 197
Wasserzeichen: gekröntes Lilienwappen, unten Buchstaben LR (wohl ähnlich Abb. 33)
Sammlung Dionis Muilman (angeblich), Amsterdam 1773
  – A. Berg in Portland
  – Sir Bruce Ingram, 1963 vermacht dem
FITZWILLIAM MUSEUM IN CAMBRIDGE; Inv. Nr. PD 374-1963

132

132. FÄHRBOOT MIT VIEH UND BAUERN im
Zentrum. Am rechten Ufer Hütten unter Bäumen.

Auf der Fähre bezeichnet: VG 1634 (auch fälschlich 1654 und 1674 gelesen)
Schwarze Kreide, grau laviert 114 × 193
Versteigerung [Franken aus Paris] in Amsterdam am 23.6.1885 Nr. 108 (fl 18)
  – in Amsterdam am 21.6.1887 Nr. 81 (fl 23 Franken)
  – in Amsterdam am 2.12.1913 Nr. 332 (fl 140 Ziegert)
  – in Frankfurt/Main am 22.11.1927 Nr. 128 (Mk 350)
  – in Berlin am 8.12.1937 Nr. 287 mit Abb. (Mk 140)
Sammlung Dr. W. Beck (†) in Berlin
   Ausgestellt: Leiden und Arnheim, 1960 (VG) Nr. 72

133. ZWEI REITER unterhalten sich am Strand mit
zwei Frauen, von denen eine eine große Kopflast trägt.
Weiter zurück ein viereckiger Turm (Mitte). Rechts
das Meer.

Rechts oben bezeichnet: VG 163(4) (falsch nach-
  gezogen zu 1654)
Schwarze Kreide 115 × 200
Wasserzeichen: Horn, unten Buchstaben AB
Kunsthändlerin M. Schulthcß in Basel, vor 1957
Schweizer Privatsammlung
Kunsthandlung Sanct Lucas in Wien, 1969

1635

Siehe auch: Z 593

133a. Schloß am Wasser. Ein breiter Fluß mit vielen
Barken umfließt die Mauern eines alten Gebäudes, das
zwei Türmchen mit spitzen Turmspitzen ziert. Auf
demselben Ufer (rechts) ein Kalkofen und eine kleine
Brücke, die zweibogig einen Nebenarm überspannt.

Bezeichnet: VG 1635
Schwarze Kreide, grau laviert 210 × 310
Versteigerung in Amsterdam am 15.6.1908 Nr. 224
  (fl 100)

1636

134. KIRCHENRUINE IN EINER FLACHLAND-
SCHAFT. Links vorn drei Männer auf einer Bodenerhe-
bung bei einem verkrüppelten Baum. Rechts Fernblick.

Links oben bezeichnet: VG 1636
Schwarze Kreide, wenig laviert 121 × 205
Sammlung von Savigny, 1925 erworben vom
KUPFERSTICHKABINETT DER STAATLICHEN MUSEEN BERLIN;
  Inv. Nr. 12260

Nachzeichnung: I) Wie beschrieben.
  Links unten bezeichnet: C. B.
  Schwarze Kreide, grau laviert 117 × 195
  Sammlung E. J. Otto in Berlin, 1960
  Kunsthändler A. Brod in London; Katalog Jan./Febr.
  1965 Nr. 106 mit Abb. als Cornelis Bol

Siehe auch: Z 633

134a. Bauernhäuser am Dünenrand. Links Ausblick in die Ferne. Staffage.

Bezeichnet: VG 1637
Kreide 115 × 165
Kunsthandlung C. G. Boerner in Leipzig; Lagerkataloge XXXI/1909 Nr. 64 und XXXIII/1910 Nr. 76 (Mk 145)
 – Franz Meyer in Dresden; Lagerkatalog 52/um 1912 Nr. 138 (Mk 145)

135. Drei Figuren im Zentrum; links zurück schaut ein Mann auf einen Wegweiser, dahinter Gehöfte. Rechts das Meer. – Fraglich, wahrscheinlich Nachzeichnung.

Auf dem Wegweiser falsch bezeichnet: I. V. GOIEN 1637
Schwarze Kreide 133 × 249
Literatur: Stift und Feder, IV, 94 mit Abb.
HESSISCHES LANDESMUSEUM IN DARMSTADT; Inv. Nr. AE 681

135a. Bauern mit einer Schweineherde bei einem Kanal. Im Hintergrund Hütten, Fischer, ein Heustock etc.

Bezeichnet: VG 1637
Schwarze Kreide, grau laviert 160 × 265
Versteigerung A. W. M. Mensing in Amsterdam am 27.4.1937 Nr. 233 (fl 55)

1638

135b. Kanal mit Segelbooten; rechts hinter einer hohen Mauer eine Kirche.

Bezeichnet und datiert 1638
Kreide 125 × 202
Wahrscheinlich identisch mit Z 136 I
Versteigerung [Freiherr Heyl zu Herrnsheim aus Worms] in Stuttgart am 25.5.1903 Nr. 150 (Mk 285 Schiller)

136. GROOTHOOFDSPOORT von Dordrecht (rechts); links in der Ferne die Ruine des Huis te Merwede. In der Mitte ankern Segelboote an einem Landungssteg.

Rechts bezeichnet: VG 1638
Schwarze Kreide, grau laviert 160 × 215

136

Sammlung Baron d'Isendoorn à Blois, 1879 erworben vom
RIJKSPRENTENKABINET IN AMSTERDAM; Inv. Nr. A 26
  Ausgestellt: Amsterdam, 1903 (VG) Nr. 8
  – Leiden und Arnheim, 1960 (VG) Nr. 75

Nachzeichnung: I) Wie beschrieben.
  Links falsch bezeichnet: VG 1638
  Schwarze Kreide, grau laviert 125 × 200
  Wahrscheinlich identisch mit Z 135b
  Versteigerung in Berlin am 1.12.1920 Nr. 62 mit Abb.
    – in Berlin am 24.10.1921 Nr. 402

137. DIE RUINE DES HUIS TE MERWEDE auf einer Grasinsel (Zentrum), die links von einem Segler umfahren wird. Das linke Ufer in der Ferne.

Rechts bezeichnet: VG 1638
Schwarze Kreide, grau laviert 160 × 215
Sammlung Baron d'Isendoorn à Blois, 1879 erworben vom
RIJKSPRENTENKABINET IN AMSTERDAM; Inv. Nr. A 27
  Ausgestellt: Leiden und Arnheim, 1960 (VG) Nr. 74 mit Abb.

138. ALTE RUINE EINES VIERECKIGEN TUR-MES ⟨Eik-en-Duinen bei Den Haag⟩ rechts vorn. Links davon schauen drei Figuren von einem Abhang in die Ebene.

Links oben bezeichnet: VG 1638
Schwarze Kreide, grau laviert, 161 × 220
Wahrscheinlich: Versteigerung Daniel Marsbag in
  Amsterdam am 30.10.1775 Nr. 109 (zusammen
  mit N . 110: fl 9)
Sammlung D. Franken Dzn., 1898 vermacht dem
RIJKSPRENTENKABINET IN AMSTERDAM; Inv. Nr. 3973
  Ausgestellt: Amsterdam, 1903 (VG) Nr. 7
  – Leiden und Arnheim, 1960 (VG) Nr. 73 mit Abb.

139. MAUERN EINER STADTBEFESTIGUNG. Ganz links ein Tor; vor der Mauer ein Kahn mit zwei Fischern (halblinks), weiter zurück eine Rundbastion mit Anlegestelle. Hinter der Bastion ein altes Schloß.

Rechts bezeichnet: VG 1638
Schwarze Kreide, grau laviert 179 × 228
Vergleiche: Z 256 (gleiche Landschaftsszene). – Ein
  Gemälde eines unbekannten Nachfolgers van Goyens
  mit derselben Stadtbefestigung, aber anderer Fi-
  guren- und Bootsstaffage war um 1930/35 in der
  Galerie Sanct Lucas in Wien. – Topographie?
Versteigerung in Amsterdam am 30.5.1893 Nr. 137
  (fl 15 Knowles)
  – W. P. Knowles aus Wiesbaden in Amsterdam am
  25.6.1895 Nr. 267 (fl 6 Coblenz)
  – in Amsterdam am 11.6.1912 Nr. 99 (fl 130 Boerner)
Sammlung Kröller-Müller in Den Haag; seit 1935
  Staatsstiftung in Otterlo
RIJKSMUSEUM KRÖLLER-MÜLLER IN OTTERLO; Inv. Nr. Kl 2.88

140

140. ZWEI FIGUREN auf einer baumbestandenen Düne; im linken Hintergrund eine Windmühle am Kanal.

Links bezeichnet: VG 1640 (fälschlich 1646 gelesen)
Schwarze Kreide, grau laviert 152 × 240
Wasserzeichen: gekröntes Lilienwappen, unten Buchstaben LC
Versteigerung R. P. Roupell in London (Chr) am 12.7.1887 Nr. 980 (£ 1.4.0 Thibaudeau)
  – W. P. Knowles aus Wiesbaden in Amsterdam am 25.6.1895 Nr. 268 (fl 11)
  – W. P. Knowles aus Wiesbaden in Amsterdam am 16.5.1899 Nr. 56
Kunsthändler Franz Meyer in Dresden; Lagerkatalog 39/um 1908 Nr. 133 (Mk 385)
Kunsthandlung C. G. Boerner in Leipzig; Lagerkataloge XXXI/1909 Nr. 56 und XXXIII/1910 Nr. 73 (Mk 360)
Versteigerung in Amsterdam am 11.6.1912 Nr. 98 (fl 340 an das Museum)
STATENS MUSEUM FOR KUNST, KGL. KOBBERSTIKSAMLING, IN KOPENHAGEN; Inv. Nr. 6338

141

141. WIRTSHAUS AM FLUSSUFER (Zentrum); rechts werden die Pferde eines Reisewagens gefüttert; eine Treppe führt zum Wasser. Links ein Kahn und ein Segelboot. Am jenseitigen Ufer ein Heustock.

Rechts oben bezeichnet: VG 1640
Schwarze Kreide, laviert 164 × 214
Wasserzeichen: gekröntes Wappen
Versteigerung Winckler aus Hamburg in Frankfurt/ Main am 10.11 1920 Nr. 1904 mit Abb.
Kunstantiquariat Joseph Baer & Co. in Frankfurt/Main; Kat. 1921/22, Heft 3/4 (Frankfurter Bücherfreund) Nr. 998 mit Abb. (sfr 400)

Nachzeichnung: I) Ohne Wirtshausschild, im Segelboot und an Land je zwei Figuren etc.
Links unten falsch signiert: 1650 VG
Kreide, laviert 144 × 219
STAATL. A. S. PUSCHKIN-MUSEUM DER BILDENDEN KÜNSTE IN MOSKAU; Inv. Nr. 4524

142. BÄUME AM WEIHER; auf dem Teich ein Kahn. Im Vordergrund sitzen zwei Figuren.

In der Mitte bezeichnet: VG 1640
Schwarze Kreide, qu. 4
Kunsthändler J. Wiegersma in Utrecht
  Ausgestellt: Delft, Antiquitätenmesse, 1959 (fl 3000)

142a. Flache Landschaft; im Mittelgrund Hirten mit Herde. Im Hintergrund Gebäude und Windmühlen an einem See.

Bezeichnet: VG 1641
Schwarze Kreide 105 × 150
Versteigerung in Berlin am 22.11.1906 Nr. 56
Kunsthandlung C. G. Boerner in Leipzig; Lagerkatalog XXIX/1907 Nr. 59 (Mk 110)

142b. Flußlandschaft. Bei einer Baumgruppe am rechten Ufer zwei Fischer in ihrem Kahn.

Bezeichnet: VG 1641
Schwarze Kreide 105 × 155
Versteigerung in Berlin am 22.11.1906 Nr. 58
Kunsthandlung C. G. Boerner in Leipzig; Lagerkataloge XXIX/1907 Nr. 58 und XXXI/1909 Nr. 63 (Mk 145)

143. EIN ABGETAKELTES SEGELBOOT und ein Fischer mit zwei Fischkörben in einem Kahn links vorn am Ufer. Fischer arbeiten auf dem Ufer. Das rechte Ufer mit Windmühlen und Gehöften in der Ferne.

Links bezeichnet: VG 1641
Schwarze Kreide 108 × 158
Versteigerung in Berlin am 22.11.1906 Nr. 59 mit Abb.
– Louis Deglatigny aus Rouen in Paris am 28.5.1937 Nr. 46 (ffrs 1450)

144. GROSSES TORGEBÄUDE mit mächtigem Rundturm links vorn; ganz vorn ein Ruderkahn mit zwei Insassen; weiter zurück Segler an einer Landungsstelle. In A. Waterloos Zeichenstil.

Rechts bezeichnet (echt?): VG 164(2)
Schwarze Kreide 115 × 165
Wasserzeichen: AB (Fragment)
Vergleiche: G 731 (gleiche Landschaftsszene)
MUSÉE DU LOUVRE IN PARIS; Inv. Nr. 22.615 (Kat. Lugt 1929 Nr. 311 mit Abb.)

144

145

145. MAUER MIT TURM rechts vorn; ein viereckiger Turm auf dem Ufer weiter zurück. Segler haben dort angelegt. Links vorn ein Fischkorb bei einem sitzenden Angelfischer. Unter der Mauer (rechts) zwei Fischer in einem Kahn.

Links undeutlich bezeichnet (echt?): IVG 1642
Schwarze Kreide, grau laviert (Feder?) 115 × 203
Wasserzeichen: PD
Versteigerung Albert Langen in München am 5.6.1899
   Nr. 118 mit Abb.
   – in Berlin am 21.2.1900 Nr. 585 mit Abb.
Kunsthändler Dr. Beets (?)
Versteigerung in London (So) am 10.6.1931 Nr. 74
   (£ 7.10.0 Colnaghi)
Sammlung Sir Bruce Ingram, 1963 vermacht dem
FITZWILLIAM MUSEUM IN CAMBRIDGE; Inv. Nr. PD 362-1963

146

146. DREI MÄNNER unterhalten sich auf einer Anhöhe über einen Zaun; dahinter Gebüsch. Ein Planwagen fährt links, weiter zurück, raumeinwärts.

Links oben bezeichnet: VG 1642
Schwarze Kreide 116 × 169
Zusammengehörig mit Z 576, 581, 582, 583, 586, 587,
   588, 590, 591
KUPFERSTICHKABINETT DER STAATLICHEN MUSEEN BERLIN;
Inv. Nr. 2755

146a. Winter. Bei einem Zelt Pferdeschlitten.

Bezeichnet: VG 1642
Schwarze Kreide 118 × 166
Versteigerung in Amsterdam am 2.12.1913 Nr. 331
   (fl 110 R. W. P. de Vries)

146b. Flußlandschaft mit Booten. Am Ufer ein Landungssteg und Hütten mit Figuren.

Bezeichnet: VG 1642
Schwarze Kreide, grau laviert 142 × 255
Kunsthändler Ch. de Burlet in Berlin
   – Gebr. Douwes in Amsterdam; Katalog 1934
   Nr. 22

1643

146c. Landschaft mit haltenden Reitern rechts.

Bezeichnet: VG 1643
Schwarze Kreide, laviert
Versteigerung Paul Mantz in Paris am 10.5.1895
   Nr. 136 (ffrs 60 Mayer)

147. FÜNF FIGUREN IN EINEM KAHN (Zentrum). Links drei Kühe vor einem Zaun, über den ein Mann lehnt. Ein viereckiger Turm etwas zurück (Zentrum).

Links oben bezeichnet: VG 1644
Schwarze Kreide, grau laviert 122 × 230
Wasserzeichen: doppelköpfiger Adler mit Basler Stab im Herz (Abb. 65); ähnlich Heawood 1303 (von 1644)
Versteigerung Jacob de Vos Jbzn in Amsterdam am 22.5.1883 Nr. 216 (zusammen mit Z 345 und 443b: fl 121 Langerhuizen)
Sammlung P. Langerhuizen in Crailoo
    Ausgestellt: Amsterdam, 1903 (VG) Nr. 70
    Versteigerung in Amsterdam am 29.4.1919 Nr. 332
    (fl 130 R. W. P. de Vries)
Sammlung F. Koenigs in Haarlem, seit 1940 im
MUSEUM BOYMANS-VAN BEUNINGEN IN ROTTERDAM; Inv. Nr. H 99
    Ausgestellt: Kassel, 1948 Nr. 9

147

148. WINTER. Vor einem Zelt (links) halten zwei Pferdeschlitten; ein Pferd ist ausgespannt. Rechts ist ein Schlittschuhläufer gestürzt; andere Schlitten und das rechte Ufer in der Ferne.

Rechts bezeichnet: VG 1644
Schwarze Kreide 134 × 253
KUNSTSAMMLUNG DER UNIVERSITÄT GÖTTINGEN; Inv. Nr. II.29

149. FLACHLANDSCHAFT MIT EINER SITZENDEN RÜCKENFIGUR (links vorn). Rechts zurück eine Baumgruppe auf einem Hügel. Links Blick über die Ebene auf einen fernen Schloßkomplex.

Links bezeichnet: VG 1644
Schwarze und farbige Kreiden 144 × 280
Literatur: Filla, mit Abb.
Sammlung von Savigny, 1925 erworben vom
KUPFERSTICHKABINETT DER STAATLICHEN MUSEEN BERLIN; Inv. Nr. 12262. – Kat. 1931 (Prestel) mit Abb.

148

149

150. MAUER MIT WINDMÜHLE UND GROSSEM TORGEBÄUDE
zieht links diagonal raumeinwärts. Auf dem Kai davor einige Figuren und eine Wäscherin. Segel- und Ruderboote liegen am Ufer.

Links bezeichnet: VG 1644
Schwarze Kreide, grau laviert 145 × 265
Vergleiche: G 749 von 1643 (gleiche Landschaftsszene)
 Die gemeinsame Vorzeichnung bisher nicht bekannt.
Sammlung Th. Hudson (versteigert in London am
 15.3.1779 Nr. IX/25 oder X/47?)
Versteigerung Earl of Portarlington, Emo Park, in
 London (Chr) am 2.5.1884 Nr. 81 (zusammen
 mit Z 530 1: £ 4 Thibaudeau)
BRITISCHES MUSEUM IN LONDON; Inv. Nr. 1884.7.26.35
 (Hind 1 mit Abb.)

150

151. GROSSE WINDMÜHLE am Flußufer (rechts).
Ein zweispänniger Wagen hält davor; dahinter ein Gehöft. Links von der Mitte ein Fischer im Kahn. Eine Kirche in der Ferne.

Rechts bezeichnet: VG 1644
Schwarze Kreide 148 × 261
Wasserzeichen: Schellenkappe mit 4 Kugeln, unten
 Buchstaben LC (wie Abb. 20)
Literatur: J. G. van Gelder, Abb. 39
Versteigerung Baron L. d'Ivry in Paris am 7. 5.1884
 Nr. 85 (zusammen mit Z 116A: ffrs 130 Lasquin)
 – Maurice Ruffer in London (So) am 29.4.1931 Nr. 6
 (an Larsen)
Sammlung Mrs Evans
 – Sir Bruce Ingram
 Ausgestellt: London, Arts Council, 1946/47 Nr. 11
 – London, Colnaghi & Co., 1952 Nr. 47 mit Abb.
 – Bath, 1952 Nr. 32
 – London, R. A., 1953 Nr. 355
 – Bedford, 1958 Nr. 22
 – Washington, 1959/60 Nr. 14 mit Abb.
 – Leiden und Arnheim, 1960 (VG) Nr. 78
 – Rotterdam und Amsterdam, 1961/62 Nr. 44 mit
 Abb.
 1963 vermacht dem
FITZWILLIAM MUSEUM IN CAMBRIDGE; Inv. Nr. PD 382–
 1963

152. ZWEI BAUERSLEUTE sitzen halbrechts vorn
am Boden vor einem strohgedeckten Bauernhaus; weiter rechts lehnt ein Rad an einem Zaun bei einem Baum. Links ein leerer Kahn auf einem Teich und Fernblick. Rechts zurück ragt ein mehreckiger Kirchturm über das Dach des Bauerngehöftes.

Rechts bezeichnet: VG 1644
Schwarze Kreide 150 × 267
Wahrscheinlich identisch mit Z 152a
Sammlung Chev. Ricci
Kunsthändlerin Marg. Schultheß in Basel, um 1960
Sammlung Prof. Dr. F. Merke in Basel

152

152a. Landschaft mit Gehöften und Figuren.

Bezeichnet: VG 1644
Schwarze Kreide 150 × 270
Vielleicht identisch mit Z 152
Versteigerung in Paris am 27.1.1909 Nr. 70 (ffrs 300)

153

153. WINDMÜHLE AM LINKEN UFER (Zentrum).
Links vorn führt eine Treppe zu einer Rundbastion mit
mehreckigem Turm. Zwei Kähne liegen am Ufer.
Rechts vorn eine Tonne.

Links bezeichnet: VG 1644
Schwarze Kreide, grau laviert 152 × 270
Wasserzeichen: Schellenkappe mit 4 Kugeln, unten
  Buchstaben LC (Abb. 20)
Vorzeichnung: Z 845/4
Literatur: Beck (3) mit Abb.
Sammlung F. Koenigs in Haarlem, seit 1940 im
MUSEUM BOYMANS-VAN BEUNINGEN IN ROTTERDAM; Inv.
Nr. H 100
  Ausgestellt: Kassel, 1948 Nr. 11
  – Leiden und Arnheim, 1960 (VG) Nr. 77

154

154. RUINENHAFTER TORBOGEN AM UFER
(halbrechts); dahinter ein Gehöft. Links vorn ein
Fischer und ein Fischkorb. Weiter zurück ein Kahn mit
zwei Männern am Ufer.

Rechts bezeichnet: VG 1644
Schwarze Kreide 153 × 250
Wasserzeichen: Doppeladler
Kunsthandlung Fred. Muller & Co. in Amsterdam,
  1906 verkauft in die
Sammlung J. Rump in Kopenhagen, 1916 geschenkt
  dem
STATENS MUSEUM FOR KUNST, KGL. KOBBERSTIKSAMLING,
IN KOPENHAGEN; Inv. Nr. 7319

155. WEITE FLUSSLANDSCHAFT, halblinks eine
Windmühle. Im Zentrum Fischer im Kahn.

Rechts oben bezeichnet: VG 1644
Schwarze Kreide 155 × 265
Vielleicht identisch mit Z 156a
Versteigerung in London (So) am 23.5.1922 Nr. 53
  mit Abb.
  – in Amsterdam am 15.6.1926 Nr. 379 mit Abb.
  (fl 500)

156

156. GEBÜSCHÜBERWUCHERTE RUINEN
rechts. In einer Uferbucht liegt ein Fischerkahn, dahinter
eine Baumgruppe.

Links bezeichnet: VG 1644
Schwarze Kreide, grau laviert 164 × 276
KUNSTSAMMLUNG DER UNIVERSITÄT GÖTTINGEN; Inv.
Nr. 11.28
  Ausgestellt: Stuttgart, 1965 Nr. 66 mit Abb.

Nachzeichnung: I) Wie beschrieben. Unsigniert.
Schwarze Kreide, grau laviert 156 × 265
HESSISCHES LANDESMUSEUM IN DARMSTADT; Inv.
Nr. AE 675

156a. Marine; ruhige See.

Bezeichnet: VG 1644
Kreide
Vielleicht identisch mit Z 155
Versteigerung G. J. J. van Os in Paris am 2.12.1861
Nr. 39 (ffrs 28 Wittering)

1645

156b. Ein Dorf am Seeufer, an dem Segelboote liegen.
Links ein Kahn mit vielen Männern (Soldaten?), in der
Ferne Schiffe.

Bezeichnet: VG 1645
Schwarze Kreide (Kohle?), laviert 235 × 360
Vergleiche: Anmerkung 1, Seite 51 (Teil I) – Mögli-
cherweise gehört dieses Blatt zu den unter Anmer-
kung 1 aufgeführten Nachzeichnungen (1d?)
Sammlung Rudolph, später J. A. G. Weigel in Leipzig;
Kat. 1836 Nr. 253; Kat. 1860 Nr. 360.
Versteigerung in Stuttgart am 15.5.1883 Nr. 380
(Mk 95 Gutekunst)

1646

156c. Winter. Weite Eisfläche mit Schlittschuhläufern.
Im Vordergrund ein Schlitten mit Figuren und ein
Erfrischungszelt.

Bezeichnet und datiert 1646
Schwarze und braune Kreide 110 × 205
Versteigerung [Hogarth & Sons aus London] in
Amsterdam am 15.6.1886 Nr. 111 (fl 39 Amsler
& Ruthardt)

157. MARKT MIT ZAHLREICHEN FIGUREN am
Flußufer. Rechts eine Bogenbrücke. Weiter raumein-
wärts Häuser, Marktstände und eine Kirche. Ruder- und
Segelboote mit Fischern liegen entlang dem Ufer.

Rechts bezeichnet: VG 164(6)
Schwarze Kreide, grau laviert 172 × 277
Wasserzeichen: MCFD (Abb. 79)
Bereits 1862 im
STÄDELSCHEN KUNSTINSTITUT IN FRANKFURT/MAIN; Inv.
Nr. 3597

157

166. EIN ZIEHBRUNNEN (Mitte) vor einem Gehöft (rechts). Bei einem Radgestell mit Fässern zwei Männer. Ein Kirchturm links in der Ferne.

Links bezeichnet: VG 1647
Schwarze Kreide, grau laviert 114 × 196
Wasserzeichen: kleines gekröntes Lilienwappen, unten Buchstaben LR (Abb. 35)
Sammlung J. de Grez in Brüssel, 1914 vermacht den MUSÉES ROYAUX DES BEAUX-ARTS IN BRÜSSEL; Inv. Nr. 1400
Ausgestellt: Brüssel, 1962/63 Nr. 157

167. DREI FISCHER ziehen rechts vorn in seichtem Wasser ein Netz ein. Am linken, gegenüberliegenden Ufer ein abgetakeltes Segelboot und Kähne. Eine Stadt in der Ferne.

Rechts bezeichnet: VG 1647
Schwarze Kreide, grau laviert 114 × 198
Sammlung Beels van Heemstede-van Loon, seit 1898 im RIJKSPRENTENKABINET IN AMSTERDAM; Inv. Nr. A 3760
Ausgestellt: Amsterdam, 1903 (VG) Nr. 9

168. WINTER. Auf weiter Eisfläche viele Schlittschuhläufer. Halbrechts zurück eine Windmühle, in der Ferne (halblinks) eine Kirche. Rechts vorn schnallt sich ein Mann Schlittschuhe an, links schlägt ein anderer ein Loch in das Eis; nahebei vier Figuren, ein Schlitten und ein anderer Mann, der sich über einen Kübel beugt.

Rechts bezeichnet (echt?): VG 1647
Schwarze Kreide, grau laviert 115 × 195
Versteigerung in Amsterdam am 27.5.1913 Nr. 104 mit Abb. (fl 550 Meder)
Kunsthändler G. Nebehay in Wien, 1924
Sammlung H. E. ten Cate in Almelo (seit 1924); Kat. 1955 Nr. 235
Kunsthandlung C. G. Boerner in Düsseldorf; Kat. Dez. 1964 Nr. 43
– H. N. Bier in London
Sammlung Robert Lehman in New York, 1965

169. WINTER. Bei einem Signal (rechts vorn) hält ein einspänniger Pferdeschlitten mit drei Passagieren; ein Pferd ist ausgespannt. In der Mitte schnallt sich ein Junge Schlittschuhe an. Weiter zurück, im Mittelgrund, ein Wirtschaftszelt vor ferner Stadtsilhouette.

Links bezeichnet: VG 1647
Schwarze Kreide, grau laviert 115 × 195
Wasserzeichen: kleines gekröntes Lilienwappen, unten Buchstaben LR (Abb. 34)
Aus einer unbekannten Versteigerung (vor 1865?) Nr. 97 (vergl. Z 258)
Versteigerung G. Leembruggen in Amsterdam am 5.3.1866 Nr. 275 (zusammen mit Z 243, 258, 608a und 779: fl 5 Ellinckhuysen)
– J. F. Ellinckhuysen aus Rotterdam in Amsterdam am 19.11.1878 Nr. 144 (fl 42 Coster)

– Auguste Coster in Brüssel am 17.5.1907 Nr. 658
(zusammen mit Z 681a: bfrs 380 Muller)
– in Amsterdam am 14.4.1908 Nr. 114 mit Abb.
(fl 215 Haverkamp)
– in Amsterdam am 5.7.1927 Nr. 206 mit Abb.
(fl 175)
Sammlung J. G. de Bruyn-van der Leeuw in Muri;
seit 1960 als Geschenk in den
GEMEENTEMUSEA, AMSTERDAM; Inv. Nr. A 18092

170. EIN EINSPÄNNIGER PFERDESCHLITTEN
MIT VIER INSASSEN fährt in der Mitte über eine
Sandbank; der Kutscher geht nebenher, ein Junge und
ein Mann mit Stange folgen. Im linken Mittelgrund ein
Wirtschaftszelt.

Rechts bezeichnet: VG 1647
Schwarze Kreide, grau laviert 117 × 193
Wasserzeichen: HP (Abb. 76)
Literatur: Bernt (2), I, Nr. 264 mit Abb.
Sammlung F. J. O. Boymans in Utrecht; 1847 vermacht
dem
MUSEUM BOYMANS-VAN BEUNINGEN IN ROTTERDAM;
Inv. Nr. Van Goyen 2
Ausgestellt: Amsterdam, 1903 (VG) Nr. 40

170

170a. Fischerboot, das in das Wasser geschoben wird.

Bezeichnet: VG 1647
Wahrscheinlich identisch mit Z 160
Kunsthandlung Fred. Muller & Co. in Amsterdam
Ausgestellt: Amsterdam, 1903 (VG) Nr. 53

1648

171. HINTER EINER BOGENBRÜCKE in einer
Ufermauer, die links raumeinwärts zieht, ragt ein
hoher Kirchturm auf. Dabei ein Ruderkahn. Segelboote
im Hintergrund an einer Landungsstelle.

Links bezeichnet: VG 1648
Schwarze Kreide, grau laviert 102 × 203
NATIONAL GALLERY OF SCOTLAND IN EDINBURGH;
Inv. Nr. D 1097

171

172. DREI AUSGESPANNTE PFERDE EINES
SCHLITTENS links vorn. Dahinter eine Mauer mit
Rundturm. Im Zentrum Figurengruppe mit Hund;
rechts, weiter zurück, eine Windmühle.

Rechts bezeichnet: VG 164(8)
Schwarze Kreide, grau laviert 111 × 202
Wasserzeichen: kleines gekröntes Lilienwappen (Abb. 37)
Departement van Binnenlandse Zaken, 1902 über-
wiesen an das
RIJKSPRENTENKABINET IN AMSTERDAM; Inv. Nr. A 4691

172

173. EIN ANGLER AUF EINER KLEINEN BRÜCKE, dabei ein zuschauender Mann und ein Hund (halbrechts). Im linken Vordergrund Fischer und Fischkästen vor einer Baumgruppe, Gehöft und Heustock.

Links bezeichnet: VG 1648
Schwarze Kreide, grau laviert 115 × 200
Versteigerung W. P. Knowles aus Wiesbaden in Amsterdam am 25.6.1895 Nr. 269 (fl 6 Ruysch)
– R. Ph. Goldschmidt aus Berlin in Frankfurt/Main am 4.10.1917 Nr. 234 (Mk 1050)
Sammlung J. W. Böhler in Luzern
– F. Koenigs in Haarlem (1929 erworben); seit 1940 im
MUSEUM BOYMANS-VAN BEUNINGEN IN ROTTERDAM; Inv. Nr. H 235

1649

173a. Die Fähre.

Rechts bezeichnet: VG 1649
Schwarze Kreide, laviert 150 × 240
Vielleicht: Versteigerung Marquiset in Paris am 28.4.1890 Nr. 184 (zusammen mit einer anderen Zeichnung: ffrs 46 Lacroix)
Versteigerung L. C. Coblents in Paris am 15.12.1904 Nr. 51 (ffrs 80)

174. BEI EINER SÄULE, die an einer dreibogigen Brücke (halbrechts vorn) steht, naht ein einspänniger Pferdekarren; der Kutscher sitzt auf dem Pferd. Halblinks vorn eine andere Bogenbrücke. In der Mitte drei Figuren bei einer Schubkarre; Gehöfte weiter zurück.

Halbrechts bezeichnet: VG 1649
Schwarze Kreide, laviert 152 × 254
Versteigerung Baron L. d'Ivry in Paris am 7.5.1884 Nr. 91 (zusammen mit Z 512: ffrs 120 George)
Sammlung W. und A. Ames in New London (USA) 1958 im Kunsthandel erworben von der
KUNSTHALLE IN BREMEN; Inv. Nr. 58/774

175. DIE RUINE DES HUIS TE MERWEDE im rechten Hintergrund; vorn Figuren auf einem Uferdamm, an dem ein vollbesetztes Boot landet (Mitte). Ruder- und Segelboote weiter zurück. Im linken Hintergrund ein Turm, eine Windmühle, Häuser ⟨Papendrecht⟩ am jenseitigen Ufer.

Links bezeichnet: VG 1649
Schwarze Kreide, grau laviert 156 × 257
Vorzeichnung: Z 846/74
Vergleiche: Z 848t (gleiche Landschaftsszene)
Sammlung Dr. E. Peart (versteigert in London (Chr) am 12.4.1822 Nr. 142 oder 143)
– Dutuit in Rouen
Ausgestellt: Paris, 1879 Nr. 331
MUSÉE DES BEAUX-ARTS DE LA VILLE DE PARIS; Kat. Lugt 1927, Nr. 39 mit Abb.

176. RUNDES TURMGEBÄUDE AM UFER, davor
liegen Fässer. Eine Wäscherin arbeitet am Ufer. Zwei
Kähne mit Insassen weiter zurück. ⟨Motiv aus Haarlem⟩.

Links bezeichnet: VG 1649
Schwarze Kreide, grau und wenig bräunlich laviert
   158 × 259
Vorzeichnung: Z 845/78
Literatur: Beck (3) mit Abb.
Sammlung Herzog Albert von Sachsen-Teschen
ALBERTINA IN WIEN; Inv. Nr. 8510

177. EIN HOCHBELADENER ZWEISPÄNNIGER
ERNTEWAGEN kommt rechts vorn über eine kleine
Bogenbrücke gefahren; ganz rechts drei Figuren und
ein Hund. Links Kühe im Feld bei einem Bach. In der
Ferne eine Kirchturmspitze.

Links bezeichnet: VG 1649
Schwarze Kreide, grau laviert 159 × 268
Wasserzeichen: Horn, unten Buchstaben LA
Wahrscheinlich: Versteigerung L. C. Coblents in Paris
   am 15.12.1904 Nr. 50 (ffrs 200)
Kunsthändler Hollstein in Amsterdam, um 1950
Sammlung P. und N. de Boer in Amsterdam, 1963
   Ausgestellt: Laren, 1966 Nr. 95 mit Abb.

177a. Ein Turm dominiert im Zentrum; auf dem
Strand und den Dünen zahlreiche Personen. Rechts ein
Reiter, links Wagen.

Bezeichnet: VG 1649
Schwarze Kreide, grau laviert 160 × 260
Versteigerung Victor Decock in Paris am 12.5.1948
   Nr. 18

177b. Fischer in zwei kleinen Booten links vorn.

Bezeichnet und datiert 1649
Schwarze Kreide, laviert 160 × 260
Versteigerung in Amsterdam am 30.5.1893 Nr. 136
   (fl 20.50 Gutekunst)

177c. Winter. Schlittschuhläufer, Schlitten und Zelte,
in denen gekocht wird, auf der weiten Eisfläche in der
Nähe einer Stadt. Im Hintergrund eine Windmühle.

Rechts bezeichnet: VG 1649
Schwarze Kreide, laviert 160 × 263
Vergleiche: Z 188; vielleicht identisch mit Z 192a?
Versteigerung Ch. Sackville Bale in London (Chr) am
   9.6.1881 Nr. 2303 (£ 6.6.0 Mitchell)
   – William Mitchell aus London in Frankfurt/Main
   am 7.5.1890 Nr. 44 (Mk 460 Dr. Herxheimer)

179

178. IN DEN DÜNEN. Rechts vorn eine Gruppe von neun Figuren und Kindern. In der Mitte entfernt sich ein Bauernkarren auf eine Ortschaft mit Kirche ⟨Scheveningen⟩ zu. In der Ferne ein Turm (links).

Halblinks bezeichnet: VG 1649
Schwarze Kreide, grau laviert 160 × 270
Sammlung Beels van Heemstede – van Loon, 1898
RIJKSPRENTENKABINET IN AMSTERDAM; Inv. Nr. 3759

178a. Dorfstraße mit einer Kirche. Auf der Straße verschiedene Personen und Fahrzeuge.

Bezeichnet: VG 1649
Schwarze Kreide, laviert 160 × 270
Versteigerung in Berlin am 24.10.1921 Nr. 403

179. ZWEI WAGEN entfernen sich rechts auf einem Weg, vorbei an einigen mit Gesträuch bewachsenen Hügeln. Links, teilweise verdeckt, ein Bauerngehöft hinter einem Zaun. Einige Figuren am Wegrand.

Halblinks bezeichnet: VG 1649
Schwarze Kreide, grau laviert 160 × 270
Versteigerung in Amsterdam am 22.6.1910 Nr. 137
(fl 190)
  – in Amsterdam am 15.6.1926 Nr. 375 mit Abb.
(fl 400)

180. GEHÖFTE, SCHUPPEN AUF PFÄHLEN und
ein Hebebalken am linken Ufer. Links vorn ein Kahn
mit drei Fischern bei einer Treppe.

Rechts bezeichnet: VG 1649
Schwarze Kreide, grau laviert 160 × 270
TEYLERS MUSEUM IN HAARLEM; Inv. Nr. 042
   Ausgestellt: London, 1970 Nr. 15 mit Abb.

181. KÜHE AUF DER WEIDE; eine Windmühle
halbrechts, Gebüsch und Ortschaft mit einem Kirchturm links. Halbrechts vorn am Wiesenrand vier
Landleute.

Links bezeichnet: VG 1649
Schwarze Kreide, grau laviert 160 × 270
Versteigerung Prof. Dr. F. Heimsoeth aus Bonn in
   Frankfurt/Main am 5.5.1879 Nr. 68 (Mk 40 Thi-
   baudeau)
   – W. P. Knowles aus Wiesbaden in Amsterdam
   am 25.6.1895 Nr. 270 (fl 61 Duval)
   – Henri Duval aus Lüttich in Amsterdam am 22.6.
   1910 Nr. 142 (fl 310 Obach)
Sammlung H. E. ten Cate in Almelo; Kat. 1955
   Nr. 227 mit Abb.
Kunsthandlung C. G. Boerner in Düsseldorf; Kat.
   Dez. 1964 Nr. 44

182. BAUFÄLLIGE GEBÄUDE und zwei Bogen einer eingestürzten Brücke am linken Ufer. Im Zentrum liegen Fischerkähne mit vier Fischern, links am Ufer drei Figuren.

Links bezeichnet: VG 1649
Schwarze Kreide, grau laviert 163 × 272
Literatur: Filla, mit Abb.
Wasserzeichen: Horn, unten Buchstaben AJ
Sammlung von Savigny, seit 1925 im
KUPFERSTICHKABINETT DER STAATLICHEN MUSEEN BERLIN;
Inv. Nr. 12258. – Kat. 1931 (Prestel) mit Abb.

Nachzeichnung: I) Wie beschrieben.
  Falsch signiert: VG 1649
  Schwarze Kreide, braun und grau laviert 162 × 264
  Wasserzeichen: Basler Stab im Blütenkranz (Abb. 57)
  HESSISCHES LANDESMUSEUM IN DARMSTADT; Inv.
  Nr. AE 676

183. ZWEI REITER unterhalten sich links auf einer kleinen Erhebung mit drei Landleuten; weiter zur Mitte eine Kuhherde auf der Weide vor einem Kirchdorf mit Windmühle (halbrechts).

Halblinks bezeichnet: VG 1649
Schwarze Kreide, grau laviert 164 × 270
Versteigerung Max J. Bonn in London (So) am
  15.2.1922 Nr. 22 (£ 50 Colnaghi)
1954 erworben vom
ASHMOLEAN MUSEUM IN OXFORD

184. DREI FIGUREN (rechts) auf einer Dünenerhebung an der Landstraße. Im Mittelgrund ein Gehöft. Aus dem Mittelgrund naht ein Planwagen (halblinks).

Links bezeichnet: VG 1649
Schwarze Kreide, grau laviert 164 × 280
Versteigerung R. P. Roupell in London (Chr) am
  12.7.1887 Nr. 995 (£ 6.6.0 Salting)
Sammlung George Salting, 1910 erworben vom
BRITISCHEN MUSEUM IN LONDON; Inv. Nr. 1910.2.12.143
  (Hind 2 mit Abb.)

Nachzeichnungen: I) Wie beschrieben. Unsigniert.
  Schwarze Kreide, braun laviert 166 × 280
  Sammlung Fagel
    – C. Fairfax Murray in London
    – J. P. Morgan in New York
  THE PIERPONT MORGAN LIBRARY IN NEW YORK; Inv.
  Nr. III, 175
II) Wie beschrieben.
  Links falsch signiert: VG 1649
  Schwarze Kreide, mit Sepia laviert 199 × 271
  Wasserzeichen: Wappen von Amsterdam (Abb. 49a)
  KUPFERSTICHKABINETT DER STAATLICHEN MUSEEN
  BERLIN; Inv. Nr. 11815

185. RUINE halbrechts. Ganz rechts vorn vier Figuren in Unterhaltung. Zwei Fischerkähne links auf dem stillen Gewässer.

Rechts bezeichnet: VG 1649
Schwarze Kreide, grau laviert 165 × 271

Sammlung Ch. Drouet, 1909 vermacht der
ÉCOLE DES BEAUX-ARTS IN PARIS; Inv. Nr. 35.549 (Kat.
Lugt 1950 Nr. 226 mit Abb.)

186. EINE FRAU MIT KIND sitzt am Wegrand;
links neben ihr unterhalten sich drei Männer. Rechts
entfernen sich im Mittelgrund in der Ebene zwei Reisewagen zu einem Kirchdorf, das am Horizont sichtbar
ist.

Links bezeichnet: VG 1649
Schwarze Kreide, grau laviert 168 × 276
Vorzeichnung: 845/38
Literatur: Beck (3) mit Abb.
Sammlung Charles Rogers in London († 1784)
– William Cotton, Ivybridge, 1853 geschenkt der
CITY ART GALLERY IN PLYMOUTH

Nachzeichnung: I) Wie beschrieben. Unsigniert.
Schwarze Kreide, laviert 165 × 272
Versteigerung J. P[eyrot] in Paris am 8.12.1938 Nr. 56
(ffrs 1450)
– in Paris am 19.2.1971 Nr. 34 mit Abb.

186

187. KIRCHDORF AN DER LANDSTRASSE. Der
viereckige Kirchturm überragt Gehöfte und Bäume.
Halbrechts hält ein Reisewagen auf der Straße, die
Pferde werden gefüttert. Rechts zurück ein Heustock.

Links bezeichnet: VG 1649
Schwarze Kreide, grau laviert 169 × 273
Literatur: Pauli, I, 1924 mit Abb.
Sammlung Ernst Harzen in Hamburg, 1869 vermacht
der
KUNSTHALLE IN HAMBURG; Inv. Nr. 21988
Ausgestellt: Leiden und Arnheim, 1960 (VG) Nr. 81

187

187a. Häuser, umgeben von Bäumen, am Kanalufer.
Links mehrere Ruderboote, rechts Fischerboote.

Datiert 1649
Schwarze Kreide, laviert 170 × 260
Versteigerung Baron L. d'Ivry in Paris am 7.5.1884
Nr. 87 (zusammen mit Z 507: ffrs 175 Brissac)

188. WEITE EISFLÄCHE, bevölkert von Schlitten
und Schlittschuhläufern. Im Hintergrund die Ruine
des Huis te Merwede. Vor einem Hafendamm (rechts)
Schlitten mit drei ausgespannten Pferden; dabei mehrere
Figuren, auch auf dem Damm. In der Mitte schnallt
sich ein Mann gebückt Schlittschuhe an. Links in der
Ferne ein Zelt, eine Windmühle und eine Ortschaft.

Rechts bezeichnet: VG 1649
Schwarze Kreide, wenig laviert, auf Pergament
170 × 254
Vergleiche: Z 177c
Versteigerung Ernest C. Innes in London (Chr)
am 13.12.1935 Nr. 36 (£ 10.10.0 Speelman)
– Mrs. J. M. Carr in London (Chr) am 26.3.1968
Nr. 98
Kunsthändler B. Houthakker in Amsterdam; Kat. 1969
Seite 20 mit Abb. (fl 14 000)

189. AM STRAND VON EGMOND, dessen Kirchturm rechts über die Dünen ragt. Vorn fährt ein einspänniger Karren mit zwei Figuren auf eine Hütte (rechts) zu, vor der sich fünf Figuren aufhalten. Halblinks vorn sitzen drei Leute. Dahinter dehnt sich der weite Strand mit Booten, Wagen und Figuren.

Links bezeichnet: VG 1649
Schwarze Kreide, laviert 170 × 285
Versteigerung William Esdaile in London (Chr) am
   18.6.1840 Nr. 912 (mit anderen Zeichnungen: 6/–
   H. Graves)
   – Freiherr C. F. L. F. von Rumohr in Dresden
   am 19.10.1846 Nr. 3504
   – in Leipzig am 28.11.1912 Nr. 142 mit Abb.
   (Mk 770 Voigtländer)
   – Victor Koch in New York am 8.2.1923 Nr. 57
   ($ 140 Warburg)
Sammlung P. M. Warburg (in USA)

Nachzeichnung: I) Wie beschrieben. Unbezeichnet.
   Schwarze Kreide, grau laviert 160 × 289
   ALBERTINA IN WIEN; Inv. Nr. 17538

190. EIN PFERDEKARREN vor einer Baumgruppe (Mitte). Links vorn hocken zwei Männer am Boden.

Links bezeichnet: VG 1649
Schwarze Kreide, grau laviert, auf Pergament 177 × 257
Literatur: Grosse, mit Abb.
Sammlung B. Suermondt in Aachen, mit ihr 1874
   erworben vom
KUPFERSTICHKABINETT DER STAATLICHEN MUSEEN BERLIN;
   Inv. Nr. 2751

191. BAUERNGEHÖFT MIT NEBENGEBÄUDEN
hinter einem Zaun und Baum am Wegrand (rechts);
vor dem Haus vier Figuren; halblinks vorn ein Hund.

Rechts bezeichnet: VG 164(9)
Schwarze Kreide, aquarelliert 177 × 280
Kunsthandlung Durlacher Bros. in New York, aus-
   gestellt 1942
Sammlung L. J. Jiskoot in New York, 1960

192. TAUBENSCHLAG AUF HOHEN STANGEN
rechts vorn. Links davor zwei Figuren am Brunnen.
Gehöfte weiter zurück.

Rechts bezeichnet: VG 1649
Schwarze Kreide, grau laviert 177 × 285
Versteigerung Marius Paulme in Paris am 13.5.1929
   Nr. 95 mit Abb. (ffrs 16100)
Sammlung John Nicholas Brown in Providence/R. I.
   Ausgestellt: Cambridge/Mass. 1962 Nr. 38

192a. Strand.

Bezeichnet und datiert 1649
Literatur: Waagen (I), Suppl. S. 119. – Vielleicht Verwechslung mit Z 177c?
Sammlung Charles Sackville Bale in London (nicht in
   der Versteigerung vom 9.6.1881)

192b. Flußlandschaft mit hohem Ufer.

Bezeichnet: VG 1649
Kunsthandlung Fred Muller & Co. in Amsterdam
  Ausgestellt: Amsterdam, 1903 (VG) Nr. 54

1650

193 A-L. DIE KOPENHAGENER ZEICHNUNGS-FOLGE

Es handelt sich um eine zusammengehörige Folge von zwölf ausgeführten, signierten Zeichnungen (ohne Titelblatt), so wie sie wohl seinerzeit vom Künstler veräußert wurde.

Im Dänischen Kunsthandel 1918/19 erworben für STATENS MUSEUM FOR KUNST, KGL. KOBBERSTIKSAMLING, IN KOPENHAGEN; Inv. Nr. 7966

193 A. STRANDSZENE. Links vorn Figurengruppe und eine Hütte mit Signal. Rechts zurück viele Figuren auf dem Strand am Meer. (1)

Halblinks bezeichnet: VG 1650
Schwarze Kreide 120 × 174

193 B. STRAND. Figuren und Fischer in einer Gruppe (Mitte); ganz rechts ein Turm. Links zurück ein Segelboot auf dem Strand. (2)

Rechts bezeichnet: VG 1650
Schwarze Kreide 122 × 172

193 C. GROSSE ALTE EICHE am Weg (halbrechts). Links hält ein zweispänniger Reisewagen; fünf Figuren neben dem Wagen. (3)

Rechts bezeichnet: VG 1650
Schwarze Kreide 120 × 175
Literatur: Kunstmuseets Aarskrift, 1918, Seite 106 mit Abb.

193 D. GROSSER BAUM rechts von der Mitte. Zwei sitzende Figuren unterhalten sich mit einem stehenden Mann. Rechts zurück ein Gehöft, links in der Ferne eine Kirche. (4)

Links oben bezeichnet: VG 1650
Schwarze Kreide 120 × 173

193 E. ALTER BAUM halblinks am Flußufer. Eine Reisekutsche entfernt sich rechts davon bildeinwärts. (5)

Links bezeichnet: VG 1650
Schwarze Kreide 120 × 172

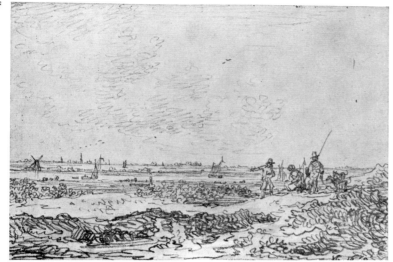

193F

193 I

193J

193 F. FLACHHÜGELIGES GELÄNDE mit drei Figuren und zwei Hunden auf einer kleinen Erhebung (rechts). Ein Kanal mit Segelbooten und einer Windmühle am Ufer durchzieht den Hintergrund. (6)

Rechts bezeichnet: VG 1650
Schwarze Kreide 122 × 174
Vergleiche: Z 213, 693 und G 976 (wohl gleiche Landschaftsszenen)

193 G. WINTER. Ein einspänniger Pferdeschlitten mit vier Passagieren fährt halblinks vorn nach rechts raumeinwärts zu einem Wirtschaftszelt. Halblinks eine Windmühle. In der Ferne eine Kirche. (7)

Links bezeichnet: VG 1650
Schwarze Kreide 120 × 173
Literatur: Kunstmuseets Aarskrift, 1918, Seite 106 mit Abb.

193 H. SCHEVENINGEN. Die Kirche in der Hintergrundsmitte. In der Ferne das Meer. Rechts vorn zwei Reiter, links hocken zwei Figuren am Boden. (8)

Links bezeichnet: VG 1650
Schwarze Kreide 120 × 176

193 I. EIN SCHLOSS (halblinks). Eine Brücke führt im rechten Mittelgrund über einen kleinen Bach; dahinter eine Mauer mit Tortürmen, Kirche etc. (9)

Halblinks bezeichnet: VG 1650
Schwarze Kreide 118 × 172

193 J. BÄUME AM JENSEITIGEN FLUSSUFER. Diesseits sitzen zwei Figuren am Ufer. (10)

In der Mitte bezeichnet: VG 1650
Schwarze Kreide 119 × 172

193 K. BRÜCKE MIT KLEINER SÄULE in der Mitte. Rechts Häuser und ein hohes Gebäude. Links vorn ein Kahn mit Insassen. (11)

Rechts bezeichnet: VG 1650
Schwarze Kreide 120 × 172

193 L. EIN REITER UND VIER FIGUREN auf einer kleinen Bogenbrücke (halbrechts). Weiter zurück Gehöfte und ein Fischer mit Kahn am Flußufer. (12)

Rechts bezeichnet: VG 1650
Schwarze Kreide 121 × 174
Vergleiche: Z 163 (fast gleiche Landschaftsszene)

194. GROSSES WIRTSHAUS im Zentrum. Rechts vorn eine Mauer mit Tor, davor zwei Figuren, Räder und Fässer. Die Pferde eines Reisewagens werden gefüttert. Weiter zurück ein zweiter Wagen, Reiter und Fußgänger.

Links (echt?) bezeichnet: VG 1650
Schwarze Kreide, grau laviert 176 × 278
ALBERTINA IN WIEN; Inv. Nr. 8507

194a. Flußlandschaft mit Fischerbooten.

Bezeichnet: VG 1650
Schwarze Kreide, laviert 220 × 365
Versteigerung Dr. N. Beets in Amsterdam am 9.4.1940
    Nr. 59 (fl 210)

Das Skizzenbuch von 1650/51 siehe unter Z 847

2. Die Zeichnungen von 1651, 1652 und 1653

1651

a) Titel: nicht bekannt

b) Winterlandschaften

195. EIN GROSSES FAHNENGESCHMÜCKTES ZELT rechts. Zwei Pferdeschlitten mit Passagieren halten davor, ein Pferd ist ausgespannt. Links vorn zwei Schlittschuhläufer, andere Figuren rechts. Mühle und Kirche in der Ferne.

Rechts bezeichnet: VG 1651
Schwarze Kreide (laviert?) 103 × 203
Vielleicht: Versteigerung Nyon in Paris am 23.12.1833
    Nr. 25 (zusammen mit Z 593b)
    Versteigerung B. Lasquin in Paris am 21.5.1884 Nr. 56
    (ffrs 75 Suchet)
Versteigerung Mme Charras in Paris am 2.4.1917
    Nr. 59 (ffrs 1020)
Kunsthändler Harry G. Sperling in New York, 1960

196. EIN ZELT, Pferdeschlitten und Figuren links etwas zurück. Rechts vorn fünf Figuren um einen Schlitten und ein Mann mit einem Beil, der sich bückt, um das Eis aufzuhacken.

Links bezeichnet: VG 1651
Schwarze Kreide, braun laviert 111 × 193
Sammlung L. Bonnat (?)
MUSÉE BONNAT IN BAYONNE; Inv. Nr. 1435/1461

198

197. EIN EINSPÄNNIGER PFERDESCHLITTEN
mit vier Passagieren überquert halblinks eine Sandbank,
ein Mann schiebt von hinten, der Kutscher geht
nebenher. Rechts zurück ein Zelt, vorn sitzt ein Mann.
Am Horizont die Silhouette einer Stadt ⟨Leiden⟩.

Links bezeichnet: VG 1651
Schwarze Kreide, laviert 115 × 196
Vergleiche: G 77
KUPFERSTICHKABINETT DER STAATLICHEN KUNSTSAMM-
LUNGEN IN DRESDEN; Inv. Nr. C 1189

198. EIN MIT MEHREREN PERSONEN BESETZ-
TER SCHLITTEN fährt vorn über eine Holzbrücke
nach rechts herunter auf das Eis. Links zurück ein Zelt,
aus dem Rauch aufsteigt. Zahlreiche Figuren.

Halbrechts bezeichnet: VG 1651
Schwarze Kreide, braun laviert 115 × 211
Versteigerung R. Ph. Goldschmidt aus Berlin in
    Frankfurt/Main am 4.10.1917 Nr. 237 (Mk 1200)
Sammlung Frits Lugt in Paris; Inv. Nr. I 95
    Ausgestellt: London, R. A. 1929 Nr. 559
    – Leiden und Arnheim, 1960 (VG) Nr. 84 mit Abb.
FONDATION CUSTODIA IN PARIS

199. EINE KIRCHE ragt halbrechts über den Dünenkamm. Vorn im Zentrum Fischverkäufer und Figuren;
dabei eine Frau mit Kopflast. Links das Meer.

Links bezeichnet: VG 1651
Schwarze Kreide, grau laviert 106 × 193
STAATLICHE GRAPHISCHE SAMMLUNG IN MÜNCHEN; Inv.
  Nr. 1909: 28 (alter Bestand)

Nachzeichnung: I) Wie beschrieben. Unsigniert.
  Kreide, laviert 136 × 201
  Sammlung B. H. in Amsterdam, 1964

200. VIER FIGUREN links auf einer Dünenhöhe,
weiter links zurück zwei andere. In der Mitte naht ein
zweispänniger Planwagen bei einer anderen Figurengruppe. In der Ferne Boote und das Meer.

Rechts bezeichnet: VG 1651
Schwarze Kreide, braun laviert 112 × 205
Versteigerung J. Boussac in Paris am 10.5.1926 Nr. 132
  mit Abb. (zusammen mit Z 328: ffrs 5400)

201. EIN ZWEISPÄNNIGER PLANWAGEN naht
links. Rechts eine Gruppe von acht Figuren. Ein
Reiter und ein Mann entfernen sich zum Strand, auf
den Boote gezogen sind (Hintergrund). – Durch den
unteren Teil der Zeichnung zieht ein Strich, der vielleicht die ursprüngliche Begrenzung der Darstellung
anzeigen sollte.

Links (oberhalb des Striches) bezeichnet: VG 1651
Schwarze Kreide, grau laviert 126 × 206
Vorzeichnung: Z 845/88
Literatur: Beck (3) mit Abb.
Sammlung F. Koenigs in Haarlem, seit 1940 im
MUSEUM BOYMANS-VAN BEUNINGEN IN ROTTERDAM;
  Inv. Nr. H 49

203

202. EIN GESTRANDETER WALFISCH im rechten
Hintergrund. Links einige Zelte, davor viele Figuren.

Links bezeichnet: VG 1651
Schwarze Kreide, braun laviert 173 × 277
Versteigerung [Hogarth & Sons aus London] in Am-
sterdam am 15.6.1886 Nr. 109 (fl 95)
Sammlung S. Larpent, Kopenhagen; 1913 vermacht
dem
STATENS MUSEUM FOR KUNST, KGL. KOBBERSTIKSAMLING,
IN KOPENHAGEN; Inv. Nr. 6596

Nachzeichnung: I) Wie beschrieben.
Halbrechts falsch signiert: VG 1649
Schwarze Kreide, grau laviert 172 × 276
Vielleicht identisch mit Z 192a
Sammlung Graf Nils Barck in Paris
Versteigerung Graf A. Thibaudeau in Paris am
20.4.1857 Nr. 345 (ffrs 7.50)
Sammlung V. Decock in Paris
  – A. Doucet in Paris, 1925
  – E. A. Veltman in Bloemendaal, 1926
Kunsthändler J. H. J. Mellaart in London, 1948
  – E. Speelman in London
  – M. Schultheß in Basel, um 1956

203. SCHEVENINGEN. Rechts Dünen mit Turm und
ferner Kirche. Vorn zwei Reiter und verstreut einige
Figurengruppen. Halblinks zwei sitzende Männer.

Halblinks bezeichnet: VG 1651
Schwarze Kreide, laviert 180 × 290
1887 erworben vom
MUSÉE DES BEAUX-ARTS IN LILLE; Kat. 1889 Nr. 1007

204. ZELTE IN EINER DORFSTRASSE, umgeben
von Figuren. Links vorn, vor dem vordersten Zelt,
sitzt eine Marktfrau vor einer Schubkarre. Die Dorfkirche überragt halbrechts im Hintergrund Gehöfte und
Bäume.

Rechts bezeichnet: VG 1651
Schwarze Kreide, grau laviert 102 × 205
Wasserzeichen: Agnus Dei (Abb. 5)
Kunsthändler Ch. Sedelmeyer in Paris; bei diesem 1897
  erworben vom
RIJKSPRENTENKABINET IN AMSTERDAM; Inv. Nr. 3411
  Ausgestellt: Amsterdam, 1903 (VG) Nr. 12

205. ZELTE UND BUDEN IM DORF, dessen
schlanker Kirchturm im rechten Hintergrund empor-
ragt. Ein Reiter und mehrere andere Figuren vor einem
fahnengeschmückten Zelt (links vorn).

Rechts bezeichnet: VG 1651
Schwarze Kreide, grau und braun laviert 110 × 200
Sammlung in Rußland
Versteigerung Mᵉ V... in Paris am 25.3.1925 Nr. 116
  mit Abb. (ffrs 2900 Beets)
Sammlung Franz Koenigs in Haarlem, 1940 vermacht
  dem
MUSEUM BOYMANS-VAN BEUNINGEN IN ROTTERDAM;
  Inv. Nr. H. 97. – Seit etwa 1940 nicht mehr in
  Museumsbesitz.

206. FÜNF FIGUREN IM KAHN (Zentrum) am
Ufer. Auf dem Ufer sind Zelte aufgeschlagen; davor
ein Pferdewagen und viele Figuren. Links zurück eine
Steinbrücke.

Links bezeichnet: VG 1651
Schwarze Kreide, grau und braun laviert 111 × 195
Sammlung Herzog Albert von Sachsen-Teschen
ALBERTINA IN WIEN; Inv. Nr. 8513

207. MARKT IN EINER STADT ⟨Den Haag⟩. Im
Vordergrund zwei Boote bei einer Bogenbrücke. Vor
Zelten und Häusern viele Figuren. In der Hintergrunds-
mitte der Turm der Grote Kerk.

Links bezeichnet: VG 1651
Schwarze Kreide, braun laviert 170 × 275
Wasserzeichen: Krone über drei Kreisen, im obersten
  Kreis ein Kreuz (vergleiche Abb. 69 oder 70);
  ähnlich Heawood 251
Versteigerung De Ridder in Frankfurt/Main am
  18.2.1932 Nr. 75 mit Abb.
Kunsthändler D. A. Hoogendijk in Amsterdam, 1956
THE ART INSTITUTE OF CHICAGO

207a. Fest im Dorf.

Bezeichnet: VG 1651
Schwarze Kreide (laviert?) 171 × 272
Versteigerung Robert Stayner Holford in London (Chr)
   am 11.7.1893 Nr. 683 (£ 5.10.0 Gutekunst)

207b. Fest in einer Ortschaft am Flußufer.

Bezeichnet: VG 1651
Schwarze Kreide (laviert?) 171 × 272
Versteigerung Robert Stayner Holford in London (Chr)
   am 11.7.1893 Nr. 682 (£ 10.10.0 Gutekunst)

208. VIELE ZELTE, hintereinander in einer Reihe an
einer Straße. Vor den Zelten zahlreiche Figuren und
Reiter. Halblinks ein einspänniger Marktkarren mit
Figuren und einem Vogelkäfig; vorn ein Schwein bei
einer Tonne. Im Zentrum ein Baum.

Rechts bezeichnet: VG 1651
Schwarze Kreide, braun laviert 175 × 270
Sammlung H. E. ten Cate in Almelo; Kat. 1955 Nr. 231
Kunsthandlung C. G. Boerner in Düsseldorf; Katalog
   Dezember 1964 Nr. 47
   – A. Brod in London, Kat. Winter 1965/66 Nr. 76
   mit Abb.

209. SCHAUSTELLUNG IN DER DORFSTRASSE.
Auf der Bühne zwei Schauspieler und zwei Musikanten
(Mitte). Rechts ein Reiter vor einem Gehöft. Viele
Zuschauer und Marktfrauen.

Links bezeichnet: VG 1651
Schwarze Kreide, braun laviert 175 × 278
Wasserzeichen: Horn, unten Buchstaben PM
Vielleicht identisch mit Z 211a
Sammlung von Beckerath, 1902 erworben vom
KUPFERSTICHKABINETT DER STAATLICHEN MUSEEN BERLIN;
   Inv. Nr. 5876

Nachzeichnung: I) Wie beschrieben.
   Links (falsch) signiert: VG 165...
   Schwarze Kreide, grau laviert 175 × 275
   Literatur: E. Trautscholdt in „Imprimatur", XII,
      1954/55, S. 34 ff. mit Abb.
   Versteigerung A. Beurdeley in Paris am 8.6.1920
      Nr. 181 mit Abb. (ffrs 4080 Mme Salvator-Mayer)
      – Adrien Fauchier-Magnan in London (So) am
      4.12.1935 Nr. 21 (£ 58 Houthakker)
   Kunsthändler B. Houthakker in Amsterdam
      Ausgestellt: Amsterdam, 1936 Nr. 182
   Sammlung H. E. ten Cate in Almelo; Kat. 1955
      Nr. 228
   Kunsthandlung C. G. Boerner in Düsseldorf; Kat.
      Dezember 1964 Nr. 54 als Zuschreibung an Jan
      van Goyen

210. MARKTSZENE AM KANAL im Haag. Viele
Figuren vor Zelten auf dem linken Ufer. Rechts landet
ein Kahn mit zwei Landleuten bei einer kleinen Treppe
Im rechten Hintergrund die Grote Kerk.

Am Kahn halbrechts bezeichnet: VG 1651
Schwarze Kreide, braun laviert 178 × 281
Versteigerung Henry Oppenheimer in London (Chr)
am 10.7.1936 Nr. 249 mit Abb. (£ 78.15.0
Goldschmidt)

211. DORFSTRASSE MIT ZWEI ZELTEN, davor
viele Figuren. Links umstehen vier Figuren die Schubkarre einer sitzenden Marktfrau. Rechts sitzt ein Bettler
am Wegrand, neben ihm steht eine Frau mit einem
Kind auf dem Rücken. Halblinks zurück ragt ein
Kirchturm über Bäume.

Halblinks bezeichnet (teilweise nachgezogen): VG 1651
Schwarze Kreide 200 × 310
Zusammengehörig mit Z 224
Privatsammlung in London, 1965

211a. Jahrmarkt, Verkaufsbuden, Fuhrwerke, Bauern,
Reiter usw. in einer Ortschaft auf dem Marktplatz. Im
Hintergrund Komödianten auf einem Gerüst.

Bezeichnet: VG 165(1); im Katalog: 1657
Schwarze Kreide, braun laviert; klein qu. fol.
Vielleicht identisch mit Z 209
Versteigerung J. C. Ritter von Klinkosch in Wien
am 15.4.1889 Nr. 430 (Kr 86 Prestel)

211b. Jahrmarkt im Dorf. Viele Figuren.

Bezeichnet und datiert 1651
Schwarze Kreide, braun laviert
Sammlung R. P. Roupell in London
    Ausgestellt: London, Grosvenor Gallery, 1878/79
    Nr. 284
    Versteigerung in London (Chr) am 12.7.1887
    Nr. 994 (£ 8.10.0 Salting)

e) Schmiede

212. DORFSCHMIEDE (links) unter Bäumen. Viele
Wagenräder und Gerätschaften liegen herum, dabei
zwei Männer und ein Hund. Rechts zurück ein Wagen
vor einem Wirtshaus.

Links bezeichnet: VG 1651
Schwarze Kreide, braun laviert 175 × 276
Vorzeichnung: Z 846/122
Versteigerung Baron K. E. von Liphart aus Florenz in
    Leipzig am 26.4.1898 Nr. 410 (Mk 60 Deglatigny)
    – Louis Deglatigny aus Rouen in Paris am 28.5.1937
    Nr. 44 mit Abb. (ffrs 3000 Popoff)
Sammlung Gaston Delestre in Paris, 1960

212

213. WEITE FERNSICHT ÜBER FLACHLAND mit einer Flußbucht im rechten Hintergrund. Zwei Figuren rechts vorn auf einem Dünenhügel, links ein Mann mit Hund.

Rechts bezeichnet: VG 1651
Schwarze Kreide, grau laviert 110 × 186
Vergleiche: Z 193 F und 693 (wohl gleiche Landschaftsszenen)
Versteigerung Baron L. d'Ivry in Paris am 7.5.1884 Nr. 94 (zusammen mit Z 363a und einer anderen, unsignierten Zeichnung: ffrs 90 George)
Sammlung F. Koenigs in Haarlem, seit 1940 im
MUSEUM BOYMANS-VAN BEUNINGEN IN ROTTERDAM; Inv. Nr. H 233

213

214. DORFSTRASSE IN RENKUM. Links ein Mann am Ziehbrunnen. Rechts ein Wirtshaus; weiter zurück hält ein Wagen. Die Kirche in der Ferne.

Links bezeichnet: VG 1651
Schwarze Kreide, laviert 110 × 193
Wasserzeichen: LR (klein); vergleiche Abb. 77
Vorzeichnung: Z 847/99
Vergleiche: Z 224a (von 1651) und Z 298 (von 1652)
Versteigerung Miss James in London (Chr) am 22.6.1891 Nr. 272 (zusammen mit Z 243 und 273a: £ 5 an Gutekunst)
– W. P. Knowles aus Wiesbaden in Amsterdam am 25.6.1895 Nr. 271 (zusammen mit Z 243: fl 34 Valk)
Departement van Binnenlandse Zaken, 1899 überwiesen an das
RIJKSPRENTENKABINET IN AMSTERDAM; Inv. Nr. A 4319
Ausgestellt: Amsterdam, 1903 (VG) Nr. 13

214

214a. Vor einem Gehöft unterhalten sich ein Mann und eine Frau. Im Hintergrund ein Heuwagen, der von den Feldern zurückkehrt.

Rechts bezeichnet: VG 1651
Schwarze Kreide, laviert 110 × 205
Versteigerung Mme E. Warneck in Paris am 10.5.1905 Nr. 163 (an Warneck)
– in Paris am 22.12.1924 Nr. 71 (ffrs 1400)

215. FÜNF FIGUREN VOR EINER HÜTTE (rechts), die von Gebüsch überragt wird; zwei Figuren sitzen am Boden. Nach links entfernt sich ein Pferdekarren, dem ein Mann folgt.

In der Mitte bezeichnet: VG 1651
Schwarze Kreide, grau laviert 113 × 195
Kunsthändler Ch. Sedelmeyer in Paris, 1897 erworben vom
RIJKSPRENTENKABINET IN AMSTERDAM; Inv. Nr. A 3415
Ausgestellt: Amsterdam, 1903 (VG) Nr. 10

215

216. EIN GEHÖFT im Zentrum. Nach links ansteigendes Gelände mit Gebüsch und Bäumen. Links drei Figuren.

Halblinks bezeichnet: VG 1651
Schwarze Kreide, laviert 113 × 195
Vorzeichnung: Z 847/222
Sammlung John Barnard (versteigert in London am 16.2.1787)
— P. Crozat? (L. 474)
Versteigerung in Amsterdam am 27.5.1913 Nr. 106 (fl 260 Houthakker)
Sammlung Königin der Niederlande im Palais Lange Voorhout in Den Haag

217. HALT VOR DEM WIRTSHAUS. Zwei Planwagen, ein Reiter und Figuren vor dem Gasthaus (rechts); eine Person steht am Brunnen. Über eine Brücke naht (halblinks), weiter zurück, ein zweispänniger Planwagen.

Halblinks bezeichnet: VG 1651
Schwarze Kreide, laviert 113 × 202
Vergleiche: Z 221a
Sammlung Prinz Reuß
Kunsthändler G. Nebehay in Wien; Kat. „Die Zeichnung", III, 1928 Nr. 57 mit Abb. (Mk 800)
— C. G. Boerner in Leipzig, um 1934
— Roland, Browse & Delbanco in London (?)
Sammlung Mrs. J. Weiser (in England), 1967

Nachzeichnung: I) Wie beschrieben. Unsigniert.
Schwarze Kreide, grau laviert 167 × 281
BIBLIOTEKA UNIWERSYTECKA IN WARSCHAU; Inv. Nr. T 1158 Nr. 28
Ausgestellt: Warschau, 1959 Nr. 24 mit Abb.

218. FLACHLANDSCHAFT MIT EINER STRASSE, auf der ein Planwagen raumeinwärts fährt. Halbrechts zwei Männer bei einem einzeln stehenden Baum.

Rechts bezeichnet: VG 1651
Schwarze Kreide, grau laviert 115 × 195
Sammlung Blenz, 1844 erworben vom
KUPFERSTICHKABINETT DER STAATLICHEN MUSEEN BERLIN; Inv. Nr. 2756

218a. Vier Kühe und der Hirt, begleitet von einer Frau und einem Jungen sowie einem Reiter, auf einem Weg, der zu einer Ortschaft führt. Weiter entfernt überquert ein Wagen eine Brücke.

Bezeichnet: VG 1651
Schwarze Kreide, braun laviert 115 × 208
Versteigerung Prof. Dr. F. Heimsoeth aus Bonn in Frankfurt/Main am 5.5.1879 Nr. 71 (Mk 51 Knowles)
— W. P. Knowles aus Wiesbaden in Amsterdam am 25.6.1895 Nr. 273 (fl 36 Amsler & Ruthardt)
— R. Ph. Goldschmidt aus Berlin in Frankfurt/Main am 4.10.1917 Nr. 238 (Mk 820)
— A. W. M. Mensing in Amsterdam am 27.4.1937 Nr. 236 (fl 160)

219. BAUERNGEHÖFT mit turmähnlichem Gebäude (links), das als Taubenschlag dient, im Zentrum; davor zwei Figuren und ein Handkarren. Weiter rechts zurück ein Ziehbrunnen.

Links bezeichnet: VG 1651
Schwarze Kreide, grau laviert 117 × 195
Wasserzeichen: Schellenkappe mit fünf Kugeln (wie Abb. 23 oder 24)
Vergleiche: Z 400 (gleiche Landschaftsszene)
Versteigerung [Rump aus Kopenhagen] in Berlin am 25.5.1908 Nr. 228 (Mk 115 Sagert)
– in Amsterdam am 22.6.1910 Nr. 145 (fl 130 Danlos)
Sammlung Baron Edmond de Rothschild in Paris; seit 1935 als Legat im
MUSÉE DU LOUVRE IN PARIS; Inv. Nr. 579dR

219A. ZIEHBRUNNEN mit Radgestell (Zentrum); ein Bauer steht neben einer Frau, die einen Kübel hochzieht. Rechts dahinter ein Gehöft mit einer Hundehütte. Links zurück ein Planwagen und ein Turm.

Links bezeichnet: VG 1651
Schwarze Kreide, laviert 117 × 200
Versteigerung E. V. Utterson in London (So) am 29.4.1852 Nr. 298 (zusammen mit zwei anderen Zeichnungen: 2/– Rochardt)
Sammlung Philip Hofer
Kunsthandlung Durlacher Bros. in New York, um 1954
Sammlung Robert McDonald, früher in New York, 1965 in Südafrika

220. DÜNEN; links ein Hügel, den ein Wagen herauffährt; vorn ein Zaun und, weiter links, drei Figuren.

Links bezeichnet: VG 1651
Schwarze Kreide, grau laviert 120 × 201
Wasserzeichen: Agnus Dei (Abb. 4)
Literatur: Jahresbericht d. Vorstandes d. Kunstvereins in Bremen, 1913/14 mit Abb.
Sammlung Joh. Heinrich Albers in Bremen; seit 1856 in der
KUNSTHALLE IN BREMEN; Inv. Nr. 1777 (seit 1945 verschollen)

221. ZIEHBRUNNEN im Zentrum; dabei eine Bäuerin, ein Bauer und zwei sitzende Figuren. Rechts ein Bauerngehöft, überragt von Bäumen; links ein Radgestell und weiter Fernblick.

Links bezeichnet: VG 1651
Schwarze Kreide, leicht braun laviert 165 × 268
Vielleicht identisch mit Z 224b
Versteigerung van der Willigen im Haag am 10.6.1874 Nr. 103 (fl 52 Dirksen)
Kunsthandlung Fred. Muller & Co. in Amsterdam, um 1910
Sammlung Baron Edmond de Rothschild in Paris; seit 1935 als Legat im
MUSÉE DU LOUVRE IN PARIS; Inv. Nr. 3502 dR
Ausgestellt: Paris, 1970 Nr. 70

221a. Vor einer Herberge halten Wagen und Reiter;
ein anderer Wagen fährt über eine Brücke links in
der Ferne.

Bezeichnet: VG 1651
Schwarze Kreide, grau laviert 162 × 267
Vergleiche: Z 217
Versteigerung Prof. Dr. F. Heimsoeth aus Bonn in
   Frankfurt/Main am 5.5.1879 Nr. 70 (Mk 46 Ruland)

222

222. TAUBENSCHLAG HINTER EINEM ZAUN
(rechts); davor ein Schwein. In der Mitte Blick durch
ein Tor auf eine abgestellte Schubkarre und einen
Bauernhof. Links vorn zwei Männer, Fässer und ein
Wagenrad.

Rechts von der Mitte bezeichnet: VG 1651
Schwarze Kreide, wenig grau und braun laviert
   170 × 275
Sammlung C. Fairfax Murray in London
Versteigerung [Victor Koch?] in Amsterdam am
   21.11.1929 Nr. 13
Sammlung Josephus Jitta in Amsterdam, 1941
Kunsthändler P. de Boer in Amsterdam, 1963
   – Ad. Stein in Paris, 1970/71
   Ausgestellt: London, 1971 Nr. 37 mit Abb.
Kunsthandlung C. G. Boerner in Dusseldorf, Neue
   Lagerliste 57/1971, Nr. 23 mit Abb.

222a. Eine Dorfstraße.

Rechts bezeichnet: VG 1651
Schwarze Kreide, braun laviert 175 × 263
Versteigerung J. P[eyrot] in Paris am 8.12.1938 Nr. 60
   (ffrs 3700)

223

223. BLICK AUF DEN HAAG von Nordwesten.
Eine vierspännige Kutsche links vorn, begleitet von
einem Reiter und Fußgängern, davor zwei Bettler.
Am Horizont die Stadt mit der Grote Kerk etc.

Halbrechts bezeichnet: VG 1651
Schwarze Kreide 178 × 302
MUSÉE DU LOUVRE IN PARIS; Inv. Nr. 22.612 (Kat. Lugt
   1929 Nr. 305 mit Abb.)

224. DREI PFERDEWAGEN VOR EINER HER-
BERGE mit Aushängeschild (Mitte); links ein gebüsch-
bewachsener Hügel. Rechts vorn eine Gruppe von fünf
Figuren. Im Hintergrund eine Kirchturmspitze.

Links bezeichnet: VG 1651
Auf der Rückseite (hd): Jan van Goyen
Schwarze Kreide, grau laviert 190 × 310
Zusammengehörig mit Z 211
Kunsthändler B. Houthakker in Amsterdam
   Ausgestellt: Amsterdam, Rijksmuseum, 1936 Nr. 181
   – Amsterdam, 1952 Nr. 30
Sammlung H. E. ten Cate in Almelo; Kat. 1955 Nr. 226

Kunsthandlung C. G. Boerner in Düsseldorf, Kat. Dez.
1964 Nr. 46 und Neue Lagerliste 42/Febr. 1966 Nr. 23
mit Abb.
Westdeutscher Privatbesitz

Nachzeichnung: I) Wie beschrieben. Unsigniert.
Kreide, laviert 197 × 311
Versteigerung Prinz W. Argoutinsky-Dolgoroukoff
in Amsterdam am 27.3.1925 Nr. 137 mit Abb.
(fl 360 Beets)
Sammlung F. Koenigs in Haarlem, 1940 vermacht
dem
MUSEUM BOYMANS-VAN BEUNINGEN IN ROTTERDAM;
Inv. Nr. H 48. – Seit etwa 1940 nicht mehr in
Museumsbesitz

224a. Dorfstraße in Renkum. Links vorn ein Ziehbrunnen; davor eine sitzende Frau mit Kind und Hund.
Rechts ein Gehöft, davor fünf Figuren. Weiter zurück
ein Wagen vor einem Gasthof, in der Ferne die Kirche.

Links bezeichnet: VG 1651
Schwarze Kreide, laviert (150 × 260?)
Vorzeichnung: Z 847/99
Vergleiche: Z 214 (von 1651) und Z 298 (von 1652)
Gestochen von B. Schreuder (Weigel 2977)
Beschrieben nach der Radierung

224b. Landschaft mit Hütte und Figuren.

Bezeichnet und datiert 1651
Schwarze Kreide, laviert
Vielleicht identisch mit Z 221
Versteigerung [Mrs. Brightwen] in London (Chr)
am 2.5.1884 Nr. 129 (15/– zurück)

224c. Dorfwerft (Les chantiers du village).

Bezeichnet: VG 1651
Schwarze Kreide, laviert (?)
Sammlung A. Glüenstein in Hamburg
Ausgestellt: Amsterdam 1903 (VG) Nr. 57

224A. KIRCHE UND HÄUSER jenseits einer zwei-bogigen Brücke und Ufermauer (links). Vorn auf dem Fluß drei Kähne mit Fischern. Rechts Fernblick auf Gehöfte.

Rechts bezeichnet: VG 1651
Schwarze Kreide, laviert 100 × 190
Versteigerung in Rouen am 17.11.1970 Nr. 350 mit Abb.

225. EIN SEGELBOOT MIT FISCHERN links vorn, von der Breitseite gesehen; davor und rechts je ein Fischerkahn mit Insassen. Andere Segelboote und das rechte Ufer mit Gehöft und Windmühle in der Ferne.

Links bezeichnet: VG 1651
Schwarze Kreide, grau laviert 105 × 182
Wasserzeichen: Agnus Dei (Abb. 3)
Sammlung F. J. O. Boymans, 1847 vermacht dem
MUSEUM BOYMANS-VAN BEUNINGEN IN ROTTERDAM;
Inv. Nr. Van Goyen 3
Ausgestellt: Amsterdam, 1903 (VG) Nr. 41

226. EINE RUINE, von Gebüsch überwuchert, rechts vorn am Ufer. Zwei abgetakelte Segelboote liegen im Zentrum am Ufer, dabei mehrere Figuren an Bord und an Land. Ganz links vorn, auf einem Streifen des diessei-tigen Ufers, drei Figuren. Im Hintergrund leicht hügelige Uferlandschaft.

Links bezeichnet: VG 1651
Schwarze Kreide, grau laviert 105 × 193
Sammlung John Barnard (versteigert in London am
16.2.1787)
Kunsthändler Brian Sewell in London
Ausgestellt: London, Mai 1967 Nr. 17 mit Abb.

227. KIRCHE MIT GROSSEM FRONTTURM und Gehöft am linken Ufer. Auf dem diesseitigen Ufer zwei Figuren und ein Hund (rechts).

Rechts bezeichnet: VG 1651
Schwarze Kreide, grau laviert 107 × 203
Vielleicht identisch mit Z 231a
Sammlung V. Decock in Paris
– A. Doucet in Paris, 1925
Versteigerung in Paris am 2.3.1935 Nr. 83 mit Abb.

228. EIN SEGELBOOT MIT KAHN IM SCHLEPP auf leicht bewegtem Wasser (links); von der Bildmitte her steuert ein Kahn mit vier Insassen auf den Segler zu. Das rechte Ufer im Hintergrund.

Links bezeichnet: VG 1651
Schwarze Kreide 108 × 190
Vielleicht: Sammlung E. Wauters, ausgestellt: Paris, 1911; im Ausstellungswerk von Dayot Nr. 182

Sammlung Emile Wauters in Paris
Kunsthändler G. Wildenstein in Paris, London und
   New York
   Ausgestellt: London, 1953 Nr. 17
   – New York, 1955, Nr. 59

229. DIE MARIAKERK VON UTRECHT am
Flußufer (!). Links erhebt sich die große Kirche, vorn
am Ufer ein Schuppen. Ein Kahn mit drei Fischern
landet bei einer Ufertreppe, auf der drei Figuren stehen.

Auf dem Schuppen halblinks bezeichnet: VG 1651
Schwarze Kreide, grau laviert 109 × 203
Wasserzeichen: gekrönter, doppelköpfiger Adler mit
   Basler Stab im Herz (wie Abb. 66)
Vorzeichnung: die Mariakerk auf Z 665
Versteigerung Prof. Dr. F. Heimsoeth aus Bonn in
   Frankfurt/Main am 5.5.1879 Nr. 73 (Mk 29 Muller)
   – William Mitchell aus London in Frankfurt/Main
   am 7.5.1890 Nr. 45 (Mk 175 Dr. Grunelius)
Kunsthandlung Durlacher Bros. in New York, vor 1964
Sammlung James Gilvarry in New York
   – J. H. Guttmann in New York, 1967

Nachzeichnung: Wie beschrieben. Unsigniert.
   Schwarze Kreide, grau laviert 123 × 202
   Sammlung J. F. Gigoux, vermacht dem
   MUSEUM IN BESANÇON; Inv. Nr. 769

230. HARINGPAKKERSTOREN in Amsterdam
(Zentrum); rechts Giebelhäuser am Wasser, davor
viele Segelboote. Weiter zurück ein Kran. Links vorn
ein Fischer mit Fischkorb im Kahn.

Rechts bezeichnet: VG 1651
Schwarze Kreide, grau laviert 110 × 200
Vorzeichnung: Z 847/155
Literatur: Beck (1) mit Abb.
Vergleiche: G 421
Versteigerung A. Beurdeley in Paris am 8.6.1920
   Nr. 182 mit Abb. (ffrs 2750 Stettiner)

230a. Kanallandschaft mit Fischerbooten, in der Mitte
bei einem Bauernhaus ein Wagen mit Reisenden.

Bezeichnet: VG 1651
Schwarze Kreide, laviert 110 × 200
Versteigerung Baron K. E. von Liphart aus Florenz in
   Leipzig am 26.4.1898 Nr. 415 (Mk 40 Berner)

231. KIRCHE UND HÄUSER AM RECHTEN
UFER; ganz rechts eine Rundbastion. Ein Kahn mit
Insassen in der Mitte; links ein Kahn mit einer Person.

Rechts bezeichnet: VG 1651
Schwarze Kreide, grau laviert 110 × 200
Versteigerung Me V... in Paris am 25.3.1925 Nr. 115
   mit Abb. (ffrs 3000 Beets)

231A. MALERISCHES GEBÄUDE mit Türmchen am rechten Flußufer. Zwei Fischerboote bei einem Hebebalken.

Links bezeichnet: VG 1651
Schwarze Kreide, grau laviert 110 × 205
Versteigerung Jacob de Vos Jbzn in Amsterdam am
  22.5.1883 Nr. 214 (zusammen mit Z 235 und 258a:
  fl 131 Duval)
  – H. Duval aus Lüttich in Amsterdam am 22.6.1910
  Nr. 139 (fl 305 Danlos)
Sammlung Baron Edmond de Rothschild in Paris;
  seit 1935 als Legat im
MUSÉE DU LOUVRE IN PARIS; Inv. Nr. 580 dR

231a. Ortschaft am Fluß. Auf dem rechten Ufer Fischer
Auf dem anderen Ufer die Häuser und Kirche einer
Ortschaft.

Rechts bezeichnet: VG 1651
Schwarze Kreide, grau laviert 110 × 205
Vielleicht identisch mit Z 227
Versteigerung Mme E. Warneck in Paris am 10.5.1905
  Nr. 172 (ffrs 200 Picard)
  – in Paris am 6.5.1909 Nr. 54

232. DORF AM FLUSS; mehrere Bauernhäuser entlang der Uferstraße. Viele Figuren und ein Wagen vor den Häusern. Links der Fluß.

Rechts bezeichnet: VG 1651
Schwarze Kreide, grau laviert 111 × 196
Vorzeichnung: Z 847/134
Literatur: Beck (1) mit Abb.
Sammlung John Barnard (versteigert in London am
  16.2.1787)
  – P. Crozat? (L. 474)
Versteigerung in Amsterdam am 11.6.1912 Nr. 103
  (fl 410 Gutekunst)
  – Tony Strauß-Negbaur in Berlin am 25.11.1930
  Nr. 49 mit Abb. (Mk 450)

233. BEI EINEM FISCHKASTENGESTELL (links) ein Kahn mit zwei Insassen. Dahinter Gebüsch, ein Heustock und ein kleines Zaunstück. Rechts drei Enten.

Links bezeichnet: VG 1651
Schwarze Kreide, braun laviert 111 × 197
Wasserzeichen: LR (Abb. 77)
Unbekanntes Sammlerzeichen (L. 2986b)
Versteigerung B. G. Roelofs in Amsterdam am 2.4.1873
  Nr. 57 (fl 19 Linnig)
  – [Henri Duval aus Lüttich] in Amsterdam am
  30.6.1891 Nr. 65 (fl 18.50 Gutekunst)
Sammlung H. Goldsche in Berlin
Kunsthändler Dr. E. Plietzsch in Berlin, 1949
Sammlung Dr. W. Beck (†) in Berlin
  Ausgestellt: Hamburg, Bremen, Stuttgart 1965/66
  Nr. 128 mit Abb.

234. BOGENBRÜCKE, Holzgestell mit Hebebalken und Gehöfte mit überragendem Kirchturm am linken Ufer. Auf der Brücke drei Figuren. Kähne mit Insassen am Ufer (halbrechts).

Rechts bezeichnet: VG 1651
Schwarze Kreide, grau laviert 111 × 198
1903 als Geschenk erworben vom
RIJKSPRENTENKABINET IN AMSTERDAM; Inv. Nr 4701a.

Nachzeichnung: I) Wie beschrieben. Datiert: 165(0?).
Schwarze Kreide, laviert 140 × 200
Im Kunsthandel, New York, 1971

235. EINE STADTMAUER rechts. Ein Segelboot mit mehreren Fischkörben und ein Kahn mit drei Fischern liegt davor an der Mole. Links in der Ferne eine Brücke.

Rechts bezeichnet: VG 1651
Schwarze Kreide, braun laviert 111 × 203
Wasserzeichen: Schellenkappe mit 5 Kugeln
Versteigerung Jacob de Vos Jbzn in Amsterdam am
22.5.1883 Nr. 214 (zusammen mit Z 237a und 258a:
fl 131 Duval)
– [H. Duval aus Lüttich] in Amsterdam am 30.6.1891
Nr. 66 (fl 17 Gutekunst)
– in Stuttgart am 11.4.1893 Nr. 1328 (Mk 41
W. P. Knowles)
– W. P. Knowles aus Wiesbaden in Amsterdam
am 25.6.1895 Nr. 274 (fl 14 Coblenz)
Sammlung Prof. Dr. E. Perman in Stockholm
Ausgestellt: Stockholm, 1953 Nr. 146
– Laren, 1962 Nr. 45 mit Abb.

236. BAUERNHAUS AM LINKEN UFER. Davor einige Figuren. Am Wasser Bäume und Ruderkähne. Weiter zurück eine Windmühle und die Ruine des Huis te Merwede.

Links bezeichnet: VG 1651
Schwarze Kreide, grau laviert 112 × 196
Wasserzeichen: Wappen von Lothringen, unten Buchstaben GB (Abb. 48)
Alte Sammlung des Louvre
MUSÉE DU LOUVRE IN PARIS; Inv. Nr. 22.614A (Kat.
Lugt 1929 Nr. 309 mit Abb.)

236a. Dorf am Fluß. Auf einer kleinen Brücke sitzen vorn einige Männer in Unterhaltung.

Bezeichnet: VG 1651
Schwarze Kreide, braun laviert 112 × 196
Sammlung Jhr. J. Goll van Franckenstein in Amsterdam
Versteigerung L. H. Storck aus Bremen in Berlin
am 25.6.1894 Nr. 227 (Mk 35 Goldschmidt)
– R. Ph. Goldschmidt aus Berlin in Frankfurt/Main
am 4.10.1917 Nr. 239 (Mk 920)
– A. W. M. Mensing in Amsterdam am 27.4.1937
Nr. 235 (fl 290 Cassirer)

237. ZWEI ANGLER AUF EINEM HOHEN HOLZ-
STEG. Rechts zwei Kühe am Flußufer, links zurück
eine Windmühle.

Links bezeichnet: VG 1651
Schwarze Kreide 112 × 197
Wasserzeichen: Agnus Dei (Abb. 2)
Literatur: Cicerone, VIII, 1916, S. 404/5. – Maandblad
   voor beeld. Kunsten, VIII, 1931, S. 72 mit Abb.
Versteigerung Joh. van der Marck aus Leiden in
   Amsterdam am 29.11.1773 Nr. 232 (zusammen mit
   Nr. 231: fl 19 Sonne)
   – [Freiherr Heyl zu Herrnsheim aus Worms] in
   Stuttgart am 25.5.1903 Nr. 148 (Mk 190 Schiller)
Kunsthandlung C. G. Boerner in Leipzig; Lagerkata-
   loge XXXI/1909 Nr. 61 und XXXIII/1910 Nr. 72
   mit Abb. (Mk 250)
Sammlung A. Stroelin in Paris
   – Dr. C. Hofstede de Groot im Haag
   Ausgestellt: Leiden, 1916, I, Nr. 54
   – Den Haag, 1930, I, Nr. 58
1931 vermacht dem
GRONINGER MUSEUM VOOR STAD EN LANDE; Inv. Nr. 1931-
   163. – Kat. 1967 Nr. 29 mit Abb.
   Ausgestellt: Groningen, 1952 Nr. 35
   – Den Haag, RKD, 1955 Nr. 26
   – Vancouver, 1958 Nr. 31
   – Leiden und Arnheim, 1960 (VG) Nr. 88 mit Abb
   – Hamburg, 1961 Nr. 41
   – Prag, 1966 Nr. 67

Nachzeichnung: I) Wie beschrieben. Unsigniert. (In der
   Art des ter Himpel)
   Schwarze Kreide, laviert, im Rund, Durchmesser 200
   Versteigerung in Stuttgart am 13.5.1914 Nr. 157 mit
      Abb. (Mk 310 Ziegert)
   Kunsthändler B. Houthakker in Amsterdam
   Sammlung Frits Markus in New York, 1965

238. VIEH AUF DER WEIDE am Fluß. Eine Bäuerin
holt die Kübel in einem Boot ab.

Am Bootsrand bezeichnet: VG 1651
Schwarze Kreide, braun laviert 113 × 197
Vielleicht: Versteigerung Döhn in Leipzig am 10.6.1861
   Nr. 1266
Versteigerung Geheimrat E. Ehlers in Leipzig am
   9.5.1930 Nr. 159 (Mk 260 Colnaghi)
   – in Paris am 23.6.1961 Nr. 3 mit Abb.

239. EIN SEGELBOOT von der Breitseite mit vier
Figuren an Bord und Beiboot im Schlepp steuert im
Zentrum nach rechts raumeinwärts; einer der Fischer
stößt das Boot mit langer Stange vorwärts. Andere
Boote weiter zurück vor flachen Ufern mit Windmühle
und Gehöft (halblinks).

Am Segelboot bezeichnet: VG 1651
Schwarze Kreide, grau laviert 113 × 200
Wasserzeichen: Agnus Dei (Abb. 1)
Versteigerung J. P. Heseltine in London (So) am
   27.5.1935 Nr. 170 (£ 26 Lugt)
Westdeutscher Privatbesitz

240. HEUSTOCK UND HÜTTEN am linken Ufer, überragt von zwei Bäumen; bei einem Pfahlhäuschen am Ufer, vor dem Heustock, ein Kahn mit zwei Insassen; im Hintergrund ein kleiner Turm am Ufer.

Rechts bezeichnet: VG 1651
Schwarze Kreide, braun laviert 113 × 203
Sammlung Milton McGreevy, Shawnee Mission, Kansas
    Ausgestellt: Kansas City/Missouri, 1965 Nr. 35 mit Abb.

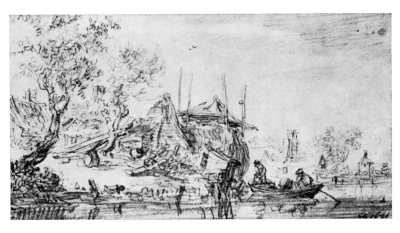

241. GEHÖFT AM LINKEN UFER; ein Mann steigt eine Treppe empor. Weiter rechts drei Ruderkähne. Vor dem Gehöft Figuren und ein Karren.

Rechts bezeichnet: VG 1651
Schwarze Kreide, grau laviert 113 × 205
Wasserzeichen: gekrönter, doppelköpfiger Adler mit Basler Stab im Herz (wie Abb. 66)
Vergleiche: Z 461 (gleiche Landschaftsszene)
Unbekannte Sammlermarke (nicht bei Lugt)
Sammlung Sir Bruce Ingram, 1963 vermacht dem FITZWILLIAM MUSEUM IN CAMBRIDGE; Inv. Nr. PD 360-1963

242. WACHTTURM MIT KANONE am linken Ufer. Vorn liegen Segel- und Ruderboote am Ufer. Rechts eine Treibtonne.

Am Kahn halblinks bezeichnet: VG 1651
Schwarze Kreide, braun laviert 113 × 210
Wasserzeichen: Schellenkappe mit 5 Kugeln (Abb. 22)
STÄDELSCHES KUNSTINSTITUT IN FRANKFURT/MAIN; Inv. Nr. 3591

249a. Alte Hütte am Ufer. Figuren und Boote.

Bezeichnet: VG 1651
Schwarze Kreide 115 × 195
Versteigerung in Amsterdam am 15.6.1926 Nr. 380
(fl 30c)

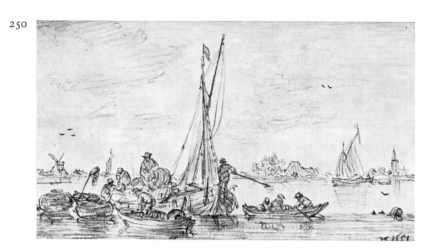

250. EIN SEGELBOOT übernimmt Fischkörbe von
einem Ruderkahn. In der Mitte ein anderes Boot. Im
Hintergrund flache Ufer mit Kirche (rechts) und
Mühle (links).

Rechts bezeichnet: VG 1651
Schwarze Kreide, wenig laviert 115 × 195
Wasserzeichen: WK, wohl wie Abb. 82
Sammlung Prof. Dr. E. Perman in Stockholm
    Ausgestellt: Stockholm, 1953 Nr. 145
    – Laren, 1962 Nr. 46

251. VIERECKIGER TURM MIT TAUBEN-
SCHLAG (halbrechts) in einer Ufermauer. Ein Mann
steigt auf einer Leiter die Mauer empor. Ruderboote
liegen im Mittel- und Hintergrund. Links vorn zwei
Fischer im Kahn.

Rechts bezeichnet: VG 1651
Schwarze Kreide, grau laviert 115 × 197
Vorzeichnung: Z 681
Vergleiche: G 635
Sammlung Arnold Ingen-Housz in Breda
    – J. de Grez in Brüssel, 1914 vermacht den
MUSÉES ROYAUX DES BEAUX-ARTS IN BRÜSSEL; Inv.
Nr. 1401
    Ausgestellt: Leiden und Arnheim, 1960 (VG) Nr. 86
    – Brüssel, 1962/63 Nr. 146

252. EIN WAGEN MIT REISENDEN bei einem
Gehöft links. Rechts ein Fischerboot mit zwei Insassen.
In der Ferne eine Kirche (Mitte).

Rechts bezeichnet: VG 1651
Schwarze Kreide, grau laviert 115 × 198
Wasserzeichen: Schellenkappe mit 5 Kugeln
Literatur: Kunstmuseets Aarskrift, 1917, Seite 125 mit
    Abb.
Sammlung Klinkhamer in Amsterdam, 1859(?)
Versteigerung Baron K. E. von Liphart aus Florenz in
    Leipzig am 26.4.1898 Nr. 413 (Mk 33 Rump)
Sammlung J. Rump in Kopenhagen; 1916 geschenkt
    dem
STATENS MUSEUM FOR KUNST, KGL. KOBBERSTIKSAMLING,
IN KOPENHAGEN; Inv. Nr. 7320

253. RUDER- UND SEGELBOOT bei einem Fischkorbgestell am Ufer.

Rechts bezeichnet: VG 1651
Schwarze Kreide, laviert 115 × 207

Wasserzeichen: Schellenkappe mit 5 Kugeln (Abb. 22)
Literatur: Dobrzycka, mit Abb. (fälschlich: Weimar,
Schloßmuseum)
TEYLERS MUSEUM IN HAARLEM; Inv. Nr. 047

254. ZWEI KÄHNE MIT JE EINEM FISCHER bei
einem Ankerplatz aus Pfahlwerk (links). Dahinter ein
Gehöft, bei dem Segler liegen. Rechts in der Ferne
zwei Windmühlen.

Am Kahn halblinks bezeichnet: VG 1651
Schwarze Kreide, braun laviert 115 × 210
Sammlung Dr. A. Bredius im Haag
    Ausgestellt: Amsterdam, 1903 (VG) Nr. 47
MUSEUM BREDIUS IM HAAG; Kat. 1926 Nr. 135

255. FLACHLANDSCHAFT MIT EINEM FLUSS
(rechts) und einem Dorf mit Kirche (Mittelgrund).
Links Figuren und Kühe. Ein Windmühle rechts,
weiter zurück.

Links bezeichnet: VG 1651
Schwarze Kreide, grau laviert 117 × 196
Wasserzeichen: gekrönter, doppelköpfiger Adler mit
    Basler Stab im Herz (Abb. 66)
Bereits 1862 im
STÄDELSCHEN KUNSTINSTITUT IN FRANKFURT/MAIN; Inv.
    Nr. 3594

256. GROSSER GEBÄUDEKOMPLEX MIT TOR-
BOGEN am linken Ufer; am Ende eine Rundbastion
mit Taubenschlag. Am Ufer Kähne mit Fischern
(rechts von der Mitte).

Rechts bezeichnet: VG 1651
Schwarze Kreide, grau laviert 117 × 198
Vergleiche: Z 139 (gleiche Landschaftsszene)
Sammlung Sir Bruce Ingram, 1963 vermacht dem
FITZWILLIAM MUSEUM IN CAMBRIDGE; Inv. Nr. PD 373-
    1963

257. KIRCHDORF AM FLUSS; die Kirche mit
hohem, spitzem Turm inmitten niedriger Häuser.

Rechts bezeichnet: VG 1651
Schwarze Kreide, grau laviert 118 × 193
Versteigerung in London (So) am 5.7.1921 Nr. 80
    (£ 15 Lugt) – das Datum fälschlich 1631 gelesen
Sammlung H. E. ten Cate in Almelo (seit 1923);
    Kat. 1955 Nr. 234
Kunsthandlung C. G. Boerner in Düsseldorf; Kat.
    Dezember 1964 Nr. 48
    – A. Brod in London; Winter-Ausstellung 1965/66
    Nr. 75 mit Abb.

258. GROSSE KIRCHE im Zentrum Rechts und links davon Gehöfte. Am Ufer drei Figuren (halbrechts) und ein Kahn mit zwei Fischern (Mitte).

Rechts bezeichnet: VG 1651
Schwarze Kreide, laviert 118 × 194
Wasserzeichen: Schellenkappe mit 5 Kugeln (wie Abb. 24)
Vorzeichnung: Z 846/7
Aus einer unbekannten Versteigerung (vor 1865?) Nr. 96 (vergl. Z 169)
Versteigerung G. Leembruggen in Amsterdam am 5.3.1866 Nr. 275 (zusammen mit Z 169, 243, 608a, 779: fl 7 Ellinckhuysen)
– J. F. Ellinckhuysen aus Rotterdam in Amsterdam am 19.11.1878 Nr. 145 (fl 36 Schöffer)
– in Amsterdam am 13.11.1883 Nr. 349 (fl 20 Langerhuizen)
Sammlung P. Langerhuizen in Crailoo
Ausgestellt: Amsterdam 1903 (VG) Nr. 71
Versteigerung in Amsterdam am 29 4 1919 Nr. 336 (fl 280 Muller)
Sammlung Frits Lugt in Paris; Inv Nr I 227
FONDATION CUSTODIA IN PARIS

258a. Flußufer. Im Vordergrund landet eine Fähre mit Vieh. Am gegenüberliegenden Ufer eine Ortschaft.

Bezeichnet: VG 1651
Schwarze Kreide, grau laviert 118 × 198
Versteigerung Jacob de Vos Jbzn in Amsterdam am 22.5.1883 Nr. 214 (zusammen mit Z 235, 237a: fl 131 Duval)
– H. Duval aus Lüttich in Amsterdam am 22 6.1910 Nr. 140 (fl 430 Ducrey)

258b. Kanal mit Segelbooten, rechts Bauernhütten.

Bezeichnet: VG 1651
Schwarze Kreide 118 × 198
Sammlung Jhr. J. Goll van Franckenstein in Amsterdam
Kunsthändler Franz Meyer in Dresden
Versteigerung in Leipzig am 28.11.1912 Nr. 143 (Mk 220 H. Gutekunst)

259. KÜHE AM LINKEN KANALUFER vor und hinter einem Zaun. Links eine Hütte, vorn Fischereigerät; halbrechts ein Mann im Kahn.

Rechts bezeichnet: VG 1651
Schwarze Kreide, grau und braun laviert 118 × 199
Wasserzeichen: Pelikan (?) in ornamentiertem, kreisförmigem Rahmen (Abb. 73)
Literatur: Jahresbericht d. Vorstandes d. Kunstvereins in Bremen, 1913/14 mit Abb.
Sammlung J. H. Albers in Bremen; seit 1856 in der KUNSTHALLE IN BREMEN; Inv. Nr. 78 (seit 1945 verschollen)

260. BREITER FLUSS MIT FLACHEN, FERNEN
UFERN (links). Links vorn steuert ein Kahn mit
fünf Insassen auf ein Segelboot zu. Rechts vorn ein
Fischer auf einer Uferspitze. Rechts zurück viele Segler.

Rechts bezeichnet: VG 1651
Schwarze Kreide, grau laviert 119 × 198
Versteigerung in Amsterdam am 22.6.1910 Nr. 138
    mit Abb. (fl 305 Danlos)
Sammlung Baron Ed. de Rothschild in Paris; seit
    1935 als Legat im
MUSÉE DU LOUVRE IN PARIS; Inv. Nr. 3537dR

261. EIN GEDECKTES FÄHRBOOT am linken Ufer.
Vorn mehrere Figuren bei einem Wegweiser auf dem
Ufer, dahinter ein von zwei Rundtürmen flankiertes
Tor mit Mauer, auf der eine Mühle steht.

Links bezeichnet: VG 1651
Schwarze Kreide, grau laviert 120 × 195
Kunsthandlung C. G. Boerner in Leipzig, Lager-
    liste XXIX/1907 Nr. 57 mit Abb. (Mk 240)

262. GROSSER BAUERNHOF (rechts) an der Uferstraße. Vor dem Haus hockt ein Mann. Links ein
Pferdewagen und zwei Figuren. Ganz links der Fluß.

Halbrechts bezeichnet: VG 1651
Schwarze Kreide, grau laviert 120 × 200
Sammlung Sir Thomas Lawrence
Versteigerung S. Woodburn in London (Chr) am
    4.6.1860 in Lot 449 (12/- Ensom)
Sammlung G. T. Clough, 1913 geschenkt dem
FITZWILLIAM MUSEUM IN CAMBRIDGE; Inv. Nr. 3005 A

262a. Gebäude am Ufer. Boote auf dem Fluß. Figuren
bei der Arbeit.

Links bezeichnet: VG 1651
Schwarze Kreide, grau laviert 120 × 200
Versteigerung Mme E. Warneck in Paris am 10.5.1905
    Nr. 164 (an Mathey)

262b. Landschaft mit Windmühle. Am Ufer Vieh auf
der Weide.

Rechts bezeichnet: VG 1651
Schwarze Kreide, braun laviert 120 × 210
Versteigerung Mme E. Warneck in Paris am 10.5.1905
    Nr. 173 (ffrs 200 Lasquin)
– in Paris am 27 1 1909 Nr. 66 (ffrs 480)

263. EIN GROSSES ABGETAKELTES SEGEL-
BOOT und mehrere Ruderkähne liegen entlang dem
rechten Ufer. Ein Gehöft rechts vorn, von Bäumen
umgeben, weiter raumeinwärts ein Steg.

Rechts bezeichnet: VG 1651
Schwarze Kreide, grau laviert 121 × 203
Wasserzeichen: gekrönter, doppelköpfiger Adler mit
    Basler Stab im Herz (Abb. 66)
Kunsthändler H. Marignane
    – B. Houthakker in Amsterdam; Kat. Sommer 1957
    Nr. 49 mit Abb.
THE UNIVERSITY OF MICHIGAN MUSEUM OF ART IN ANN
ARBOR/MICH.; Inv. Nr. 1960/2.138

Nachzeichnung: I) Wie beschrieben.
    Rechts signiert: VG 1651
    Schwarze Kreide 116 × 194
    Kunsthändler R. W. P. de Vries in Amsterdam;
    Lagerkatolog II/1929 Nr. 53 mit Abb.
    – Gebr. Douwes in Amsterdam; Katalog 1934
    Nr. 23
    Privatsammlung in London, 1965

264. MEHRERE FIGUREN AUF EINER LAN-
DUNGSSTELLE mit Signalmast (rechts). Ein Kahn
mit sechs Personen versucht zu landen. Links drei
Fischer im Kahn, weiter zurück eine Fregatte.

Rechts bezeichnet: VG 1651
Schwarze Kreide, grau laviert 127 × 205
Sammlung Sir Thomas Lawrence
Versteigerung, S. Woodburn in London (Chr) am
    4.6.1860 in Lot 449 (12/– Ensom)
Sammlung G. T. Clough, 1913 geschenkt dem
FITZWILLIAM MUSEUM IN CAMBRIDGE; Inv. Nr. 3005 B

265. BAUMREICHES UFER (links) mit Figuren. In
der Mitte haben Segelboote angelegt. Das rechte Ufer
mit Gehöften im Hintergrund, davor ein Segelboot.

Links bezeichnet: VG 1651
Schwarze Kreide, braun laviert 158 × 265
Vorzeichnungen: Z 846/124 für die gesamte Kompo-
    sition und Z 846/131 für die Baumgruppe links
Sammlung Herzog Albert von Sachsen-Teschen
ALBERTINA IN WIEN; Inv. Nr. 8526

266. FESTUNGSTURM MIT MAUER UND TOR
am linken Ufer. Vor dem Tor drei Figuren. Am Ufer
ein Fischer im Kahn, weiter zurück Segelboote.

Links bezeichnet: VG 1651
Schwarze Kreide 162 × 271
Sammlung Giovanni Volpato, 1845 erworben vom
    König Carl Albert von Savoyen und übergeben an die
BIBLIOTECA REALE IN TURIN; Inv. Nr. 16606

Nachzeichnung: I) Wie beschrieben. Unsigniert.
    Schwarze Kreide, laviert 168 × 270
    Privatsammlung in London, 1965

272A

273

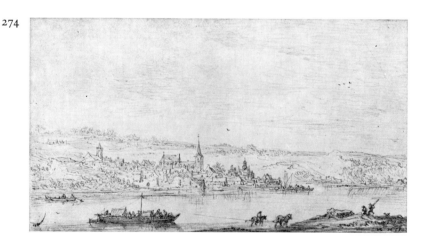

274

272A. BOOTSWERFT UND MÜHLE am linken Ufer. Vorn am Ufer Fässer und ein leerer Kahn.

Rechts, auf einem Fischerboot, bezeichnet: VG 1651
Schwarze Kreide, braun laviert 175 × 278
Sammlung His de la Salle, 1862 vermacht dem
MUSÉE DES BEAUX-ARTS IN DIJON; Kat. 1883 Nr. 837

273. BRÜCKENSTEG MIT ANGLER im Zentrum. Links ein Zaun, der zu einem Gehöft führt.

Am Ruderboot bezeichnet: VG 1651
Schwarze Kreide, braun laviert 175 × 279
Vergleiche: Z 517 (gleiche Landschaftsszene)
Sammlung C. Fairfax Murray in London
– John Pierpont Morgan in New York
THE PIERPONT MORGAN LIBRARY IN NEW YORK; Inv. Nr. III, 174

273a. Bauernhof, umgeben von Bäumen, am Flußufer. Fischer in ihren Booten und an einem Fischkasten.

Bezeichnet: VG 1651
Schwarze Kreide, braun laviert 175 × 280
Versteigerung Miss James in London (Chr) am
22.6.1891 Nr. 272 (zusammen mit Z 214 und 243:
£ 5 Gutekunst)
– W. P. Knowles aus Wiesbaden in Amsterdam
am 25.6.1895 Nr. 275 (fl 65 Amsler & Ruthardt)

274. EINE STADT am jenseitigen Ufer eines Flusses; dahinter leicht ansteigende Hügel. Links vorn eine mit Figuren besetzte Trekschuit.

Rechts bezeichnet: VG 1651
Schwarze Kreide, braun laviert 177 × 309
Vielleicht: Versteigerung Simon Fokke in Amsterdam
am 6.12.1784 Nr. 584 (fl 5.10 Yver)
Wahrscheinlich: Versteigerung J. H. Molkenboer in
Amsterdam 17.10.1825 Nr. H 27 (fl 11 Brondgeest)
Sammlung Arnold Ingen-Housz in Breda
– J. de Grez in Brüssel, 1914 vermacht den
MUSÉES ROYAUX DES BEAUX-ARTS IN BRÜSSEL; Inv. Nr. 1408
Ausgestellt: Rotterdam, 1954/55 Nr. 41
– Brügge, 1955 Nr. 41
– Leiden und Arnheim, 1960 (VG) Nr. 85
– Brüssel, 1962/63 Nr. 147

275. EINE FÄHRE MIT ZWEI PFERDEN UND ANDEREN PASSAGIEREN stößt links vorn vom Ufer ab. Am jenseitigen, rechten Ufer eine Kirche auf der Uferhöhe (halbrechts), einige Häuser unten am Fluß; davor ein Kahn, weiter zurück ein abgetakeltes Segelboot.

Links bezeichnet: VG 1651
Schwarze Kreide, gering laviert 180 × 300
Versteigerung in Paris am 30.3.1966 Nr. 24 mit Abb.
Sammlung Emil E. Wolf in New York, 1970

276. ZWEI PFERDEWAGEN bei einem Häuschen am
linken Ufer, das nach links steil ansteigt.

Rechts bezeichnet: VG 1651
Schwarze Kreide, wenig laviert 180 × 300
Literatur: Beeld. Kunst, I, 1914, Nr. 55 mit Abb.
Wahrscheinlich: Versteigerung J. M. Vreeswijk aus
    Utrecht in Amsterdam am 3.5.1882 Nr. 121 (fl 24
    van Gogh)
Sammlung H. P. Bremmer im Haag
    Ausgestellt: Amsterdam, 1903 (VG) Nr. 48
Versteigerung Dr. H. C. Valkema Blouw in Amsterdam
    am 2.3.1954 Nr. 183 mit Abb. (fl 525)

Nachzeichnung: I) Wie beschrieben. Unsigniert.
    Kreide, braun laviert 159 × 290
    Wasserzeichen: D & CB
    Sammlung J. F. Gigoux, vermacht dem
    MUSEUM IN BESANÇON; Inv. Nr. 764

277. RUINENHAFTE KAPELLE (halbrechts) am
Flußufer; einige Häuser weiter vorn.

Rechts bezeichnet: VG 1651
Schwarze Kreide, laviert 186 × 300
Sammlung Dr. C. Hofstede de Groot im Haag
    Ausgestellt: Amsterdam, 1903 (VG) Nr. 60
    – Leiden, 1916 Nr. 53
    – Den Haag, 1930, I, Nr. 55
    1931 vermacht dem
GRONINGER MUSEUM VOOR STAD EN LANDE; Kat. 1967
    Nr. 30 mit Abb. (Inv. Nr. 1931-160)
    Ausgestellt: Groningen, 1931 Nr. 61

277A. DREI KÜHE (links) neben einem Steg, der zum
rechten Ufer führt. Rechts zwei Kähne mit vier Figuren
am Ufer vor Hütten und Bäumen, die ein Kirchturm
überragt.

Rechts bezeichnet: VG 1651
Schwarze Kreide, grau und braun laviert 190 × 304
Sammlung Alexander Dyce, 1869 vermacht dem
VICTORIA UND ALBERT MUSEUM IN LONDON (Dyce Be-
    quest 411); Kat. 1921 Nr. 89

278. BLICK AUF DEN HAAG. Halblinks vorn ein
von einem Reiter (am jenseitigen Ufer) gezogenes überdachtes Fährboot. Am diesseitigen Ufer Kühe und ein
Kahn mit drei Fischern. Die Stadt in der Ferne.

In der Mitte bezeichnet: VG 1651
Schwarze Kreide, grau laviert 192 × 308
Vielleicht: Versteigerung S. Fokke in Amsterdam am
    6.12.1784 Nr. 520 (fl 15.15 Roos)
Versteigerung Carl Schöffer in Amsterdam am
    30.5.1893 Nr. 134 (fl 57)
    – G. C. V. Schöffer aus Amsterdam in Berlin am
    17.10.1895 Nr. 74
    – R. Ph. Goldschmidt aus Berlin in Frankfurt/Main
    am 4.10.1917 Nr. 231 mit Abb. (Mk 2900)
    – A. W. M. Mensing in Amsterdam am 27.4.1937
    Nr. 216 mit Abb. (fl 800 Hirschmann)

279A

279. HÄUSER UND KIRCHE am Fuße und am Hang eines Steilufers rechts Der Fluß zieht im Bogen nach links in die Tiefe. Rechts vorn ein Ruderboot.

Bezeichnet: VG 1651
Schwarze Kreide, leicht bräunlich laviert 195 × 305
Versteigerung Marius Paulme in Paris am 13.5.1929
    Nr. 97 mit Abb. (zusammen mit Z 282: ffrs 20200)
Kunsthandlung P. & D. Colnaghi & Co. in London
Sammlung Dr. C. R. Rudolf in London, 1955

279A. EIN BOOT MIT ZWEI MÄNNERN landet (im Zentrum) am linken Ufer, nahebei ein Toreingang.

Rechts bezeichnet: VG 1651
Schwarze Kreide, grau und braun laviert 195 × 307
Sammlung Alexander Dyce, 1869 vermacht dem
VICTORIA UND ALBERT MUSEUM IN LONDON (Dyce
    Bequest 409); Kat. 1921 Nr. 90

280. BAUERNHOF MIT HEUSTOCK unter Bäumen am rechten Flußufer; davor ein Kahn mit zwei Insassen. Weiter zurück ein Mann am Ufer und ein Kahn mit zwei Fischern bei einem Fischkastengestell. Links in der Ferne eine Windmühle.

Rechts bezeichnet: VG 1651
Schwarze Kreide, braun laviert 195 × 310
Versteigerung Baron d'Isendoorn à Blois in Amsterdam
    am 19.8.1879 Nr. 55 (fl 53)
    – A. G. de Visser in Amsterdam am 16.5.1881
    Nr. 151 (fl 58 Linnig)

– Auguste Coster in Brüssel am 17.5.1907 Nr. 658a
(bfrs 700 Muller)
– in Amsterdam am 15.6.1908 Nr. 216 mit Abb.
(fl 400)
Sammlung Baron Ed. de Rothschild in Paris; seit 1935
als Legat im
MUSÉE DU LOUVRE IN PARIS; Inv. Nr. 3505dR
Ausgestellt: Paris, 1970 Nr. 71

Nachzeichnung: I) Wie beschrieben. Unsigniert.
Kreide, laviert
Privatsammlung in London, 1965

281. ORTSCHAFT AM FLUSS ⟨Leiderdorp⟩. Rechts
vorn ein Ruderboot mit trinkenden und rauchenden
Männern und zwei Paaren.

Rechts am Kahn bezeichnet: VG 1651 (hd.: „v. Goyen",
rechts, mit Feder, später entfernt)
Schwarze Kreide, aquarelliert(?) 200 × 300
Wasserzeichen: gekrönter, doppelköpfiger Adler mit
Basler Stab im Herz (wie Abb. 66)
Versteigerung Mme E. Warneck in Paris am 10.5.1905
Nr. 169 (ffrs 800 Warneck)
– in Paris am 22.12.1924 Nr. 70 mit Abb. (ffrs 7300)
Sammlung Robert Lehman in New York, 1964

282. EIN KIRCHDORF am Fuße eines steilen Hügels.
Links Ruderboote auf dem Fluß.

Links bezeichnet: VG 1651
Schwarze Kreide, grau laviert 200 × 310
Wasserzeichen: gekrönter, doppelköpfiger Adler mit
Basler Stab im Herz (wie Abb. 66)
Sammlung Sir Thomas Lawrence
Versteigerung S. Woodburn in London (Chr) am
4.6.1860 in Lot 449 (12/– Ensom)
Versteigerung Marius Paulme in Paris am 13.5.1929
Nr. 96 mit Abb. (zusammen mit Z 279: ffrs 20200)
Sammlung H. E. ten Cate in Almelo; Kat. 1955 Nr. 222
mit Abb.
Ausgestellt: Leiden und Arnheim 1960 (VG) Nr. 87
Kunsthandlung C. G. Boerner in Düsseldorf, Katalog
Dez. 1964 Nr. 45
Westdeutscher Privatbesitz

283. EIN GEHÖFT UNTER BÄUMEN am linken
Ufer. Eine Wäscherin und andere Figuren am Ufer.

Links bezeichnet: VG 1651
Schwarze Kreide, grau laviert 200 × 315
Sammlung John Malcolm, Poltalloch, 1895 erworben
vom
BRITISCHEN MUSEUM IN LONDON; Inv. Nr. 1895.9.15.1165
(Hind 4)

283a. Fischer ziehen ihre Netze ein.

Bezeichnet: VG 1651
Kreide
Versteigerung E. Norblin in Paris am 16.3.1860 Nr. 69
(ffrs 70)
– D. G. de Arozarena in Paris am 29.5.1861 Nr. 53

283b. Flußlandschaft. Fischer in ihren Kähnen legen
Netze aus. Am gegenüberliegenden Ufer ein Dorf.

Bezeichnet: VG 1651
Schwarze Kreide, laviert
Vielleicht identisch mit Z 248 (oder Z 330b?)
Versteigerung Cournerie in Paris am 8.12.1891 Nr. 82
(ffrs 51 Paul Mantz)

1652

a) Titel: nicht bekannt

b) Winterlandschaften: nicht bekannt

c) Strandlandschaften

284. EINE GRUPPE VON MÄNNERN UND
FRAUEN links auf einer leichten Dünenanhöhe; dabei
ein auf den Strand gezogenes Boot. Rechts zurück
andere Boote, von Figuren umgeben; dabei zwei
Reiter, eine Karosse etc.

Rechts bezeichnet (echt?): VG 1652
Schwarze Kreide, grau laviert 110 × 190
Versteigerung in Amsterdam am 15.6.1908 Nr. 231
(fl 80 Dirksen)
– in Amsterdam am 14.12.1911 Nr. 1329 mit Abb.
(fl 230 Houthakker)

285. EINE FRAU MIT KOPFLAST innerhalb einer
Figurengruppe rechts; links zwei Figuren. Boote auf
dem Strand in der Hintergrundsmitte.

Halbrechts bezeichnet: VG 165(2)
Schwarze Kreide, grau laviert 110 × 196
Kunsthandlung C. G. Boerner in Leipzig; Lagerkata-
loge XXXI/1909 Nr. 59 und XXXIII/1910 Nr. 75
(Mk 220)
Versteigerung in Leipzig am 28.11.1912 Nr. 144
(Mk 230 de Burlet)
– in Leipzig am 19.3.1914 Nr. 276 (Mk 400 an die
Kunsthalle)
KUNSTHALLE IN HAMBURG; Inv. Nr. 1914-231

286. SCHEVENINGEN; Kirche und Häuser im
Hintergrund. Rechts vorn zwei Figurengruppen am
Strand auf der Düne, dabei ein Hund. Links, weiter
zurück, eine vierspännige Karosse, ihr voran ein Reiter.

Rechts bezeichnet: VG 1652
Schwarze Kreide 113 × 192
Wasserzeichen: FC (Abb. 74)
Vielleicht: Versteigerung S. Feitama in Amsterdam am
16.10.1758 Nr. I 76 (zusammen mit einer Zeichnung
von 1653: fl 11.15 Winter)
Sammlung Sir Thomas Lawrence
Versteigerung Samuel Woodburn in London (Chr) am
4.6.1860 in Lot 449 (12/– Ensom)
– C. Fairfax Murray in London (Chr) am 30.1.1920
Nr. 101 (zusammen mit Z 360: £ 33.12.0 Parsons)

Kunsthandlung E. Parsons & Sons in London, 1920
verkauft in die
Sammlung Frits Lugt in Paris; Inv. Nr. I 478
  Ausgestellt: Brüssel, Rotterdam, Paris, Bern, 1968/69
  Nr. 67 mit Abb.
FONDATION CUSTODIA IN PARIS

286a. Strand mit zwei Figurengruppen auf den Dünen

Bezeichnet: VG 1652
Schwarze Kreide, grau laviert 115 × 200
Versteigerung W. P. Knowles aus Wiesbaden in
  Amsterdam am 25.6.1895 Nr. 276 (fl 5)

287. SCHEVENINGEN; der Ort mit der Kirche im
Hintergrund. Viele Figuren. In der Mitte ein Hund;
weiter links ein Anker und eine Tonne.

Rechts unten bezeichnet: VG 1652
Schwarze Kreide, grau laviert 120 × 195
Sammlung Marquis de Lagoy
Versteigerung Robert Stayner Holford in London
  (Chr) am 11.7.1893 Nr. 681 (£ 5.5.0 Meder)
  – R. Ph. Goldschmidt aus Berlin in Frankfurt/Main
  am 4.10.1917 Nr. 240 (Mk 1650 C. G. Boerner)
  – „aus österreichischem Besitz" in Leipzig am
  25.4.1921 Nr. 56 mit Abb. (Mk 9800 Cassirer)

288. EIN PLANWAGEN naht im Mittelgrund über
die Düne bei einem viereckigen Wachtturm. Im linken
Vordergrund eine Fischergruppe. Rechts zurück
Gehöfte und die See.

Rechts unten bezeichnet: VG 1652 (fälschlich auch
  1650 gelesen)
Schwarze Kreide, laviert 121 × 195
Versteigerung Jean F. Gigoux in Paris am 20.3.1882
  Nr. 315 (ffrs 90 van Gogh)
EREMITAGE IN LENINGRAD; Inv. Nr. 25497

289. VIERECKIGER WACHTTURM MIT SIGNAL
auf dem vorgebauten Balkon, halbrechts vorn. Links
unten der Strand. Vorn zwei Figuren im Schatten.
Links vor dem Turm ein Reiter bei einer Figurengruppe. Gehöfte in der Hintergrundsmitte.

Halblinks bezeichnet: VG 1652
Schwarze Kreide, grau laviert 142 × 215
Wasserzeichen: Horn, unten Buchstaben MG (Abb. 18)
Versteigerung in Amsterdam am 11.6.1912 Nr. 108
  (fl 290 Gutekunst)
Sammlung Keppel
  – Meta und Prof. Paul J. Sachs in Cambridge/Mass.
FOGG MUSEUM OF ART IN CAMBRIDGE/MASS.; Inv. Nr. 679-
  1927 (Kat. 1946 Nr. 507 mit Abb.)

Nachzeichnung: I) Wie beschrieben.
  Halblinks signiert: VG 1652
  Schwarze Kreide, grau laviert 123 × 196
  Kunsthändler Charles Sedelmeyer in Paris, 1897
  RIJKSPRENTENKABINET IN AMSTERDAM; Inv. Nr. A 3406
    Ausgestellt: Amsterdam, 1903 (VG) Nr. 16

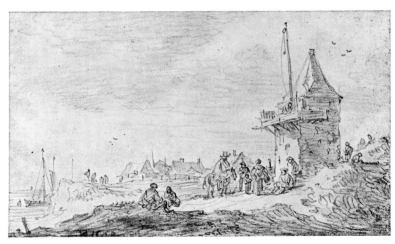

296. VIER LANDLEUTE VOR EINEM ZAUN (rechts), der nach links verläuft. Gebüsch verdeckt einen Bauernhof. Links zurück Kühe.

Rechts bezeichnet: VG 1652
Schwarze Kreide, grau laviert 117 × 198
Wasserzeichen: Schellenkappe mit 5 Kugeln (Abb. 23)
Sammlung J. de Grez in Brüssel, 1914 vermacht den
MUSÉES ROYAUX DES BEAUX-ARTS IN BRÜSSEL; Inv.
Nr. 1403

296a. Landschaft mit Figuren im linken Vordergrund.

Bezeichnet: VG 1652
Schwarze Kreide, laviert 120 × 190
Versteigerung Lady F. Balfour in London (So) am
10.6.1931 Nr. 32 (£ 14 Leger)

297 GROSSES WIRTSHAUS mit sechseckigem Turm im Zentrum. Halbrechts vorn vier Figuren unter einem Baum. Links zurück zwei Reiter.

Rechts bezeichnet: VG 1652
Schwarze Kreide, grau laviert 120 × 190
Versteigerung Morton in London (Chr) am 8.6.1928
Nr. 12 (an Duits)
Kunsthändler B. Houthakker in Amsterdam
Sammlung H. E. ten Cate in Almelo; Kat. 1955 Nr. 224
Kunsthandlung C. G. Boerner in Düsseldorf, Katalog
Dez. 1964 Nr. 50

297a. Landschaft mit einer Hütte (rechts), davor mehrere Figuren.

Bezeichnet: VG 1652
Schwarze Kreide, laviert 120 × 213
Versteigerung A. Langen in München am 5.6.1899
Nr. 129

298. DORF RENKUM. Zu beiden Seiten der Dorfstraße Gehöfte; rechts zwei Figuren am Ziehbrunnen. Links ein Planwagen und Figuren vor einer Hütte. In der Hintergrundsmitte die Kirche.

Rechts bezeichnet: VG 1652
Schwarze Kreide, laviert 128 × 205
Vorzeichnung: Z 847/99
Vergleiche: Z 214 und Z 224a (von 1651)
Sammlung Sir Robert Mond in London; Kat. (1937)
Nr. 408 mit Abb.
Versteigerung D. E. Brackley in London (So) am
1.12.1966 Nr. 42 mit Abb. (£ 700 Agnew)
Kunsthandlung Thos. Agnew & Sons in London
Ausgestellt: London, Mai-Juni 1967 Nr. 20
Sammlung Dr. und Mrs. Rowley in Guildford

299. EIN BAUERNHAUS im Zentrum. Rechts ein Zaun, links ein Gatter. Vor dem Zaun und dem Gehöft mehrere Figuren. In der Ferne eine Bucht und eine Windmühle.

Rechts bezeichnet: VG 1652
Schwarze Kreide, grau laviert 130 × 205
Versteigerung Albert Langen in München am 5.6.1899
Nr. 119 mit Abb.
– in Berlin am 21 2 1900 Nr. 586 mit Abb.

g) Flußlandschaften und Seestücke

300. ZWEI RUDERBOOTE MIT FISCHERN UND FISCHKÖRBEN vor einem kleinen Landstreifen mit einer Gebüschgruppe (halblinks). Rechts vorn Pfähle. Links in der Ferne ein Turm.

Links bezeichnet: VG 1652
Schwarze Kreide, grau laviert 109 × 197
Sammlung von Beckerath 1902 erworben vom
KUPFERSTICHKABINETT DER STAATLICHEN MUSEEN BERLIN;
    Inv Nr 5346

301a. Ein Segelboot auf breitem Fluß

Bezeichnet: VG 1652
Schwarze Kreide, grau laviert 110 × 165
Sammlung H. I. A. Raedt van Oldenbarnevelt im Haag
    Ausgestellt: Amsterdam, 1903 (VG) Nr. 92
    Versteigerung in Amsterdam am 19 1.1904 Nr. 137
    (fl 66 Boerner)

301b. Flußufer; rechts Häuser, am Horizont eine Kirche und eine Mühle. Auf dem Fluß Ruder- und Segelboote mit vielen Figuren.

Bezeichnet und datiert 1652
Kreide, laviert 110 × 190
Versteigerung Mme Charras in Paris am 2.4.1917 Nr. 60
    (ffrs 680)

302

302. DIE FÄHRE. Mitten auf dem Fluß eine Fähre, die durch einen Mann mit einer Stange vorwärts gestoßen wird. Im Boot eine sitzende Frau, eine stehende Frau mit Kopflast, drei Männer, zwei Fährleute und zwei Kühe. Auf dem rechten Ufer Häuser zwischen Bäumen. Im linken Hintergrund ein Segelboot bei einem Angler und ein Kirchturm.

Rechts bezeichnet: VG 1652
Schwarze Kreide, grau laviert 110 × 197
Sammlung John Barnard (versteigert in London am
    16.2.1787)
    – His de la Salle, 1878 geschenkt dem
MUSÉE DU LOUVRE IN PARIS; Inv. Nr. RF 00.666 (Kat.
    Lugt 1929 Nr. 313)

303. PAPENDRECHT. Kirche mit ruinenhaftem Chor zwischen Hütten und Bäumen am rechten Ufer. Vor einem Haus im Zentrum steht ein Planwagen, links davon haben Segelboote angelegt. Rechts vorn zwei Ruderkähne mit Insassen, links vorn eine Treibtonne.

Rechts bezeichnet: VG 1652
Schwarze Kreide, grau laviert 111 × 194
Sammlung Georges Ryaux in Paris, 1966

303

303a. Reich belebte Flußlandschaft. Boote laden Waren ein und aus. Wagen sind beladen.

Bezeichnet: VG 1652
Blei (?) 112 × 186
Versteigerung in Luzern am 28.6.1934 Nr. 119 (sfr 105)

303b. Eine kleine Ortschaft am Ufer; einige Figuren auf dem Ufer; links zwei Boote.

Bezeichnet und datiert 1652
Schwarze Kreide, laviert 113 × 190
Versteigerung Graf Ad. Thibaudeau in Paris am 20.4.1857 Nr. 340 (ffrs 6)

304. AUF EINER BRÜCKE sitzen rechts zwei Personen auf einer Bank im Schatten großer Bäume, zwei andere stehen vor ihnen; an das gegenüberliegende Brückengeländer angelehnt, steht eine Figur. Etwa im Zentrum ein Kahn mit drei Insassen. In der Ferne ragt ein Kirchturm über Gebüsch.

Rechts bezeichnet: VG 1652
Schwarze Kreide, grau laviert 115 × 195
Versteigerung Mme E. Warneck in Paris am 10.5.1905 Nr. 161 (an Picard)
Vielleicht: Versteigerung in Paris am 6.5.1909 Nr. 56
Versteigerung in Paris am 20.6.1966 Nr. 2 mit Abb. (Abb. im Katalog mit Nr. 3 verwechselt)

304a. Wasserlauf mit waldigem Ufer. Links laden zwei Fischer bei einem Holzgitter ein Boot aus; weiter zurück ein Gehöft.

Bezeichnet: VG 1652
Schwarze Kreide, grau laviert 115 × 195
Versteigerung in Amsterdam am 15.6.1908 Nr. 227 (fl 125)

304b. Bauerndorf am Ufer eines Kanals. Auf dem Wasser ein Fischerboot.

Rechts bezeichnet: VG 1652
Schwarze Kreide, grau laviert 115 × 195
Wasserzeichen: Schellenkappe
Sammlung Eduard Cichorius, vorgesehen zur Versteigerung in Leipzig am 5.5.1908 Nr. 535, vor der Versteigerung verkauft
Versteigerung Oskar Huldschinsky in Berlin am 3.11.1931 Nr. 46a (Mk 130)

304c. Hinter hohen Bäumen am rechten Ufer ein Dorf. Auf dem Kanal Fischerboote.

Bezeichnet: VG 1652
Schwarze Kreide, laviert 115 × 195
Wasserzeichen: Schellenkappe
Versteigerung in Berlin am 5.6.1912 Nr. 245 (Mk 175)

305. ORTSCHAFT MIT KIRCHE am linken Ufer. Links vorn ein Kahn mit vier Insassen und Geflügelkorb. Segelboote am Ufer weiter zurück.

Links bezeichnet: VG 1652
Schwarze Kreide, grau laviert 115 × 197
Sammlung Herzog Albert von Sachsen-Teschen
ALBERTINA IN WIEN; Inv. Nr. 8519

306. ZWEI REITER unterhalten sich (halblinks) vorn mit einem Bauernpaar und einem Jungen; ein Hund steht dabei. Der Weg führt durch die flache Landschaft zu einem Kirchdorf in der Hintergrundsmitte. Rechts auf einem Teich ein mit Figuren besetzter Kahn.

Rechts bezeichnet: VG 1652
Schwarze Kreide, laviert 115 × 199
Versteigerung P. van der Dussen van Beeftingh in Rotterdam am 29.5.1876 Nr. 610 (fl 28 de Grez)
Sammlung J. de Grez in Brüssel, 1914 vermacht den MUSÉES ROYAUX DES BEAUX-ARTS IN BRÜSSEL; Inv. Nr. 1405

307

307. AUF DEM RECHTEN UFER GEBÜSCH UND BÄUME, die einige Gehöfte verdecken. Rechts und links je ein Kahn mit einem Fischer. Segelboote weiter zurück vor einem Gehöft auf einer Landspitze.

Rechts bezeichnet: VG 1652
Schwarze Kreide, grau laviert 115 × 200
Wasserzeichen: Schellenkappe mit 5 Kugeln
Wahrscheinlich identisch mit Z 330a
Versteigerung Albert Langen in München am 5.6.1899 Nr. 122 mit Abb.
  – in Berlin am 21.2.1900 Nr. 589 mit Abb.
  – G. Ritter von Mallmann in Berlin am 13.6.1918 Nr. 74 mit Abb. (Mk 580)
Sammlung Louis Ryaux in Paris, 1966

308. GEHÖFTE AM LINKEN UFER unter Bäumen. Halblinks ein Kahn mit Fischern, weiter zurück ein auf Pfählen stehendes Häuschen.

Rechts bezeichnet: VG 1652
Schwarze Kreide, grau laviert 115 × 200
Wasserzeichen: Horn, unten Buchstaben MG (Abb. 18)
Literatur: J. Q. van Regteren Altena, Holländische Meisterzeichnungen des 17. Jahrhunderts, Basel 1948, Nr. 14 mit Abb.
Sammlung Jhr. J. Goll van Franckenstein in Amsterdam (Nr. 616)
Versteigerung L. H. Storck aus Bremen in Berlin am 25.6.1894 Nr. 228 (Mk 32 Sagert)
Sammlung Dr. A. Welcker in Amsterdam (1934 als Geschenk von Herrn Bakker erworben)
Ausgestellt: Amsterdam, Museum Fodor, 1934 Nr. 46 mit Abb
  - Leiden, 1948/49 Nr. 30
  - Amsterdam, 1956 Nr. 52
PRENTENKABINET DER RIJKSUNIVERSITEIT IN LEIDEN; Inv. Nr. AW 73
Ausgestellt: Leiden und Arnheim, 1960 (VG) Nr. 92

Nachzeichnung: I) Frei nachgestaltet, z. B. ohne Kahn halblinks.
Falsch bezeichnet: VG 1653
Schwarze Kreide grau laviert 136 × 210
Literatur: Die Weltkunst, 15.9.1965, S. 764 mit Abb.
Sammlung Dr. Thomas, 1894
Versteigerung O'Byrne in London (Chr) am 1.5.1962 Nr. 75 (an Brod)
Kunsthändler A. Brod in London, ausgestellt Sept. 1965

308

309

310

311

308a. Fischerboote in einem Dorfkanal.

Bezeichnet und datiert 1652
Schwarze Kreide (laviert?) 115 × 200
Versteigerung Julius Rosenberg aus Kopenhagen in
    Leipzig am 1.5.1901 Nr. 350 (Mk 31 Gutekunst)

309. GEHÖFT, HEUSTOCK UND FIGUREN unter
Bäumen am Ufer; halblinks ein Kahn mit zwei Fischern.

Halblinks bezeichnet: VG 1652
Schwarze Kreide, grau laviert 116 × 190
Sammlung Giovanni Volpato; 1845 erworben vom
    König Carl Albert von Savoyen und überwiesen
    an die
BIBLIOTECA REALE IN TURIN; Inv. Nr. 16607 b

310. FLUSSLANDSCHAFT MIT GEHÖFT UND
KIRCHE hinter Gebüsch am rechten Ufer. Zwei
Leitern führen zum Ufer. Kähne mit Fischern am Ufer.

Rechts bezeichnet: VG 1652
Schwarze Kreide, grau laviert 116 × 190
Sammlung Giovanni Volpato; 1845 erworben vom
    König Carl Albert von Savoyen und überwiesen
    an die
BIBLIOTECA REALE IN TURIN; Inv. Nr. 16607 a

311. WEITE FLUSSLANDSCHAFT MIT EINEM
DORF auf einer Landzunge. Links, etwas erhöht, eine
Kirche. Rechts vorn ein Angler.

Links bezeichnet: VG 1652
Schwarze Kreide, grau laviert 116 × 193
Sammlung von Beckerath, 1902 erworben vom
KUPFERSTICHKABINETT DER STAATLICHEN MUSEEN BERLIN;
    Inv. Nr. 5345

312. VIER KÜHE rechts am Ufer unter Bäumen; weiter zurück ragt ein Kirchturm über den Dünenhügel. Auf dem Fluß links vorn zwei Männer im Kahn. Im Mittelgrund ein Reiter und ein Fußgänger vor Bauerngehöften.

Links bezeichnet: VG 1652
Schwarze Kreide, grau laviert 118 × 195
Kunsthandlung Gebr. Douwes in Amsterdam; ausgestellt: 1934 Nr. 24
Privatsammlung in London, 1965

313. FÄHRE MIT REITER, PFERD UND SECHS FIGUREN im Zentrum. Am linken Ufer Bäume, Gehöfte und eine Kirche mit spitzem Turm.

Links bezeichnet: VG 1652
Schwarze Kreide, grau laviert 119 × 195
Vergleiche: G 481 (gleiche Landschaftsszene)
Sammlung Ch. W. Dietrich in Dresden, 1774 erworben vom
KUPFERSTICHKABINETT DER STAATLICHEN KUNSTSAMMLUNGEN IN DRESDEN; Inv. Nr. C 1184

314. DELFT. Links ein Kanal mit einer Fähre, auf der Passagiere und zwei Kühe übergesetzt werden; weiter zurück Segelboote. Halbrechts eine Steinbrücke mit Figuren, ein Rundturm, Kirchturm und eine Windmühle. ⟨Nieuwe Kerk, De Wal und Rietveldse Toren⟩.

Rechts bezeichnet: VG 1652
Schwarze Kreide, grau laviert 119 × 197
Wasserzeichen: Schellenkappe mit 5 Kugeln (Abb. 24), ähnlich Heawood 1922 (von 1651)
Kunsthändler Charles Sedelmeyer in Paris, 1897 erworben vom
RIJKSPRENTENKABINET IN AMSTERDAM; Inv. Nr. A 3407
    Ausgestellt: Amsterdam, 1903 (VG) Nr. 15
    – Leiden und Arnheim, 1960 (VG) Nr. 91 mit Abb.

314a. Flußufer. Fischer in ihren Kähnen.

Bezeichnet: VG 1652
Schwarze Kreide 120 × 190
Versteigerung Marquiset in Paris am 28.4.1890 Nr. 93
    (zusammen mit Z 68a: ffrs 110)

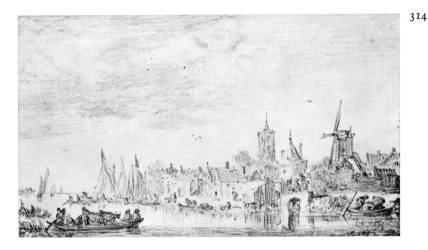

315. ZWEISPÄNNIGER WAGEN UND FIGUREN links vor einer Baumgruppe (Zentrum). Ein Mann auf dem Wagen lädt ab. Im Vordergrund ein Fluß mit zwei Kühen am Ufer.

Links bezeichnet: VG 1652
Schwarze Kreide, grau laviert 120 × 195
Sammlung B. Suermondt in Aachen, 1874 erworben vom
KUPFERSTICHKABINETT DER STAATLICHEN MUSEEN BERLIN; Inv. Nr. 2758

322. PAPENDRECHT. Zwei Reiter und einige Fußgänger auf einem Uferdamm (rechts); weiter raumeinwärts Häuser und der Kirchturm von Papendrecht. Ferne die Grote Kerk von Dordrecht. – Rückseitig beschriftet: Papendrecht

Rechts bezeichnet: VG 1652 (fälschlich 1654 gelesen)
Schwarze Kreide, laviert 120 × 200
Versteigerung D. Muilman in Amsterdam am 29.3.1773 Nr. 1300 (zusammen mit Z 316: fl 20.10 Fouquet)
Sammlung Zar Paul I., seit 1797 in der EREMITAGE IN LENINGRAD; Inv. Nr. 5953
Ausgestellt: Leningrad, 1926 Nr. 132

Nachzeichnung: I) Wie beschrieben. Unsigniert
Schwarze Kreide, braun laviert 122 × 197
Versteigerung Steengracht-Schimmelpenninck van der Oye van Duivenvoorde in Amsterdam am 17.3.1959 Nr. 173

322a. Ortschaft auf dem Deich am Fluß. Im Vordergrund Fischer in ihren Kähnen.

Bezeichnet: VG 1652
Schwarze Kreide, grau laviert 120 × 200
Versteigerung Jacob de Vos Jbzn in Amsterdam am 22.5.1883 Nr. 215 (zusammen mit Z 322b: fl 60 van Gogh für Piek)
– W. F. Piek in Amsterdam am 1.6.1897 Nr. 107 (fl 20 Langerhuizen)
– P. Langerhuizen in Amsterdam am 29.4.1919 Nr. 337 (fl 110 de Vries)

322b. Heuernte. Ortschaft am Ufer, staffiert mit Karren und Booten, beladen mit Heu.

Bezeichnet: VG 1652
Schwarze Kreide, grau laviert 120 × 200
Versteigerung Jacob de Vos Jbzn in Amsterdam am 22.5.1883 Nr. 215 (zusammen mit Z 322a: fl 60 van Gogh für Piek)
– W. F. Piek in Amsterdam am 1.6.1897 Nr. 108 (fl 17 Piek)
Wahrscheinlich: Privatsammlung, ausgestellt in Bern bei Gutekunst & Klipstein, um 1952 Nr. 6 (links bezeichnet, mit *Wasserzeichen:* Horn)

323. KIRCHE UND ZWEI TÜRME am linken Ufer. Vorn zwei Kähne mit je zwei Fischern und Fischkörben. Andere Boote entlang dem Ufer.

Rechts bezeichnet: VG 1652
Schwarze Kreide, laviert 121 × 197
Sammlung B. H. in Amsterdam, 1964

324. FLUSSUFER. Rechts ein Kirchdorf mit Windmühle, vorn eine kleine Brücke. Am Ufer ein Ruderboot (halbrechts) und ein Wohnboot (halblinks) mit Figuren. Links vorn ein Stück des diesseitigen Ufers; in der Ferne eine Stadt.

Links bezeichnet: VG 1652
Schwarze Kreide, grau laviert 122 × 197
Wasserzeichen: Horn, unten Buchstaben MG; vergleiche Abb. 18
Literatur: Die Weltkunst, 1.5.1963, S. 19 mit Abb.
Wahrscheinlich identisch mit Z 330b
Sammlung Herman de Kat (?)
Versteigerung D. Vis Blokhuyzen in Rotterdam am 23.10.1871 Nr. (?)
– Neville D. Goldsmid in Paris am 25.4.1876 Nr. 69 (zusammen mit Z 482, 560, 842f, 842g: ffrs 207 Charlet)
Sammlung O. Gerstenberg in Berlin
Versteigerung in Bern am 9.5.1963 Nr. 123 mit Abb. (sfr 3600 Wallach)

325

325. SEGELBOOTE UND RUDERBOOTE MIT FISCHERN im Zentrum an einer Landzunge mit drei Kühen (ganz links). Am rechten Ufer ein Turm.

Rechts bezeichnet: VG 1652
Schwarze Kreide, grau laviert 122 × 198
Sammlung C. P. D. Pape, 1918 erworben vom
RIJKSPRENTENKABINET IN AMSTERDAM; Inv. Nr. 18: 392

326. DREI SEGELBOOTE links am Ufer; weiter raumeinwärts eine Kirche und Gehöfte.

Rechts bezeichnet: VG 1652
Schwarze Kreide, grau laviert 122 × 198
Sammlung C. P. D. Pape, 1918 erworben vom
RIJKSPRENTENKABINET IN AMSTERDAM; Inv. Nr. 18: 391

326

327. GROSSER BAUERNHOF am rechten Ufer. Ein Wagenrad und Figuren davor.

Links bezeichnet: VG 1652
Schwarze Kreide 122 × 199
Sammlung Beels van Heemstede-van Loon, 1898 erworben vom
RIJKSPRENTENKABINET IN AMSTERDAM; Inv. Nr. 3758
Ausgestellt: Amsterdam, 1903 (VG) Nr. 17
– Leiden und Arnheim, 1960 (VG) Nr. 90

327

328. BREITER KANAL MIT EINEM WAGEN AUF EINER BRÜCKE (rechts), dem ein Fußgänger folgt. Links davon nähert sich ein Kahn mit fünf Insassen einem Segler. Zwei Angelfischer links im Schilf. Segelboote, Windmühle und Häuser in der Ferne.

Links bezeichnet: VG 1652
Schwarze Kreide, grau laviert 125 × 200
Versteigerung Prof. Dr. F. Heimsoeth aus Bonn in Frankfurt/Main am 5.5.1879 Nr. 74 (Mk 41 Knowles)
– W. P. Knowles aus Wiesbaden in Amsterdam am 25.6.1895 Nr. 277 (fl 29 Duval)
Kunsthandlung C. G. Boerner in Leipzig; Lagerkataloge XXXI/1909 Nr. 58 und XXXIII/1910 Nr. 78 (Mk 240)
Versteigerung J. Boussac in Paris am 10.5.1926 Nr. 131 mit Abb. (zusammen mit Z 200: ffrs 5400)

329. EIN HOCH MIT HEU BELADENER WAGEN
und ein Reisewagen links; am Wegrand Figuren.
Rechts auf dem Fluß ein Fischerkahn.

Bezeichnet: VG 1652
Schwarze Kreide, grau laviert 170 × 275
Sammlung Baron d'Isendoorn à Blois
Versteigerung in Amsterdam am 20.12.1927 Nr. 152
    mit Abb.
    – in Amsterdam am 7.11.1928 Nr. 291 mit Abb.
Kunsthändler R. W. P. de Vries in Amsterdam.

330

330. HOHES FELSIGES UFER mit Schloßkomplex
(links). Rechts vorn eine Fähre mit Pferden und Figuren.
Am jenseitigen Ufer liegen Kähne.

Rechts bezeichnet: VG 1652
Schwarze Kreide, grau-braun laviert 197 × 309
Wasserzeichen: gekrönter, doppelköpfiger Adler mit
    Basler Stab im Herz (wie Abb. 66)
Sammlung Sir Bruce Ingram, 1963 vermacht dem
FITZWILLIAM MUSEUM IN CAMBRIDGE; Inv. Nr. PD 376-
    1963

330a. Flußlandschaft. Bäume am Ufer, Fischer in
einem Kahn. Im Mittelgrund ein Haus.

Bezeichnet: VG 1652
Schwarze Kreide
Wahrscheinlich identisch mit Z 307
Versteigerung Cournerie in Paris am 8.12.1891 Nr. 81
    (ffrs 67 Lacroix)

330b. Flußlandschaft mit Fischern in ihren Booten.
Rechts ein Hügel mit einer Kirche, einigen Häusern
und einer Windmühle.

Bezeichnet: VG 1652
Kreide, laviert
Wahrscheinlich identisch mit Z 324 (oder Z 283b?)
Versteigerung Paul Mantz in Paris am 10.5.1895
    Nr. 138 (ffrs 52 Brame fils)

330c. Segelboote auf einem breiten Fluß.

Bezeichnet: VG 1652
Wahrscheinlich identisch mit Z 317
Sammlung A. Glüenstein in Hamburg
    Ausgestellt: Amsterdam, 1903 (VG) Nr. 58

331a-m. Eine Folge von Dorf- und Flußlandschaften,
die 12 Monate darstellend, mit Titelblatt (13 Zeichnungen).

(Bezeichnet und) datiert 1652 und 1653
Schwarze Kreide, laviert gr. qu. 8
Literatur: Wurzbach, I, Seite 609
Versteigerung Jacob Roelofs aus Nimwegen in
    Amsterdam am 8.3.1824 Nr. I 25 (fl 13.10 Gruiter)
Sammlung Jhr. J. Goll van Franckenstein in Amsterdam
Kunsthändler Rudolph Weigel in Leipzig, Lagerkatalog
    1860 Nr. 3021 (Thaler 36)

a) Titel

332a. Seelandschaft mit Windmühlen und Schiffen. Im
Vordergrund werden Kühe gemolken.

Oben eine leere Vignette mit Girlanden, unten ein
  Schildchen mit der Signatur und Datierung 1653
Schwarze Kreide, grau laviert 118 × 199
Wasserzeichen: nicht bekannt
Versteigerung in München am 23.11.1863 Nr. 117
  – J. D. Böhm in Wien am 4.12.1865 Nr. 1292
  – August Artaria in Wien am 6.5.1896 Nr. 1109
  (K 40 Artaria)

333. JÄGER, FRAU UND HUND, umgeben von
Jagdutensilien, am Ufer eines Kanals.

333

Oben Kartusche mit der Inschrift: J. v. Goyen 1653,
  umschmückt mit Girlanden aus Enten, Schnepfen
  und Trappen
Schwarze Kreide, grau laviert 120 × 197
Versteigerung Prof. Dr. F. Heimsoeth aus Bonn in
  Frankfurt/Main am 5.5.1879 Nr. 76 (zusammen mit
  Z 404, 450, 467, 471: Mk 171 Amsler & Ruthardt)
KUPFERSTICHKABINETT DER STAATLICHEN MUSEEN BERLIN;
  Inv. Nr. 2396

334. ENTENJAGD. Links kniet ein Mann mit Gewehr
im Anschlag auf Enten, die am rechten Ufer vor Bäumen entlang fliegen. Links hinter dem Schützen ein
vornehm gekleidetes Paar und ein wartender Junge.
Weiter zurück ein Kahn mit einem Angelfischer, in der
Ferne ein runder Turm.

334

Auf einem Spruchband in der Mitte unten bezeichnet:
  J. v. Goyen 1653
Schwarze Kreide, grau laviert 161 × 268
Versteigerung in Paris am 29.3.1900 Nr. 137 mit Abb.
  (ffrs 170 Hamburger)
Sammlung Georges Ryaux in Paris, 1965

b) Winterlandschaften

335. HÜTTEN UNTER KAHLEN BÄUMEN rechts.
Links vorn eine Figurengruppe auf dem Eis; dabei ein
Mann, der ein Loch in das Eis schlägt. Im Zentrum
wartet ein Pferdeschlitten. Rechts ein eingefrorener
Kahn. Am Horizont Windmühlen.

Rechts bezeichnet: VG 1653
Schwarze Kreide, grau laviert 105 × 190
Versteigerung Albert Langen in München am 5.6.1899
  Nr. 125 mit Abb.
  – in Berlin am 21.2.1900 Nr. 592

336. EIN STEG rechts; über den Steg läuft ein Hund nach links einem Schlitten und drei Männern nach. In der Ferne eine Kirche. Vorn sitzt ein Mann auf dem Bordrand eines eingefrorenen Kahnes. Links die Eisfläche mit Figuren.

Rechts bezeichnet: VG 1653
Schwarze Kreide, grau laviert 110 × 190
Gestochen von Hazard (Weigel 2990, Hollstein 45), im Gegensinn
Versteigerung James Hazard in Brüssel am 15.4.1789 Nr. 609 (zusammen mit Z 557a: 4.10 E. Dewalckiers)
Vielleicht: Versteigerung in Paris am 26.11.1919 Nr. 72
Versteigerung Victor Decock in Paris am 12.5.1948 Nr. 16 mit Abb.

337. WEITE EISFLÄCHE mit vielen Figuren und einem Zelt; links am Horizont eine Kirche.

Halblinks bezeichnet: VG 1653
Schwarze Kreide, grau (und blau?) laviert 110 × 194
Wasserzeichen: Krone über drei Kreisen
KUPFERSTICHKABINETT DER STAATLICHEN KUNSTSAMMLUNGEN IN DRESDEN; Inv. Nr. C 1190

338. EIN MANN SITZT halbrechts vorn am Uferrand (Rückenfigur); ein Henkelkorb steht neben ihm. Auf der Eisfläche nahen ganz rechts zwei Männer, von denen einer eine Stange geschultert trägt; weiter zurück am Ufer liegt unter einem Hebebalken ein eingefrorener Kahn; am Horizont eine Kirche. Links vorn fährt ein mit drei Personen besetzter einspänniger Schlitten den Uferabhang nach rechts raumeinwärts herunter.

Rechts unten bezeichnet: VG 1653
Schwarze Kreide, laviert 110 × 195
Sammlung Graf Étienne de Saint-Genys, 1915 vermacht dem
MUSÉE TURPIN DE CRISSÉ IN ANGERS; Inv. Nr. 223

339. EIN MIT DREI PERSONEN BESETZTER EINSPÄNNIGER SCHLITTEN fährt rechts auf das Eis herunter; der Kutscher und ein anderer Mann gehen nebenher. Links die Eisfläche.

Links bezeichnet: VG 1653
Schwarze Kreide, laviert 112 × 195
Sammlung J. F. Gigoux, vermacht dem
MUSEUM IN BESANÇON; Inv. Nr. 773

Nachzeichnung: I) Wie beschrieben. Unsigniert. Vielleicht von A. van der Kabel?
Schwarze Kreide, laviert 162 × 250
HERZOG-ANTON-ULRICH-MUSEUM IN BRAUNSCHWEIG

340. EIN GEFLAGGTES ZELT halblinks auf einer quer durch den Vordergrund ziehenden Geländewelle.

Rechts bezeichnet: VG 1653
Schwarze Kreide, grau laviert 112 × 195
WALLRAF-RICHARTZ-MUSEUM IN KÖLN; Inv. Nr. 1771
Ausgestellt: Mönchen-Gladbach, 1947 Nr. 41

341. EIN EINGEFRORENER KAHN, auf dessen
Bordrand ein Mann sitzt, der sich mit zwei bei ihm
stehenden Männern unterhält, links neben einem Weidenbaum auf einer Bodenwelle. Im Zentrum zieht ein
Mann einen Schlitten mit Vogelkäfig und Faß über die
Sandbank, ein Mann schiebt von hinten. Halblinks vorn
ein Hund vor einem sitzenden Mann; andere Figuren
rechts auf der Sandbank. In der Ferne ein Kirchturm,
ein Gehöft und eine Windmühle.

In der Mitte bezeichnet: VG 1653
Schwarze Kreide, laviert 113 × 198
Versteigerung Dr. A. Straeter aus Aachen in Stuttgart
   am 10.5.1898 Nr. 1121 (Mk 36 Rosenberg)
   – Julius Rosenberg aus Kopenhagen in Leipzig am
   1.5.1901 Nr. 351 (Mk 88 Meder)
Sammlung N. Massaloff in Moskau, seit 1924 im
Roumiantzoff-Museum in Moskau
STAATL. A. S. PUSCHKIN-MUSEUM DER BILDENDEN KÜNSTE
IN MOSKAU; Inv. Nr 4670

342. EIN GEFLAGGTES ZELT halblinks; vor dem
Zelt fährt ein einspänniger Schlitten nach links auf das
Ufer zu, auf dem drei Figuren in Unterhaltung stehen.
In der Mitte schnallt sich ein Mann gebückt Schlitt-
schuhe an. Eine Kirche, Gehöfte und eine Windmühle
am Horizont.

Rechts bezeichnet: VG 1653
Schwarze Kreide, grau laviert 114 × 194
Wahrscheinlich: Versteigerung R. P. Roupell in
   London (Chr) am 12.7.1887 Nr. 991 (£ 1.5.0 Salting)
Sammlung George Salting in London, 1910 vermacht
   dem
BRITISCHEN MUSEUM IN LONDON; Inv. Nr. 1910.2.12.141
(Hind 9)

342

343. VIELE SCHLITTEN MIT FIGUREN halten
rechts vor einem Zelt. Links in der Ferne eine Kirche,
vorn schnallt sich ein Schlittschuhläufer seine Schlittschuhe an; neben ihm ein Hund.

Links bezeichnet: VG 1653
Schwarze Kreide, grau laviert 114 × 194
Wasserzeichen: Horn, unten Buchstaben MC (wie
   Abb. 17)
Versteigerung Simon Fokke in Amsterdam am
   6.12.1784 Nr. 698 (zusammen mit einer anderen
   Zeichnung: fl 6.15 Wubbels)
Angeblich Sammlung Jacob de Vos, 1833
Versteigerung Van der Willigen im Haag am 12.8.1874
   Nr. 93 (fl 38 van Doorn)
   – A. G. de Visser in Amsterdam am 16.5.1881
   Nr. 155 (fl 45 Langerhuizen)
Sammlung P. Langerhuizen in Crailoo
   Ausgestellt: Amsterdam, 1903 (VG) Nr. 76.
   Versteigerung in Amsterdam am 29.4.1919 Nr. 346
   (fl 270 Lugt)
Sammlung Frits Lugt in Paris; Inv. Nr. I 229
   Ausgestellt: Leiden und Arnheim, 1960 (VG) Nr. 96
   mit Abb.
   – Paris 1967 Nr. 86 mit Abb.
   – Brüssel, Rotterdam, Paris, Bern, 1968/69 Nr. 69
   mit Abb.
FONDATION CUSTODIA IN PARIS

343

344. EIN ZELT links; ein Pferdeschlitten in der Mitte. Rechts in der Ferne eine Windmühle; vorn schnallt sich ein Mann gebückt Schlittschuhe an. Zahlreiche Figuren bevölkern das Eis.

Links bezeichnet: VG 1653
Schwarze Kreide, grau laviert 115 × 190
Wasserzeichen: Krone über drei Kreisen, im obersten Kreis ein Halbmond
Angeblich Sammlung W. P. Knowles (Notiz Dr. C. Otto)
Kunsthandlung C. G. Boerner in Leipzig, Lagerliste XXXI/1909 Nr. 60
Versteigerung Dr. C. Otto in Leipzig am 7.11.1929 Nr. 66 mit Abb. (Mk 1200)
Sammlung Eduard Trautscholdt in Leipzig (bis 1950)
   Ausgestellt: Leipzig, 1937 Nr. 118
Westdeutscher Privatbesitz

345. VOR EINEM GROSSEN WIRTSCHAFTS-ZELT im Mittelgrund viele Schlittschuhläufer und zwei Pferdeschlitten. Im Hintergrund halblinks eine Windmühle. Vorn Golfspieler.

Links bezeichnet: VG 1653
Schwarze Kreide, grau laviert 115 × 197
Wasserzeichen: Krone über drei Kreisen, im mittleren Kreis die Buchstaben LG (Abb. 69)
Versteigerung Jacob de Vos Jbzn in Amsterdam am 22.5.1883 Nr. 216 (zusammen mit Z 147 und 443b: fl 121 Langerhuizen)
Sammlung P. Langerhuizen in Crailoo
   Ausgestellt: Amsterdam, 1903 (VG) Nr. 82
   Versteigerung in Amsterdam am 29.4.1919 Nr. 349 (fl 210 Dirksen)
Sammlung Deiker in Braunfels
   Ausgestellt: Kassel, 1930/31 Nr. 98
Versteigerung in Bern am 6.11.1958 Nr. 360 mit Abb. (sfr 2520)
Sammlung Dr. Walter Beck (†) in Berlin
   Ausgestellt: Leiden und Arnheim, 1960 (VG) Nr. 101
   – Hamburg, Bremen, Stuttgart 1965/66 Nr. 127 mit Abb.

346. ZWEI MÄNNER ZIEHEN UND SCHIEBEN EINEN SCHLITTEN mit Fischkörben vorn in der Mitte über einen Holzsteg herunter auf eine weite Eisfläche. In der Ferne links eine Kirche und Mühle, rechts ein Gehöft und eine Mühle am Horizont. Rechts vorn am Uferrand sitzt ein Mann; auf dem Eis einige Figuren.

Links oben bezeichnet: VG 1653
Schwarze Kreide, laviert 117 × 200
Sammlung Graf Étienne de Saint-Genys, 1915 vermacht dem
MUSÉE TURPIN DE CRISSÉ IN ANGERS; Inv. Nr. 222

Nachzeichnung: I) Wie beschrieben, doch geht auf dem Holzsteg noch ein dritter Mann mit geschulterter Stange neben dem Schlitten; vor der vorderen Eisfläche eine schmale Sandbank.
Schwarze Kreide, laviert 162 × 252
HERZOG–ANTON–ULRICH–MUSEUM IN BRAUNSCHWEIG

346a. Ein Mann schlägt um einen eingefrorenen Kahn herum ein Loch in das Eis (rechts). Auf dem Eis Schlittschuhläufer; bei einem Zelt Schlitten, gegenüber eine Windmühle.

Bezeichnet: VG 1653
Schwarze Kreide, laviert 120 × 200
Versteigerung Baron L. d'Ivry in Paris am 7.5.1884
    Nr. 89 (zusammen mit Z 398: ffrs 100 George)

346b. Winter. Schlitten und Schlittschuhläufer auf dem Eis.

Bezeichnet: VG 1653
Kreide, aquarelliert (?) 120 × 200
Versteigerung Graf G. Stroganoff in Rom am 18.4.1910
    Nr. 487

347. EIN WIRTSCHAFTSZELT, etwa im Zentrum. Auf der weiten Eisfläche viele Figuren, am Horizont eine Stadt ⟨Leiden⟩. Vorn im Zentrum sitzt ein Mann auf dem Bordrand eines eingefrorenen Kahnes. Links entfernt sich ein Pferdeschlitten, rechts ist ein Schlittenpferd ausgespannt.

Links bezeichnet: VG 1653
Schwarze Kreide, grau laviert 120 × 202
Wahrscheinlich: Versteigerung Mr H. Gerlings aus
    Haarlem in Amsterdam am 2.10.1888 Nr. 35 (fl 51
    van Gogh)
Versteigerung in Amsterdam am 19.1.1904 in Lot
    Nr. 453
RIJKSPRENTENKABINET IN AMSTERDAM; Inv. Nr. 05: 147
    Ausgestellt: Leiden und Arnheim, 1960 (VG) Nr. 105
    mit Abb.

347

348. EIN EINSPÄNNIGER PFERDESCHLITTEN mit drei Insassen fährt halbrechts auf das Eis herunter; der Kutscher geht nebenher, ein Junge hat sich angehängt. Ganz rechts zurück Figuren vor einem Wirtshaus. Vorn auf der Eisfläche: rechts zwei Kinder, links schnallt sich ein sitzender Mann Schlittschuhe an, dahinter nahen zwei Schlittschuhläufer vor fernem linkem Ufer.

Rechts bezeichnet: VG 1653
Kreide, laviert 120 × 215
Kunsthandlung E. Parsons & Sons in London; Lagerkatalog 40/1922 Nr. 191 mit Abb.

Nachzeichnung: I) Wie beschrieben.
    Links unten datiert (mit Feder): 1655
    Kreide, laviert
    Angeblich Sammlung Arthur Kay in Glasgow
    Privatsammlung in London, 1965

348a. Weite Eisfläche, von vielen Figuren belebt. Im Vordergrund zwei Pferdeschlitten.

Bezeichnet: VG 1653
Schwarze Kreide, laviert 120 × 275 (wahrscheinlich Druckfehler im Katalog, wohl 120 × 175 oder 170 × 275)
Vielleicht identisch mit Z 352
Versteigerung G. Duuring aus Breukelen in Amsterdam am 13.11.1883 Nr. 27 (fl 60 van Pappelendam)

349. WEITE EISFLÄCHE MIT EINEM ZELT bei einer Windmühle im rechten Mittelgrund. Links vorn zwei Weidenstümpfe, unter denen ein Kahn eingefroren ist. Viele Figuren auf dem Eis. In der Mitte ist ein Schlittschuhläufer gestürzt. Rechts vorn zieht ein Mann einen Baumstamm über das Eis.

Links bezeichnet: VG 1653
Schwarze Kreide, grau laviert 150 × 270
Versteigerung Baron L. d'Ivry in Paris am 7.5.1884 Nr. 95 (zusammen mit einer Zeichnung von P. Molyn: ffrs 140 Ailly)
– in Paris am 6.5.1909 Nr. 58 mit Abb.

350

350. EIN GROSSES GEFLAGGTES ZELT (Zentrum); davor mehrere Pferdeschlitten. Links vorn sitzt ein Mann auf dem Bordrand eines eingefrorenen Kahnes; rechts bellt ein Hund einen gestürzten Schlittschuhläufer an.

Rechts bezeichnet: VG 1653
Schwarze Kreide, grau laviert 168 × 276
Sammlung Charles Rogers in London (†1784)
– William Cotton, Ivybridge; 1853 geschenkt der
CITY ART GALLERY IN PLYMOUTH

350A

350A. FISCHER UND ANDERE FIGUREN auf dem Eis; links zurück fährt ein Wagen über eine Brücke, in der Ferne eine Mühle.

Rechts bezeichnet: VG 1653
Schwarze Kreide, grau laviert 170 × 270
Wasserzeichen: gekröntes Lilienwappen
Wahrscheinlich: Versteigerung Jan Gildemeester in Amsterdam am 24.11.1800 Nr. D 50 (fl 19 van der Schley)
Versteigerung [Prince] J. C[antacuzène] in Paris am 4.6.1969 Nr. 460 mit Abb. (ffrs 35000 Alain Delon)

350a. Zahlreiche Fischer und Schlittschuhläufer auf zugefrorenem Kanal.

Bezeichnet: VG 1653
Schwarze Kreide 170 × 270
Versteigerung K. E. von Liphart aus Florenz in Leipzig am 26 4.1898 Nr. 411 (Mk 81 Artaria)

351. EINE GROSSE WINDMÜHLE links zurück; daneben ein Zelt. Vorn eine den Vordergrund quer durchziehende Geländewelle, die rechts von einem einspännigen Pferdeschlitten überquert wird. Links schiebt ein Mann einen Schlitten an zwei Männern vorbei über das Eis.

Links bezeichnet: VG 1653
Schwarze Kreide, grau laviert 172 × 271
Sammlung Herzog Albert von Sachsen-Teschen
ALBERTINA IN WIEN; Inv. Nr. 8508

352. EINE GELÄNDEWELLE MIT EINEM SIG-NALZEICHEN vorn; zwei Schlitten überqueren sie Rechts zurück ein Zelt. Schlitten und Figuren auf dem Eis.

Rechts bezeichnet: VG 1653
Schwarze Kreide, grau laviert 173 × 273
Vielleicht identisch mit Z 348a
Versteigerung A. W. M. Mensing in Amsterdam am 27.4.1937 Nr. 215 mit Abb. (fl 800 Hirschmann)

353. VIELE FIGUREN UND PFERDESCHLITTEN VOR EINEM ZELT (rechts), aus dem Rauch aufsteigt. Halblinks vorn Golfspieler; ganz links sitzt ein Mann (Rückansicht) auf einem eingefrorenen Boot. Links in der Ferne eine Kirche, ein Zelt und eine Windmühle.

Rechts bezeichnet: VG 1653
Schwarze Kreide, grau laviert 175 × 277
Versteigerung in Stuttgart am 10.5.1950 Nr. 835 mit Abb. (Mk 530)
Sammlung Mr. und Mrs. J. Theodor Cremer in New York, 1965

354. VOR EINEM FAHNENGESCHMÜCKTEN ZELT auf dem Eis (im Zentrum) halten Schlittschuh-läufer und Schlitten. Rechts vorn vier Figuren und ein ausgespanntes Pferd neben einem Schlitten. Vorn sitzt eine Rückenfigur, daneben ein Korb und ein Hund; weiter links ist ein Mann gestürzt, dann folgen Schlitt-schuhläufer und ein Mann, der eine Frau im Schlitten über das Eis schiebt. Im linken Hintergrund eine Windmühle.

Rechts bezeichnet: VG 1653
Schwarze Kreide, grau laviert 175 × 280
Wahrscheinlich: Sammlung A. Mos in Arnheim, aus-gestellt: Amsterdam, 1903 (VG) Nr. 87
Versteigerung in Amsterdam am 15.6.1908 Nr. 223 (fl 195)
Sammlung V. Decock in Paris
Versteigerung Mme A. Doucet in Paris am 21.11.1966 Nr. 45 mit Abb. (falsche Größenangabe)
Kunsthändler Duits in London, 1967

355

355. EIN GEFLAGGTES ZELT im Zentrum auf einer Erdwelle. Davor fährt ein einspänniger Schlitten nach links auf das Ufer zu, auf dem ein Ehepaar steht. Nach rechts schiebt ein Mann eine Frau im Schlitten. Viele Figuren bevölkern die Eisfläche; auf dem raumeinwärts ziehenden linken Ufer mehrere Kirchtürme im Hintergrund. Im rechten Hintergrund eine Windmühle.

Links bezeichnet: VG 1653
Schwarze Kreide, grau laviert 177 × 285
Versteigerung in Paris am 6.5.1909 Nr. 59 mit Abb.
Kunsthändler Gebr. Douwes in Amsterdam, 1946
  – Martin B. Asscher in London, um 1950
Sammlung Frits Markus in New York, 1965

356

356. WEITE EISFLÄCHE. Rechts und links im Hintergrund je eine Windmühle, in der Mitte ein fahnengeschmücktes Wirtschaftszelt, aus dem Rauch aufsteigt, und eine Kirche. Links vorn sitzt eine Rückenfigur auf einer Erdwelle; weiter zurück fährt ein Pferdeschlitten raumeinwärts und naht ein Mann mit geschulterter Stange. Rechts vorn Golfspieler und andere Figuren in Unterhaltung sowie ein Hund.

Rechts bezeichnet: VG 1653
Schwarze Kreide, grau laviert 204 × 300
Zusammengehörig mit Z 357, 372, 389, 390, 434, 554, 555
Sammlung Jhr. Mr J. A. Repelaer im Haag (alter Familienbesitz)
Versteigerung im Haag am 7.11.1967 Nr. 144 mit Abb. (fl 15000 Brod)
Privatsammlung in Amsterdam

357

357. EIN MANN SITZT AUF EINEM EINGEFRORENEN BOOT im Zentrum, ein anderer schnallt sich Schlittschuhe an. Rechts schleppen zwei Männer einen Baumstamm über das Eis, die Axt ist in den Stamm geschlagen; dahinter ein alter Weidenbaum, ein Gehöft und ein Heustock am rechten Ufer. Links vorn schiebt ein Mann eine Frau im Schlitten von einer Erdwelle auf das Eis herunter. In der Ferne das linke Ufer mit Kirche und Gehöften.

Rechts bezeichnet: VG 1653
Schwarze Kreide, grau laviert 205 × 302
Zusammengehörig mit Z 356, 372, 389, 390, 434, 554, 555
Sammlung Jhr. Mr J. A. Repelaer im Haag (alter Familienbesitz)
Versteigerung im Haag am 7.11.1967 Nr. 142 (fl 10500 Brod)
Sammlung Mr. und Mrs. Arthur Simon in London, 1968

358. FIGUREN, BOOTE UND PFERDEGESPANNE
auf dem Strand. Links gehen drei Figuren raumeinwärts; rechts vorn sitzen zwei Fischer.

Rechts bezeichnet: VG 1653
Schwarze Kreide, grau laviert 113 × 195
Wasserzeichen: Horn, unten Buchstaben MC (Abb. 16)
Versteigerung Mme E. Warneck in Paris am 10.5.1905
   Nr. 168 (ffrs 320 de Groot)
Sammlung Dr. C. Hofstede de Groot im Haag
   Ausgestellt: Leiden, 1916, I, Nr. 56
   – Den Haag, 1930, I, Nr. 57
1931 vermacht dem
GRONINGER MUSEUM VOOR STAD EN LANDE; Kat. 1967
   Nr. 31 mit Abb. (Inv. Nr. 1931-162)
   Ausgestellt: Groningen, 1931 Nr. 63

358

359. EIN ABGETAKELTES SEGELBOOT auf dem
Strand; ganz rechts drei Figuren. In der Mitte zieht
ein Mann einen Balken. Links vorn vier Figuren; im
Hintergrund Boote und eine Karosse.

Rechts bezeichnet: VG 1653
Schwarze Kreide, grau laviert 113 × 195
Vergleiche: Z 160 (ähnliche Komposition)
Sammlung Herzog Albert von Sachsen-Teschen
ALBERTINA IN WIEN; Inv. Nr. 8515

359

360. SECHS FISCHER (links) bei einem Signal in den
Dünen. In der Mitte naht ein zweispänniger Wagen;
rechts Segelboote und Figuren weiter zurück. Im
Hintergrund das Meer.

Rechts bezeichnet: VG 1653
Schwarze Kreide, grau laviert 113 × 196
Wasserzeichen: Horn
Versteigerung C. Fairfax Murray in London (Chr) am
   30.1.1920 Nr. 101 (zusammen mit Z 286: £ 33.12.0
   Parsons)
Kunsthandlung E. Parsons & Sons in London, Juni 1921
Versteigerung Dr. C. Hofstede de Groot aus Den Haag
   in Leipzig am 4.11.1931 Nr. 102 (Mk 230)
Sammlung P. J. Snyders
Kunsthandlung P. & D. Colnaghi & Co. in London
   Ausgestellt: London, 1957 Nr. 30

360

361

361. SECHS FIGUREN im Zentrum, von denen zwei am Boden sitzen. Strand und Meer links zurück. Rechts die Kirche von Scheveningen auf den Dünen.

Halblinks bezeichnet: VG 1653
Schwarze Kreide, grau laviert 113 × 200
Gestochen von L. Brasser (im Gegensinn)
NATIONAL GALLERY OF SCOTLAND IN EDINBURGH; Inv. Nr. D 1099

362. FISCHERDORF. Links eine Reihe von Fischerhütten, die raumeinwärts gestaffelt stehen. In der Mitte eine Figur an einem Brunnen neben einem Radgestell. Mehrere Figuren vor den Hütten links, rechts zurück ein Reiter. In der Ferne das Meer.

Links bezeichnet: VG 1653
Schwarze Kreide, laviert 115 × 195
Wahrscheinlich: Kunsthändler Franz Meyer in Dresden; Lagerkatalog 52/um 1912 Nr. 136 (Mk 245)
Versteigerung in Amsterdam am 27.5 1913 Nr. 112 (fl 65 Artaria)
Sammlung A. Skutezky in Raigern
MORAVSKÉ MUSEUM IN BRÜNN; Inv. Nr. B 2156

363

363. STRAND MIT BOOTEN UND FIGUREN. In der Mitte wird ein Wagen beladen; weiter links eine Frau mit Kind, drei Figuren und ein Boot.

Halbrechts bezeichnet: VG 1653
Schwarze Kreide, grau laviert 119 × 211
Sammlung Sir Bruce Ingram, 1963 vermacht dem
FITZWILLIAM MUSEUM IN CAMBRIDGE; Inv. Nr. PD 366-1963

363a. Seeleute, Fischer und Fischkäufer in Gruppen am Strand; ein zweispänniger Pferdewagen und auf den Strand gezogene Segelboote. Am Horizont kleine Segelboote.

Bezeichnet: VG 1653
Kreide, laviert 120 × 190
Versteigerung Baron L. d'Ivry in Paris am 7.5 1884 Nr. 93 (zusammen mit Z 213: ffrs 90 George)

364 BOOTE SIND AUF DEN STRAND GEZOGEN; links das Meer. Die Dünenhöhe fährt rechts ein Pferdewagen mit Passagieren herauf. Ganz rechts acht Figuren vor einer Bretterhütte, dabei eine Frau mit Kopflast und ein Mann mit Rucksack.

Rechts bezeichnet: VG 1653
Schwarze Kreide, grau laviert 120 × 210
Wahrscheinlich: Versteigerung Graf A. Thibaudeau in Paris am 20.4.1857 Nr. 339 (ffrs 2 50)
Versteigerung in Amsterdam am 11.6 1912 Nr. 113 (fl 150 de Burlet)
 - in Leipzig am 19.3.1914 Nr. 274 mit Abb. (Mk 580 S. Meller)
MUSEUM IN BUDAPEST

365. FISCHER BEI EINEM ABGETAKELTEN SE-
GELBOOT links. Rechts eine Figurengruppe mit einem
Reiter bei einem zweispännigen Wagen, der beladen
wird. Ganz links ein Signal auf der Düne vor einem
fernen Kirchturm. Im Hintergrund Boote am Meer.

Links bezeichnet: VG 1653
Schwarze Kreide, grau laviert 167 × 268
Wasserzeichen: gekröntes Lilienwappen, unten Buch-
  staben WR
Versteigerung Mme Charras in Paris am 2.4.1917
  Nr. 57 – gelesen: 1652 (ffrs 1290)
  – in Paris am 22.2.1937 Nr. 57 mit Abb.
Sammlung H. E. ten Cate in Almelo; Kat. 1955 Nr. 230
  gelesen: 1652
Kunsthandlung C. G. Boerner in Düsseldorf; Kat. Dez.
  1964 Nr. 49
Sammlung E. W. Kornfeld in Bern

366. SCHEVENINGEN im Hintergrund. Nach rechts
ansteigende Dünen. Rechts vorn eine Figurengruppe
vor einer Bretterhütte. In der Mitte fährt ein Pferdekarren die Düne herauf.

Rechts bezeichnet: VG 1653
Schwarze Kreide, grau laviert 170 × 271
Wasserzeichen: gekröntes Lilienwappen, unten Buch-
  staben WR (Abb. 38)
Bereits 1862 im
STÄDELSCHEN KUNSTINSTITUT IN FRANKFURT/MAIN; Inv.
  Nr. 3600

367. VIELE FIGUREN AUF DEM STRAND. Links
ein abgetakeltes Segelboot. In der Mitte wird ein
Wagen beladen; rechts die Dünenhöhe, überragt von
einem viereckigen Kirchturm ⟨Egmond⟩.

Rechts bezeichnet: VG 1653
Schwarze Kreide, grau laviert 170 × 272
Sammlung C. Fairfax Murray in London, um 1920
  – J. Pierpont Morgan in New York
THE PIERPONT MORGAN LIBRARY IN NEW YORK; Inv.
  Nr. III, 172

368. ZELTE AM STRAND; davor viele Figuren, Hunde und ein Planwagen. Links zwei spielende Kinder. In der Ferne ein gestrandeter Walfisch.

Rechts bezeichnet: VG 1653
Schwarze Kreide, grau laviert 173 × 272
Wasserzeichen: gekröntes Lilienwappen, unten Buchstaben WR (Abb. 39)
Vergleiche: Z 372, vielleicht dieselbe Szene von einer anderen Seite?
Sammlung Arnold Ingen-Housz in Breda
– J. de Grez in Brüssel, 1914 vermacht den
MUSÉES ROYAUX DES BEAUX-ARTS IN BRÜSSEL; Inv. Nr. 1414
Ausgestellt: Washington, 1954 Nr. 39
– Rotterdam, 1954/55 Nr. 43
– Brügge, 1955 Nr. 37
– Leiden und Arnheim, 1960 (VG) Nr. 93
– Brüssel, 1962/63 Nr. 149

Nachzeichnung: I) Wie beschrieben.
Rechts falsch bezeichnet: VG 1653
Schwarze Kreide, grau laviert 185 × 300
Wasserzeichen: HR (bräunliches Papier)
Sammlung Eduard Cichorius, vorgesehen zur Versteigerung in Leipzig am 5.5.1908 Nr. 532 mit Abb. Vor der Versteigerung verkauft
Versteigerung Oskar Huldschinsky in Berlin am 3.11.1931 Nr. 44 mit Abb. (Mk 490)

369. FISCHER UND FISCHVERKÄUFER. Rechts zurück ein Turm auf der Dünenhöhe. Segelboote auf dem Strand, davon eines unter Segeln. Viele Figuren.

Rechts bezeichnet: VG 1653
Schwarze Kreide, grau laviert 173 × 274
Wasserzeichen: gekröntes Lilienwappen, unten Buchstabe W (wie Abb. 42)
Sammlung A. von Beckerath, 1902 erworben vom
KUPFERSTICHKABINETT DER STAATLICHEN MUSEEN BERLIN;
Inv. Nr. 11999

370. STRAND BEI SCHEVENINGEN; rechts die Kirche. Links vorn sitzt ein Mann auf einem Boot bei einem Anker. Im Zentrum wird ein Wagen beladen; weiter links werden Fische vor einem Segelboot verkauft. Links im Hintergrund die See mit Booten.

Rechts bezeichnet: VG 1653
Schwarze Kreide, grau laviert 174 × 279
Literatur: Jahresbericht d. Vorstandes d. Kunstvereins in Bremen, 1913/14 mit Abb.
Gestochen von L. Brasser, 1760 (im Gegensinn)
Sammlung W. Mayor in London; Kat. 1871 Nr. 347; Kat. 1875 Nr. 609
Versteigerung [J. Whitehead] in London (Chr) am 13.5.1903 Nr. 109 (£ 6 St. Hensé)
Sammlung Dr. H. Smidt, 1909 geschenkt der
KUNSTHALLE IN BREMEN; Inv. Nr. 09/731 (seit 1945 verschollen)

371. TEILWEISE ABGETAKELTES SEGELBOOT
und ein Wagen, der beladen wird (Zentrum), umgeben
von vielen Figuren. Links vorn ein Fischerpaar bei
einem Kahn. Rechts die Dünenhöhe mit einem Wachtturm mit Signal.

Links bezeichnet: VG 1653
Schwarze Kreide, grau laviert 176 × 283
Wasserzeichen: Schellenkappe mit 7 Kugeln (Abb. 26)
Literatur: Henkel, mit Abb.
Sammlung Beels van Heemstede-van Loon; seit 1898
    im
RIJKSPRENTENKABINET IN AMSTERDAM; Inv. Nr. A 3761
    Ausgestellt: Amsterdam, 1903 (VG) Nr. 21
    – Den Haag, 1959 Nr. 17
    – Leiden und Arnheim, 1960 (VG) Nr. 102

372. EIN GESTRANDETER WAL am Meeresufer im
rechten Hintergrund; dabei viele Figuren, Reiter und
ein Planwagen. Links vorn am Dünenabhang ein Zelt,
davor zahlreiche Figuren. Etwa im Zentrum stehen
drei Fischersleute und ein Junge, weiter rechts zurück
ein Wagen. In der Ferne ein Wachtturm auf der Dünenhöhe, eine Kirche und ein Zelt, aus dem Rauch aufsteigt.

Rechts bezeichnet: VG 1653
Schwarze Kreide, grau laviert 204 × 304
Wasserzeichen: gekröntes Lilienwappen, unten Buch-
    staben WR (Abb. 40)
Vorzeichnung: zu dem Walfisch und einigen Figuren
    Z 778
Vergleiche: Z 368 vielleicht dieselbe Szene von einer
    anderen Seite
Zusammengehörig mit Z 356, 357, 389, 390, 434, 554,
    555
Sammlung Jhr. Mr J. A. Repelaer im Haag (alter
    Familienbesitz)
Versteigerung im Haag am 7.11.1967 Nr. 147 (fl 15500
    A. Schwarz)
Sammlung A. Schwarz in Amsterdam
    Ausgestellt: Amsterdam, 1968 Nr. 41 mit Abb.

*d) Dorffeste, Märkte, Zelte, an der Straße und andere viel-
figurige Szenen (auch am Flußufer)*

373. VIELE FIGUREN VOR EINER BÜHNE, auf
der ein Paar steht (links); dahinter ein Rundturm und
Bäume. Vorn sitzt eine Rückenfigur auf einer Schubkarre; ein anderer Mann steht auf einer kleinen Mauer
am Ufer. Im rechten Hintergrund mehrere Segelboote.

Rechts bezeichnet: VG 1653
Schwarze Kreide, laviert 115 × 202
Sammlung N. Massaloff in Moskau, seit 1924 im
STAATL. A. S. PUSCHKIN-MUSEUM DER BILDENDEN KÜNSTE
    IN MOSKAU; Inv. Nr. 4674

374. JAHRMARKT. Rechts die Bude eines Scharlatans, der mit einem Hanswurst auf einem Gerüst steht. Davor eine große Volksmenge. Zelte und Häuser im Hintergrund.

Rechts bezeichnet: VG 1653
Schwarze Kreide, laviert 115 × 205
Sammlung Rudolph, später J. A. G. Weigel in Leipzig; Kat. 1841 Nr. 2048 (gelesen: 1633); Kat. 1869 Nr. 361
Versteigerung in Stuttgart am 15.5.1883 Nr. 381 (Mk 58 Habich)
Versteigerung E. Habich aus Kassel in Stuttgart am 27.4.1899 Nr. 318 (Mk 200 Artaria)
Sammlung Fürst von Liechtenstein in Vaduz (nach 1945 verkauft)
   – Prof. Dr. L. Ruzicka in Zürich
   – Everett D. Graff, 1964 vermacht dem
ART INSTITUTE OF CHICAGO

375. MARKT IM DORF. Vor Gehöften ist im Mittelgrund eine Bühne aufgeschlagen; links und rechts vorn je eine Zeltbude, davor ein Reiter, Wagen, Figuren.

Rechts bezeichnet: VG 1653
Schwarze Kreide, grau laviert 132 × 273
Sammlung John Malcolm, Poltalloch, 1895 erworben vom
BRITISCHEN MUSEUM IN LONDON; Inv. Nr. 1895.9.15.1164 (Hind 7)

Nachzeichnungen: I) Im Gegensinn, unsigniert.
   Rötel 190 × 325
   Wasserzeichen: FS (Abb. 75)
   Vielleicht: Versteigerung E. Boers im Haag am 21.9.1818 Nr. I 40
   Versteigerung in Amsterdam am 19.1.1904 Nr. 125 mit Abb. (fl 155 van Gelder)
   Sammlung Dr. C. Hofstede de Groot im Haag
      Ausgestellt: Leiden, 1916, I, Nr. 59
      – Den Haag, 1930, III, Nr. 55
      Versteigerung in Leipzig am 4.11.1931 Nr. 98 (Mk 1100 de Bruyn)
   Sammlung I. de Bruyn in Spiez, später Muri; vermacht dem
RIJKSPRENTENKABINET IN AMSTERDAM; Inv. Nr. A 61:72
II) Wie beschrieben, unsigniert (vergleiche Z 562 I).
   Rötel, grau laviert 171 × 316
   Wasserzeichen: Schellenkappe mit 7 Kugeln (Abb. 30)
   Versteigerung in Amsterdam am 21.6.1887 Nr. 82 (fl 35 Muller)
   Sammlung F. Koenigs in Haarlem, seit 1940 im
MUSEUM BOYMANS-VAN BEUNINGEN IN ROTTERDAM; Inv. Nr. H 236

376. DORFFEST AM UFER EINES FLUSSES. Zelte sind aufgeschlagen, rechts ein geflaggtes Gebäude. Auf einer Leiter steht ein Mann und spricht zu einer um ihn versammelten Zuschauermenge. In der Mitte hält ein Reisewagen, davor u. a. ein Hund, ein Trommler und ein Reiter. Links viele Menschen vor den Zelten und einem Gehöft; weiter zurück eine Windmühle. Links vorn ein Junge, der einen Bären am Band führt.

In der Mitte bezeichnet: VG 1653
Schwarze Kreide, grau laviert 160 × 270

Vorzeichnung: Z 846/130
Versteigerung Mme E. Warneck in Paris am 10.5.1905
  Nr. 158 mit Abb. (ffrs 560 Warneck)
  – in Paris am 27.1.1909 Nr. 64 (ffrs 520)
Nachzeichnung: I) Wie beschrieben.
  Links unten bezeichnet: A. v. Cabel
  Kreide, Tuschpinsel 182 × 266
  Sammlung Earl of Burlington
  Versteigerung Richard Cavendish in London (Chr)
    am 15.7.1957 Nr. 41 (zusammen mit einer anderen
    Zeichnung)
  Privatsammlung in London, 1965

377. KIRMES IM DORF auf einer Wiese vor einigen
Zelten (Mitte) und der geflaggten Bühne eines Scharlatans (rechts). Zahlreiche Personen, unter ihnen zwei
Reiter, auf der Straße. Im Hintergrund der Kirchturm
einer Ortschaft.

Rechts bezeichnet: VG 1653
Schwarze Kreide, grau laviert 160 × 270
Vielleicht identisch mit Z 391a
Versteigerung R. P. Roupell in London (Chr) am
  12.7.1887 Nr. 982 – gelesen: 1633 (£ 2.10.0 Thibau-
  deau)
  – W. P. Knowles aus Wiesbaden in Amsterdam am
  25.6.1895 Nr. 280 (fl 77 Ruysch)
Kunsthändler F. Meyer in Dresden; Lagerkatalog 39
  um 1908/09 Nr. 132 mit Abb. (Mk 575)

378. JAHRMARKT IM DORF. Rechts Zelte vor
einem Giebelhaus; weiter raumeinwärts Schausteller
auf einer Bühne. Viele Figuren zu Wagen, zu Pferd
oder zu Fuß in der Dorfstraße. Rechts vorn Käufer vor
einer Zeltbude. Links vorn Figurengruppe; dahinter
eine Kutsche, ein Kirchturm und ein Mann auf einer
Leiter, die an einem Haus lehnt.

Rechts bezeichnet: VG 1653
Schwarze Kreide, grau laviert 165 × 270
Versteigerung Bellingham-Smith aus London in
  Amsterdam am 5.7.1927 Nr. 39 (fl 300)
  – A. W. M. Mensing in Amsterdam am 27.4.1937
  Nr. 224 (fl 440 Houthakker)
Kunsthändler B. Houthakker in Amsterdam; Kat. 1952
  Nr. 29
Sammlung H. E. ten Cate in Almelo; Kat. 1955 Nr. 223
Kunsthandlung C. G. Boerner in Düsseldorf; Kat.
  Dezember 1964 Nr. 56 mit Abb.
  – A. Brod in London; Katalog Winter 1965/66
  Nr. 77 mit Abb.

379. MARKTSZENE. Links mehrere Figuren um
einen Obststand. Links ein Mann auf Krücken. Im
Hintergrund Häuser, ein Kirchturm und Maste von
Segelbooten.

Links bezeichnet: VG 1653
Schwarze Kreide, grau laviert 168 × 268
Literatur: Dobrzycka, mit Abb.
Versteigerung J. Tak in Haarlem am 10.10.1780 Nr. 43
  (zusammen mit Z 823: fl 32 van der Vinne)
TEYLERS MUSEUM IN HAARLEM; Inv. Nr. 044
  Ausgestellt: Leiden und Arnheim, 1960 (VG) Nr. 104
  – London, 1970 Nr. 16 mit Abb.

378

379

380

380. FESTTAG IM DORF. Im Hintergrund sind Zelte aufgeschlagen, dabei viele Figuren und Wagen; in der Hintergrundsmitte eine Kirche ⟨Valkenburg⟩. Im rechten Mittelgrund hält ein zweispänniger Wagen vor einem Zelt. Links vorn eine Gruppe von sieben Figuren. Etwa in der Mitte vier spielende Hunde.

Rechts bezeichnet: VG 1653
Schwarze Kreide, grau laviert 168 × 272
Sammlung C. Fairfax Murray in London
    Ausgestellt: Amsterdam, 1903 (VG) Nr. 51
Sammlung John Pierpont Morgan in New York
THE PIERPONT MORGAN LIBRARY IN NEW YORK; Inv. Nr. III, 173

Nachzeichnung: I) Wie beschrieben.
    Rechts falsch bezeichnet: VG 1653
    Schwarze Kreide, braun laviert (auf bräunlichem Papier) 185 × 283
    Sammlung Prinz Reuß
    Kunsthändler G. Nebehay in Wien; Kat. „Die Zeichnung" III, 1928 Nr. 60 mit Abb. (Mk 2000)

381

381. MARKT AM FLUSS. Vorn der Fluß und ein Ruderboot (rechts), aus dem Waren entladen werden. Links der mit einem Schirm geschützte Stand eines Händlers, dabei ein Reiter. Gehöfte und eine Kirche im Hintergrund. Viele Figuren.

Rechts bezeichnet: VG 165(3) (auch gelesen 1651 und 1659)
Schwarze Kreide, grau laviert 170 × 295
Versteigerung Defer-Dumesnil in Paris am 10.5.1900 Nr. 72 (ffrs 380 Colnaghi)
1906 erworben vom
METROPOLITAN MUSEUM OF ARTS IN NEW YORK; Inv. Nr. 06.1042.1

382

382. MARKT AM FLUSS. Viele Figuren und ein Reiter rechts vorn bei Zelten. Rechts dahinter überragt ein Kirchturm die Häuser einer Ortschaft. Links der Fluß; vorn landet ein Kahn; Segler weiter zurück.

Links bezeichnet: VG 1653
Schwarze Kreide, grau laviert 171 × 279
Wasserzeichen: gekröntes Lilienwappen, unten Buchstaben WR (Abb. 39)
Sammlung D.
  – J. de Grez in Brüssel, 1914 vermacht den
MUSÉES ROYAUX DES BEAUX-ARTS IN BRÜSSEL; Inv. Nr. 1412
    Ausgestellt: Washington, 1954 Nr. 40
    – Rotterdam, 1954/55 Nr. 44 mit Abb.
    – Brügge, 1955 Nr. 38
    – Brüssel 1962/63 Nr. 151 mit Abb.

383. MARKT. Rechts vorn sitzt eine Obstverkäuferin; um sie herum mehrere Figuren. Eine große Figurengruppe mit Reiter um einen Ausrufer mit einer Frau, die beide erhöht stehen. Dahinter Häuser und eine Kirche. Rechts zurück Segelboote und Häuser. Rechts vorn spielen drei Hunde.

Links bezeichnet: VG 1653
Schwarze Kreide, grau laviert 173 × 276
Sammlung Giovanni Volpato; 1845 erworben vom
 König Carl Albert von Savoyen und übergeben an
 die
BIBLIOTECA REALE IN TURIN; Inv. Nr. 16609

383

384. STEINERNE BOGENBRÜCKE IM HAAG.
Markttag. Hinter dem von vielen Figuren umstandenen
Marktzelt halblinks der Kirchturm der Grote Kerk.
Rechts vor der Brücke ein Boot mit drei Marktfrauen
und einem Geflügelkorb.

Rechts unten bezeichnet: VG 1653
Schwarze Kreide, grau laviert 174 × 278
Sammlung B. Hausmann, 1875 erworben vom
KUPFERSTICHKABINETT DER STAATLICHEN MUSEEN BERLIN;
 Inv. Nr. 2763

384

385. DORFKIRMES. Links eine Kirche, ein großes
geflaggtes Zelt und Hütten. Rechts die Dorfstraße. Vor
dem Zelt viele Leute und ein Scharlatan. Links vorn ein
Reisewagen, rechts vorn eine Figurengruppe.

Links bezeichnet: VG 165(3)
Schwarze Kreide, grau laviert 175 × 275
Wahrscheinlich: Versteigerung Defer-Dumesnil in
 Paris am 10.5.1900 Nr. 71 (ffrs 400 Colnaghi)
Versteigerung Léonce C. Coblentz in Paris am 15.12.
 1904 Nr. 49 (ffr 480 Paulme)
 – Marius Paulme in Paris am 13.5.1929 Nr. 94 mit
 Abb

386. GEMÜSEMARKT AM FLUSSUFER. Viele Figuren, Wagen, Reiter drängen sich rechts vorn vor den
Zelten, die vor Häusern aufgeschlagen sind. Zwei
Ruderboote am Ufer (Zentrum). Segler weiter raumeinwärts.

Halblinks bezeichnet: VG 1653
Schwarze Kreide, grau laviert 175 × 278
Literatur: Bernt (2), I, Nr. 267 mit Abb.
Versteigerung in Frankfurt/Main am 17.3.1890 Nr. 1159
 (Mk 47)
Sammlung Dr. H. Smidt, 1909 geschenkt der
KUNSTHALLE IN BREMEN; Inv. Nr. 09/732 (seit 1945
 verschollen)

386

387

388

389

387. FIGURENREICHER MARKTTAG AM FLUSS-UFER einer Stadt mit großer Kirche (links). Vorn in der Mitte ein Kahn mit Zeltdach, dahinter Segelboote. Im Hintergrund ein Brückensteg.

Links bezeichnet: VG 1653
Schwarze Kreide, grau laviert 175 × 283
Versteigerung Baron d'Isendoorn à Blois in Amsterdam am 19.8.1879 Nr. 60
– W. P. Knowles aus Wiesbaden in Amsterdam am 25.6.1895 Nr. 282 (fl 62 Langerhuizen)
Sammlung P. Langerhuizen in Crailoo
    Ausgestellt: Amsterdam, 1903 (VG) Nr. 80
    Versteigerung in Amsterdam am 29.4.1919 Nr. 338 mit Abb. (fl 430 Kröller)
Sammlung Kröller-Müller im Haag; seit 1935 Staatsstiftung in Otterlo
RIJKSMUSEUM KRÖLLER-MÜLLER IN OTTERLO; Kat. 1959 Nr. 99 (Inv. Nr. 88 Kl 4-19)

388. STEINERNE BOGENBRÜCKE IM HAAG am Markttag. Hinter den Zelten, die von vielen Leuten umgeben sind, ragt links von der Mitte der Kirchturm der Grote Kerk empor. Blick in die Nieuwstraat. Links vorn zwei Hunde. Rechts vorn zwei Kähne vor einem Wegweiser.

Rechts bezeichnet: VG 1653
Schwarze Kreide, grau laviert 185 × 284
Kunsthandlung Grosjean-Maupin in Paris, 1928 verkauft in die
Sammlung Frits Lugt in Paris; Inv. Nr. I 3762
    Ausgestellt: London, R. A. 1929, Nr. 560
    – Paris, 1967 Nr. 178 mit Abb.
FONDATION CUSTODIA IN PARIS

389. EIN REITER REITET ÜBER EINE BOGEN-BRÜCKE im Zentrum; rechts am Brückenaufgang ist ein Stand aufgeschlagen, dabei Figuren. Weiter rechts, vor einer Kirche und Wohnhäusern, Markttreiben mit vielen Figuren vor einem Stand mit Sonnenschirm. Halbrechts vorn nahen eine Mutter und ein Junge. Links ein Fischerkahn mit zwei Insassen.

Links bezeichnet: VG 1653
Schwarze Kreide, grau laviert 203 × 304
Wasserzeichen: L R (Abb. 78)
Zusammengehörig mit Z 356, 357, 372, 390, 434, 554, 555
Sammlung Jhr. Mr J. A. Repelaer im Haag (alter Familienbesitz)
Versteigerung im Haag am 7.11.1967 Nr. 146 mit Abb. (fl 11000 Brod)
Westdeutscher Privatbesitz

390. MARKT AM FLUSS, der links im Bogen um das rechte Ufer in die Tiefe zieht; in der Ferne verbindet eine zweibogige Brücke die Ufer; vom linken Ufer sieht man einen hohen Turm, der Häuser und Segelboote überragt Rechts vorn viele Figuren vor zwei Marktständen und Häusern; ein beladener einspänniger Pferdekarren wartet. Segelboote liegen entlang dem Ufer; links vorn zwei Figuren in einem Ruderkahn.

Links bezeichnet: VG 1653
Schwarze Kreide, grau laviert 203 × 305
Zusammengehörig mit Z 356, 357, 372, 389, 434, 554,
555
Sammlung Jhr. Mr J. A. Repelaer im Haag (alter
Familienbesitz)
Versteigerung im Haag am 7.11.1967 Nr. 145 mit
Abb. (fl 14500 Brod)
Sammlung Mr. und Mrs. Arthur Simon in London,
1968

391a. Dorffest.

Bezeichnet: VG 1653
Vielleicht identisch mit Z 377
Kunsthandlung Fred. Muller & Co. in Amsterdam
    Ausgestellt: Amsterdam, 1903 (VG) Nr. 55

392a. MARKT IN ROTTERDAM. Rechts eine Brücke
mit Treppen und dem Standbild des Erasmus; dahinter
Häuser am Kanal und ein hoher Kirchturm. Links
vorn schiebt ein Mann eine Schubkarre. Im Zentrum
viele Figuren.

Links bezeichnet: VG 1653
Schwarze Kreide, grau laviert
Gestochen von Ploos van Amstel (Weigel 2981) und
    Körnlein
Das Original, das aus den Sammlungen Tonneman und
    Ploos van Amstel stammen soll, ist nicht bekannt.
    Maße etwa 170 × 262. Von den bekannten drei
    Nachzeichnungen, entspricht die Berliner Zeich-
    nung (III) am meisten einer Originalzeichnung,
    jedoch ist sie nicht signiert, wie sie es dem Stich nach
    sein müsste.

Nachzeichnungen: I) Wie beschrieben.
    Bezeichnet: VG 1653
    Schwarze Kreide, laviert 172 × 266
    Wasserzeichen: „Vryheyt", Löwe im Kreis mit
        Spruch (wie Heawood 3148/49, um 1750)
    Sammlung Großherzog Carl Alexander in Weimar
    STAATLICHE KUNSTSAMMLUNGEN IN WEIMAR; Inv.
        Nr. KK 4581
II) Wie beschrieben.
    Bezeichnet: VG 1653
    Schwarze Kreide, laviert 171 × 266
    Versteigerung in Bern am 21.6.1949 Nr. 605 mit
        Abb. (sfr 780)
III) Wie beschrieben. Unsigniert.
    Schwarze Kreide, laviert 158 × 269
    Sammlung von Beckerath, 1902 erworben vom
    KUPFERSTICHKABINETT DER STAATLICHEN MUSEEN IN
        BERLIN; Inv. Nr. 5343

398

398. WEIDE MIT KUHHERDE im Zentrum, eine Kuh wird gemolken. Links trägt ein Hirt einen Eimer. Den Mittelgrund durchzieht ein Zaun. Gebüsch und Bäume am Horizont.

Rechts bezeichnet: VG 1653
Schwarze Kreide, grau laviert 78 × 191
Wasserzeichen: Horn, unten Buchstabe M (Abb. 14)
Versteigerung Baron L. d'Ivry in Paris am 7.5.1884
    Nr. 90 (zusammen mit Z 346a: ffrs 100 George)
Sammlung F. Koenigs in Haarlem, seit 1940 im
MUSEUM BOYMANS-VAN BEUNINGEN IN ROTTERDAM;
    Inv. Nr. H 232

399

399. GEBÄUDEGRUPPE MIT RUNDTURM, Haus und ruinenhaftem Turm, zu dem eine vierbogige Brücke mit Treppe führt ⟨Kuhhirtenturm in Kleve⟩. Links vorn vier Figuren mit Hund.

Rechts bezeichnet: VG 1653
Schwarze Kreide, grau laviert 107 × 200
Vorzeichnung: Z 847/35 und /36
Literatur: Gorissen, mit Abb. – Dattenberg, mit Abb.
Kunsthandlung P. & D. Colnaghi & Co. in London,
    1946 verkauft in die
Sammlung Sir Bruce Ingram, 1963 vermacht dem
FITZWILLIAM MUSEUM IN CAMBRIDGE; Inv. Nr. PD 367-
    1963

399a. Reisende zu Pferd in Unterhaltung.

Bezeichnet: VG 1653
Schwarze Kreide 108 × 195
Versteigerung A. W. M. Mensing in Amsterdam am
    27.4.1937 Nr. 237 (fl 160)

400. BAUERNHOF MIT HOHEM VIERECKIGEM TURM, Satteldach und Treppengiebel im Zentrum. Vor dem Haus vier Figuren und ein Karren; rechts zurück ein großer Ziehbrunnen.

Links oben bezeichnet: VG 1653
Schwarze Kreide, laviert 110 × 190
Vergleiche: Z 219 (ähnliche Komposition)
Versteigerung in Paris am 18.12.1957 Nr. 40 mit Abb.
    (ffrs 145000)

401

401. ZIEHBRUNNEN MIT HOHEM HEBEBAL-KEN und Radgestell mit Fässern rechts vorn vor Gehöften. Am Brunnen eine Frau mit Kind. Links Fernblick.

Links bezeichnet: VG 1653
Schwarze Kreide, grau laviert 112 × 194
Bereits 1862 im
STÄDELSCHEN KUNSTINSTITUT IN FRANKFURT/MAIN; Inv.
    Nr. 3596

402. VIER KÜHE UND ZWEI HIRTEN (links) inmitten einer Weidelandschaft. Rechts zurück ein Gehöft, von Bäumen umgeben, und ein Kirchturm.

Halbrechts bezeichnet: VG 1653
Schwarze Kreide, grau laviert 113 × 194
Sammlung F. J. O. Boymans in Utrecht, 1847 vermacht
    dem
MUSEUM BOYMANS-VAN BEUNINGEN IN ROTTERDAM; Inv.
    Nr. Van Goyen 5
Ausgestellt: Amsterdam, 1903 (VG) Nr. 42

403. FIGURENGRUPPE AUF EINEM WEG im Zentrum; am Wegrand (links) sitzt ein Wanderer mit Hund. Weiter zurück entfernen sich ein Reiter und ein Planwagen. Nach rechts steigt das Gelände mit Bäumen, Gehöft und Heustock an.

Halbrechts bezeichnet: VG 1653
Schwarze Kreide grau laviert 113 × 195
Kunsthändler Charles Sedelmeyer in Paris, 1897
    erworben vom
RIJKSPRENTENKABINET IN AMSTERDAM; Inv. Nr. 3412
Ausgestellt: Amsterdam, 1903 (VG) Nr. 25

404. EINE KIRCHE UND DIE RUINEN EINES GROSSEN GEBÄUDES in der Hintergrundmitte ⟨Bergen in Nordholland⟩. Links vorn zwei Soldaten zu Pferd und vier Landleute in Unterhaltung.

Halbrechts bezeichnet: VG 1653
Schwarze Kreide, grau laviert 113 × 195
Literatur: F. Lugt in Jahrbuch der preuß. Kunstsamm-
    lungen, LII, 1931 S. 36-80
Versteigerung Prof. Dr. F. Heimsoeth aus Bonn in
    Frankfurt/Main am 5.5.1879 Nr. 76 (zusammen
    mit Z 333, 450, 467, 471: Mk 171 Amsler & Ruthardt)
KUPFERSTICHKABINETT DER STAATLICHEN MUSEEN BERLIN;
    Inv. Nr. 2400

405. DORFSTRASSE MIT EINEM ZWEISPÄNNI-GEN WAGEN, auf dem Reisende sitzen (links). Rechts Bauerngehöfte und ein Ziehbrunnen, an dem eine Person beschäftigt ist; weiter vorn vier Figuren. In der Ferne eine Kirchturmspitze.

Rechts bezeichnet: VG 1653
Schwarze Kreide, grau laviert 115 × 190
Gestochen von Busserus, 1769 (Weigel 2978)
Versteigerung Albert Langen in München am 5.6.1899
    Nr. 128 mit Abb.
    – in Berlin am 21.2.1900 Nr. 594 mit Abb.
    – R. Ph. Goldschmidt aus Berlin in Frankfurt/Main
    am 4.10.1917 Nr. 242 (zusammen mit Z 248:
    Mk 1150)
    – in Frankfurt/Main am 18.11.1921 Nr. 344

406. WIRTSHAUS AN DER LANDSTRASSE
(rechts); davor rastende Reisende und zwei Wagen; die
Pferde werden gefüttert.

Links unten bezeichnet: VG 1653
Schwarze Kreide, grau laviert 115 × 194
Wahrscheinlich: Versteigerung in Amsterdam am
    15.6.1908 Nr. 226 (fl 170)
    – in Amsterdam am 11.6.1912 Nr. 109 (fl 200
    Artaria)
Kunsthandlung C. G. Boerner in Leipzig, Lagerliste
    XXXVII/1918 Nr. 84 (Mk 1200)
Versteigerung Dr. C. Gaa aus Mannheim in Leipzig
    am 9.5.1930 Nr. 160
    – in Leipzig am 19.6.1937 Nr. 343 mit Abb. (Mk 310)
Sammlung Dr. W. Beck (†) in Berlin

407. FERNSICHT ÜBER WELLIGES FLACHLAND,
das im Mittelgrund von einem mit Segelbooten belebten Kanal durchzogen wird. Windmühlen am jenseitigen Ufer. Rechts vorn sitzen Figuren, weiter zurück
Kühe bei Gebüsch.

Rechts bezeichnet: VG 1653
Schwarze Kreide, grau laviert 115 × 195
Wasserzeichen: Krone über Halbmond und zwei
    Kreisen (Abb. 68)
Sammlung J. Masson in Amiens und Paris
ÉCOLE DES BEAUX-ARTS IN PARIS; Inv. Nr. M 1.660
    (Kat. Lugt 1950, Nr. 227 mit Abb.)

408. BLICK AUF KLEVE. Die Kirchen der Stadt im
Mittelgrund, halblinks eine Windmühle. Vorn Reiter
und andere Figuren auf einem Hügel, rechts eine
Kuhweide.

Rechts bezeichnet: VG 1653
Schwarze Kreide, grau laviert 115 × 195
Vorzeichnung: Z 847/44
Literatur: Beck (I) mit Abb. – Gorissen, mit Abb. –
    Dattenberg, mit Abb.
STÄDELSCHES KUNSTINSTITUT IN FRANKFURT/MAIN; Inv.
    Nr. 3593

408a. Landschaft, links eine Figurengruppe.

Bezeichnet: VG 1653
Schwarze Kreide (laviert?) 115 × 195
Wahrscheinlich identisch mit Z 409
Versteigerung J. F. Ellinckhuysen aus Rotterdam in
    Amsterdam am 16.4.1879 Nr. 112 (fl 22 van Gogh)

409. VIER FIGUREN AUF EINEM KLEINEN
HÜGEL am Wegrand an einem Zaun. Weiter zurück
einige Bäume, rechts in der Ferne ein Gehöft.

Halblinks bezeichnet: VG 1653
Schwarze Kreide, grau laviert 115 × 197
Wahrscheinlich identisch mit Z 408a

Versteigerung in Amsterdam am 20.12.1927 Nr. 155
Kunsthändler R. W. P. de Vries in Amsterdam; Kat.
1929, S. 110 mit Abb. (fl 400)

410. EIN EINSPÄNNIGER MARKTKARREN hält
links vorn auf einem kleinen Hügel; rechts davon drei
Figuren, links ein Wanderer mit Hund. Ortschaften mit
Türmen weiter zurück in der Ebene.

Links von der Mitte bezeichnet: VG 1653
Schwarze Kreide, laviert 115 × 197
Sammlung Herzog Albert von Sachsen-Teschen
ALBERTINA IN WIEN; Inv. Nr. 8518

411. VIER KÜHE links; etwa in der Mitte drei Figuren
mit Hund auf einem schattigen Dünenanstieg. Rechts
Figuren auf einer höheren Düne. Ortschaften mit
Kirchen und Windmühle am Horizont.

Rechts bezeichnet: VG 1653
Schwarze Kreide, grau laviert 115 × 212
Wasserzeichen: Horn (Abb. 9)
Sammlung J. H. Balfoort, Utrecht 1880
RIJKSPRENTENKABINET IN AMSTERDAM; Inv. Nr. A 89
    Ausgestellt: Amsterdam, 1903 (VG) Nr. 26
    – Leiden und Arnheim, 1960 (VG) Nr. 95 mit Abb.

411a. Gehöfte und Wirtshaus am Wegrand. Vorn
einige Figuren.

Bezeichnet: VG 1653
Schwarze Kreide, grau laviert 116 × 198
Versteigerung in Amsterdam am 22.6.1910 Nr. 146
(fl 125 Ducrey)

412. HOHER RUNDTURM inmitten einer Befestigungsanlage. In der Mitte auf einem Hügel eine Kanone.
Rechts Fernblick.

Rechts oben bezeichnet: VG 1653
Schwarze Kreide, grau laviert 117 × 197
Wasserzeichen: Horn, unten Buchstaben MC (Abb. 17)
Bereits 1862 im
STÄDELSCHEN KUNSTINSTITUT IN FRANKFURT/MAIN; Inv.
    Nr. 3595

412a. Weg in einer Ebene führt vor einer Herberge
vorbei, die zwischen Bäumen steht. Ein Wagen ist dort
angekommen. Einige Jungen auf einem Hügel rechts.

Bezeichnet: VG 1653
Schwarze Kreide 118 × 164
Versteigerung in Amsterdam am 27.5.1913 Nr. 107
(fl 90 Boerner)

410

411

412

413

414

413. DÜNENHÖHE MIT SIGNAL und Figurengruppe mit Reiter links vorn. Rechts Fernblick.

Rechts bezeichnet: VG 1653
Schwarze Kreide, grau laviert 119 × 198
Literatur: Richardson, mit Abb.
Kunsthändler Edward Speelman in London, 1934
THE DETROIT INSTITUTE OF ARTS IN DETROIT; Inv.
Nr. 34.105

414. DORFKIRCHE MIT NEBENGEBÄUDEN im
linken Mittelgrund. Links vorn im Schatten ein Gehöft.
Einige Figuren in der Landschaft. Im Hintergrund
ein gebüschbestandener Dünenzug. Rechts Fernblick.

Rechts bezeichnet: VG 1653
Schwarze Kreide, grau laviert 119 × 203
Vorzeichnung: Z 847/14
Wohl dieselbe Dorfkirche wie auf Z 847/5 und /6
Versteigerung in Amsterdam am 11.6.1912 Nr. 110
  (fl 105 Dirksen)
1929 erworben vom
CLEVELAND MUSEUM OF ART, CLEVELAND/OHIO; Inv.
Nr. 29.542

414a. Rückkehr vom Markt. Auf einem Karren sitzen
Landleute.

Bezeichnet: VG 1653
Schwarze Kreide, grau laviert 120 × 195
Versteigerung J. F. Ellinckhuysen aus Rotterdam in
  Amsterdam am 16.4.1879 Nr. 113 (fl 23 Langer-
  huizen)
  – P. Langerhuizen in Amsterdam am 29.4.1919
  Nr. 345 (fl 85 van Gelder)

415. BAUERNHÄUSER UND GEBÜSCH rechts;
ein Weg führt zu einer Windmühle, die halblinks
erhöht steht. Rechts eine Treppe vor Häusern.

Halblinks bezeichnet: VG 1653
Schwarze Kreide, grau laviert 120 × 200
Versteigerung Dr. R. Alexander-Katz in Berlin am
  21.6.1917 Nr. 61 mit Abb. (Mk 255 Kramer)
Sammlung van der Grient in Brüssel
Kunsthandlung Gutekunst und Klipstein in Bern; aus-
  gestellt: Febr. 1955 Nr. 2 mit Abb.
Versteigerung in Bern am 28.4.1955 Nr. 346 mit Abb.
  (sfr 840 Merke)
Sammlung Prof. Dr. F. Merke in Basel

415a. Fünf Figuren rechts und links vorn; im linken
Hintergrund ein Kirchdorf.

Bezeichnet und datiert 1653
Schwarze Kreide, laviert 120 × 202
Versteigerung Graf Ad. Thibaudeau in Paris am
  20.4.1857 Nr. 337 (ffrs 2)

416. DORFRAND. Häuser (rechts) an einer Straße. Links vorn zwei Reiter und zwei Fußgänger mit einem Hund. Reiter, Wagen und Figuren vor den Häusern weiter zurück.

Halbrechts bezeichnet: VG 1653
Schwarze Kreide, grau laviert 120 × 205
Vorzeichnung: Z 847/20
Sammlung von Beckerath, seit 1902 im
KUPFERSTICHKABINETT DER STAATLICHEN MUSEEN BERLIN;
Inv. Nr. 5347

417. HALT VOR DEM WIRTSHAUS. Mehrere Reisewagen rechts, in der Ferne ein Kirchturm. Links ein Ziehbrunnen und zwei Figuren.

Halbrechts bezeichnet: VG 1653
Schwarze Kreide, grau laviert 120 × 215
Wahrscheinlich identisch mit Z 417a
Versteigerung Dr. H. C. Valkema Blouw in Amsterdam am 2.3.1954 Nr. 184 mit Abb. (fl 725)

417a. Halt vor dem Wirtshaus.

Bezeichnet: VG 1653
Schwarze Kreide (laviert ?) 120 × 215
Wahrscheinlich identisch mit Z 417
Sammlung van der Willigen in Haarlem
Versteigerung J. F. Ellinckhuysen aus Rotterdam in Amsterdam am 16.4.1879 Nr. 111 (fl 28 Fred. Muller & Co.)

418. MEHRSTÖCKIGES WIRTSHAUS mit Kamin und Aushängeschild rechts an der Landstraße. Neben dem Dachvorbau am Eingang werden die Pferde eines Reisewagens gefüttert, zu beiden Seiten Figuren, ein Reiter. Links Blick über eine Wiese.

Rechts bezeichnet: VG 1653
Schwarze Kreide, grau laviert 122 × 200
Sammlung O. Gerstenberg in Berlin
Versteigerung in Bern am 9.5.1963 Nr. 124 mit Abb. (sfr 4300)
Sammlung Dr. H. Hoek in Riehen bei Basel

419. ZOLLSTATION MIT GATTERTOR UND GLÖCKCHEN. Rechts werden Pferde eines Plan- und Reisewagens gefüttert; vor einem Haus sitzt eine Marktfrau. Links fressen ausgespannte Pferde aus einer Krippe.

Halblinks bezeichnet: VG 1653
Schwarze Kreide, grau laviert 158 × 266
NATIONAL GALLERY OF SCOTLAND IN EDINBURGH; Inv. Nr. D 1098

419a. Halt vor dem Wirtshaus.

Bezeichnet: VG 1653
Schwarze Kreide 168 × 270
Versteigerung in Luzern am 28.6.1934 Nr. 121 (sfr 200)

421

420. ZOLLSTATION. Halblinks ein hoher Signalmast; davor eine Figurengruppe und eine Marktfrau.
In der Mitte zwei Schweine, halbrechts ein Bauernwagen.

Rechts bezeichnet: VG 1653
Schwarze Kreide, grau laviert 168 × 270
Sammlung Charles Gasc in Paris
 – Dr. J. Böhler in München
   Ausgestellt: München, 1961 Nr. 30

420a. Dorfgasthaus mit Figuren.

Bezeichnet: VG 1653
Schwarze Kreide, laviert 170 × 272
Versteigerung in London (So) am 16.10.1946 Nr. 57
  (£ 32 Lugt)

421. BAUERNHAUS UND TAUBENSCHLAG,
davor (Mitte) ein Reiter und ein Fußgänger mit Hund.
Rechts drei andere Figuren.

Links bezeichnet: VG 1653
Schwarze Kreide, grau laviert 170 × 273
Vielleicht: Versteigerung Guichardot in Paris am
  7.7.1875 Nr. 159 (ffrs 102 Kastner?)
Versteigerung V. D. Sylva in Brüssel am 13.6.1914
  Nr. 190 mit Abb.
  – in Amsterdam am 15.6.1926 Nr. 377 mit Abb.
  (fl 650 Mensing)
  – A. W. M. Mensing in Amsterdam am 27.4.1937
  Nr. 222 (fl 310 Colnaghi)
Sammlung Sir Bruce Ingram, 1963 vermacht dem
FITZWILLIAM MUSEUM IN CAMBRIDGE; Inv. Nr. PD 378-
  1963

422. GROSSE KLOSTERKIRCHE im rechten Mittelgrund. Rechts davor ein Gehöft und ein Bauer. Links
hält ein Pferdekarren mit einer Frau und einem Vogelkäfig bei einem Brunnen. Figuren nahebei.

Rechts bezeichnet: VG 1653
Schwarze Kreide, grau laviert 170 × 275
Gestochen von W. Baillie, Okt. 1771 (im Gegensinn);
    damals in der
Sammlung John Barnard; Inv. Nr. 818 (versteigert
    in London am 16.2.1787)
    – Brownlow (?)
Kunsthändler B. Houthakker in Amsterdam, 1956
Sammlung E. W. Kornfeld in Bern
    Ausgestellt: Ingelheim, 1964 Nr. 34 mit Abb.

Nachzeichnung: I) Im Gegensinn.
    Falsch signiert: VG 1653
    Feder, laviert 162 × 248
    Sammlung Masson in Amiens und Paris
    ÉCOLE DES BEAUX-ARTS IN PARIS; Inv. Nr. M 1.670
        (Kat. Lugt 1950 Nr. 240)

423. LÄNDLICHE HERBERGE, umgeben von Bäumen, im Zentrum. Halblinks etwas erhöht eine Figurengruppe und der Wirt bei zwei Fässern. Rechts plaudert
auf der Straße ein Reiter mit einem stehenden Reisenden, der sich auf einen Stock stützt. Weiter rechts
zurück andere Reisende.

Rechts bezeichnet: VG 1653
Schwarze Kreide, grau laviert 170 × 275
Vorzeichnung: Z 660
Vergleiche: Z 291 (ähnliche Komposition)
Kunsthändler L. Godefroy in Paris, Lagerkatalog II/1927
    Nr. 852 mit Abb.
Versteigerung in Paris am 16.12.1933 Nr. 472

424. DREI PLANWAGEN UND DREI REITER vor
einem Wirtshaus (rechts) an leicht ansteigender Straße;
ganz rechts vorn rasten zwei Männer.

Links bezeichnet: VG 1653
Schwarze Kreide, grau laviert 170 × 275
Versteigerung Baron d'Isendoorn à Blois in Amsterdam
    am 19.8.1879 Nr. 56 (fl 25 Muller)
    – W. P. Knowles aus Wiesbaden in Amsterdam am
    25.6.1895 Nr. 278 (fl 18 Coblenz)
    – in Paris am 11.4.1924 Nr. 96 mit Abb. (ffrs 3000)
Sammlung H. E. ten Cate in Almelo; Kat. 1955
    Nr. 237
Kunsthandlung C. G. Boerner in Düsseldorf; Katalog
    Dez. 1964 Nr. 53

424a. Am Wegrand eine Gruppe von drei Personen mit einem Kind. Ein Bauer kommt mit seinem beladenen Esel daher. Links hinter Sträuchern und großen Bäumen ein Haus. Rechts ein Wagen, der zu einem Kirchdorf fährt.

Links bezeichnet: VG 1653
Schwarze Kreide, grau laviert 170 × 280
Versteigerung Mme E. Warneck in Paris am 10 5.1905
   Nr. 162 (ffrs 470 Warneck)
   – in Paris am 27.1.1909 Nr. 65 (ffrs 530)

425. EINE BÄUERIN AM BRUNNEN links vorn; nahebei ein Schleifstein und ein Hund. Rechts ein großes Bauerngehöft. Unter einer Laube sitzt eine Frau. Am Haus stehen eine Schubkarre, eine Tonne und Hausgeräte. Ein Baum rankt am Haus empor.

Rechts bezeichnet: VG 1653 (von anderer Hand oben rechts beschriftet: Van Gooye)
Schwarze Kreide, laviert 171 × 269
STAATLICHE MUSEEN ZU BERLIN (OST); Inv. Nr. 143-1956

425a. Auf einer kleinen Hügelanhöhe links mehrere Figuren, unter ihnen ein sitzender Mann. Rechts eine andere Figurengruppe, in deren Mitte eine Frau sitzt.

Bezeichnet und datiert 1653
Schwarze Kreide, laviert 172 × 272
Sammlung Graf Nils Barck
Versteigerung Graf A. Thibaudeau in Paris am 20.4.1857
   Nr. 342 (ffrs 5)

426. EIN REITER (Zentrum) und mehrere Reisende halten vor einem armseligen Gasthaus (rechts) mit einem Dachvorbau über der Tür. Vor dem Haus ein Baum. Links Fernblick auf eine Windmühle.

Rechts bezeichnet: VG 1653
Schwarze Kreide, grau laviert 172 × 274
Wasserzeichen: LR (ähnlich Heawood 3073)
Sammlung J. de Grez in Brüssel, 1914 vermacht den
MUSÉES ROYAUX DES BEAUX-ARTS IN BRÜSSEL; Inv. Nr. 1411

427. EIN VOLLBESETZTER ZWEISPÄNNIGER REISEWAGEN und ein Planwagen halten auf der Landstraße unter einem Baum, an dem das Wirtshausschild befestigt ist; das Wirtshaus liegt rechts hinter Gebüsch. Die Pferde der Wagen werden gefüttert. Links vorn drei Figuren.

Rechts bezeichnet: VG 1653
Schwarze Kreide, grau laviert 172 × 274
Wasserzeichen: gekröntes Lilienwappen, unten Buchstaben WR (Abb. 39)
Sammlung J. de Grez in Brüssel, 1914 vermacht den
MUSÉES ROYAUX DES BEAUX-ARTS IN BRÜSSEL; Inv. Nr. 1413
   Ausgestellt: Brüssel, 1962/63 Nr. 155

428. DORFSTRASSE. Rechts ein Mann am Brunnen;
Gerätschaften liegen verstreut herum. Ganz rechts eine
Bauernfamilie. In der Mitte wird ein Wagen beladen.
Weiter zurück Häuser und, teilweise verdeckt, ein
Taubenschlag.

Rechts bezeichnet: VG 1653
Schwarze Kreide, grau laviert 172 × 277
Wasserzeichen: gekröntes Lilienwappen, unten Buch-
staben WR (Abb. 39)
Sammlung J. de Grez in Brüssel, 1914 vermacht den
MUSÉES ROYAUX DES BEAUX-ARTS IN BRÜSSEL; Inv.
Nr. 1409

429. HALT VOR DER HERBERGE. Mehrere Reisewagen und Pferde, viele Figuren auf der Landstraße
(Mitte). Links sitzen zwei Figuren am Weg.

Rechts bezeichnet: VG 1653
Schwarze Kreide, grau laviert 173 × 278
Sammlung W. Mayor in London; Kat. 1871 Nr. 343;
Kat. 1875 Nr. 605
Versteigerung J. F. Ellinckhuysen aus Rotterdam in
Amsterdam am 16.4.1879 Nr. 107 (fl 52 Langer-
huizen)
Sammlung P. Langerhuizen in Crailoo
Ausgestellt: Amsterdam, 1903 (VG) Nr. 83
Versteigerung in Amsterdam am 29.4.1919 Nr. 340
(fl 250 Muller)
Sammlung Kröller-Müller im Haag; seit 1935 Staats-
stiftung in Otterlo
RIJKSMUSEUM KRÖLLER-MÜLLER IN OTTERLO; Inv. Nr.
Kl 5.88

430. FÜNF FIGUREN rechts am Wegrand; weiter
raumeinwärts eine Schenke, vor der Landleute mit
ihrem Fuhrwerk halten.

Rechts bezeichnet: VG 1653
Schwarze Kreide, grau laviert 174 × 275
Sammlung W. Mayor in London; Kat. 1875 Nr. 610
Versteigerung [Freiherr Heyl zu Herrnsheim aus
Worms] in Stuttgart am 25.5.1903 Nr. 152 (Mk 405
Dr. Güterbock)
Sammlung Dr. F. Güterbock in Berlin
Kunsthandlung P. & D. Colnaghi & Co. in London,
1928/29
CLEVELAND MUSEUM OF ART IN CLEVELAND/OHIO; Inv
Nr. 29.548

431. HOHLWEG VOR EINER STADT mit mehreren Kirchen. Rechts und links kleine gebüschbewachsene Hügel. Rechts rastende Figuren am Wegrand; links ein Holzhacker und zwei andere Figuren.

Rechts bezeichnet: VG 1653
Schwarze Kreide, laviert 175 × 275
Wasserzeichen: gekröntes Lilienwappen
Versteigerung Ch. S. Bale in London (Chr) am 9.6.1881
    Nr. 2304 (£ 5.5.0 Knowles)
    – Sir James Knowles in London (Chr) am 27.5.1908
    Nr. 64 (£ 23 Mathey)
    – in Amsterdam am 5.7.1927 Nr. 208 mit Abb.
    (fl 400 Mensing)
    – A. W. M. Mensing in Amsterdam am 27.4.1937
    Nr. 223 (fl 350 Houthakker)
Kunsthändler B. Houthakker in Amsterdam
Sammlung H. E. ten Cate in Almelo; Kat. 1955
    Nr. 225
Kunsthandlung C. G. Boerner in Düsseldorf; Katalog
    Dez. 1964 Nr. 51
Versteigerung in Bern am 16.6.1965 Nr. 44 mit Abb.
Sammlung J. Theodor Cremer in New York, 1967

432. LANDLEUTE ZIEHEN ZU MARKT; rechts neben der hügeligen Fahrstraße ein großer Baum, links ein Kreuz. Wagen, Reiter und Fußgänger auf der Straße. Im Hintergrund ein Kirchturm.

Rechts bezeichnet: VG 1653
Schwarze Kreide, grau laviert 175 × 280
Wasserzeichen: LR (Abb. 78)
Versteigerung Prof. Dr. F. Heimsoeth aus Bonn in
    Frankfurt/Main am 5.5.1879 Nr. 75 (Mk 35 Knowles)
    – [Rump aus Kopenhagen] in Berlin am 25.5.1908
    Nr. 224 mit Abb. (Mk 95 Artaria)
    – in Amsterdam am 11.6.1912 Nr. 105 (fl 190
    Artaria)
    – in Leipzig am 9.5.1930 Nr. 158 mit Abb (Mk 950)
    – in Leipzig am 28.4.1939 Nr. 382 mit Abb. (Mk 740
    Dr. Beck)
Sammlung Dr. W. Beck (†) in Berlin

433. UNTER EINER HOHEN SIGNALSTANGE verkauft eine Frau Waren von einer Schubkarre. Dahinter ein Wall mit einem Wachtposten. In der Mitte das Gattertor einer Zollstation, ein Pferdewagen steuert darauf zu. Rechts eine Zelthütte.

Rechts bezeichnet: VG 1653
Schwarze Kreide, grau laviert 175 × 280
Sammlung von Beckerath, 1902 erworben vom
KUPFERSTICHKABINETT DER STAATLICHEN MUSEEN BERLIN;
    Inv. Nr. 5344

434. EIN ZIEHBRUNNEN GEGENÜBER EINEM DORFGASTHAUS im rechten Mittelgrund; vor dem Gasthaus ein Wagen und Figuren, andere am Brunnen. Unter einem Weidenbaum bei einem Gattertor links vorn unterhalten sich stehende und sitzende Bauersleute mit Kindern; weiter zur Mitte zu ein Kahn auf einem schmalen Kanal.

Links bezeichnet: VG 1653
Schwarze Kreide, grau laviert 210 × 305
Wasserzeichen: gekröntes Lilienwappen
Zusammengehörig mit Z 356, 357, 372, 389, 390, 554,
555
Sammlung Jhr. Mr J. A. Repelaer im Haag (alter Fami-
lienbesitz)
Versteigerung im Haag am 7.11.1967 Nr. 141 (fl 4000
Brod)
Kunsthändler A. Brod in London; Kat. 1969 Nr. 24
Versteigerung in London (So) am 13.7.1972 Nr. 5
mit Abb.

g) Flußlandschaften und Seestücke

435. SEGELBOOTE AM UFER (Mitte); ein Kirchdorf ⟨Boom⟩ auf dem linken Ufer. Ruderboote vorn
und im Hintergrund.

Links bezeichnet: VG 1653
Schwarze Kreide, grau laviert 100 × 190
Vorzeichnung: Z 846/57
Sammlung Thane
Kunsthändler G. Nebehay in Wien; Kat. „Die Zeich-
nung", III, 1928 Nr. 54 mit Abb. (Mk 700) –
Größenangabe: 113 × 192
– C. G. Boerner in Leipzig, 1932
Versteigerung in Leipzig am 19.6.1937 Nr. 344
(Mk 240)

436. GROSSES GEBÄUDE MIT MEHRECKIGEN
TÜRMCHEN UND TREPPENGIEBEL am rechten
Ufer auf einer Mauer. An einem Landungssteg davor
liegen Segel- und Ruderboote; halbrechts ein Kahn mit
zwei Fischern. Eine Windmühle in der Ferne (links).

Rechts bezeichnet: VG 1653
Schwarze Kreide, grau laviert 104 × 195
Wasserzeichen: Horn, unten Buchstaben LR (Abb. 13)
TEYLERS MUSEUM IN HAARLEM; Inv. Nr. 043

436A. WINDMÜHLE AUF EINER MAUER am
Fluß; ganz links ein mehreckiges Türmchen oberhalb
eines Rundbogentores. Drei Kähne liegen unterhalb
der Mauer. Halbrechts vorn sitzt ein Angler; ganz
rechts führt ein Weg in die Tiefe.

Links bezeichnet: VG 1653
Schwarze Kreide, laviert 105 × 193
MUSÉE DES BEAUX-ARTS IN GRENOBLE

Nachzeichnung: 1) Unsigniert.
    Schwarze Kreide, laviert 122 × 258
    Gestochen von Marie Felsenberg
    Literatur: Bernt (2), I, Nr. 270 mit Abb.
    Sammlung Herzog Albert von Sachsen-Teschen
    ALBERTINA IN WIEN; Inv. Nr. 8521

436

436A

437. FISCHREUSEN UND FISCHKÖRBE links auf einer Landzunge; ein Kahn mit drei Fischern landet.

Rechts bezeichnet: VG 1653
Schwarze Kreide, grau laviert 107 × 194
Wasserzeichen: gekröntes Wappen mit Basler Stab (Abb. 55)
Unbekannte Sammlung, um 1810 (L. 1895)
Vielleicht: Versteigerung Francis Abott in Edinburgh am 22.1.1894 in Lot 353 (zusammen mit Z 125 und zwei anderen Zeichnungen van Goyens)
Versteigerung F. Abott in Brüssel am 22.11.1922 Nr. 38 (zusammen mit Z 125: bfrs 380)
  – J. Boussac in Paris am 10.5 1926 Nr. 134 mit Abb. (ffrs 5000)
  – in Leipzig am 19.6.1937 Nr. 342 mit Abb (Mk 490)
Sammlung Dr. W. Beck (†) in Berlin
  Ausgestellt: Leiden und Arnheim, 1960 (VG) Nr. 100

Nachzeichnung: I) Wie beschrieben. Unsigniert.
  Schwarze Kreide, grau laviert 139 × 233
  Kunsthändler Houthakker in Amsterdam; Kat. 1971 Nr. 61 mit Abb. als S. de Vlieger

438. EIN RUDERKAHN MIT SECHS INSASSEN links vorn. Auf dem rechten Ufer einige Hütten unter Bäumen; entlang dem Ufer Ruder- und Segelboote.

Rechts bezeichnet: VG 1653
Schwarze Kreide, grau laviert 108 × 215
Wasserzeichen: Krone über drei Kreisen, im obersten Kreis ein Kreuz (ähnlich Abb. 69 und 70)
Angeblich aus den Sammlungen C. Fairfax Murray und Victor Koch
Kunsthandlung Roland, Browse & Delbanco in London
Sammlung Mrs. J. Weiser (in England), 1967

439. KALKOFEN (links) und Gehöfte (Mitte) am Ufer. Links vorn eine Wäscherin; Ruder- und Segelboote am Ufer. Rechts vorn ein Angler.

Bezeichnet: VG 1653
Schwarze Kreide, grau laviert 109 × 193
Versteigerung E. Desperet in Paris am 7.6.1865 Nr. 232 (ffrs 9)
Sammlung A Armand
  – P. Valton, 1908 geschenkt der
ÉCOLE DES BEAUX-ARTS IN PARIS; Inv. Nr. 34.605 (Kat. Lugt 1950 Nr. 229 mit Abb)

440. EINE STEINBRÜCKE (halbrechts); dahinter Gehöfte mit Treppengiebeln und Bäume am Ufer.

Rechts bezeichnet: VG 1653
Schwarze Kreide, grau laviert 109 × 196
Radiert von A. van der Haer (im Gegensinn)
Sammlung Carl Petersen in Kiel, 1880 vermacht der KUNSTHALLE IN KIEL; Kat. 1894 Nr. 163

Nachzeichnung: I) Mit geringen Abweichungen.
  Schwarze Kreide (laviert?)
  Sammlung Charles Gasc in Paris
  Im Kunsthandel, 1959

441. KÜHE ZU BEIDEN SEITEN EINES ZAUNES mit Signal (links). In der Mitte davor zwei Fischer im Kahn. Am diesseitigen Ufer (rechts) ein Fischer und Fischgerät. In der Ferne Segler und ein Kirchdorf.

Links bezeichnet: VG 1653
Schwarze Kreide, grau laviert 110 × 190
Vielleicht identisch mit Z 443b
Gestochen von A. van der Haer (im Gegensinn); beiderseits jedoch beschnitten, beispielsweise rechts ohne den Fischer
Versteigerung Mme Jules Ferry in Paris am 11.2.1921 Nr. 121 mit Abb. (ffrs 1350)

442. ALTES GEMÄUER MIT RUNDTURM und Nebengebäuden am linken Ufer. Ruderboote liegen entlang dem Ufer, weiter zurück Segelboote.

Links bezeichnet: VG 1653
Schwarze Kreide, grau laviert 110 × 190
Versteigerung Victor Decock in Paris am 12.5.1948 Nr. 17 mit Abb.

442

443. ZWEI RUDERBOOTE MIT FIGUREN UND EINE FÄHRE (weiter zurück) am rechten Ufer; ein dritter Ruderkahn mit einem Insassen links vorn. Am Ufer ein Kirchdorf mit Hütten und einem Heustock zwischen Bäumen. Rechts vorn eine Wäscherin.

Rechts bezeichnet: VG 1653
Schwarze Kreide, laviert 110 × 190
Wasserzeichen: Horn, unten ein Buchstabe
Kunsthandlung Thos. Agnew & Sons in London
   Ausgestellt: London, Mai-Juni 1967 Nr. 17 mit Abb.
Sammlung Dr. und Mrs. Rowley in Guildford

443

443a. Ortschaft am Flußufer. Hinter Baumgruppen ein ruinenhafter Turm und Häuserdächer. Boote auf dem Fluß.

Links bezeichnet: VG 1653
Schwarze Kreide, grau laviert 110 × 190
Versteigerung Mme E. Warneck in Paris am 10.5.1905 Nr. 174 (ffrs 410 Laporte)

443b. Landschaft mit Tieren; überschwemmte Wiesen.

Bezeichnet: VG 1653
Schwarze Kreide, grau laviert 110 × 190
Vielleicht identisch mit Z 441
Versteigerung Jacob de Vos Jbzn in Amsterdam am 22.5.1883 Nr. 216 (zusammen mit Z 147 und 345: fl 121 Langerhuizen)
Sammlung P. Langerhuizen in Crailoo
   Ausgestellt: Amsterdam, 1903 (VG) Nr. 81
   Versteigerung in Amsterdam am 29.4.1919 Nr. 347 (fl 80 van Gelder)

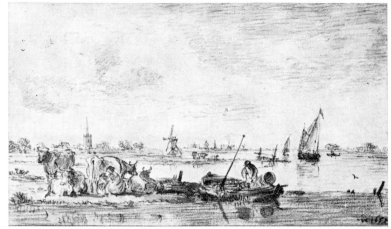

448

448. WEITE FLUSSLANDSCHAFT MIT VIER KÜHEN, von denen eine gemolken wird, links vorn auf einer Landzunge. In der Mitte ein Kahn mit einem Fischer bei einem Signal. Segelboote, Windmühle und Ortschaft im Hintergrund.

Rechts bezeichnet: VG 1653
Schwarze Kreide, laviert 111 × 190
Versteigerung A. C. Bowring in London (So) am
    23.2.1955 Nr. 43 (£ 48 H. Bier)
Kunsthändler H. N. Bier in London
Sammlung Walter C. Baker in New York; Kat 1962
    Nr. 47
    Ausgestellt: Metropolitan Museum of Art, New
    York, Juni-Sept. 1960

449

449. KIRCHE MIT ERHÖHTEM CHOR im Zentrum; rechts davor Gehöfte; aus einem dieser Gehöfte steigt Rauch auf; noch weiter vorn ein Zaun. Ruder- und Segelboote liegen am Ufer. Ganz rechts zwei Figuren.

Rechts bezeichnet: VG 1653
Schwarze Kreide, grau laviert 111 × 191
Vorzeichnung: Z 846/63 unten
Sammlung Mr. und Mrs. J. Theodor Cremer in New
    York, 1965

Nachzeichnung: I) Wie beschrieben.
    Links falsch bezeichnet: VG 1653
    Schwarze Kreide, grau laviert 113 × 193
    Wasserzeichen: Horn (Abb. 11)
    Kunsthändler Charles Sedelmeyer in Paris, 1897
    erworben vom
    RIJKSPRENTENKABINET IN AMSTERDAM; Inv. Nr. A 3413
        Ausgestellt: Amsterdam, 1903 (VG) Nr. 24

450

450. FISCHERKÄHNE AUF EINEM BREITEN FLUSS. Weiter links zurück eine Hütte auf einer Landzunge, umgeben von Bäumen, und ein Stangensignal.

Rechts bezeichnet: VG 1653
Schwarze Kreide, grau laviert 111 × 192
Versteigerung Prof. Dr. F. Heimsoeth aus Bonn in
    Frankfurt/Main am 5.5.1879 Nr. 76 (zusammen
    mit Z 333, 404, 467, 471: Mk 171 Amsler & Ruthardt)
KUPFERSTICHKABINETT DER STAATLICHEN MUSEEN BERLIN;
    Inv. Nr. 2397

451. WINDMÜHLE UND GEHÖFTE am rechten Ufer; davor zwei Kähne mit Insassen. Links vorn wartet ein Mann am Landeplatz, wo ein Kahn mit drei Figuren vorbeigerudert wird. Der Kanal zieht links in die Tiefe.

Rechts bezeichnet: VG 1653
Schwarze Kreide, grau laviert 111 × 193

Sammlung Freiherr von Rumohr (nicht in der Versteigerung 1846)
KUPFERSTICHKABINETT DER STAATLICHEN MUSEEN BERLIN;
Inv. Nr. 2760

452. VOLLBELADENE SEGELFÄHRE links. Rechts
zwei Fischer im Kahn. Am rechten Ufer Gehöft, weiter
zurück.

Rechts bezeichnet: VG 1653
Schwarze Kreide, grau laviert 112 × 194
Wasserzeichen: Krone über drei Kreisen
KUPFERSTICHKABINETT DER STAATLICHEN KUNSTSAMM-
LUNGEN IN DRESDEN; Inv. Nr. C 1187

453. EIN FISCHERBOOT MIT INSASSEN links
vorn. Weiter zurück ein Kirchdorf. Vorn in der Mitte
bückt sich ein Fischer über eine Reuse.

Rechts bezeichnet: VG 1653
Schwarze Kreide, grau laviert 112 × 195
Versteigerung in Berlin am 5.6.1912 Nr. 246 mit Abb.
(Mk 680?)

453a. Alte Bastion, überragt von einem Türmchen,
springt in den Fluß vor. Im Vordergrund unterhalten
sich vier Leute.

Bezeichnet: VG 1653
Schwarze Kreide, grau laviert 112 × 196
Versteigerung in Amsterdam am 11.6 1912 Nr. 111
(fl 55 Ederheimer)

454. VIER FISCHER MIT FISCHKORB im Kahn,
links vorn nahe dem Ufer; ein Fischer legt ein Netz aus.
Rechts von der Mitte zwei Männer im Ruderboot.
Rechts vorn Enten bei einem Stab im Wasser. Eine
Windmühle, Gebüsch und, weiter zurück, eine Kirche
am Ufer.

Links bezeichnet: VG 1653
Schwarze Kreide (von späterer Hand aquarelliert)
112 × 206
Sammlung E. J. Otto in Berlin, 1960
Kunsthandlung C. G. Boerner in Düsseldorf
– A. Brod in London, 1962
Sammlung Mr. und Mrs. Henry H. Weldon in New
York
Ausgestellt: Providence/R. I., 1964 Nr. 38 mit Abb.

455. EIN KAHN MIT ZWEI FISCHERN links.
Rechts am Ufer drei Figuren vor einem Gehöft mit
Nebengebäuden, die von einem Baum überragt werden.

Rechts bezeichnet: VG 1653
Schwarze Kreide, grau laviert 113 × 190
Versteigerung in Paris am 8 12.1911 Nr. 83 mit Abb.
(ffrs 410)

456. MEHRSTÖCKIGES GEBÄUDE am Fluß (links).
Am Ufer ein Hebebalken, unter dem ein Kahn liegt.
Vor dem Gehöft fünf Figuren. Eine Kirche in der
Ferne.

Rechts bezeichnet: VG 1653
Schwarze Kreide, grau laviert 113 × 190
Vorzeichnung: 846/32 Vorderseite
Kunsthändler G. Wildenstein in Paris, London und
New York
   Ausgestellt: London, 1953 Nr. 16
   – New York, 1955 Nr. 58

457. WINDMÜHLE AUF EINEM DÜNENHÜGEL
im Mittelgrund. Weiter rechts zurück die Kirchen einer
Ortschaft. Links vorn ein Reiter und zwei Fußgänger.
Rechts ein Teich mit einem Ruderkahn.

Rechts bezeichnet: VG 1653
Schwarze Kreide 113 × 194
Wasserzeichen: PD (Abb. 81)
Alte Sammlung des Louvre
MUSÉE DU LOUVRE IN PARIS; Inv. Nr. 22.614 (Kat.
   Lugt 1929 Nr. 308 mit Abb)

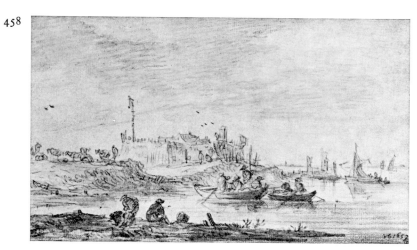

458. VON MAUERN UMGEBENE FESTUNG
AUF EINER INSEL im Mittelgrund ⟨Schenken-
schanz⟩; auf der Mauer ein Galgensignal. Halblinks vorn
zwei Männer auf einem Landstreifen. Halbrechts landen
zwei Boote. Weiter zurück Segelboote und eine
Turmruine.

Rechts bezeichnet: VG 1653
Schwarze Kreide, grau laviert 113 × 194
Wasserzeichen: Krone über Halbmond und zwei
   Kreisen (Abb. 67)
Literatur: Filla, mit Abb.
Vergleiche: G 257 (gleiche Landschaftsszene)
Sammlung B. Hausmann, 1875 erworben vom
KUPFERSTICHKABINETT DER STAATLICHEN MUSEEN BERLIN;
   Inv. Nr. 2765. – Kat. 1931 (Prestel) mit Abb.

459. RUDER- UND SEGELBOOTE liegen an einer
Stadtmauer mit Tor; in den Booten Fischer (Zentrum).
Links im Hintergrund eine Windmühle.

Links bezeichnet : VG 1653
Schwarze Kreide, grau laviert 113 × 195
Wasserzeichen: gekröntes Wappen mit Basler Stab
   (Abb. 56)
Literatur: J. J. de Gelder, Nr. 67 mit Abb.
In Rotterdam 1865 erworben vom
PRENTENKABINET DER RIJKSUNIVERSITEIT IN LEIDEN; Inv.
   Nr. 271
   Ausgestellt: Leiden, 1915 Nr. 20

460. GEHÖFTE AUF DEM RECHTEN UFER; eine
Leiter führt zum Wasser herunter, wo ein Kahn mit
einem Fischer liegt; weiter zur Mitte zurück hält ein
Pferdewagen.

Links bezeichnet: VG 1653
Schwarze Kreide (laviert?) 113 × 195
Versteigerung [Rump aus Kopenhagen] in Berlin am
25.5.1908 Nr. 222 mit Abb. (Mk 105 Sagert)
– in Amsterdam am 22.6.1910 Nr. 144 (fl 140 Strölin)
– in Amsterdam am 11.6.1912 Nr. 100 (fl 350)

461. FLUSSLANDSCHAFT MIT BAUERNHAUS
am linken Ufer. Drei Fischer im Kahn im Zentrum am
Ufer: weiter zurück ein Wagen.

Links bezeichnet: VG 1653
Schwarze Kreide 114 × 192
Vergleiche: Z 241 (gleiche Landschaftsszene)
Versteigerung in Stuttgart am 26.10.1949 Nr. 984
(Mk 210)
Norddeutsche Privatsammlung

461a. Bei Dordrecht; im Hintergrund die Ruine des
Huis te Merwede und eine Ortschaft. Vorn fünf Schiffe
mit Personen bei einer kleinen Landungsstelle.

Bezeichnet: VG 1653
Schwarze Kreide, grau laviert 114 × 195
Vergleiche: der Beschreibung nach wohl ähnliche Dar-
stellung wie Z 525
Versteigerung Van der Willigen aus Haarlem im Haag
am 12.8.1874 Nr. 94 (fl 55 Suermondt)
– B. Suermondt aus Aachen in Frankfurt/Main am
5.5.1879 Nr. 76 (Mk 105 Thibaudeau)
– J. P. Heseltine in London (So) am 27.5.1935
Nr. 169 (£ 32 Miss Locker-Lampson)

462

462. ZWEI SEGELBOOTE rechts; links drei Fischer
mit Fässern im Kahn. Ferne flache Ufer, vor dem
Segler kreuzen.

Rechts bezeichnet: VG 1653
Schwarze Kreide, grau laviert 114 × 195
Wasserzeichen: Horn, unten Buchstaben LR (Abb. 13)
Gestochen von L. Brasser (im Gegensinn)
Sammlung J. de Grez in Brüssel, 1914 vermacht den
MUSÉES ROYAUX DES BEAUX-ARTS IN BRÜSSEL; Inv.
Nr. 1407
Ausgestellt: Washington, 1954 Nr. 42
– Rotterdam, 1954/55 Nr. 45
– Brügge, 1955 Nr. 40
– Brüssel, 1962/63 Nr. 150

463

463. EIN KAHN MIT ZWEI INSASSEN liegt in der
Mitte vor dem baumbestandenen rechten Ufer. Auf
dem Ufer ein Gehöft mit Schuppen (rechts).

Links bezeichnet: VG 1653
Schwarze Kreide, grau laviert 114 × 195
Sammlung Sir Bruce Ingram, 1963 vermacht dem
FITZWILLIAM MUSEUM IN CAMBRIDGE; Inv. Nr. PD 372-
1963

464

464. ZWEI REITER unterhalten sich halblinks vorn mit zwei Fußgängern; in der Mitte ein tiefer gelegenes Haus an einem Kanal, davor ein Kahn. Rechts in der Ferne ein Kirchturm.

Rechts bezeichnet: VG 1653
Schwarze Kreide, grau laviert 114 × 196
Gestochen von A. v. d. Haer (im Gegensinn)
Sammlung B. Suermondt in Aachen, seit 1874 im
KUPFERSTICHKABINETT DER STAATLICHEN MUSEEN BERLIN;
Inv. Nr. 2762

465

465. BELADENE SEGELFÄHRE im Zentrum. Am linken Ufer Gebäude und eine Kirche; davor zwei Kähne.

Halbrechts bezeichnet: VG 1653
Schwarze Kreide, grau laviert 114 × 196
Sammlung C. W. E. Dietrich in Dresden, 1774 erworben vom
KUPFERSTICHKABINETT DER STAATLICHEN KUNSTSAMMLUNGEN IN DRESDEN; Inv. Nr. C 1186

465A. EIN PFERDEKARREN vor Gehöften (links); Segel- und Ruderboote liegen am Ufer. Rechts vorn Fischkörbe.

Links bezeichnet: VG 1653
Schwarze Kreide, grau laviert 114 × 203
Wohl nicht identisch mit Z 579a
Sammlung Graf Nils Barck
 – E. Calando in Paris
Französischer Privatbesitz, 1970

465a. Fischerboote in der Nähe eines Hauses vor Anker.

Bezeichnet: VG 1653
Schwarze Kreide 115 × 190
Versteigerung G. C. V. Schöffer aus Amsterdam in Berlin am 17.10.1895 Nr. 76

466

466. ZIEHBRUNNEN MIT LANGEM HEBEBALKEN und Radgestell mit Fässern rechts vorn. Eine Frau arbeitet am Brunnenrand. Links davon bückt sich ein Mann über zwei Kübel. Rechts zurück Gebüsch, links Fernblick über einen Fluß auf ferne Gehöfte.

Halbrechts bezeichnet: VG 1653
Schwarze Kreide, grau laviert 115 × 193
Wasserzeichen: Buchstaben FC (Abb. 74)
Kunsthändler Charles Sedelmeyer in Paris, 1897 erworben vom
RIJKSPRENTENKABINET IN AMSTERDAM; Inv. Nr. 3414
Ausgestellt: Amsterdam, 1903 (VG) Nr. 23

Nachzeichnung: I) Mit geringen Änderungen, beispielsweise liegt vorn ein Wagenrad neben zwei Balken. Rechts unten von alter Hand: A. van der Cabel
Kreide, laviert 157 × 250
Versteigerung Baron de Schwiter in Paris am 20 4 1883 Nr. 52
 – B. Lasquin in Paris am 21.5.1884 Nr. 58 (ffrs 65 Suchet)
 – J. P [eyrot] in Paris am 8.12.1938 Nr. 59 mit Abb. (ffrs 2300)

467. ORTSCHAFT MIT KIRCHE am linken Kanalufer; ein Kahn landet bei einer Treppe; andere Kähne
weiter zurück.
Rechts bezeichnet: VG 1653
Schwarze Kreide, grau laviert 115 × 195

Versteigerung Prof. Dr. F. Heimsoeth aus Bonn in
Frankfurt/Main am 5.5.1879 Nr. 76 (zusammen
mit Z 333, 404, 450, 471: Mk 171 Amsler & Ruthardt)
KUPFERSTICHKABINETT DER STAATLICHEN MUSEEN BERLIN;
Inv. Nr. 2399

467a. Kanalufer mit Hütten.

Bezeichnet: VG 1653
Schwarze Kreide, laviert 115 × 195
Versteigerung [Franken aus Paris] in Amsterdam am
23.6.1885 Nr. 106 (fl 22 Prestel)

468. ALTE GEBÄUDE UND EIN GROSSES
MÜHLRAD am Fluß (links), der im Hintergrund von
einer dreibogigen Brücke vor einer Kirche überspannt
wird. Ganz rechts ein hoher Hebebalken bei der Brücke.

Links bezeichnet: VG 1653
Schwarze Kreide, grau laviert 115 × 195
Wasserzeichen: Horn
Vorzeichnung: Z 846/42 mit geringer Änderung
Versteigerung in Amsterdam am 2.12.1913 Nr. 333
mit Abb. (fl 235 Ziegert)
– Dr. C. Gaa aus Mannheim in Leipzig am 9.5.1930
Nr. 161 (Mk 520 Colnaghi)
Kunsthandlung P. & D. Colnaghi & Co. in London,
1935 verkauft in die
Sammlung Edgar P. Richardson in Winterthur,
Delaware
Ausgestellt: Poughkeepsie, N. Y., Vassar College,
Mai-Juni 1961
– New York, bei Wildenstein, 1961 Nr. 42

468

469. KÜHE, SEGELBOOT UND RUDERBOOT
mit Insassen bei einem Stangensignal, das links vorn auf
einer Landspitze steht. Flache Ufer begrenzen den
Horizont.

Links bezeichnet: VG 1653
Schwarze Kreide, grau laviert 115 × 195
Versteigerung B. Suermondt aus Aachen in Frank-
furt/Main am 5.5.1879 Nr. 75 (Mk 62 Thibaudeau)
– J. P. Heseltine in London (So) am 27.5.1935
Nr. 172 (£ 28 Miss Locker-Lampson)

470. FISCHERBOOT UND SEGLER halblinks vor
hohem Uferdamm, zu dem links ein Mann über eine
Leiter emporsteigt. Auf dem Ufer Kühe vor einem Haus.
Weiter raumeinwärts Figuren bei einem vorgebauten
Signalmast.

Halbrechts bezeichnet: VG 1653
Schwarze Kreide, grau laviert 115 × 195
Vorzeichnung: Z 846/2 oben
Kunsthändler Charles Sedelmeyer in Paris, 1897
erworben vom
RIJKSPRENTENKABINET IN AMSTERDAM; Inv. Nr. 3410
Ausgestellt: Amsterdam, 1903 (VG) Nr. 19

470

471

472

473

471. MEHRERE KÜHE auf einer Landzunge rechts vorn. Im Hintergrund eine Kirche und Häuser einer Ortschaft, umgeben von Bäumen. Links der Fluß.

Rechts bezeichnet: VG 1653
Schwarze Kreide, grau laviert 115 × 196
Gestochen von Jan de Visscher (im Gegensinn) Nr. 8
Versteigerung Prof. Dr. F. Heimsoeth aus Bonn in Frankfurt/Main am 5.5.1879 Nr. 76 (zusammen mit Z 333, 404, 450, 467: Mk 171 Amsler & Ruthardt)
KUPFERSTICHKABINETT DER STAATLICHEN MUSEEN BERLIN; Inv. Nr. 2398

472. ZWEI GEHÖFTE, umgeben von Bäumen, am rechten Ufer. Links legt ein Segelboot an einem Steg an.

Rechts bezeichnet: VG 1653
Schwarze Kreide, grau laviert 115 × 196
HESSISCHES LANDESMUSEUM IN DARMSTADT; Inv. Nr. HZ 182

473. RUINEN EINER BURG mit Rundturm und dreibogiger Brücke am linken Ufer. Ganz links ein Kahn mit zwei Insassen.

Rechts bezeichnet: VG 1653
Schwarze Kreide, laviert 115 × 197
Wasserzeichen: Schellenkappe mit 7 Kugeln
Sammlung J. F. Gigoux, vermacht dem
MUSEUM IN BESANÇON; Inv. Nr. 774

474. EIN ANGLER sitzt links vorn auf einem Ufervorsprung. Rechts am Ufer ein großes Gehöft und Bäume; davor eine Wäscherin. Im Zentrum landet ein Kahn mit vier Figuren. Am fernen linken Ufer Kalköfen.

Rechts bezeichnet: VG 16(5)3
Schwarze Kreide, laviert 115 × 203
Vorzeichnung: Z 846/128
Sammlung E. Santarelli in Florenz, seit 1870 im
KUPFERSTICHKABINETT DER UFFIZIEN IN FLORENZ; Inv. Nr. 8725 S

475. EIN LANDUNGSPLATZ vorn; ganz links stößt ein Mann einen Kahn ab; in der Mitte vier Figuren, andere weiter links am Ende des Landungsplatzes. Segel- und Ruderboote auf dem Fluß. Am jenseitigen Ufer Gehöfte unter Bäumen. Links in der Ferne ein Kalkofen.

Rechts bezeichnet: VG 1653
Schwarze Kreide, laviert 115 × 205
Wasserzeichen: Horn
Versteigerung R. P. Roupell in London (Chr) am 12.7.1887 (wahrscheinlich Nr. 984 – zusammen mit Z 575 und 842j: £ 1.5.0 Hewlett)
Sammlung H. E. ten Cate in Almelo; Kat. 1955 Nr. 232
Kunsthandlung C. G. Boerner in Düsseldorf: Kat. Dez. 1964 Nr. 52
– Paul Drey Gallery in New York, 1965

475A. ZWEI REITER, Fußgänger und Hunde (im Zentrum) vor einem großen Gehöft, das links an einem schmalen Kanal liegt. Rechts in der Ferne eine Kirche.

Rechts bezeichnet: VG 1653
Schwarze Kreide, grau laviert 115 × 205
Wasserzeichen: Horn
Gestochen von Jan de Visscher (im Gegensinn) Nr. 2
Versteigerung in Rouen am 17.11.1970 Nr. 349 mit Abb.
Sammlung A. Stein in Crans s/Sierre (Schweiz)

475A

475a. Flußlandschaft. Rechts ein Dorf, im Mittelgrund
ein Segelschiff und zwei Barken.

Bezeichnet und datiert 1653
Schwarze Kreide (laviert) 115 × 205
Versteigerung Dr. A. Straeter aus Aachen in Stuttgart
    am 10.5.1898 Nr. 1122 (Mk 33 Rosenberg)
  – Julius Rosenberg aus Kopenhagen in Leipzig
    am 1.5.1901 Nr. 352 (Mk 59 Meder)

475b. Flußlandschaft, am Ufer Figuren.

Rechts bezeichnet: VG 1653
Schwarze Kreide, grau laviert 116 × 190
Sammlung Jean F. Gigoux (links unten der Sammler-
    stempel)
    Versteigerung in Paris am 20.3.1882 Nr. 318 (ffrs 91)
    Versteigerung [Maurice Delestre] in Paris am 14.5.1936
    Nr. 41 (ffrs 2000 Dupin)

476. EINE WINDMÜHLE AUF EINEM HÜGEL
am Fluß, fast im Zentrum. Links vorn stößt ein Fährboot mit einem Pferdekarren und Passagieren ab.
Rechts zieht das hügelige Ufer raumeinwärts: rechts ein
Wachtturm, in der Mitte ein größeres Gehöft bei einer
einbogigen Brücke, die ein Reiter überquert. Figuren
in Booten und am Ufer.

Rechts bezeichnet: VG 1653
Schwarze Kreide 116 × 193
Wasserzeichen: Schellenkappe mit 7 Kugeln (Abb. 28)
Sammlung Georges Ryaux in Paris, 1966

476

477. GEBÄUDE MIT SATTELDACH UND TAU-
BENSCHLAG inmitten einer Ufermauer (links).
Weiter links vorn vier Rundbögen in der Mauer, weiter
zurück ein achteckiger Turm. Ruder- und Segelboote
in Ufernähe.

Links bezeichnet: VG 1653
Schwarze Kreide, grau laviert 116 × 194
Vergleiche: Z 494 (gleiche Landschaftsszene)
Gestochen von Jan de Visscher (im Gegensinn) Nr. 7;
    mit geringfügiger Erweiterung: links vorn ein
    Angler
MUSÉE DU LOUVRE IN PARIS; Inv. Nr. 22.616 (Kat.
    Lugt 1929 Nr. 307 mit Abb.)

478

478. VOLL BESETZTES RUDERBOOT (links) und
Segelboot (rechts) auf leicht bewegtem Wasser. Links
ein Gehöft bei Pfahlwerk mit Seezeichen.

Rechts bezeichnet: VG 1653
Schwarze Kreide, grau laviert 116 × 195
Sammlung Herzog Albert von Sachsen-Teschen
ALBERTINA IN WIEN; Inv. Nr. 8514

479. KIRCHE VON DELFSHAVEN (Mitte), Turm
mit Taubenschlag (links) und Gehöfte am linken Ufer.
Ruderboote und ein Segelboot liegen entlang dem Ufer.

Links bezeichnet: VG 1653
Schwarze Kreide, grau laviert 116 × 195
Sammlung Herzog Albert von Sachsen-Teschen
ALBERTINA IN WIEN; Inv. Nr. 8512

480. DORF MIT TEILWEISE ZERSTÖRTER
KIRCHE ⟨Noordwijkerhout⟩; im linken Vordergrund ein Boot mit zwei Insassen; rechts ein Zaun.

Links bezeichnet: VG 1653
Schwarze Kreide, grau laviert 116 × 195
Sammlung Sir Bruce Ingram; 1963 vermacht dem
FITZWILLIAM MUSEUM IN CAMBRIDGE; Inv. Nr. PD 364-
1963

481. GEHÖFT AM FLUSS; davor arbeitet ein Mann.
Links vorn ein Kahn mit einem Insassen. Vor einem
niedrigen Bootshaus, weiter zurück, ein Kahn mit
zwei Insassen.

Rechts bezeichnet: VG 1653
Schwarze Kreide, grau laviert 116 × 197
Wasserzeichen: Horn, unten Buchstabe M (Abb. 15)
Sammlung von Beckerath, 1902 erworben vom
KUPFERSTICHKABINETT DER STAATLICHEN MUSEEN BERLIN;
Inv. Nr. 11812

482. EIN SEGELBOOT (links) und ein Ruderboot
mit vier Insassen (rechts) auf bewegtem Wasser. In der
Ferne das Ufer mit einer Kirche und andere Boote.

Links bezeichnet: VG 1653
Schwarze Kreide, grau laviert 117 × 193
Wasserzeichen: Agnus Dei (Abb. 7)
Sammlung Herman de Kat (nicht in der Versteigerung
    vom 4.3.1867)
Versteigerung D. Vis Blokhuyzen in Rotterdam am
    23.10.1871
    – Neville D. Goldsmid in Paris am 25.4.1876 Nr. 69
    (zusammen mit Z 324, 560, 842f, 842g: ffrs 207
    Charlet)
Sammlung E. Rodrigues in Paris (L. 897)
    – Ch. Drouet, 1909 vermacht der
ÉCOLE DES BEAUX-ARTS IN PARIS; Inv. Nr. 35.618 (Kat.
    Lugt 1950 Nr. 230 mit Abb.)

483. DREI ANGLER IM KAHN rechts neben einer
Weide. Am jenseitigen Ufer ein Heustock und Hütten;
davor Segelboote.

Rechts bezeichnet: VG 1653
Schwarze Kreide, grau laviert 117 × 193
Versteigerung D. Vis Blokhuyzen in Rotterdam am
    23.10.1871 Nr. 231 (zusammen mit einer anderen
    Zeichnung: fl 18 Suermondt)
Sammlung B. Suermondt in Aachen, 1874 erworben
    vom
KUPFERSTICHKABINETT DER STAATLICHEN MUSEEN BERLIN;
    Inv. Nr. 2761

484. Ein Haus mit Mühlrad links, weiter zurück ein hoher Hebebalken bei einer zweibogigen Brücke; in der Hintergrundsmitte eine Kirche. Links vorn ein Kahn mit zwei Insassen vor einem Häuschen. - Fraglich eigenhändig.

Rechts bezeichnet: VG 1653
Schwarze Kreide, laviert 117 × 196
Wasserzeichen: gekröntes Wappen mit Basler Stab (Abb. 56)
Vorzeichnung: Z 846/39
Gestochen von Jan de Visscher (im Gegensinn) Nr. 12
Gestochen von einem unbekannten Stecher (Weigel 2984), in der Sammlung Basan in Paris, 1795
Sammlung Dr. C. Hofstede de Groot im Haag
    Ausgestellt: Den Haag, 1902 Nr. 23
    - Amsterdam, 1903 (VG) Nr. 62
    - Leiden, 1916, Nr. A 57
    - Den Haag, 1930, I, Nr. 53
    1931 vermacht dem
GRONINGER MUSEUM VOOR STAD EN LANDE IN GRONINGEN;
    Kat. 1967 Nr. 33 mit Abb. (Inv. Nr. 1931-158)
    Ausgestellt: Groningen, 1931 Nr. 59; 1952 Nr. 36

485. KÜHE AN LAND UND IM SEICHTEN WASSER links; davor ein Fischer mit Kahn. Rechts fährt ein Segler mit Kahn im Schlepp raumeinwärts; weiter zurück ein viereckiger Wachtturm, bei dem Segler liegen.

Halblinks bezeichnet: VG 1653
Schwarze Kreide, grau laviert 117 × 197
ALBERTINA IN WIEN; Inv. Nr. 17583

486. BLICK AUF DELFT von Nordosten mit Nieuwe Kerk, Rathaus und Oude Kerk. Halblinks fährt ein vollbesetzter Pferdewagen über eine Steinbrücke raumeinwärts. Rechts von der Mitte zwei Fischer im Kahn.

Rechts bezeichnet: VG 1653
Schwarze Kreide, grau laviert 117 × 210
Vorzeichnung zu: G 420
Literatur: Beck (1) mit Abb.
Sammlung Richard Payne Knight, 1824 vermacht dem
BRITISCHEN MUSEUM IN LONDON; Inv. Nr. Oo.9-47
    (Hind 8 mit Abb.)

487. VIER FIGUREN AUF EINER KLEINEN BRÜCKE rechts vorn; mehrere Häuser und Bäume entlang dem rechten Ufer, das diagonal raumeinwärts zieht. In der Ferne ein Kirchturm. Zwei Kähne mit Figuren auf dem Wasser.

Links bezeichnet: VG 1653
Schwarze Kreide, grau laviert 117 × 212
Wasserzeichen: Horn (wie Abb. 10)
Vergleiche: Z 504 (dieselbe Uferszenerie)
Versteigerung in Amsterdam am 15.6.1908 Nr. 228
    (fl 125)
Sammlung E. W. Kornfeld in Bern
    Ausgestellt: Ingelheim, 1964 Nr. 33 mit Abb.

488. GEHÖFTE AM LINKEN FLUSSUFER. Links ein Kahn mit zwei Fischern bei einem Fischkastengestell. Rechts ein Fischerkahn und Fischkörbe.

Links bezeichnet: VG 1653
Schwarze Kreide, grau laviert 118 × 200
Unbekanntes Sammlerzeichen: V
Versteigerung K. E. von Liphart aus Florenz in Leipzig
    am 26.4.1898 Nr. 414 (Mk 62 Rump)
Versteigerung [Rump aus Kopenhagen] in Berlin
    am 25.5.1908 Nr. 227 (Mk 92 Boerner)
Kunsthandlung C. G. Boerner in Leipzig; Lagerliste
    XXXI/1909 Nr. 62
Versteigerung in Amsterdam am 11.6.1912 Nr. 96
    (fl 250 Masson)
Sammlung J. Masson in Amiens und Paris
ÉCOLE DES BEAUX-ARTS IN PARIS; Inv. Nr. M 1.658 (Kat.
    Lugt 1950 Nr. 228 mit Abb.)

489. BEFESTIGUNGSANLAGE VON KLEVE mit Mauer zwischen zwei Türmen; neben dem zinnenbewehrten Turm auf der Höhe schließen die Giebel einiger Häuser nach rechts an. Bei dem Turm unten am Fluß ein Kahn. Links vorn ein Angler, mehr im Zentrum ein Boot.

Rechts bezeichnet: VG 1653
Schwarze Kreide, grau laviert 118 × 200
Vorzeichnung: Z 847/51
Literatur: Gorissen, mit Abb. – Dattenberg, mit Abb.
STAATLICHE KUNSTSAMMLUNGEN IN WEIMAR; Inv. Nr.
    KK 4578

489a. Marine. Links vorn ein Segel- und ein Ruderboot; rechts drei Fischer im Kahn; in der Ferne Deiche, Hütten und Boote.

Bezeichnet und datiert 1653
Schwarze Kreide, laviert 118 × 200
Versteigerung Graf Ad. Thibaudeau in Paris am
    20.4.1857 Nr. 338 (ffrs 2)

490. TURM UND TORBOGEN AUF DER UFERMAUER halbrechts; davor Figuren an Land und in Booten; eine Kirche und Segelboote weiter zurück. Links vorn drei Fischer im Kahn.

Rechts bezeichnet: VG 1653
Schwarze Kreide, grau laviert 118 × 205
Wasserzeichen: MCED
Vergleiche: G 662 und 681 (gleiche Stadtvedute)
Kunsthändler Charles Sedelmeyer in Paris; 1897
    erworben vom
RIJKSPRENTENKABINET IN AMSTERDAM; Inv. Nr. A 3409
    Ausgestellt: Amsterdam, 1903 (VG) Nr. 20

491. ALTE HÄUSER AM HÜGELIGEN FLUSS-UFER, eine Treppe führt zum Ufer herauf. Rechts liegt ein Kahn; in der Ferne eine Brücke.

Links bezeichnet: VG 1653
Schwarze Kreide, grau laviert 118 × 210
Wasserzeichen: MCFD

Versteigerung Baron d'Isendoorn à Blois in Amsterdam
   am 19.8.1879 Nr. 59 (fl 18)
   – in Amsterdam am 20.12.1927 Nr. 154 mit Abb.
Kunsthändler R. W. P. de Vries in Amsterdam; Lagerkatalog 1929, Seite 109 mit Abb. (fl 400)
Privatsammlung in London, 1965

492. ÜBER EINE BRÜCKE fährt links ein Planwagen
raumeinwärts auf eine Kirche und Gehöfte zu ⟨Leider-
dorp⟩. Rechts vorn vier Männer im Kahn.

Links bezeichnet: VG 1653
Schwarze Kreide, grau laviert 118 × 213
Wasserzeichen: Horn (Abb. 9)
Literatur: Stift und Feder, III, 67
HESSISCHES LANDESMUSEUM IN DARMSTADT; Inv.
   Nr. AE 677

493. EIN REITER, umgeben von fünf Figuren, bei
einem Stangensignal rechts auf kleiner Anhöhe am
Fluß. Links ein Mann im Kahn. Am jenseitigen Ufer
Hütten und Gebüsch.

Rechts bezeichnet: VG 1653
Schwarze Kreide, laviert 119 × 194
KUNSTSAMMLUNGEN DER VESTE COBURG; Inv. Nr. 2595
   Kat. 1970 Nr. 54 mit Abb.

494. MAUER MIT TURMGEBÄUDE zieht links
raumeinwärts zu einer Segleranlegestelle; vor der
Mauer zwei Kähne (links); rechts vorn ein Kahn mit
drei Fischern.

Links bezeichnet: VG 1653
Schwarze Kreide, grau laviert 119 × 200
Vergleiche: Z 477 (gleiche Landschaftsszene)
Sammlung J. F. Gigoux
   – P. Laprat
   – Dr. J. Böhler in München
   Ausgestellt: München, 1961 Nr. 31 mit Abb.

494a. Landschaft mit Dünen an einem Fluß. Häuser am
Ufer, vorn eine Fähre mit Wagen.

Bezeichnet und datiert 1653
Schwarze Kreide, laviert 120 × 195
Versteigerung J. F. Ellinckhuysen aus Rotterdam in
   Amsterdam am 19.11.1878 Nr. 149 (fl 30 de Visser)
   – A. G. de Visser in Amsterdam am 16.5.1881
   Nr. 154 (fl 26 Fred. Muller & Co.)

494b. Ein Kanal, der nach links in die Tiefe zieht, ist
von mehreren Booten belebt. Auf dem rechten Ufer
passiert ein Wagen eine kleine Brücke.

Bezeichnet: VG 1653
Schwarze Kreide, grau laviert 120 × 195
Versteigerung in Amsterdam am 19.1.1904 Nr. 130
   (fl 70 Artaria)

495. KALKÖFEN UND HÜTTEN (Zentrum). Ein Segelboot liegt nahebei. Links ein Kahn mit zwei Männern bei einer Baumgruppe. Halbrechts ein Fischer im Kahn.

Rechts bezeichnet: VG 1653
Schwarze Kreide, grau laviert 120 × 199
Wasserzeichen: Horn (Abb. 10)
Vorzeichnung: Z 846/127 (?)
Gestochen von H. Spilman
Wahrscheinlich: Versteigerung S. Feitama in Amsterdam am 16.10.1758 Nr. F 75 (zusammen mit F 76: fl 14.5 Kok)
Versteigerung in Utrecht am 22.11.1900 Nr. 6573 (fl 21, zusammen mit 3 Zeichnungen anderer Künstler)
MUSEUM BOYMANS-VAN BEUNINGEN IN ROTTERDAM; Inv. Nr. Van Goyen 8
Ausgestellt: Amsterdam, 1903 (VG) Nr. 43

496. STADT AM FLUSS mit großer Kirche im rechten Mittelgrund. Vorn neun Kühe (Mitte) und zwei Angler (rechts); links zwei Segelboote. Andere Boote und Mühlen weiter zurück.

Links von der Mitte bezeichnet: VG 1653
Schwarze Kreide, laviert 120 × 199
Sammlung Frh. von Rhodin, en bloc erworben von der Sammlung Gustav von der Hellen; 1963 vermacht der KUNSTHALLE IN HAMBURG; Inv. Nr. 1963-199

496a. Ruinen am Flußufer. Auf dem Wasser zwei Fischer im Kahn, rechts ein Gehöft.

Bezeichnet: VG 1653
Schwarze Kreide 120 × 200
Versteigerung in Amsterdam am 15.6.1908 Nr. 240 (fl 50)

497. WEG ENTLANG EINEM FLUSS. Rechts vorn auf einer kleinen Brücke zwei Figuren und ein Reiter; in der Ferne ein Wagen. Am Ufer zwei Boote mit Fischern.

Links bezeichnet: VG 1653
Schwarze Kreide, grau laviert 120 × 200
Wasserzeichen: Schellenkappe mit 7 Kugeln (Abb. 27), ähnlich Heawood 2005
Vergleiche: dieselbe Szene (seitenverkehrt) auf einer alten blauen Delfter Kachel (mit schwarzem Rand) 16 × 19,5 cm
RIJKSMUSEUM IN AMSTERDAM (t. o. g. 2570)
Gestochen von Jan de Visscher (im Gegensinn), Nr 11
Sammlung H. I. A. Raedt van Oldenbarnevelt im Haag
Ausgestellt: Amsterdam, 1903 (VG) Nr. 93
Versteigerung in Amsterdam am 19.1.1904 Nr. 127 (fl 66 de Moes)
RIJKSPRENTENKABINET IN AMSTERDAM; Inv. Nr. 05: 63
Ausgestellt: Leiden und Arnheim, 1960 (VG) Nr. 97

498. HÄUSER UND HÜTTEN am rechten Ufer Davor ankern Segel- und Ruderboote. An Land und in Booten einige Figuren.

Rechts bezeichnet: VG 1653
Schwarze Kreide, grau laviert 120 × 202
Eremitage in Leningrad
Versteigerung in Leipzig am 29.4.1931 Nr. 92 (Mk 220
    Artaria)
Privatsammlung in München, 1964
Versteigerung in London (Chr) am 27.6.1967 Nr. 101
    mit Abb. (£ 735 Brod)

498

499. GROSSER GEBÄUDEKOMPLEX MIT TURM,
Giebelhaus, Torbogen und Treppe, die zu einer Brücke
und Landungsstelle führt, am rechten Ufer. An der
Landungsstelle einige Segelboote. Rechts vorn ein
Kahn mit drei Figuren; am Ufer sitzt ein Mann. In der
Ferne links eine Kirche.

Rechts bezeichnet: VG 1653
Schwarze Kreide, laviert 120 × 202
Kunsthändler G. Neumans in Paris, 1919 erworben
    vom
MUSEU NACIONAL DE ARTE ANTIGA IN LISSABON; Inv.
Nr. 2534

499

500. WINDMÜHLE UND ZWEI HÄUSER rechts
auf einer Mauer. Unterhalb der Mühle ein Fischerkahn
mit zwei Insassen. Links Pfahlwerk. Weiter zurück
Segel- und Ruderboote.

Rechts bezeichnet: VG 1653
Schwarze Kreide, grau laviert 120 × 205
Versteigerung W. P. Knowles aus Wiesbaden in
    Amsterdam am 25.6 1895 Nr. 281 (fl 9.50 Roos)
    – W. F. Piek in Amsterdam am 1.6.1897 Nr. 109
    (fl 18 Mos)
    – in Amsterdam am 15.6.1908 Nr. 237 (fl 65 Dirksen)
    – in Amsterdam am 14.12.1911 Nr. 1330 mit Abb.
    (fl 255 Houthakker)

501. FLUSSLANDSCHAFT. Auf dem linken Ufer Gehöfte und eine Kirche. Halblinks ein Segelboot bei einem
kleinen Holzschuppen. Kähne weiter zurück. Rechts
vorn eine Reuse.

Links bezeichnet: VG 1653
Schwarze Kreide, von späterer Hand aquarelliert
    120 × 205
Vorzeichnung: Z 846/125
Vergleiche: Z 267 (gleiche Landschaftsszene)
Versteigerung in Stuttgart am 27.5 1952 Nr. 959 mit
    Abb. (zurück)
Kunsthandlung Gebr. Douwes in Amsterdam, 1962

501A

501A. EINE TURMRUINE halbrechts am Ufer,
dabei zwei Figuren; in der Mitte zwei Ruderkähne mit
Fischern. Im Hintergrund ankern Segelboote bei
einem Gehöft oder fahren auf dem Fluß. Links vorn
zwei Fischer auf einer Sandbank.

Rechts bezeichnet: VG 1653
Schwarze Kreide, grau laviert 120 × 215
Sammlung E. Calando in Paris
Französischer Privatbesitz, 1970

507. TORBOGEN UND ANGRENZENDE KIRCHE (rechts), von Bäumen umgeben; andere Gebäude weiter zurück am Ufer. Rechts vorn landet ein Kahn mit zwei Figuren; links ein anderer Kahn bei einem Landvorsprung.

Rechts bezeichnet: VG 1653
Schwarze Kreide, laviert 163 × 275
Versteigerung Baron L. d'Ivry in Paris am 7.5.1884
   Nr. 88 (zusammen mit Z 187a: ffrs 175 Brissac)
   – in Paris am 3.6.1953 Nr. 117 mit Abb.

507a. Stadt, von einem Fluß durchzogen; an den Ufern viele Figuren.

Bezeichnet und datiert 1653
Schwarze Kreide, laviert 164 × 273
Sammlung Graf Nils Barck
Versteigerung Graf A. Thibaudeau in Paris am 20.4.1857
   Nr. 346 (ffrs 6.50)

508. RUDER- UND SEGELBOOTE MIT FIGUREN längs dem rechten Ufer. Auf dem Ufer zwei Männer am Schleifstein; außerdem ein Karren, der beladen wird, ein einzelner Baum und ein Reiter vor raumeinwärts gestaffelten Gehöften. Links vorn ein Heuboot.

Rechts bezeichnet: VG 1653
Schwarze Kreide, grau laviert 164 × 276
Literatur: Meder, mit Abb. – Leporini, 1928, Seite 279
   mit Abb.
Sammlung Herzog Albert von Sachsen-Teschen
ALBERTINA IN WIEN; Inv. Nr. 8525
   Ausgestellt: Wien, 1966 Nr. 49

508a. Flußlandschaft mit Fischern.

Bezeichnet: VG 1653
Schwarze Kreide, laviert 165 × 275
Versteigerung J. F. Ellinckhuysen aus Rotterdam
   in Amsterdam am 16.4.1879 Nr. 108 (fl 58 Fred.
   Muller & Co.)

509. GESPANNE BEIM AUFLADEN VON FÄSSERN aus einem rechts auf einem Kanal liegenden Boot. In der Mitte Gespanne, die gefüttert werden. Rechts und links im Hintergrund Häuser.

Rechts bezeichnet: VG 1653
Schwarze Kreide, laviert 166 × 270
Sammlung F. Koenigs in Haarlem (1926 erworben);
   1940 vermacht dem
MUSEUM BOYMANS-VAN BEUNINGEN IN ROTTERDAM; Inv.
   Nr. H 98. – Seit etwa 1940 nicht mehr in Museums-
   besitz

509

510. FLUSSLANDSCHAFT. Am rechten Ufer fünf Boote, davon zwei mit Heu; ein sechstes Boot wird ausgebessert (Mittelgrund). Auf dem rechten Ufer Häuser einer Ortschaft zwischen Bäumen.

Rechts bezeichnet: VG 1653
Schwarze Kreide, grau laviert 166 × 274
MUSÉE DU LOUVRE IN PARIS; Inv. Nr. 22.613 (Kat. Lugt 1929 Nr. 312)

511. EIN WOHNBOOT MIT DACH links vorn; es wird von einem Reiter (halblinks) gezogen; neben dem Reiter eine Brücke. Rechts Gehöfte, ein Heustock und Bäume am Ufer. Ein Kahn liegt bei zwei Fischkästen.

Links bezeichnet: VG 1653
Schwarze Kreide, grau laviert 167 × 275
Wasserzeichen: LR
Versteigerung [J H. Cremer aus Brüssel] in Amsterdam am 15.6.1886 Nr. 112 (fl 36 Langerhuizen)
Sammlung P. Langerhuizen in Crailoo
   Ausgestellt: Amsterdam, 1903 (VG) Nr. 74
   Versteigerung in Amsterdam am 29.4.1919 Nr. 341
   (fl 200 de Vries)
Privatsammlung in London, 1965

512. ZUYDERZEELANDSCHAFT. Links Fregatten, Segler und Ruderboote bei einer Landungsbrücke; rechts Häuser auf einem Kai. Rechts davor ein vollbesetztes Ruderboot.

Links bezeichnet: VG 1653
Schwarze Kreide, laviert 168 × 269
Vergleiche: G 895 (gleiche Landschaftsszene)
Versteigerung Baron L. d'Ivry in Paris am 7.5.1884 Nr. 92 (zusammen mit Z 174: ffrs 120 George)
Sammlung F. Koenigs in Haarlem (1929 erworben); 1940 vermacht dem
MUSEUM BOYMANS-VAN BEUNINGEN IN ROTTERDAM; Inv. Nr. H 234. – Seit etwa 1940 nicht mehr in Museumsbesitz

513. HÜGELIGE LANDSCHAFT MIT EINER KIRCHE (rechts), vielen Gebäuden und Buschwerk. In der Mitte eine Kuhherde am Fluß. Links vorn ein Angler (Rückenfigur).

Rechts bezeichnet: VG 1653
Schwarze Kreide, grau laviert 168 × 273
Wasserzeichen: LR
Literatur: Kunstmuseets Aarskrift, 1917, Seite 124 mit Abb.
Sammlung John Barnard (versteigert in London am 16.2.1787)
Versteigerung Baron K. E. von Liphart aus Florenz in Leipzig am 26.4.1898 Nr. 412 (Mk 60 Rump)
Sammlung J. Rump in Kopenhagen, 1916 geschenkt dem
STATENS MUSEUM FOR KUNST, KGL. KOBBERSTIKSAMLING IN KOPENHAGEN; Inv. Nr. 7318

514. EIN PLANWAGEN hält vor einem Wirtshaus (halblinks), dessen Aushängeschild an einem gegenüberstehenden Baum befestigt ist. Links ein Reiter und andere Figuren auf einer Brücke. Im Zentrum ein Kahn.

Links bezeichnet: VG 1653
Schwarze Kreide, grau laviert 168 × 275
Sammlung Herzog Albert von Sachsen-Teschen
ALBERTINA IN WIEN; Inv. Nr. 8511

Nachzeichnung: I) Wie beschrieben. Unsigniert.
   Schwarze Kreide, grau laviert 163 × 267
   Sammlung F. J. O. Boymans, 1847 vermacht dem
   MUSEUM BOYMANS-VAN BEUNINGEN IN ROTTERDAM;
      Inv. Nr. Van Goyen 10 (im Katalog 1852 und 1869
      als P. Molyn)

514a. Flußlandschaft mit einer Kirche (rechts). Links Bauern mit einem Pferdefuhrwerk.

Bezeichnet: VG 1653
Blei (?) und Tuschpinsellavierung 168 × 275
Versteigerung in London (So) am 2.11.1949 Nr. 58
(£ 32)

515. GEHÖFT UNTER BÄUMEN AM LINKEN FLUSSUFER. Am überdachten Gartentor mehrere Figuren. Links vorn liegt ein Kahn mit zwei Insassen. Rechts vorn ein Hirt und fünf Kühe. Das linke Ufer zieht diagonal in die Ferne.

Halblinks bezeichnet: VG 1653
Schwarze Kreide, grau laviert 168 × 279
Wasserzeichen: gekröntes Lilienwappen, unten Buchstaben WR (ähnlich Abb. 39)
Literatur: Die Weltkunst, 15.2.1970, Seite 157 mit Abb.
Versteigerung J F. Ellinckhuysen aus Rotterdam in Amsterdam am 16 4 1879 Nr. 109 (fl 62 Langerhuizen).
Sammlung P Langerhuizen in Crailoo
   Ausgestellt: Amsterdam, 1903 (VG) Nr. 75
   Versteigerung in Amsterdam am 29 4.1919 Nr. 342
   (fl 400 Fred. Muller & Co.)
Sammlung Frits Lugt in Paris; Inv. Nr. I 228
   Ausgestellt: Brüssel, Rotterdam, Paris, Bern, 1968/69
   Nr. 70 mit Abb.
FONDATION CUSTODIA IN PARIS

516. EINE ZWEIBOGIGE BRÜCKE MIT EINER SÄULE im rechten Mittelgrund, dahinter Häuser und Kirchen einer Stadt ⟨vielleicht eine Komposition verschiedener Brüsseler Motive⟩. Links ein Wagen auf dem Uferdamm, dahinter eine Mühle. Vorn Boote.

Links bezeichnet: VG 1653
Schwarze Kreide, grau laviert 170 × 270
Versteigerung in Amsterdam am 15.6.1926 Nr. 376
   mit Abb. (fl 1050 van Buren)
Sammlung Mr. und Mrs. J. Theodor Cremer in New York (seit 1945)

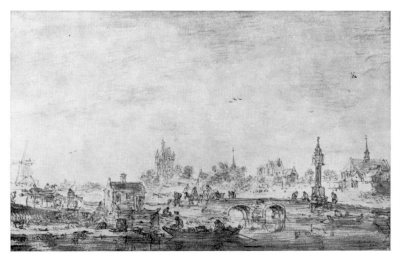

517. FLUSSLANDSCHAFT MIT EINEM HOLZ-STEG. Links davor ein sitzender und ein stehender Angler, dahinter Segelboote. An beiden Ufern Gehöfte.

Rechts von der Mitte bezeichnet: VG 1653
Schwarze Kreide, grau laviert 170 × 270
Vergleiche: Z 273 (gleiche Landschaftsszene)
Versteigerung in Amsterdam am 20.12.1927 Nr. 153
   mit. Abb.
  – in Amsterdam am 7.11.1928 Nr. 292 mit Abb.

518. DREI MÄNNER AUF EINER BOGEN-BRÜCKE (links); dahinter ein Gehöft unter Bäumen. Ruder- und Segelboote auf dem Fluß, im Hintergrund eine Säule an einer Brücke und eine Kirche.

Links bezeichnet: VG 1653
Schwarze Kreide, laviert 170 × 270
Versteigerung J. C. Ritter von Klinkosch in Wien
   am 15.4.1889 Nr. 431 (Kr 405)
  – in Paris am 27.1.1909 Nr. 69 mit Abb. (ffrs 745
   Coblenz)
  – in Amsterdam am 15.6.1926 Nr. 374 mit Abb.
   (fl 750)
Kunsthändler D. A. Hoogendijk in Amsterdam, 1956
  – Frederick Mont in New York, 1965

519. EIN ZWEISPÄNNIGER REISEWAGEN hält vor einem Gasthaus mit Aushängeschild (Mitte), die Pferde werden gefüttert. Ein großer Baum steht vor dem Eingang. Rechts vorn eine Familie vor einem Zaun und baufälliger Scheune. Links bückt sich ein Mann am Wasser. Am gegenüberliegenden Ufer ist ein Kirchdorf.

Links bezeichnet: VG 1653
Schwarze Kreide, grau laviert 170 × 270
Literatur: Burl. Mag., Mai 1958 mit Abb.
Versteigerung Simon Fokke in Amsterdam am
   6.12.1784 Nr. 220 (zusammen mit Nr. 219: fl 20.10
   Fouquet)
  – in Amsterdam am 15 6 1908 Nr. 222 (fl 130)
  – Tony Mayer in Paris am 3.12.1957 Nr. 7 mit Abb.
Kunsthandlung W. Hallsborough Ltd. in London
   Ausgestellt: London, 1958 Nr. 16
Sammlung I. Leib in London
   Ausgestellt: Leiden und Arnheim, 1960 (VG) Nr. 98

520. KLOSTERKIRCHE UND GEHÖFTE am linken Ufer. Bei einem Hebebalken liegen zwei Kähne. Rechts zurück eine zweibogige Brücke mit Säule.

Rechts bezeichnet: VG 1653
Schwarze Kreide, grau laviert 170 × 270
Wasserzeichen: LR
Vergleiche G 780 (gleiche Landschaftsszene, aber ohne
   Bogenbrücke!)
Versteigerung L. H. Storck aus Bremen in Berlin am
   25.6.1894 Nr. 229 (Mk 30 Sagert)

Kunsthandlung Gutekunst und Klipstein in Bern, 1956
Sammlung E. J. Otto in Berlin
Kunsthandlung C. G. Boerner in Düsseldorf, 1963;
   Lagerliste 38/1964 Nr. 68 mit Abb.
Sammlung Kurt Meissner in Zürich
   Ausgestellt: Zürich und Bremen, 1967 Nr. 170 mit
   Abb.
   – Stanford University, Detroit, New York, 1969/70
   Nr. 59 mit Abb.

521. DIE STADT HOEI (HUY) an der Maas mit großer Kirche und Tor am rechten hügeligen Ufer; eine mehrbogige Brücke überspannt den Fluß etwa in Höhe der Kirche im Hintergrund; vom linken Ufer ist nur eine kleine Landspitze mit Gebäuden sichtbar. Rechts an Land viele Figuren und Pferdewagen. Entlang dem Ufer liegen mehrere Kähne. Ein größeres Boot mit Figuren links vorn.

Rückseitig von alter Hand (Fokke?): De Stad Houg (?)
   Uyt het Cabinet van de Heer S. Fytama
Rechts bezeichnet: VG 1653
Schwarze Kreide, laviert 170 × 270
Versteigerung S. Feitama in Amsterdam am 16.10.1758
   Nr. G 50 (fl 10.10 Fokke)
   – Simon Fokke in Amsterdam am 6.12.1784 Nr. 583
   (fl 6 Roos)
Sammlung Eduard Cichorius, vorgesehen zur Versteigerung in Leipzig am 5.5.1908 Nr. 533 mit Abb., vor der Auktion verkauft

522. STEIL ANSTEIGENDES, BEBUSCHTES UFER, an dem Fischerkähne anlegen (links). Rechts vorn Fahrweg mit Bauernwagen am diesseitigen Ufer. In der Mitte sitzen zwei Figuren am Ufer. Im Hintergrund ein Bergschloß.

Links bezeichnet: VG 1653
Schwarze Kreide, grau laviert 170 × 270
Sammlung Eduard Cichorius, vorgesehen zur Versteigerung in Leipzig am 5.5.1908 Nr. 534, vor der Auktion verkauft
Versteigerung Oskar Huldschinsky in Berlin am 3.11.1931 Nr. 46 mit Abb. (Mk 280)
   – Louis Deglatigny aus Rouen in Paris am 14.6.1937 Nr. 109 mit Abb.

523. HEBEBALKEN rechts vorn am Ufer; dahinter Gehöfte auf dem erhöhten Ufer. Ganz rechts vorn arbeitet ein Mann am Wasser, ein abgetakeltes Segelboot mit Figuren weiter zurück. In der Ferne das linke Ufer.

Halblinks bezeichnet: VG 1653
Schwarze Kreide, grau laviert 170 × 270
Versteigerung Mme E. Warneck in Paris am 10.5.1905
   Nr. 171 (ffrs 280 Wauters)
Sammlung E. Wauters in Paris
Versteigerung in Paris am 6.5.1909 Nr. 53 mit Abb.

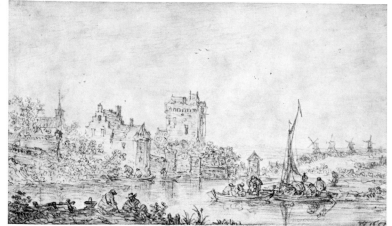

524. BEFESTIGTE STADT am Fluß; hinter einer mit Rundtürmen versehenen Mauer am linken Ufer erheben sich Gebäude: eine Kirche, ein Haus mit Treppengiebel und ein hoher, mächtiger viereckiger Turm. Zwei Kähne unterhalb der Mauer, ein Kahn und ein abgetakeltes Segelboot mit Figuren und Fischkörben rechts vorn. Rechts im Hintergrund vier Windmühlen. Auf einem Vorsprung des diesseitigen Ufers (links vorn) sitzen zwei Männer.

Rechts bezeichnet: VG 1653
Schwarze Kreide, grau laviert 170 × 270
Angeblich aus Sammlung Marquis J. de Bailleul (L. 335)
Sammlung Ch. Gasc in Paris
  – Mr J. Walter in Den Haag, 1968
Versteigerung in London (So) am 9.4.1970 Nr. 74 mit Abb. (£ 1100 Fisher Gallery)

524a. Flußlandschaft mit einem Dorf.

Bezeichnet: VG 1653
Schwarze Kreide, laviert 170 × 270
Versteigerung J. F. Gigoux in Paris am 20.3.1882 Nr. 316 (ffrs 185)

524b. Dorfgasthaus am Fluß.

Links unten bezeichnet: VG 1653
Schwarze Kreide, grau laviert 170 × 270
Vergleiche: Z 519 und 544
Versteigerung Max J. Bonn in London (So) am 15.2.1922 Nr. 21 (£ 38 Colnaghi)
Kunsthandlung P. & D. Colnaghi & Co. in London, 1922 verkauft an
  – Dr. Erwin Rosenthal in Berlin

524c. Vierspänniger Reisewagen hält vor einem Gasthaus am Fluß.

Bezeichnet: VG 1653
Schwarze Kreide 170 × 270
Versteigerung L. H. Storck aus Bremen in Berlin am 25.6.1894 Nr. 230 (Mk 48 Bil... = wahrscheinlich W. P. Knowles)

525. SEGELBOOTE MIT VIELEN FIGUREN liegen in der Mitte vorn an einem Ufervorsprung, auf dem sich noch andere Figuren aufhalten. Rechts ein Kahn, Segler weiter zurück. Rechts in der Ferne das Huis te Merwede.

Rechts bezeichnet: VG 1653 (zum Teil abgeschnitten)
Schwarze Kreide, grau laviert 170 × 275
Vergleiche: Z 461a
Gestochen von H. Spilman (Weigel 2991)
Sammlung de Vos (handschriftliche Notiz)
KUPFERSTICHKABINETT DER STAATLICHEN MUSEEN BERLIN; Inv. Nr. 2764

526. KIRCHDORF AM LINKEN UFER. In der Mitte, durch einen Damm mit dem rechten Ufer verbunden, die Ortschaft. Auf dem Damm ein Schleusen-

haus und Gehöfte. Halblinks vorn eine Fähre mit zwei Kühen und anderen Insassen.

Rechts bezeichnet: VG 1653
Schwarze Kreide, grau laviert 170 × 275
Wasserzeichen: LR (Abb. 78)
Literatur: Stift und Feder, IX, 210
HESSISCHES LANDESMUSEUM IN DARMSTADT; Inv. Nr. AE 674
Ausgestellt: Darmstadt, 1964 Nr. 40

527. FLACHLANDSCHAFT MIT KIRCHE und weit verstreuten Gehöften und Türmen. Links fährt ein Karren einen Hügel herauf. In der Mitte vier Figuren, rechts ein Fluß mit Booten.

527

Rechts bezeichnet: VG 1653
Schwarze Kreide, grau laviert 170 × 275
Wasserzeichen: gekröntes Lilienwappen, unten WR (Abb. 38)
Bereits 1862 im
STÄDELSCHEN KUNSTINSTITUT IN FRANKFURT/MAIN; Inv. Nr. 3601

528. FISCHER IN IHREN KÄHNEN bei einem Fischkorbgestell links; weiter zurück eine Windmühle, Boote und Fregatten.

528

Links bezeichnet: VG 1653
Schwarze Kreide, grau laviert 170 × 275
Wasserzeichen: LR
Versteigerung [J. H. Cremer aus Brüssel] in Amsterdam am 15.6.1886 Nr. 113 (fl 85 Larpent) – Datum 1643 gelesen
Sammlung S. Larpent, 1913 vermacht dem
STATENS MUSEUM FOR KUNST, KGL. KOBBERSTIKSAMLING, IN KOPENHAGEN; Inv. Nr. 6599

529. DORDRECHT : GROOTHOOFDSPOORT, Joppenturm und Ufermauer am Fluß. Viele Boote liegen am Ufer; Figuren an Land und in Kähnen. Links vier Figuren in einem Kahn.

Rechts bezeichnet: VG 1653
Schwarze Kreide, grau laviert 170 × 275
Gestochen von H Spilman (Weigel 2992), datiert 1655
Versteigerung Prinz W. Argoutinsky-Dolgoroukoff aus Leningrad in Amsterdam am 27.3.1925 Nr. 136 mit Abb. (fl 400 Duveen)

Nachzeichnungen: I) Wie beschrieben. Unsigniert.
Schwarze Kreide, grau und braun laviert 180 × 292
Wasserzeichen: PB oder PR
Sammlung J. de Grez, 1914 vermacht den
MUSÉES ROYAUX DES BEAUX-ARTS IN BRÜSSEL; Inv. Nr. 1417
II) Wie beschrieben.
Rechts falsch bezeichnet: VG 1655
Kohle, grau laviert 181 × 279
Wasserzeichen: Schellenkappe mit 7 Kugeln (Abb. 30a)
KUPFERSTICHKABINETT DER STAATLICHEN MUSEEN BERLIN; Inv. Nr. 24703

533

529a. Flußlandschaft mit vielen Booten und Figuren. Auf dem Ufer Häuser und eine Kirche.

Bezeichnet: VG 1653
Schwarze Kreide, grau laviert 170 × 275
Versteigerung Dr. W. R. Valentiner in Amsterdam
    am 25.10.1932 Nr. XIX

530. EIN HOHER SIGNALMAST (halbrechts) auf einer Landungsstelle, an der Ruderboote liegen. Links steuert ein Ruderboot auf ein Segelboot zu. Fregatten in der Ferne.

Links bezeichnet: VG 1653
Schwarze Kreide, grau laviert 171 × 272
Wasserzeichen: gekröntes Lilienwappen, unten Buchstaben WR (Abb. 38)
Bereits 1862 im
STÄDELSCHEN KUNSTINSTITUT IN FRANKFURT/MAIN; Inv. Nr. 3599

Nachzeichnung: I) Wie beschrieben. Unsigniert.
    Schwarze Kreide, grau laviert 170 × 271
    Versteigerung Earl of Portarlington, Emo Park,
    in London (Chr) am 2.5.1884 Nr. 81 (zusammen
    mit Z 150: £ 4 Thibaudeau)
    BRITISCHES MUSEUM IN LONDON; Inv. Nr. 1884.7.26.34
    (Hind 11)

531. FISCHKASTEN AM LINKEN UFER; von rechts steuert ein Fischerkahn darauf zu. Am linken Ufer Figuren bei der Arbeit, eine Frau und ein Kind vor einem Gehöft. Weiter raumeinwärts ein Kalkofen.

Links bezeichnet: VG 1653
Schwarze Kreide, grau laviert 172 × 272
Sammlung His de la Salle, 1878 geschenkt dem
MUSÉE DU LOUVRE IN PARIS; Inv. Nr. RF 00 841 (Kat.
    Lugt 1929 Nr. 306 mit Abb.)
    Ausgestellt: Paris, 1970 Nr. 74

532. EIN VIERSPÄNNIGER REISEWAGEN kommt vor einer Herberge am linken Ufer an. Weiter vorn zwei Reiter und Fußgänger. Bäume überragen das Gebäude. Rechts vorn drei Fischer im Kahn, dahinter eine Kirche und Gebäude.

Bezeichnet: VG 1653
Schwarze Kreide, grau laviert 172 × 275
Sammlung A. Kay in Glasgow
    Ausgestellt: Amsterdam, 1903 (VG) Nr. 67
    Versteigerung in Amsterdam am 15.6.1908 Nr. 217
    (fl 250)
    – in Amsterdam am 22.6.1910 Nr. 135 mit Abb.
    (fl 310 Ducrey)

533. MEHRERE WINDMÜHLEN am Kanal. Rechts am Ufer eine Schenke, von Bäumen überragt; ein Fährboot stößt vom Ufer ab. Links vorn ein Steg mit drei Figuren und ein Kahn mit zwei Fischern und Fischkörben.

Links bezeichnet: VG 1653
Schwarze Kreide, grau laviert 172 × 275

Wasserzeichen: gekröntes Lilienwappen, unten Büchstaben WR

Versteigerung J. C. Ritter von Klinkosch in Wien am 15.4.1889 Nr. 428 mit Abb. (Kr 130 Dr. Schönbach)
– August Artaria in Wien am 6.5.1896 Nr. 1108 mit Abb. (K 95 Dr. Strauß)
– Dr. Max Strauß in Wien am 2.5.1906 Nr. 44 (K 155 Artaria)
– in Amsterdam am 15.6.1908 Nr. 218 (fl 205 Schrey)
– in Amsterdam am 11.6.1912 Nr. 97 mit Abb. (fl 400 Danlos)
Sammlung Baron Ed. de Rothschild in Paris; seit 1935 als Legat im
MUSÉE DU LOUVRE IN PARIS; Inv. Nr. 3536dR

534

534. EIN RUDERBOOT LANDET LINKS BEI EINEM ANGLER. In der Mitte naht ein einspänniger Planwagen, rechts vorn mehrere Figuren am Fuße eines Hügels. Hügeliges jenseitiges Ufer mit Turm und Kirche im linken Hintergrund.

Halblinks bezeichnet: VG 1653
Schwarze Kreide, grau laviert 172 × 280
Wasserzeichen: gekröntes Lilienwappen, unten Buchstabe W (vergleiche Abb. 42)
Versteigerung Steengracht-Schimmelpenninck van der Oye van Duivenvoorde (1. Teil) in Amsterdam am 17.3.1959 Nr. 172 mit Abb.
Kunsthändler S. Nystad im Haag, 1959
Sammlung Dr. H. Girardet in Kettwig, 1960
Ausgestellt: Köln und Rotterdam, 1970 Nr. 81 mit Abb.

535

535. WIRTSHAUS AM WASSER. Das große strohgedeckte Gehöft steht am rechten Ufer, links mit einem langen Hebebalken. Auf dem Deich vor dem Haus halten Wagen; dabei andere Figuren. Ein Mann steigt eine Leiter zum Fluß herunter, wo ein Kahn mit zwei Fischern liegt.

Rechts bezeichnet: VG 1653
Schwarze Kreide, grau laviert 173 × 272
Versteigerung in Amsterdam am 11.6.1912 Nr. 94 mit Abb. (fl 520 Danlos)
Sammlung Baron Ed. de Rothschild in Paris; seit 1935 als Legat im
MUSÉE DU LOUVRE IN PARIS; Inv. Nr. 3500dR
Ausgestellt: Paris, 1970 Nr. 72

536

536. GEHÖFTE UND EIN HOLZSCHUPPEN unter Bäumen am rechten Ufer. Vorn arbeitet ein Mann an einem Faß; weiter zurück ein Mann neben einer Wäscherin und zwei Ruderkähne und ein Segelboot.

Links bezeichnet: VG 1653
Schwarze Kreide, grau laviert 173 × 275
Sammlung George Salting in London, 1910 vermacht dem
BRITISCHEN MUSEUM IN LONDON; Inv. Nr. 1910.2.12.142
(Hind 6)

537. MEHRSTÖCKIGES WIRTSHAUS mit Aus-
hängeschild am linken Ufer. Ein Pferdewagen hält vor
dem Haus (Mitte), weiter vorn ein Kahn mit Fischern.
Nach dem rechten Hintergrund führt eine steinerne
Brücke mit Säule. Figuren und ein Reiter auf der
Brücke. Im rechten Hintergrund eine Kirche.

Rechts bezeichnet: VG 1653
Schwarze Kreide, laviert 173 × 275
Kunsthändler G. Nebehay in Wien; Kat. „Die Zeich-
    nung" III, 1928 Nr 56 mit Abb. (Mk 1800)

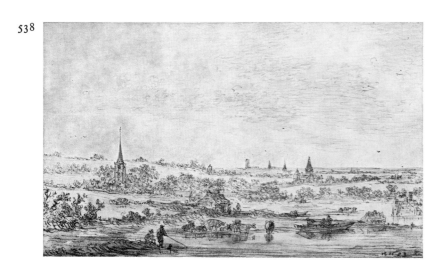

538. KÜHE AN EINEM TEICH (Zentrum), der
rechts vorn mit einem Ruderboot und Anglern (links
von der Mitte) belebt ist. Ein Kirchturm (links) und
verstreute Ansiedlungen mit Türmen im hügeligen
Gelände weiter zurück.

Rechts bezeichnet: VG 1653
Schwarze Kreide, grau laviert 173 × 279
Sammlung J. de Grez in Brüssel, 1914 vermacht den
    MUSÉES ROYAUX DES BEAUX-ARTS IN BRÜSSEL; Inv.
    Nr. 1415
        Ausgestellt: Leiden und Arnheim, 1960 (VG) Nr. 94
        – Brüssel, 1962/63 Nr. 148

539. EINE BOOTSWERFT links am Fluß. In der
Mitte eine hochgelegene Windmühle.

Rechts bezeichnet: VG 1653
Schwarze Kreide, grau laviert 174 × 273
Versteigerung in Utrecht, vor 1902 (an Hofstede de
    Groot)
Sammlung Dr. C. Hofstede de Groot im Haag
    Ausgestellt: Den Haag, 1902 Nr. 21
    – Amsterdam, 1903 (VG) Nr. 61
    – Leiden, 1916, I, Nr. 58
    Versteigerung in Leipzig am 4.11.1931 Nr. 100
    (Mk 400 Colnaghi)
Kunsthandlung P. & D. Colnaghi & Co. in London,
    1934
Versteigerung M. A. McDonald in New York am
    7.11.1945 Nr. 138
Lessing J. Rosenwald Foundation, Alverthorpe Gallery,
    Jenkintown/Penns.

540. ÜBERWUCHERTE RUINE (Mitte) am Flußufer; rechts dahinter Gehöfte. Am Ufer drei Männer.
Links auf dem Fluß zwei Kähne. Links vorn Enten.

Rechts bezeichnet: VG 1653
Schwarze Kreide, grau laviert 174 × 275
Vielleicht: Versteigerung J. M. Vreeswijk in Amster-
    dam am 3.5.1882 Nr. 120 (fl 61 Dirksen)
Versteigerung J. P[eyrot] in Paris am 8.12.1938 Nr. 61
    (ffrs 2050)
Kunsthändler G. Wildenstein in Paris, London und
    New York
    Ausgestellt: London, 1956 Nr. 19
Kunsthandlung Thos. Agnew & Sons in London, 1965

541. UNTER EINEM HOHEN HEBEBALKEN
(halbrechts) bückt sich ein Mann über einen Korb.
Gehöfte am Ufer. Links vorn ein Fischer im Kahn.

Rechts bezeichnet: VG 1653
Schwarze Kreide, grau laviert 174 × 280

542. FISCHER ZIEHEN VON IHREN BOOTEN
NETZE EIN. Links einige Bäume und Häuser; vor
einem Haus zieht ein Mann Lasten bei einem langen
Hebebalken hoch.

Rechts bezeichnet: VG 1653
Schwarze Kreide, grau laviert 175 × 275
Sammlung W. Mayor in London; Kat. 1871 Nr. 345;
    Kat. 1875 Nr. 607
Versteigerung in Amsterdam am 3.6.1884 Nr. 110
    (fl 61 Dr. Suchet oder Fred. Muller?)
    – Emile Wauters aus Paris in Amsterdam am
    15.6.1926 Nr. 76 mit Abb. (fl 550 Godefroy)

542

543. BOOTE AUF EINEM BREITEN FLUSS.
Rechts ein Anlegeplatz aus Planken mit einem hohen
Signal, dabei haben Fischerkähne angelegt.

Links bezeichnet: VG 1653
Schwarze Kreide, grau laviert 175 × 275
Wasserzeichen: gekröntes Lilienwappen, unten Buch-
    stabe W (wie Abb. 42)
Literatur: Bernt (2), I, Nr. 268 mit Abb.
Versteigerung W. P. Knowles aus Wiesbaden in
    Amsterdam am 25.6.1895 Nr. 279 (fl 33 Ruysch)
    – R. Ph. Goldschmidt aus Berlin in Frankfurt/Main
    am 4.10.1917 Nr. 233 (Mk 1800)
Kunsthandlung C. G. Boerner in Leipzig; Lagerliste
    XXXVII/1918 Nr. 81 mit Abb. (Mk 2500)
Versteigerung Dr. Carlos Gaa aus Mannheim in Leipzig
    am 9.5.1930 Nr. 156 mit Abb. (Mk 1450)
Deutscher Privatbesitz
    Ausgestellt: Leipzig, 1937 Nr. 116
Westdeutscher Privatbesitz

543

543a. Eine Fähre mit Bauern und Vieh links; rechts
mehrere Gruppen von Vieh. Jenseits des Flusses ein
Dorf und auf einem Hügel eine Kapelle und ein Schloß.

Bezeichnet und datiert 1653
Schwarze Kreide, grau laviert 175 × 275
Versteigerung E. Habich aus Kassel in Stuttgart am
    27.4.1899 Nr. 317 (Mk 80 Artaria)

544. VOR EINEM WIRTSHAUS (rechts) halten
mehrere Wagen mit Reisenden; außerdem ein Reiter
und Fußgänger. Vorn links landet ein mit fünf Figuren
besetzter Kahn am Ufer. In der Ferne das linke Ufer
mit einer Kirche ⟨Rhenen⟩.

Links bezeichnet: VG 1653
Schwarze Kreide, grau laviert 175 × 278
Versteigerung D. Vis Blokhuyzen in Rotterdam am
    23.10.1871 Nr. 228 (fl 15 Reede van O.)
    – W. C. P. Baron van Reede van Oudshoorn in
    Amsterdam am 27.10.1874 Nr. 252 (fl 81 Prestel)
Sammlung Jacob Klein in Frankfurt/Main; vor der
    Versteigerung vom 7.12.1910 Nr. 39 mit Abb. en
    bloc erworben vom
Kunstantiquariat J. Halle in München
Versteigerung in Berlin am 29.5.1918 Nr. 318 mit
    Abb.

545. EINE WASSERMÜHLE mit einem Wasserrad am rechten Bachufer; vor dem großen, mehrstöckigen Gebäude arbeitet eine Wäscherin am Ufer, ein Mann trägt einen Bottich herzu, außerdem noch andere Figuren. Links vorn ein Kahn mit zwei Insassen und Fischkörben vor einem kleinen, kapellenartigen Gebäude. In der Ferne eine Kirchturmspitze.

Links bezeichnet: 1653 (das Monogramm verwischt)
Schwarze Kreide, grau laviert 175 × 278
Wasserzeichen: Lilienwappen, unten Buchstaben WR
     (Abb. 40)
Kunsthändler Dr. Schaeffer, 1935
Deutscher Privatbesitz
     Ausgestellt: Leipzig, 1937 Nr. 115
Westdeutscher Privatbesitz

546. WEG AM FLUSS. Links landet ein Kahn mit zwei Figuren; weiter zurück hält ein Bauernwagen vor einem Haus gegenüber einer Landungsstelle. Ein Reiter und ein Mann mit Kiepe rechts vorn; ein anderer Mann steigt eine Leitertreppe zu einer Gruppe von fünf Figuren empor.

Links bezeichnet: VG 1653
Schwarze Kreide, grau laviert 175 × 279
Wasserzeichen: gekröntes Lilienwappen
Sammlung Anton Schmid in Wien, 1963

546

547. BOOTSWERFT. Am linken Ufer liegen vorn mehrere Kähne; ein Segelboot wird auf dem Ufer (Zentrum) vor einem Zaun kalfatert. Im Hintergrund gebüschumwachsene Häuser.

Halblinks bezeichnet: VG 1653
Schwarze Kreide, grau laviert 175 × 279
Wasserzeichen: LR (Abb. 78)
Vielleicht: Versteigerung Simon Fokke in Amsterdam
     am 6.12.1784 Nr. 337 (fl 7 Roos)
Sammlung J. F. Gigoux, vermacht dem
MUSEUM IN BESANÇON; Inv. Nr. 770
     Ausgestellt: Paris, 1970 Nr. 73 mit Abb.

547

548. MEHRERE RUDERBOOTE und ein von einem Reiter gezogenes Fährboot auf einem ruhigen Fluß. Links am Ufer eine kleine Kirche mit ummauertem Friedhof, überragt von Bäumen. Ganz fern eine Zugbrücke, ein kleiner Turm und Häuser.

Links bezeichnet: VG 1653
Schwarze Kreide, laviert 175 × 280
Versteigerung in Amsterdam am 15.6.1908 Nr. 221
     mit Abb. (fl 220)

549

549. EINE WÄSCHERIN kniet links vorn auf einem
kleinen Steg. Rechts mehrere Ruderkähne mit Figuren
bei Pfahlwerk.

Rechts bezeichnet: VG 1653
Schwarze Kreide, grau laviert 175 × 280
Wasserzeichen: gekröntes Lilienwappen, unten Buch-
staben WR
Versteigerung [Freiherr Heyl zu Herrnsheim aus
  Worms] in Stuttgart am 25.5.1903 Nr. 149 (Mk 440
  Massaloff)
Sammlung N. Massaloff in Moskau
Versteigerung „aus dem Besitz des Museums der
  Schönen Künste Moskau" in Leipzig am 29.4.1931
  Nr. 89 mit Abb. (Mk 620 Maison)
Kunsthandlung P. & D. Colnaghi & Co. in London
Sammlung G. Bishirgian
  – Dr. C. R. Rudolf in London
  Ausgestellt: London, 1962 Nr. 101
  Versteigerung in London (So) am 21.5.1963 Nr. 34
  mit Abb. (zurückgekauft)
Kunsthändler Alfred Brod in London, Herbst 1967
Sammlung Mr. und Mrs. Henry H. Weldon in New
  York

550. KIRCHE ÜBER EINER MAUER und Anbauten
am rechten Ufer. Davor am Ufer Figuren und Fischerkähne. In der Hintergrundsmitte reitet ein Mann über
eine Bogenbrücke nach links, gefolgt von einem
Fußgänger.

550

Links bezeichnet: VG 1653
Schwarze Kreide, grau laviert 175 × 280
Wasserzeichen: LR (Abb. 78)
Vergleiche: ein Gemälde mit gleicher Landschafts-
  szene (Kopie?)
  Bezeichnet: VG 1645, Holz 47 × 66 cm
  Galerie Stift Ossegg, Kat. 1930 Nr. 35 mit Abb.
  Seit 1949 in der
  NÁRODNÍ GALERIE IN PRAG; Inv. Nr. Z 3280
Sammlung P. Langerhuizen in Crailoo
  Ausgestellt: Amsterdam, 1903 (VG) Nr. 77
  Versteigerung in Amsterdam am 29.4.1919 Nr. 343
  (fl 340 Douwes)
Sammlung Frits Lugt in Paris; Inv. Nr. I 264
  Ausgestellt: Brüssel, Rotterdam, Paris, Bern, 1968/69
  Nr. 68 mit Abb.
FONDATION CUSTODIA IN PARIS

551. EIN GATTERTOR rechts; davor Figuren,
dahinter Gehöfte. Weiter links raumeinwärts ein Heustock, bei dem ein Kahn mit zwei Fischern liegt.

Rechts bezeichnet: VG 1653
Schwarze Kreide, grau laviert 176 × 280
Sammlung Victor de Stuers
  Ausgestellt: Den Haag, 1898 Nr. 86
  – Almelo, 1961 Nr. 73 mit Abb.

553

554

555

552. EIN WEG ENTLANG DEM UFER EINES FLUSSES. Links ein Mann mit geschulterter Stange, ein Reiter, zwei Fußgänger und ein voll besetzter Wagen. Weiter zurück ein Wirtshaus, vor dem Wagen und Reisende halten. Dabei ein hoher Hebebalken. Rechts der Fluß. In der Mitte am Ufer zwei Fischer im Kahn, andere Boote weiter zurück.

Rechts bezeichnet: VG 1653
Schwarze Kreide, grau laviert 180 × 280
Sammlung Arthur Kay in Glasgow
    Ausgestellt: Amsterdam, 1903 (VG) Nr. 68
Versteigerung in Amsterdam am 15.6.1908 Nr. 220
    mit Abb. (fl 340)

553. EIN HEUWAGEN fährt links über eine Brücke am Kanal raumeinwärts; ihm folgt ein Mann mit geschulterter Stange. Rechts zurück am Ufer ein viereckiger Turm, davor ein Segelboot. ⟨De Vliet bei Voorburg mit Huyghens' Landhaus Hofwijk⟩.

Links bezeichnet: VG 1653
Schwarze Kreide, grau laviert 185 × 285
Wasserzeichen: gekröntes Lilienwappen, unten Buchstabe W (Abb. 42)
Literatur: Dobrzycka, mit Abb.
Vielleicht: Versteigerung Jan Danser Nyman in in Amsterdam am 19.3.1798 Nr. S 19 (zusammen mit Nr. S 20: fl 32 Temminck)
Sammlung F. Koenigs in Haarlem
    Ausgestellt: Rotterdam, 1934 Nr. 50
    – Haarlem, 1936 Nr. 16
    – Brüssel, 1937/38 Nr. 52
    – Rotterdam, 1938 Nr. 282
    1940 vermacht dem
MUSEUM BOYMANS-VAN BEUNINGEN IN ROTTERDAM; Inv. Nr. H 101
    Ausgestellt: Kassel, 1948 Nr. 10
    – Vancouver, 1958 Nr. 32
    – Washington, New York, Minneapolis, Boston, Cleveland, Chicago 1958/59 Nr. 51 mit Abb.
    – Leiden und Arnheim, 1960 (VG) Nr. 103 mit Abb.

554. EIN FÄHRBOOT MIT ZWEI KÜHEN und fünf Insassen links vorn. Am rechten Ufer im Zentrum ein großes Bauerngehöft mit Nebengebäuden; am Ufer davor eine Wäscherin; ganz rechts auf der Straße ein einspänniger Bauernkarren und Figuren. Weiter zurück am Ufer ein Kahn mit Insassen und ein Hebebalken.

Rechts bezeichnet: VG 1653
Schwarze Kreide, grau laviert 205 × 303
Wasserzeichen: LB (Abb. 78)
Zusammengehörig mit Z 356, 357, 372, 389, 390, 434, 555
Sammlung Jhr. Mr J. A. Repelaer im Haag (alter Familienbesitz)
Versteigerung im Haag am 7.11.1967 Nr. 143 (fl 11000 Brod)
Westdeutscher Privatbesitz

555. EIN KAHN MIT ZWEI INSASSEN liegt im Zentrum am linken Ufer; links davon ein sitzender Mann und eine Wäscherin am Ufer; weiter nach rechts ein Fischkastengestell unter Weidenbäumen. Auf dem Ufer ein Gehöft hinter einem Zaun und ein Heustock.

Rechts bezeichnet: VG 1653
Schwarze Kreide, grau laviert 207 × 304
Zusammengehörig mit Z 356, 357, 372, 389, 390, 434, 554
Sammlung Jhr. Mr J A. Repelaer im Haag (alter Familienbesitz)
Versteigerung im Haag am 7.11.1967 Nr. 140 (fl 4000 Brod)

556. HAUS MIT HOHEM KAMIN und Taubenschlag halblinks in einer Ufermauer mit zwei Rundbögen. Eine Treppe führt vom Haus zum Wasser herunter zu zwei Figuren. Im Zentrum liegen zwei Ruderboote mit Insassen. Das linke Ufer zieht diagonal raumeinwärts; Segler liegen bei einem Haus im Hintergrund.

Halblinks bezeichnet: VG 1653
Schwarze Kreide, laviert
STAATL. A. S. PUSCHKIN-MUSEUM DER BILDENDEN KÜNSTE IN MOSKAU; Inv. Nr. 4675

557a. Dorf am Fluß. Rechts vorn ein Holzvorbau mit hohem Hebebalken, dahinter Hütten. Im Mittelgrund eine Kirche mit kleinem Dachreiter auf der Vierung. Dabei liegen mehrere Segelboote. Links vorn zwei Männer im Kahn, halbrechts ein anderer Ruderkahn. In der Ferne eine Windmühle.

Bezeichnet: VG 1653
Gestochen von J. Hazard (Weigel 2983) – im Gegensinn?
Versteigerung James Hazard in Brüssel am 15.4.1789 Nr. 609 (zusammen mit Z 336: 4.10 E. Dewalckiers)

557b. Ortschaft am Flußufer (Hafen?); mit vielen Schiffen und Kähnen, die mit Waren be- oder entladen werden.

Bezeichnet: 1653
Schwarze Kreide, laviert
Versteigerung James Hazard in Brüssel am 15.4.1789 Nr. 608 (bfr 3 E. Dewalckiers)

557c. Ein Angler steht neben einer sitzenden Figur und einem Hund auf einer Bogenbrücke vor einem Gehöft (rechts). Andere Figuren und ein Zaun weiter zurück; links vorn ein schmaler Fluß.

Rechts bezeichnet: VG 1653
Gestochen von H. Spilman

557d. Flußlandschaft.

Rechts unten im Wasser bezeichnet: VG 1653
Schwarze Kreide, laviert
Versteigerung Chevalier J. Camberlyn in Paris am 24.4.1865 Nr. 155 (ffrs 20 Carendot)

557e. Kühe am Flußufer.

Links unten bezeichnet: VG 1653
Schwarze Kreide, laviert
Versteigerung Chevalier J. Camberlyn in Paris am
24.4.1865 Nr. 156 (ffrs 6.50 Carendot)

3. Die Zeichnungen von 1654-1656

1654

558. EINE BRÜCKE MIT EINER SÄULE rechts;
links die Häuser einer Ortschaft, in deren Mitte eine
Kirchturmspitze. Am Ufer des Flusses sind zahlreiche
Männer damit beschäftigt, Waren in Wagen zu ver-
laden, die ein Mann aus einem Boot auslädt.

Links bezeichnet: VG 1654
Schwarze Kreide, grau laviert 170 × 270
Versteigerung Mme E. Warneck in Paris am 10.5.1905
Nr. 160 (ffrs 470 Warneck)
– in Paris am 27.1.1909 Nr. 67 mit Abb. (ffrs 555)

559. MARKT AM FLUSS. Vorn der Fluß mit drei
Ruderbooten. Viele Figuren auf dem Ufer und bei
einer Winde (Zentrum). Links ein Wassertor unter
einem Wirtshaus. Andere Gehöfte, Zelte und ein
Kirchturm weiter zurück.

Rechts bezeichnet: VG 165(4)
Schwarze Kreide, grau laviert 170 × 275
Sammlung W. Mayor in London; Kat. 1871 Nr. 346;
Kat. 1875 Nr. 608
1876 erworben vom
BRITISCHEN MUSEUM IN LONDON; Inv. Nr. 1876.12.9.624
(Hind 10 mit Abb.)

560. FISCHMARKT IN LEIDEN. Rechts vorn eine
Säule bei einer Brücke, weiter zurück Giebelhäuser und
Kirche. In der Mitte reges Markttreiben mit Fisch-
verkauf und zwei Pferdekarren.

Rechts bezeichnet: VG 1654
Schwarze Kreide, grau laviert 175 × 280
Wasserzeichen: Horn
Unbekanntes Sammlerzeichen (L. 2986b)
Versteigerung Herman de Kat aus Dordrecht in
Rotterdam am 4.3.1867 Nr. 134 (fl 1.25 v. d. Beek)
– Neville D. Goldsmid in Paris am 25.4.1876 Nr. 68
(zusammen mit Z 324, 482, 842f, 842g: ffrs 207
Charlet)
– in Amsterdam am 15.6.1926 Nr. 378 mit Abb.
(fl 310 Otto)
– Dr. C. Otto in Leipzig am 7.11.1929 Nr. 64
mit Abb. (Mk 1300 Colnaghi)
Kunsthandlung P. & D. Colnaghi & Co. in London
Ausgestellt: London, Dez. 1935 Nr. 39 mit Abb.
PRENTENKABINET DER RIJKSUNIVERSITEIT IN LEIDEN;
Inv. Nr. 3586

560a. Flußlandschaft mit diversen Booten.

Bezeichnet: VG 1655
Schwarze Kreide 115 × 200
Versteigerung A. W. M. Mensing in Amsterdam am
   27.4.1937 Nr. 229 (fl 110)

561. STRAND MIT VIELEN FIGUREN und Wagen.
Rechts zwei Reiter, einer davon sprengend. Links wird
ein zweispänniger Wagen beladen.

Links bezeichnet: VG 165(5) (könnte auch 1653 gelesen
   werden)
Schwarze Kreide, grau laviert 120 × 205
Versteigerung Joh. Noll in Frankfurt/Main am
   7.10.1912 Nr. 129
   – A. W. M. Mensing in Amsterdam am 27.4.1937
   Nr. 228 (ff 110 Houthakker)
Sammlung B. Houthakker in Amsterdam
   Ausgestellt: Amsterdam, 1964 Nr. 35

562. WIRTSHAUS MIT AUSHÄNGESCHILD
rechts am Flußufer; davor halten zwei Reiter und einige
Reisende zu Fuß. Ein Mann steigt eine Leitertreppe
empor. Weiter raumeinwärts zwei Wagen bei einem
Haus. Links ein Kahn mit zwei Insassen auf dem Fluß.

Links bezeichnet: VG 1655 (mit Feder nachgezogen)
Schwarze Kreide, grau laviert 162 × 272
ALBERTINA IN WIEN; Inv. Nr. 9166

Nachzeichnung: I) Wie beschrieben. Unsigniert (ver-
   gleiche Z 375 II).
   Rötel, grau laviert 172 × 292
   Wasserzeichen: Buchstaben (SI²)
   Versteigerung in Amsterdam am 30.6.1891 Nr. 67
      (fl 17 Schöffer)
      – Carl Schöffer in Amsterdam am 30.5.1893
      Nr. 135 (fl 18)
      – W. P. Knowles aus Wiesbaden in Amsterdam
      am 25.6.1895 Nr. 284 (fl 55 Amsler & Ruthardt)
      – G. C. V. Schöffer aus Amsterdam in Berlin am
      17.10.1895 Nr. 75
      – in Berlin am 18.11.1938 Nr. 208
   Sammlung Dr. W. Beck (†) in Berlin

562a. Bauernhütten mit Giebeln links; rechts ruhende
Bauern.

Bezeichnet: VG 1656
Schwarze Kreide, braun laviert 120 × 205
Versteigerung in Amsterdam am 5.7.1927 Nr. 209
   (fl 225)
   – A. W. M. Mensing in Amsterdam am 27.4.1937
   Nr. 227 (fl 65 Wertheimer)

561

562

563. TREKSCHUIT. Rechts zieht ein Reiter auf einer Holzbrücke einen Kahn mit Figuren (Zentrum) nach vorn. Am rechten Ufer Gehöfte unter Bäumen, eine Kirche in der Ferne.

Rechts bezeichnet: VG 1656
Schwarze Kreide, grau laviert 120 × 215
Wasserzeichen: Horn
Vielleicht: Versteigerung Daniel Marsbag in Amsterdam am 30.10.1775 Nr. 105 (zusammen mit Nr. 106: fl 23.10)
Versteigerung in München am 14.11.1867 Nr. 843
Erworben 1906 für das
METROPOLITAN MUSEUM OF ART IN NEW YORK; Inv. Nr. 07.282.12

564. Dorfkirmes. Viele Figuren zu Fuß und ein Wagen vor Buden und der Bühne eines Scharlatans (links). Rechts drei Figuren. Im Hintergrund ein Kirchturm. – Der Abbildung nach nicht überzeugend.

Rechts bezeichnet: VG 1656
Schwarze Kreide, grau laviert 160 × 270
Versteigerung W. P. Knowles aus Wiesbaden in Amsterdam am 25.6.1895 Nr. 283 (fl 36 Ruysch)
Kunsthandlung C. G. Boerner in Leipzig; Lagerliste XXXI/1909 Nr. 55 mit Abb.
Sammlung N. Massaloff in Moskau
Versteigerung „aus dem Besitz des Museums der Schönen Künste Moskau" in Leipzig am 29.4.1931 Nr. 90 (Mk 520 Maison)
Kunsthandlung P. & D. Colnaghi & Co. in London, 1938 verkauft in die
Sammlung M. A. McDonald in New York

565. WINTER. Drei fahnengeschmückte Zelte im rechten Mittelgrund; davor zwei Schlitten und viele Figuren. Links ziehen zwei Männer Fässer auf einem Schlitten. In der Ferne eine Windmühle.

Rechts von der Mitte bezeichnet: VG 1656
Schwarze Kreide, grau laviert 171 × 273
Vielleicht: Versteigerung J. L. van der Dussen in Amsterdam am 31.10.1774 Nr. 239 (fl 14.10 Fouquet)
Sammlung Herzog Albert von Sachsen-Teschen
ALBERTINA IN WIEN; Inv. Nr. 8509

566. JAHRMARKT MIT EINEM SCHARLATAN unter einem Schirm auf einer Bühne (links). Davor zwei Reiter und andere Figuren. Weiter zurück Zelte. Rechts eine Bogenbrücke über einen Kanal. In der Ferne Häuser. – Korrektur (?) mit Feder an der Brücke.

Links bezeichnet: VG 1656
Schwarze Kreide, grau laviert 172 × 270
Wasserzeichen: Krone über drei Kreisen, Buchstaben im mittleren Kreis
Literatur: Die Weltkunst 15.6.1964, Seite 485 mit Abb. und 15.2.1970, Seite 153 mit Abb.
Gestochen von J. J. Bylaert (Weigel 2979 und 2989)
Versteigerung R. P. Roupell in London (Chr) am 12.7.1887 Nr. 986? (10/- Wagner)
Sammlung Alfred Stroelin in Lausanne
Ausgestellt: Bern, 1953 (?) Nr. 5
Versteigerung in Bern am 22.11.1956 Nr. 119 mit Abb.
Kunsthandlung Gutekunst & Klipstein in Bern, 1957

Sammlung E. J. Otto in Berlin, 1957
Kunsthändler A. Brod in London, 1963
— Gebr. Douwes in Amsterdam, 1963
Ausgestellt: Amsterdam 1964 Nr. 50 mit Abb. und
   auf der Antiquitätenmesse, Delft 1964
Sammlung Dr. H. Girardet in Kettwig
   Ausgestellt: Köln und Rotterdam, 1970 Nr. 82 mit
   Abb.

567. KLEINE SCHIFFSWERFT. Im Vordergrund
mehrere Figuren auf schmalem, diesseitigem Uferstück.
Auf dem jenseitigen Ufer zahlreiche an Land gezogene
Boote, an denen gearbeitet wird. Dahinter eine Windmühle.

Auf dem Boot im Vordergrund bezeichnet: VG 1656
   (Rechts von späterer Hand: VG 1653)
Schwarze Kreide, grau laviert 173 × 275
Versteigerung Fürstin Carolyne Sayn-Wittgenstein in
   München am 26.11.1921 Nr. 419 mit Abb. (Mk 25000
   Rosenthal)
Kunsthändler Dr. Erwin Rosenthal in Berlin
   Ausgestellt: Berlin, 1922 Nr. 24 mit Abb.

567a. Dorffest. Zu beiden Seiten einer Dorfstraße sind
Zelte errichtet; vor den Zelten viele Figuren und
Reiter.

Bezeichnet und datiert 1656
Schwarze Kreide, laviert 173 × 278
Sammlung Graf Nils Barck
Versteigerung Graf A. Thibaudeau in Paris am 20.4.1857
   Nr. 344 (ffrs 6)

568. VOR EINEM WIRTSHAUS mit Aushängeschild, anderen Gehöften und Zelten viele Figuren;
ein Mann steht auf einer Leiter, die rechts vorn an
einem Haus lehnt; um ihn herum Männer, Frauen und
ein Reiter; etwas zurück hält eine Kutsche. Links vorn
einige Figuren.

Rechts bezeichnet: VG 1656
Schwarze Kreide, grau laviert 175 × 275
Wasserzeichen: Schellenkappe mit 5 Kugeln
Sammlung Graf J. P. van Suchtelen
   — H. E. ten Cate in Almelo; Kat. 1955 Nr. 229
Kunsthandlung C. G. Boerner in Düsseldorf; Kat.
   Dez. 1964 Nr. 55
Versteigerung in Bern am 16.6.1965 Nr. 43 mit Abb.
Kunsthändler B. Houthakker in Amsterdam, Kat.
   Herbst 1966 Nr. 23 mit Abb.
   — A. Brod in London; Kat. Herbst 1969 Nr. 26
Versteigerung in London (So) am 13.7.1972 Nr. 6
   mit Abb.

569. DORFFEST. Vielfigurige Szenerie. Vor Häusern
(rechts) sind Zelte und die Bude eines Scharlatans aufgeschlagen. In der Mitte werden die Pferde eines
Planwagens gefüttert; rechts davon ein Reiter; links
vorn eine Gruppe von sitzenden und stehenden Figuren.

Halblinks bezeichnet: VG 1656
Schwarze Kreide, laviert 175 × 277
Kunsthändler Rosenthal in München, Lagerkatalog
   um 1920 (?) Nr. 48 mit Abb.

568

569a. Dorffest.

Bezeichnet: VG 1656
Schwarze Kreide, braun laviert 175 × 280
Versteigerung Graf Gregor Stroganoff in Rom am
18.4.1910 Nr. 490

570. DORF AM FLUSS. Häuser, Zelte (Mitte) und
eine Kirche (links) am Ufer. Links liegen mehrere
Ruderkähne und Segelboote, zum Teil mit Zeltdächern.
Einige Boote auch rechts.

Auf einem Kahn bezeichnet: VG 1656
Schwarze Kreide, grau laviert 176 × 279
Vorzeichnung: Z 846/112
HERZOG-ANTON-ULRICH-MUSEUM IN BRAUNSCHWEIG

570A. STRAND MIT VIELEN FIGUREN; nach
rechts ansteigende Düne, links das Meer mit Booten.

Rechts bezeichnet: VG 1656
Schwarze Kreide, grau laviert 177 × 278
Kunsthändler Danlos in Paris
Sammlung Baron Edmond de Rothschild in Paris;
seit 1935 als Legat im
MUSÉE DU LOUVRE IN PARIS; Inv. Nr. 3538 dR
Ausgestellt: Paris, 1970 Nr. 75

571. TITELBLATT: Zwei Schäfer, von denen einer
im Gebet kniet, vor einem Sockel, auf dem Vasen mit
Blumen stehen. Rechts eine gestürzte Säule mit
Faunkopf.

Auf dem Sockel bezeichnet: VG 1656
Schwarze Kreide, grau laviert 178 × 278
Wasserzeichen: Krone über drei Kreisen (Abb. 70)
Sammlung D. Franken Dzn., 1884 erworben vom
RIJKSPRENTENKABINET IN AMSTERDAM; Inv. Nr. A 446
Ausgestellt: Amsterdam, 1903 (VG) Nr. 27

572. SEGELBOOTE MIT ZELTDÄCHERN und
Ruderkähne mit Figuren vor dem rechten Ufer, das
nach links, mit Bäumen bestanden, in die Tiefe zieht.

Am Kahn rechts bezeichnet: VG 1656
Schwarze Kreide, grau laviert 178 × 278
Vorzeichnung: Z 846/129 (teilweise)
Sammlung Herzog Albert von Sachsen-Teschen
ALBERTINA IN WIEN; Inv. Nr. 8527

573. STRANDSZENE BEI SCHEVENINGEN mit
vielen Figuren; links der Strand mit Booten. Nach
rechts eine zum Dorf ansteigende Düne mit Zelten.
Links vorn fünf Figuren; rechts zwei Reiter.

Rechts bezeichnet: VG 1656
Schwarze Kreide, grau laviert 180 × 278
Sammlung Graf J. P. van Suchtelen in St. Petersburg
Kunsthändler J. Böhler in München, 1949
 – H. G. Sperling in New York
Sammlung Mr. und Mrs. Carel Goldschmidt in New
 York, 1964

574. KIRMES. Vor Zelten und der Bühne eines Scharlatans drängen sich zahlreiche Landleute zu Fuß und
mit Wagen, außerdem einige Reiter. Halblinks ein
Schwein; links unter einem Baum Figuren vor einer
Bude.

Rechts bezeichnet: VG 1656
Schwarze Kreide, grau laviert 180 × 280
Versteigerung D. Smith in Amsterdam am 13.7.1761
 Nr. 287 (fl 17.10 Schoute)
 – Van der Willigen im Haag am 12.8.1874 Nr. 92
 (fl 61)
 – A. G. de Visser in Amsterdam am 16.5.1881
 Nr. 150 (fl 78 van Gogh)
Sammlung P. Langerhuizen in Crailoo
 Ausgestellt: Amsterdam, 1903 (VG) Nr. 84
 Versteigerung in Amsterdam am 29.4.1919 Nr. 348
 (fl 190 Mensing)
Versteigerung A. W. M. Mensing in Amsterdam am
 27.4.1937 Nr. 221 (fl 200)
Privatbesitz in New York, 1967

4. Datierte Zeichnungen mit ungenauen Lesungen, mit unbekannten, abgeschnittenen oder verwaschenen Jahreszahlen oder Signaturresten

575. STRAND. In der Mitte Figuren bei einem zweispännigen Fischerkarren, der entladen wird. Links vorn
sitzen zwei Figuren. Boote und Figuren weiter zurück
auf dem Strand.

Links von der Mitte bezeichnet: VG 165(2 oder 3),
 wahrscheinlich 1652; fälschlich 1643 gelesen
Schwarze Kreide, grau laviert 102 × 188
Versteigerung R. P. Roupell in London (Chr) am
 12.7.1887 Nr. 983 (zusammen mit Z 475, 842j:
 £ 1.5.0. Hewlett)
Kunsthandlung E. Parsons & Sons in London; Lagerkatalog 41/1923 Nr. 205 mit Abb.
Sammlung H. E. ten Cate in Almelo; Kat. 1955 Nr. 233
Kunsthandlung C. G. Boerner in Düsseldorf; Kat.
 Dez. 1964 Nr. 42 und Neue Lagerliste 44/1966 Nr. 39
 mit Abb.
 – Paul Drey Gallery in New York, 1968
Westdeutscher Privatbesitz

576

578

579

576. UFERLANDSCHAFT MIT KIRCHE hinter altem Gemäuer mit Tor. Links am Ufer zwei Kähne mit Fischern. Rechts vorn sitzt ein Wanderer. Am jenseitigen Ufer eine Mühle und ein ferner Kirchturm. – Um 1640/45.

Halbrechts bezeichnet: VG und undeutlicher Datums-
    rest
Schwarze Kreide 105 × 164
Zusammengehörig mit Z 146, 581, 582, 583, 586, 587,
    588, 590, 591
Sammlung Prinz Johann Georg von Sachsen (Inv.
    Nr. I/1284)
Versteigerung in Stuttgart am 25.4.1951 Nr. 1150 mit
    Abb. (Mk 470)
Sammlung Dr. W. Beck (†) in Berlin

577. MAUER MIT RUNDBASTION (rechts vorn) zieht diagonal raumeinwärts zu einem Stadttor ⟨Grote Houtpoort von Haarlem⟩ in der Hintergrundsmitte; von dort aus führt ein brückenartiger Landungssteg nach links. Segelboote haben angelegt. Rechts vorn Figuren an Land und in Ruderbooten. – Um 1653.

Rechts bezeichnet: VG 16...
Schwarze Kreide, laviert 105 × 195
Vergleiche: Z 845/77 und Z 669
Versteigerung E. Jurié von Lavandal in Wien am
    13.6.1933 Nr. 255 mit Abb.

578. ZWEI FIGUREN AUF EINER BOGEN-BRÜCKE im Zentrum. Rechts davor zwei Fischer im Kahn am Fuß einer Treppe, die eine Figur heruntersteigt. Am Ufer Häuser, weiter links ein Tor und drei Figuren vor einem turmartigen Haus. In der Mitte überragt ein Kirchturm. Das linke Ufer in der Ferne.

Rechts bezeichnet: VG 165(2 oder 3)
Schwarze Kreide, grau laviert 107 × 183
    (die oberen beiden Ecken abgeschrägt)
Versteigerung in London (So) am 27.3.1946 Nr. 157
    (£ 16 Schilling)
Sammlung Emile E. Wolf in New York, 1963

579. ZWEI HIRTEN TREIBEN MEHRERE KÜHE einen Hang nach rechts herauf. Voran ein Reiter. Links Fernblick. – Um 1631.

Rechts bezeichnet: VG 163...
Schwarze Kreide, grau laviert 108 × 185
Kunsthändler Charles Sedelmeyer in Paris; 1897
    erworben vom
RIJKSPRENTENKABINET IN AMSTERDAM; Inv. Nr. A 3416
    Ausgestellt: Amsterdam, 1903 (VG) Nr. 32

579A. EIN KAHN MIT DREI FISCHERN, Fässern und einem Vogelkäfig (halbrechts) am Fuße einer Treppe, die zu einem Tor in einer teilweise ruinenhaften Mauer führt; die Mauer wird von einer Rundbastion überragt. Hinter dem Kahn ein Segelboot mit

zum Teil herabgelassenen Segeln. Links vorn Enten
bei einer Treibtonne. In der Ferne flache Ufer.

Rechts bezeichnet: VG 165(2 oder 3)
   (wahrscheinlich: 1653)
Schwarze Kreide, laviert 110 × 195
Wasserzeichen: gekröntes Wappen mit Basler Stab;
   vergleiche Abb. 55 und 56
Gestochen von Jan de Visscher, Nr. 1 (Titelblatt
   „Regiunculae amoenissimae…"), im Gegensinn
Versteigerung Otto Mündler in Leipzig am 27.10.1884
   Nr. 403
   – E. Habich aus Kassel in Stuttgart am 27.4.1899
   Nr. 316 (Mk 55 Artaria)
Sammlung Fürst von Liechtenstein in Vaduz (nach 1945
   verkauft)
   – Curtis O. Baer in New Rochelle/N. Y.
Ausgestellt: Cambridge/Mass., 1958 Nr. 30 mit Abb.

Nachzeichnung: I) Im Gegensinn.
   Feder, braun laviert 113 × 194
   Sammlung P. Crozat (L. 2952)
   MUSÉE DU LOUVRE IN PARIS; Inv. Nr. 23.508 (Kat. Lugt
     1929 Nr. 321)

579A

579B. ZWEI LANDLEUTE sitzen halblinks vorn vor
einem Zaun; weiter zurück ein großes Gehöft, vor dem
ein Reiter und andere Figuren halten. Ganz links ein
Baum.

Links oben bezeichnet (beschnitten): VG 163(1 oder 4)
Schwarze Kreide 111 × 193
Versteigerung in Amsterdam am 11.6.1912 Nr. 115
   (fl 90 Masson)
Sammlung J. Masson in Amiens und Paris
ÉCOLE DES BEAUX-ARTS IN PARIS; Inv. Nr. M 1.661
   (Kat. Lugt 1950 Nr. 232)

579B

579a. Ein Wagen und Reisende sind vor einem Wirtshaus angekommen.

Bezeichnet: VG 165(2 oder 3)
Schwarze Kreide, laviert 115 × 195
Versteigerung Paul Mantz in Paris am 10.5.1895
   Nr. 137 (ffrs 57 Calando) – gelesen 1652
   – E. Calando in Paris am 11.12.1899 Nr. 78 (ffrs 150
   Moubel) – gelesen 1653 – identisch?

580

580. KIRCHE MIT ANBAUTEN rechts; Segelboote
liegen an einem Landungssteg mit Signal (Mitte);
rechts vorn landet ein Kahn mit zwei Figuren bei einer
Treppe; eine Mühle im linken Hintergrund.

Rechts bezeichnet: VG 16… (gelesen 1641?)
Schwarze Kreide, laviert 115 × 208
Versteigerung Gaston… 1890 (hd. rückseitig)
Sammlung H. E. ten Cate in Almelo; Kat. 1955 Nr. 236
Kunsthandlung C. G. Boerner in Düsseldorf; Kat.
   Dez. 1964 Nr. 41
Privatsammlung in Wassenaar

581. KIRCHDORF AM LINKEN FLUSSUFER umgeben von Bäumen. Ganz links vorn zwei Fischer-kähne, ein Segler rechts zurück. – Um 1640/45.

Signaturreste rechts unten
Schwarze Kreide 116 × 166
Zusammengehörig mit Z 146, 576, 582, 583, 586, 587. 588, 590, 591
TEYLERS MUSEUM IN HAARLEM; Inv. Nr. 040

582. DÜNENLANDSCHAFT MIT WEITEM FERNBLICK (links). Rechts vorn vier Figuren bei Bäumen. Eine Windmühle und Gehöfte in der Ferne. – Um 1640.

Links oben Signaturreste
Schwarze Kreide, grau laviert 116 × 168
Zusammengehörig mit Z 146, 576, 581, 583, 586, 587. 588, 590, 591
MUSÉE DU LOUVRE IN PARIS; Inv. Nr. 22.757 (Kat. Lugt 1929 Nr. 310 mit Abb). – Früher P. Molyn zugeschrieben

583. EINE SÄULE STEHT AUF EINER BOGEN-BRÜCKE im Zentrum. Am rechten Ufer Häuser und eine große Kirche ⟨Oude Kerk von Delft⟩ mit Turmuhr. Links, weiter zurück, eine zweibogige Brücke. – Um 1640/45.

Rechts verwaschen bezeichnet: VG 16(4?)...
Schwarze Kreide 116 × 168
Zusammengehörig mit Z 146, 576, 581, 582, 586, 587. 588, 590, 591
Vergleiche: die gleiche Ansicht auf einer Zeichnung von A. van Ostade im Prentenkabinet der Rijks-universiteit in Leiden; Inv. Nr. 1717
Sammlung von Beckerath, 1902 erworben vom
KUPFERSTICHKABINETT DER STAATLICHEN MUSEEN BERLIN; Inv. Nr. 11808

584

584. ZIEHBRUNNEN mit Radgestell im Zentrum. Rechts drei Figuren bei der Arbeit; dahinter ein Gehöft.

Links bezeichnet: VG 165(1 oder 3?)
Schwarze Kreide, grau laviert 116 × 194
Kunsthändler A. Brod in London; ausgestellt: Februar-März 1962 Nr. 46

585. Strand. Links vorn eine Gruppe von sechs Fischern und Frauen. Links auf der Düne ein Turm. Rechts zurück ein auf den Strand gezogenes Segelboot und Figuren. – Um 1634 (?)

Rechts falsch bezeichnet: VG 1624
Schwarze Kreide 117 × 168
Literatur: Grosse, mit Abb.
Sammlung B. Suermondt in Aachen, mit ihr 1874 erworben vom
KUPFERSTICHKABINETT DER STAATLICHEN MUSEEN BERLIN; Inv. Nr. 2736

585A. DÜNENBLICK. Links vorn drei Figuren.
Links oben Signaturreste: ..G 164(2?)
Schwarze Kreide 117 × 168
Zusammengehörig mit Z 146, 576, 581, 582, 583, 586,
  587, 588, 590, 591
Versteigerung in London (So) am 8.6.1972 Nr. 181
  mit Abb.

586. DÜNENLANDSCHAFT MIT GEHÖFT (links)
hinter Gebüsch und Bäumen; davor ein Zaun. Halbrechts zwei Figuren am Wegrand. – Um 1640/45.

Links oben bezeichnet: VG 164...
Schwarze Kreide 117 × 168
Zusammengehörig mit Z 146, 576, 581, 582, 583, 585A,
  587, 588, 590, 591
Sammlung von Beckerath, 1902 erworben vom
KUPFERSTICHKABINETT DER STAATLICHEN MUSEEN BERLIN;
  Inv. Nr. 11807

587. EIN GEHÖFT MIT ZIEHBRUNNEN am Fluß.
Rechts eine Figur am Brunnen, eine andere (Mitte) vor
dem Haus. Fernblick auf eine Kirche rechts. – Um
1640/45.

Links unten Signaturreste
Schwarze Kreide 118 × 168
Zusammengehörig mit Z 146, 576, 581, 582, 583, 585A,
  586, 588, 590, 591
Kunsthandlung L'Art Ancien in Zürich; Kat. 50
  (um 1955) Nr. 26 mit Abb. (sfr 700)
Sammlung Prof. Julius S. Held in New York, 1966

588. HEUSTOCK, GEHÖFTE UND EIN KIRCH-
TURM ⟨Overschie⟩ am linken Ufer. Ruder- und
Segelboote liegen am Ufer (Mitte). – Um 1640/45.

Signaturreste links unten
Schwarze Kreide 118 × 170
Zusammengehörig mit Z 146, 576, 581, 582, 583, 585A,
  586, 587, 590. 591
TEYLERS MUSEUM IN HAARLEM; Inv. Nr. 041

589. DER KRAN VON NIMWEGEN. Links die
Waal mit Segelbooten am Ufer. Der Kran halbrechts;
vorn zwei Pferdekarren und Figuren. Häuser weiter
rechts. – Um 1650.

Rechts bezeichnet: VG 165...
Schwarze Kreide, grau laviert 119 × 198
Vorzeichnung: Z 847/23
Literatur: Beck (1) mit Abb.
Sammlung J. de Grez in Brüssel, 1914 vermacht den
MUSÉES ROYAUX DES BEAUX-ARTS IN BRÜSSEL; Inv.
  Nr. 1396
  Ausgestellt: Brüssel, 1962/63 Nr. 156

587

588

589

590

590. DREI LANDLEUTE links auf einem Hügel, weiter rechts zwei Bäume an einem Plankenzaun. Rechts Ausblick. – Um 1640/45.

Links oben undeutliche Bezeichnung
Schwarze Kreide 120 × 168
Zusammengehörig mit Z 146, 576, 581, 582, 583, 586, 587, 588, 591
Sammlung Ottley
  – C. Fairfax Murray in London
  – John P. Morgan in New York
THE PIERPONT MORGAN LIBRARY IN NEW YORK; Inv. Nr. 175 D

Nachzeichnung: I) Etwas verändert; z.B. links vier Figuren.
  Schwarze Kreide 114 × 241
  Sammlung Kröller-Müller im Haag; seit 1935 Staatsstiftung in Otterlo
RIJKSMUSEUM KRÖLLER-MÜLLER IN OTTERLO; Inv. Nr. Kl-352

591

591. EIN REITER fragt zwei Landleute (halblinks) nach dem Weg; weiter zurück Bäume hinter einem Zaun. Rechts in der Ferne Gehöfte, ein Heustock und eine Kirche ⟨Den Haag?⟩. – Um 1640/45.

Signaturreste rechts oben
Schwarze Kreide 120 × 169
Zusammengehörig mit Z 146, 576, 581, 582, 583, 586, 587, 588, 590
Sammlung Ottley
  – C. Fairfax Murray in London
  – John P. Morgan in New York
THE PIERPONT MORGAN LIBRARY IN NEW YORK; Inv. Nr. 175 C

592. HEUSTOCK UND GEHÖFTE AM RECHTEN UFER. Links zurück eine Brücke. – Anfang der 30er Jahre.

Signaturreste rechts unten
Schwarze Kreide 121 × 191
Sammlung Ch. Drouet, 1909 vermacht der
ÉCOLE DES BEAUX-ARTS IN PARIS; Inv. Nr. 35.619 (Kat. Lugt 1950 Nr. 234)

592

593. STRANDSZENE. Fünf Fischer in einer Gruppe unterhalten sich mit einem Mann in Hut und Mantel. Links das Meer. – Um 1635.

In der Mitte bezeichnet: VG 16(?)5
Schwarze Kreide 133 × 194
Wasserzeichen: Greif mit Haus (Fragment)
Versteigerung J. Werneck aus Frankfurt/Main in Amsterdam am 23.6.1885 Nr. 113 (zusammen mit einer anderen Zeichnung: fl 15.5)
  – W. P. Knowles aus Wiesbaden in Amsterdam am 25.6.1895 Nr. 266 (fl 6)
  – in Amsterdam am 24.11.1896 Nr. 1057 (fl 22)
Sammlung Prinz Johann Georg von Sachsen (Inv. Nr. I/1283)
Versteigerung in Stuttgart am 7.11.1951 Nr. 823 (Mk 275)
Sammlung Dr. Walter Beck (†) in Berlin

593a. Flußlandschaft mit einer Ortschaft im Hintergrund. Im Vordergrund mehrere Boote mit Figuren.

Rechts bezeichnet und datiert
Schwarze Kreide 150 × 255
Versteigerung in Köln am 17.10.1905 Nr. 1289

593b. Kühe und zwei Hirten auf einem Hügel an einem Uferweg, auf dem ein Wagen rechts fährt. In Ufernähe ein Fischer im Kahn. In der Ferne eine Hütte und Mühle.

Rechts bezeichnet: VG 165(2 oder 5)
Schwarze Kreide, laviert 170 × 272
Versteigerung Nyon in Paris am 23.12.1833 Nr. 25
(zusammen mit Z 195)
   – B. Lasquin in Paris am 21.5.1884 Nr. 55 (ffrs 70 Suchet) – gelesen 1652
   – J. P[eyrot] in Paris am 8.12.1938 Nr. 57 (ffrs 1650)
   – gelesen 1655

594. STADT AM FLUSS. Links Giebelhäuser hinter einer Brücke; rechts, weiter zurück, ein Reiter auf einer anderen Brücke und ein Kirchturm. Im Zentrum Ruder- und Segelboote mit Figuren vor einer Baumgruppe; links vorn ein Kahn mit zwei Figuren, andere Figuren an beiden Ufern. – Um 1653/54.

Rechts bezeichnet: VG 165(0 oder 3)
Schwarze Kreide, grau laviert 170 × 276
Sammlung W. Mayor in London; Kat. 1871 Nr. 344;
Kat. 1875 Nr. 606
Versteigerung J. W[hitehead] aus London in München am 19.6.1897 Nr. 348 (Mk 110 Artaria)
Sammlung Fürst von Liechtenstein in Vaduz
   – Prof. Dr. L. Ruzicka in Zürich
   – Dr. und Mrs. Rudolf Heinemann in New York, 1965

595. WINTER. Großes Wirtschaftszelt mit Fahne links auf dem Eis. Schlitten und Figuren halten davor. Halbrechts zwei Schlittschuhläufer, rechts zurück ein anderes Zelt und eine Windmühle – Um 1653.

Rechts bezeichnet: VG 16(5...)
Schwarze Kreide, laviert
Literatur: Detroit Institute of Arts, XI, 1948, Nr. 1.
   Seite 83 mit Abb.
Kunsthandlung Fine Arts Associates in New York, 1948

595a. Jahrmarkt; am linken Ufer Buden, Zuschauer und Reiter. Rechts die Ortschaft.

Bezeichnet: VG 1676 (!)
Kreide
Versteigerung in Köln am 17.10.1905 Nr. 1291

1. Monogrammierte Zeichnungen

596a. Zwei Boote links am Ufer; bei einem kleinen Haus (links) lädt ein Mann große Körbe aus einem Boot aus. Auf dem jenseitigen Ufer Windmühlen.

Bezeichnet (VG?)
Blei (?), von späterer Hand aquarelliert 87 × 195
Versteigerung Prof. Dr. F. Heimsoeth aus Bonn in Frankfurt/Main am 5.5.1879 Nr. 77 (Mk 50 Straeter)
– Dr. A. Straeter aus Aachen in Stuttgart am 10.5.1898 Nr. 1127 (Mk 41 Gutekunst)
– de Ridder in Frankfurt/Main am 18.2.1932 Nr. 76

596b. Landschaft mit Figuren.

Bezeichnet
Kreide 100 × 240
Versteigerung Graf Gregor Stroganoff in Rom am 18.4.1910 Nr. 491

596c. Landschaft mit Hütten, einem Bauernfuhrwerk und rastenden Bauersleuten.

Bezeichnet: VG
Schwarze Kreide, laviert 101 × 222
Versteigerung in London (So) am 19.11.1952 Nr. 19 (£ 7 Jordan)

597. EIN KAHN MIT DREI FIGUREN UND VOGELKÄFIG landet vorn. – Um 1650.

Auf dem Kahn bezeichnet: VG
Schwarze Kreide, grau laviert 108 × 195
Wasserzeichen: Schellenkappe mit 4 Kugeln, Buchstaben FC (Abb. 21)
Versteigerung E. Habich aus Kassel in Stuttgart am 27.4.1899 Nr. 314 (Mk 71 Artaria)
Sammlung Fürst von Liechtenstein in Vaduz
Versteigerung in Stuttgart am 24.11.1953 Nr. 815 mit Abb. (Mk 600)
Kunsthändler W. von Wenz in Eindhoven
  Ausgestellt: Delft, Antiquitätenmesse, 1954
Sammlung Dr. E. C. Castens in Bremen, seit 1957 als Stiftung in der
KUNSTHALLE IN BREMEN; Inv. Nr. 57/73

598. ZWEI ANGLER UND EIN ZUSCHAUENDER MANN links. – Um 1628/30.

Halblinks bezeichnet: VG
Schwarze Kreide, grau laviert 109 × 178
NATIONAL GALLERY OF SCOTLAND IN EDINBURGH; Inv. Nr. D 1108

599. SEGELBOOT VON DER BREITSEITE (Zentrum). Rechts ein Faß, links ein Boot. – Um 1635/40.

Auf dem Faß bezeichnet: VG
Schwarze Kreide, grau laviert 110 × 192

Sammlung B. Suermondt in Aachen, seit 1874 im
KUPFERSTICHKABINETT DER STAATLICHEN MUSEEN BERLIN;
  Inv. Nr. 2754

600. Vier Fischer werfen von einem Kahn (links)
ein Netz aus. Dahinter eine Windmühle am Ufer,
weiter raumeinwärts eine Kirche; in der Ferne eine
Zugbrücke (rechts). – Fragliche Zuschreibung.

Am Kahn (echt?) bezeichnet: VG
Schwarze Kreide, grau laviert 110 × 195
Wasserzeichen: Schellenkappe mit 4 Kugeln, Buch-
  staben FC (Abb. 21)
Vorzeichnung: Z 845/57
Literatur: Beck (3) mit Abb.
TEYLERS MUSEUM IN HAARLEM; Inv. Nr. 048

602

601. FLUSSLANDSCHAFT MIT GEHÖFTEN am
rechten Ufer; ganz rechts ein Heustock und Heuboote. – Um 1631/33.

Rechts falsch bezeichnet: VG
Schwarze Kreide 111 × 172
Vorzeichnung zu: G 444 (teilweise)
BRITISCHES MUSEUM IN LONDON; Inv. Nr. 1853.8.13.48
  (Hind 12).

602. WINTER. Rechts ist ein Junge gestürzt, links
wird ein Schlitten geschoben und gezogen. Andere
Schlittschuhläufer vor fernem rechtem Ufer mit Windmühle und Heustock. – Um 1630.

Auf dem Schlitten bezeichnet: VG
Schwarze Kreide, grau laviert 111 × 193
Sammlung B. Suermondt in Aachen, 1874 erworben
  vom
KUPFERSTICHKABINETT DER STAATLICHEN MUSEEN BERLIN;
  Inv. Nr. 2753

603

603. STRAND. Rechts zurück eine Kirche; links
Boote auf dem Strand. Vorn zwei Reiter beim Fischverkauf in einer Gruppe. – Um 1650.

Links bezeichnet: VG
Schwarze Kreide, grau laviert 112 × 183
Kunsthändler Ch. Sedelmeyer in Paris, seit 1897 im
RIJKSPRENTENKABINET IN AMSTERDAM; Inv. Nr. A 3417
  Ausgestellt: Amsterdam 1903 (VG) Nr. 31

Nachzeichnung: I) Wie beschrieben. Unsigniert.
  Schwarze Kreide, laviert 146 × 196
  Versteigerung in Bern am 11.3.1954 Nr. 409
  Sammlung Prof. Dr. F. Merke in Basel

604

604. ZWEI REITER werden von einem Mann und
einem Jungen auf der Landstraße angebettelt. Rechts
Ausblick. – Um 1630.

Links bezeichnet: VG
Schwarze Kreide, grau laviert 112 × 195
1873 erworben vom
KUPFERSTICHKABINETT DER STAATLICHEN MUSEEN BERLIN;
  Inv. Nr. 2759

605

605. GROSSER TAUBENSCHLAG auf hohen Stangen links; rechts davon arbeitet ein Mann an einem Brunnen; neben ihm zwei Figuren. Rechts im Hintergrund ein viereckiger Turm. – Um 1630.

Halblinks bezeichnet: VG
Schwarze Kreide, wenig grau laviert 113 × 196
Versteigerung Van der Willigen aus Haarlem im Haag
   am 10.6.1874 Nr. 104 (fl 40 Suermondt)
   – B. Suermondt aus Aachen in Frankfurt/Main
   am 5.5.1879 Nr. 73 (Mk 30 Dr. Straeter)
Sammlung A. Kay in Glasgow
   Ausgestellt: Amsterdam, 1903 (VG) Nr. 69
Versteigerung in Amsterdam am 15.6.1908 Nr. 235
   (fl 46)
   – in Amsterdam am 22.6.1910 Nr. 151 (fl 75 Dirksen)
   – in Amsterdam am 5.7.1927 Nr. 213 mit Abb.
   (fl 140 Lugt)
   – in Paris am 2.3.1935 Nr. 84
Kunsthändler H. M. Calmann in London, 1946
   – P. & D. Colnaghi & Co. in London, 1946
Sammlung Sir Bruce Ingram
   Ausgestellt: Leiden und Arnheim, 1960 (VG) nicht
   im Katalog
   – Rotterdam und Amsterdam, 1961/62 Nr. 45
   1963 vermacht dem
FITZWILLIAM MUSEUM IN CAMBRIDGE; Inv. Nr. PD 359-1963

606. Kastell rechts, Brücke nach links. – Der Abbildung nach sehr fragliche Zuschreibung.

Rechts bezeichnet: VG
Schwarze Kreide, grau laviert 115 × 180
Versteigerung Albert Langen in München am 5.6.1899
   Nr. 127 mit Abb.

607

607. BLICK AUF DEN HAAG über Felder. Im Zentrum die Grote Kerk. Bei der Stadt drei Windmühlen. – Um 1645.

Links (echt?) bezeichnet: VG
Schwarze Kreide 115 × 230
Versteigerung in Amsterdam am 5.7.1927 Nr. 212
   mit Abb. (fl 110)
Sammlung F. Koenigs in Haarlem, seit 1940 im
MUSEUM BOYMANS-VAN BEUNINGEN IN ROTTERDAM; Inv.
   Nr. H 156

608. EIN WALDWEG führt nach rechts in den Hintergrund; rechts ein teilweise entlaubter Baum.

Links unten bezeichnet mit dem Monogramm (echt?).
Schwarze Kreide 122 × 190
Versteigerung K. E. von Liphart aus Florenz in Leipzig
   am 26.4.1898 Nr. 416 (Mk 3,50 Sagert)
   – in Berlin am 5.6.1912 Nr. 248 (Mk 40)
Kunsthandlung Hollstein & Puppel in Berlin; Lagerliste 2/um 1930 Nr. 26 (Mk 160)
Sammlung H. Goldsche in Berlin
Versteigerung in Stuttgart am 25.11.1952 Nr. 866
   (zurück)
   – in Stuttgart am 19.5.1953 Nr. 440 (zurück)

– in Köln am 28.4.1954 Nr. 139 mit Abb.
Sammlung Armand Gobiet in Seeham bei Salzburg
Kunsthandlung Gebr. Douwes in Amsterdam, 1968
Sammlung George S. Abrams in Boston, Mass., 1971

608a. Dorfansicht mit verschiedenen Figuren. Im Mittelgrund ein Ziehbrunnen.

Bezeichnet mit dem Monogramm
Schwarze Kreide (laviert?) 125 × 165
Versteigerung G. Leembruggen in Amsterdam am
    5.3.1866 Nr. 275 (zusammen mit Z 169, 243, 258,
    779: fl 7 Ellinckhuysen)
    – J. F. Ellinckhuysen aus Rotterdam in Amsterdam
    am 16.4.1879 Nr. 110 (fl 10 Fred. Muller & Co.)
    – in Amsterdam am 13.11.1883 Nr. 351 (fl 10)
    – in Amsterdam am 30.6.1891 Nr. 69 (fl 11.50
    Gutekunst)
    – in Stuttgart am 11.4.1893 Nr. 1327 (Mk 20)
    – Carl Faber in Stuttgart am 10.11.1904 Nr. 142
    – in Leipzig am 8.5.1941 Nr. 599
Sammlung Dr. W. Schulz in Köln, 1961

609. KINDER UND EINE FRAU kaufen (links) bei einer Marktfrau vor einem Zelt. Rechts ein Pfahl, dahinter eine Mauer und Gehöfte. – Um 1628/30.

Rechts (echt?) bezeichnet: VG
Schwarze Kreide 145 × 225
Versteigerung A. G. de Visser in Amsterdam am
    16.5.1881 Nr. 159 (fl 17 van Gogh)
Versteigerung in Amsterdam am 2.12.1913 Nr. 334
    (fl 50 de Vries)
    – in Amsterdam am 9.3.1920 Nr. 186
Sammlung Kröller-Müller im Haag; seit 1935 Staats-
    stiftung in Otterlo
RIJKSMUSEUM KRÖLLER-MÜLLER IN OTTERLO; Inv. Nr.
    Kl 9.88

609

609A. ZWEI REISEWAGEN VOR DEM WIRTS-HAUS; ganz rechts ein Mann am Ziehbrunnen; auf der Landstraße entfernt sich links ein Wagen. – Um 1630.

Rechts bezeichnet: VG
Schwarze Kreide 150 × 260
Vergleiche: Z 42 (fast gleiche Darstellung)
Sammlung von der Hellen, 1963 geschenkt der
KUNSTHALLE IN HAMBURG; Inv. Nr. 1963/497

609A

610. EINE FRAU ARBEITET AM GEDECKTEN BRUNNEN rechts vorn; dahinter ein Gehöft. Weiter raumeinwärts liegt eine gestürzte Schubkarre an einem Heuhaufen. Links in der Ferne ein Zauntor. – Um 1630.

Rechts bezeichnet: VG
Schwarze Kreide 152 × 265
Wasserzeichen: Greif mit Haus (Abb. 52). – Vergleiche
    Heitz 170 (von 1604)
Sammlung F. J. O Boymans 1847 vermacht dem
MUSEUM BOYMANS-VAN BEUNINGEN IN ROTTERDAM; Inv.
    Nr. Van Goyen 4
    Ausgestellt: Amsterdam, 1903 (VG) Nr. 45

611

612

613

611. BRUNNEN MIT HOHEM HEBEBALKEN, daneben ein Radgestell und eine Bäuerin. – Um 1640(?).

Rechts bezeichnet: VG
Schwarze Kreide, grau laviert 153 × 255
Wasserzeichen: Greif mit Haus (Abb. 53)
Departement van Binnenlandse Zaken, 1902 überwiesen an das
RIJKSPRENTENKABINET IN AMSTERDAM; Inv. Nr. A 4695
    Ausgestellt: Amsterdam, 1903 (VG) Nr. 29

612. WALDWEG, der nach rechts in die Tiefe führt; aus der Ferne naht eine Kutsche. – Um 1630/35.

Rechts bezeichnet: VG
Schwarze Kreide 153 × 263
Sammlung Hofrat Rochlitz in Leipzig, um 1839 vermacht den
STAATLICHEN KUNSTSAMMLUNGEN IN WEIMAR; Inv.
Nr. KK 4570

612A. VIER FIGUREN BEI EINEM HEUSTADEL auf der Dünenhöhe.

Links (echt?) bezeichnet: VG
Schwarze Kreide 154 × 228
Sammlung Paul Brandt in Amsterdam
    Ausgestellt: Dordrecht, 1968 Nr. 45
Nachzeichnung (?): I) Wie beschrieben. Unsigniert.
    Rückseite: zwei ausruhende Bauern an der Landstraße
    Schwarze Kreide 146 × 234
    Versteigerung in München am 13.10.1938 Nr. 327
    mit Abb.
    Sammlung Dr. W. Beck (†) in Berlin

613. MANN AM ZAUNSTÜCK rechts vorn; dahinter weites Weideland. – Um 1630.

Rechts bezeichnet: VG
Schwarze Kreide 154 × 263
Sammlung J. Masson in Amiens und Paris
ÉCOLE DES BEAUX-ARTS IN PARIS; Inv. Nr. M 1.659
    (Kat. Lugt 1950 Nr. 233)

613a. Winter. Auf dem zugefrorenen Fluß ein Zelt, Schlitten und Schlittschuhläufer. In der Ferne ein Dorf.

Bezeichnet
(Kreide?) laviert 155 × 185
Sammlung Rudolph, später J. A. G. Weigel in Leipzig;
    Kat. 1836 Nr. 252 b; Kat. r869 Nr. 359
    Versteigerung in Stuttgart am 15.5.1883 Nr. 379
    (Mk 24 Gutekunst)

613b. Ein breiter Weg führt zwischen Bauernhütten hindurch.

Bezeichnet: VG
Schwarze Kreide, laviert 155 × 255
Versteigerung in Amsterdam am 19.1.1904 Nr. 129
    (fl 31 de Moes oder Mos?)
    – in Amsterdam am 7.11.1928 Nr. 296

614. DÜNENLANDSCHAFT MIT EINEM ZAUN,
der von rechts vorn nach links raumeinwärts bis zu
einer Baumgruppe verläuft, unter der Kühe weiden.
Links vorn sitzt ein Bauer. – Um 1630.

Rechts bezeichnet: VG
Schwarze Kreide 155 × 260
Vorzeichnung zu: G 1088
Kunsthandlung Fred. Muller & Co. in Amsterdam,
 1896 erworben von der
NATIONAL GALLERY OF IRELAND IN DUBLIN; Kat. 1928
 Nr. 2125

615. ZWEI BAUERN SITZEN (halbrechts) vor einer
Hütte mit niedrigem Strohdach.

Links bezeichnet: VG
Schwarze Kreide, grau laviert 155 × 263
Versteigerung Louis Deglatigny aus Rouen in Paris
 am 14.6.1937 Nr. 110
Kunsthändlerin Marg. Schultheß in Basel
Sammlung Prof. Dr. F. Merke in Basel

Nachzeichnung: I) Wie beschrieben.
 Rechts falsch signiert
 Schwarze Kreide, aquarelliert 155 × 271
 Wasserzeichen: & C. BLAUW
 Sammlung Jean F. Gigoux, vermacht dem
 MUSEUM IN BESANÇON; Inv. Nr. 776

616. STROHGEDECKTES BAUERNHAUS (rechts),
davor ein Stall. Halblinks zwei Figuren. – Um 1630.

Links bezeichnet: VG
Schwarze Kreide 155 × 265
ALBERTINA IN WIEN; Inv. Nr. 8536

617. DREI HÜTTEN AN DER LANDSTRASSE,
davor Figuren. Ganz rechts ein Heustock. – Um 1630.

Halbrechts bezeichnet: VG
Schwarze Kreide 155 × 265
Angeblich Sammlung Hamel in Den Haag
Versteigerung in Amsterdam am 30.5.1893 Nr. 138
 (fl 7.50 Knowles)
 – W. P. Knowles aus Wiesbaden in Amsterdam am
 25.6.1895 Nr. 265 (zusammen mit Z 128: fl 10
 Ruysch)
 – R. Ph. Goldschmidt aus Berlin in Frankfurt/Main
 am 4.10.1917 Nr. 236 (Mk 800)
 – in Amsterdam am 5.7.1927 Nr. 211 mit Abb.
 (fl 100)
 – A. W. M. Mensing in Amsterdam am 27.4.1937
 Nr. 232 (fl 55 Wertheimer)
Kunsthändlerin Marg. Schultheß in Basel
Sammlung Prof. Dr. F. Merke in Basel

618. STRAND. Links zurück Häuser auf Dünen, rechts
das Meer. Vorn eine große Figurengruppe und ein
Pferdekarren. – Um 1627/30.
Rückseite: Figuren, von anderer Hand (Rötel).

Links von der Mitte bezeichnet: VG
Schwarze Kreide 155 × 267
Sammlung von Nagler, 1835 erworben vom
KUPFERSTICHKABINETT DER STAATLICHEN MUSEEN BERLIN;
 Inv. Nr. 2737

618A

619

620

618A. VIER FIGUREN (links von der Mitte) vor einem Bauerngehöft mit Heustock. – Um 1628/30.

Rechts bezeichnet: VG
Schwarze Kreide, gering laviert 155 × 270
Vorzeichnung: wahrscheinlich Vorstudie für G 991
Sammlung Alexander Dyce, 1869 vermacht dem
VICTORIA AND ALBERT MUSEUM IN LONDON (Dyce Bequest 414)

619. HÜTTEN UND ZAUN am Wegrand rechts; ganz rechts ein Heustock. – Um 1630.

Bezeichnet links: VG
Schwarze Kreide, gering grau laviert 155 × 270
Wasserzeichen: kleiner einköpfiger, gekrönter Adler mit Basler Stab
Versteigerung W. Parker, Petteril Bank, Carlisle, in London (So) am 12.12.1928 Nr. 30 (£ 24 W. Sabin)
Kunsthandlung E. Parsons & Sons in London; Lagerkatalog 1929 Nr. 192 mit Abb. und 1934 Nr. 281 mit Abb. (25 gns.)
Westdeutscher Privatbesitz
Kunsthändler A. Brod in London, 1970
 – Gebr. Douwes in Amsterdam, 1971

620. GROSSES BAUERNHAUS MIT HEUSTOCK im Mittelgrund; zwei Figuren – Um 1630.

Links bezeichnet: VG
Schwarze Kreide, grau laviert 157 × 240
Wasserzeichen: Taube (?) im Kreis (Abb. 72)
Versteigerung Dr. Peart in London (Chr) am 12.4.1822 Nr. 142 oder 143
Sammlung Sir Bruce Ingram, 1963 vermacht dem
FITZWILLIAM MUSEUM IN CAMBRIDGE; Inv. Nr. PD 380-1963

620A. VOR EINEM WIRTSHAUS hält rechts ein Planwagen; dabei Figuren und ein Reisewagen. Links vorn drei Figuren. – Um 1633.
Links bezeichnet: VG
Versteigerung John White in London (So) am 25.11. 1971 Nr. 14 mit Abb.

621. VIER FIGUREN auf einer Dünenanhöhe (ganz rechts) vor einem kleinen Schuppen mit Signal. Links Fernblick auf Gehöft und Kirchturm. – Um 1630.

Bezeichnet rechts: VG
Schwarze Kreide 159 × 267
Kunsthandlung H. Shickman Gallery in New York, Kat. Herbst 1966 Nr. 43 mit Abb.

621a. Flache Landschaft mit einigen fernen Hütten. Vorn Landleute bei einem Zaun.

Rechts bezeichnet: VG
(Kreide) ca. 160 × 246
Versteigerung Freiherr C. F. L. F. von Rumohr in Dresden am 19.10.1846 Nr. 3503 (Ngr. 28)

622. EIN MANN MELKT EINE KUH (halbrechts).
Links ein Ziehbrunnen vor einem Gehöft. - Um 1630.

Links bezeichnet: VG
Schwarze Kreide 160 × 265
Sammlung von Nagler, seit 1835 im
KUPFERSTICHKABINETT DER STAATLICHEN MUSEEN BERLIN;
Inv. Nr. 2745

622

622a. Ein Wagen entfernt sich auf einem breiten,
sandigen Weg, der zwischen zwei Baumreihen hin-
durchführt.

Bezeichnet: VG
Schwarze Kreide 160 × 270
Vielleicht identisch mit Z 624
Versteigerung in Amsterdam am 5.6.1905 Nr. 1235

623. ABGETAKELTES SEGELBOOT und zwei
Ruderboote im Zentrum am Ufer. Rechts verdeckt
ein Zaun ein von Bäumen umstandenes Gehöft.
- Um 1630/33.

Rechts bezeichnet: VG
Schwarze Kreide (laviert?) 160 × 273
Sammlung William Gretor, 1907 geschenkt dem
METROPOLITAN MUSEUM OF ARTS IN NEW YORK; Inv.
Nr. 07.285.2

623

624. ALTE EICHE links an einem breiten Sandweg,
der von alten, verkrüppelten Eichen mit dünnem Blattwerk begrenzt wird. Ein Wagen naht aus weiter
Ferne.

Rechts bezeichnet: VG
Schwarze Kreide 160 × 275
Vielleicht identisch mit Z 622a
Versteigerung in Amsterdam am 15.6.1908 Nr. 236
    (fl 30)
    - in Amsterdam am 11.6.1912 Nr. 112 (fl 32
    Ederheimer)
Kunsthändler R. Ederheimer in New York; Lager-
    katalog 1913 Nr. 9
Versteigerung in New York am 9.4.1919 Nr. 113

625. Dorffest. Links Wagen, Reiter und viele Figuren
vor Zelten und Buden. Ein Kirchturm halblinks; halbrechts vorn eine Gruppe von fünf Figuren mit Hund. -
Nachzeichnung?

Halbrechts von späterer Hand monogrammiert
Schwarze Kreide, grau laviert 172 × 276
ALBERTINA IN WIEN; Inv. Nr. 8506

626

626. KUHHERDE AM FLUSS; eine Kuh wird
gemolken (halbrechts). Vorn trägt ein Mann einen
Eimer zu einem Kahn. - Um 1628.

Rechts bezeichnet: VG
Schwarze Kreide 183 × 303
Vergleiche: Z 844/162
Kunsthändler E. Parsons & Sons in London, 1919
Sammlung F. Lugt in Paris; Inv. Nr. I 268
    Ausgestellt: Brüssel, Rotterdam, Paris, Bern, 1968/69
    Nr. 63 mit Abb.
FONDATION CUSTODIA IN PARIS

627

628

630

627. EIN BAUER UND EINE BÄUERIN rechts vorn am Brunnen vor einem Bauernhaus. In der Mitte eine umgestürzte Schubkarre, weiter links zurück hält ein Wagen. – Um 1630.

Rechts bezeichnet: VG
Schwarze Kreide 184 × 280
NATIONAL GALLERY OF SCOTLAND IN EDINBURGH; Inv. Nr. D 1100

628. EIN BAUERNPAAR unterhält sich vor einem großen, strohgedeckten Bauerngehöft, aus dessen Kamin Rauch aufsteigt, mit einer über die Haustür lehnenden dritten Figur (Zentrum). Rechts zwei Fässer, dahinter Bäume. Links vorn im Schatten ein Kübel bei einem Radgestell, auf dem Fässer liegen. In der Ferne eine Kirche. – Anfang der 30er Jahre.

Rechts bezeichnet: VG
Schwarze Kreide, grau laviert 186 × 276
Wasserzeichen: gekröntes Lilienwappen, unten Buchstaben WR (Abb. 41); ähnlich Churchill 427 (von 1645)
Vorzeichnung: Z 758
Westdeutscher Privatbesitz

Nachzeichnung: I) Wie beschrieben. Unsigniert.
Schwarze Kreide, laviert 196 × 281
Wasserzeichen: oberer Teil eines Lilienwappens (wie Abb. 43)
HESSISCHES LANDESMUSEUM IN DARMSTADT; Inv. Nr. AE 683

628a. Fischerhütten am Gestade, an dem ein Fischerboot anlegt.

Neben der Haustür rechts bezeichnet: VG
Schwarze Kreide, laviert 187 × 280
Wasserzeichen: Lilienwappen
Sammlung H. W. Campe in Leipzig
Versteigerung in Leipzig am 9.5.1930 Nr. 157 (Mk 500 zurück)
– E. Ehlers aus Göttingen in Leipzig am 27.11.1935 Nr. 459 (Mk 290)

629. BREITER SANDWEG zieht rechts in die Tiefe; zwei Figuren sitzen am Wegrand; links Gehöft hinter Gebüschreihe. – Um 1630/33.

Rechts bezeichnet: VG
Schwarze Kreide 190 × 275
Sammlung Otto Gehler in Leipzig († 1822)
– Dr. Heinrich Dörrien in Leipzig, 1857 vermacht dem
MUSEUM DER BILDENDEN KÜNSTE IN LEIPZIG; Inv. Nr. NI 416

630. VOR EINEM GEHÖFT im Mittelgrund werden die Pferde eines Reisewagens gefüttert; rechts davon vier Figuren am Wegrand. Links vorn auf einer Anhöhe, neben der Landstraße drei Figuren vor Bäumen – Um 1630/33.

Links bezeichnet: VG
Schwarze Kreide 190 × 280
Wasserzeichen: gekröntes Lilienwappen
Literatur: Dobrzycka, mit Abb.
Sammlung J. Kabrun in Danzig
MUZEUM POMORSKIE IN DANZIG; Kat. Nr. 7614
 Ausgestellt: Warschau 1959 Nr. 23

631. BAUERNHÜTTEN UNTER BÄUMEN am
rechten Flußufer; rechts bückt sich ein Mann über
einen Topf; in der Mitte trägt ein Mann Wäsche zu
einem Zuber; weiter links ein Ruderkahn mit zwei
Figuren. – Um 1630/33

Rechts bezeichnet: VG
Schwarze Kreide 191 × 276
Versteigerung Freiherr C. Rolas du Rosey in Leipzig
 am 5.9.1864 Nr. 4534 (Thaler 1.–)
Sammlung Carl Petersen in Kiel, 1880 vermacht der
KUNSTHALLE IN KIEL; Kat. 1894 Nr. 164

632. VIER LANDLEUTE plaudern auf einem Weg,
der, von Bäumen und Gebüsch begrenzt, in die Tiefe
zieht. Weiter zurück zwei andere Landleute. Rechts
schläft ein Mann auf der Erde bei einer Hecke. – Um
1628.

Links bezeichnet: VG
Schwarze Kreide 193 × 280
Versteigerung Freiherr C. Rolas du Rosey aus Dresden
 in Leipzig am 5.9.1864 Nr. 4533 (Ngr 15)
 – Prof. Dr. F. Heimsoeth aus Bonn in Frankfurt/Main
 am 5.5.1879 Nr. 66 (Mk 11 F. Muller)
 – J. M. Vreeswijk aus Utrecht in Amsterdam am
 3.5.1882 Nr. 122 (fl 27 Langerhuizen)
Sammlung P. Langerhuizen in Crailoo
 Ausgestellt: Amsterdam, 1903 (VG) Nr. 85
 Versteigerung in Amsterdam am 29.4.1919 Nr. 331
 (fl 400 Muller)
Sammlung Kröller-Müller im Haag; seit 1935 Staats-
 stiftung in Otterlo
RIJKSMUSEUM KRÖLLER-MÜLLER IN OTTERLO; Inv.
Nr. Kl 8.88

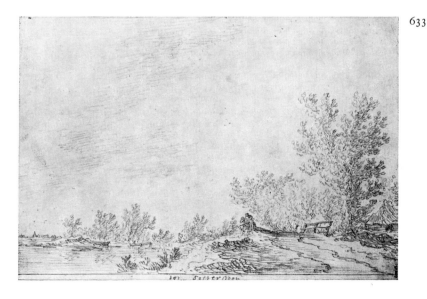

633. EIN BAUMBESTANDENER WEG führt rechts
über eine kleine Brücke, an deren Geländer zwei
Figuren lehnen; rechts zurück ein Gehöft, links ein
Fluß.
Im Unterrand beschriftet: tot Soeterwou
Auf der Rückseite: 25 december 1637

Rechts bezeichnet: VG
Schwarze Kreide 196 × 286
Literatur: E. Haverkamp Begemann, Seite 216,
 Anmerkung 182
Sammlung Knebel
 – Drugulin
 – S. Larpent, 1913 vermacht dem
STATENS MUSEUM FOR KUNST, KGL. KOBBERSTIKSAMLING,
IN KOPENHAGEN; Inv. Nr. 6597

634. EIN MANN LEHNT AM GELÄNDER EINER BRÜCKE links; dahinter ein von Bäumen umgebenes Wirtshaus, vor dem ein Planwagen, Reiter und Figuren halten. – Um 1632/1635.

Links bezeichnet: VG
Schwarze Kreide 206 × 336
NATIONAL GALLERY OF SCOTLAND IN EDINBURGH; Inv. Nr. D 1104

2. Unsignierte Zeichnungen und Skizzen

In dieser Gruppe sind neben wenigen ausgeführten Zeichnungen hauptsächlich Landschaftsskizzen verzeichnet, die wohl ursprünglich nicht für den Verkauf bestimmt waren, sondern einst zu verschiedenen, heute verstreuten Skizzenbüchern gehörten. Viele solcher Landschaftsstudien sind beispielsweise noch im Londoner Skizzenbuch (Z 844) vereinigt.

Bei der großen zeichnerischen Breite von van Goyens künstlerischer Handschrift sind viele Studienskizzen nicht eindeutig zu bestimmen: nicht jede Kreideskizze mit landschaftlichem Vorwurf kann van Goyen zugeschrieben werden. Aus der Vielzahl solcher Blätter hat man in den letzten Jahren die Werke von C. S. van der Schalcke und F. Knibbergen auszusondern gelernt; vielleicht gelingt dies auch noch für andere Künstler. Da von diesen skizzenhaften, einfachen Zeichnungen kaum Abbildungen existieren, kann die Katalogisierung unvollständig ein.

635. Dünen, halblinks ein Weg zwischen Hügeln; links zwei Figuren. Im rechten Hintergrund Hütten und Buschwerk.

Schwarze Kreide, grau laviert 62 × 190
Wasserzeichen: Greif mit Haus (teilweise)
Versteigerung H. Lempertz in Köln am 17.10.1905 Nr. 144 als A. Cuyp
Sammlung Dr. A. Nitzschner in Hannover, 1929 erworben vom
KESTNER-MUSEUM IN HANNOVER; Inv. Nr. N 196. – Kat. 1960 Nr. 55 mit Abb.

636. Mehrere Figuren vor einem Zelt links vorn; rechts im Hintergrund andere Figuren vor Bäumen und Gehöften. Links vorn hackt ein Mann Holz auf einem Dreifuß, zwei andere Männer stehen rechts daneben. – Um 1630/33, sofern echt.

Schwarze Kreide 70 × 170
Privatsammlung in London, 1965

637. Winter: Pferdeschlitten mit Figuren halten rechts und links auf dem Eis. In der Mitte nahen zwei Schlittschuhläufer, von denen einer eine Stange geschultert trägt.

Schwarze Kreide 80 × 130
Versteigerung J. Boussac in Paris am 10.5.1926 Nr. 127
  mit Abb. (ffrs 550)

637A. DREI FIGUREN auf einem Deich, vorn ein
Holzhäuschen. Skizze.

Schwarze Kreide 80 × 138
Versteigerung in London (So) am 26.6.1969 Nr. 67
  (£ 220 Dribble)

639

638. BAUERNGEHÖFT im Zentrum, rechts davor
ein Zaun, der über einen kleinen Hügel zieht. Links ein
Ziehbrunnen.

Schwarze Kreide 80 × 160
Versteigerung in Amsterdam am 4.7.1966 Nr. 238
  mit Abb.

639. ZIEHBRUNNEN UND WAGENRÄDER im
Zentrum. Rechts ein Leiterwagen, links ein Heustock.

Schwarze Kreide, laviert 80 × 171
Sammlung Kröller-Müller im Haag; seit 1935 Staats-
  stiftung in Otterlo
RIJKSMUSEUM KRÖLLER-MÜLLER IN OTTERLO; Inv. Nr.
  Kl 2.352

641

640. SEGELBOOT mit halb herabgelassenem Segel
und einer Figur an Bord, am Heck ein Ruderkahn. In
der Ferne rechts Segelboote bei einem Gehöft.

Schwarze Kreide, grau laviert 83 × 115
Kunsthändler A. Brod in London; Kat. Juli 1964
  Nr. 66 mit Abb.

641. HÄUSER AN DER STRASSE unterhalb einer
hohen Gebäudegruppe (Burg?).

Schwarze Kreide 83 × 135
Sammlung von Beckerath, 1902 erworben vom
KUPFERSTICHKABINETT DER STAATLICHEN MUSEEN BERLIN;
  Inv. Nr. 11805

642

642. BAUMSTUDIE: im Zentrum ein alter, fast
entlaubter Baum, links dahinter Gebüsch (?).

Schwarze Kreide 84 × 134
Sammlung Dr. Lisa Oehler in Kassel, 1966

643

643. EIN MEHRSTÖCKIGES HAUS steht links auf der Ufermauer, nach rechts ragt ein Kran auf einem Vorbau in den Fluß hinein; ganz links zwei Fischerkähne. Rechts, weiter zurück, Segelboote. – Um 1640-1645. In A. Waterloos Zeichenstil.

Schwarze Kreide 85 × 138
Sammlung Giovanni Volpato, 1845 erworben vom König Carl Albert von Savoyen und überwiesen an die
BIBLIOTECA REALE IN TURIN; Inv. Nr. 16610

644. Bollwerk mit Türmen und Mauer am rechten Ufer; davor hält ein Karren. Rechts vorn ein leerer Kahn, links Segler. – Auch eine Zuschreibung an A. Waterloo wäre denkbar.

Schwarze Kreide 85 × 140
Zusammengehörig mit Z 645A, 647
Versteigerung A. Beurdeley in Paris am 8.6.1920 Nr. 183 (ffrs 820 Le Goupy)
Kunsthandlung C. G. Boerner in Leipzig, 1940
Versteigerung in Leipzig am 8.5.1941 Nr. 600 mit Abb.

645. VOR DEM WIRTSHAUS „ZUM HALB-MOND" hält ein zweispänniger Planwagen (ganz rechts); im Toreingang zwei Figuren. – Um 1632/33. In A. Waterloos Zeichenstil.

Schwarze Kreide 85 × 140
Sammlung J. Richardson jun.
Versteigerung in London (Chr) am 2.12.1969 Nr. 7 mit Abb. (£ 168 Tyzack)
Englischer Kunsthandel, Kat. 1970 Nr. 55 mit Abb.

645.A Mauer mit zwei Rundtürmen am rechten Ufer; dahinter ein Hausdach mit Schornstein. Davor arbeiten zwei Männer bei einem Holzgerüst auf Stangen. Weiter links zwei Ruderboote. – Auch eine Zuschreibung an A. Waterloo wäre denkbar.

Schwarze Kreide 85 × 145
Zusammengehörig mit Z 644, 647
Sammlung Sir Robert Witt in London
Kunsthändler B. Houthakker in Amsterdam; ausgestellt beim Kunsthändler Gebr. Douwes in Amsterdam, April-Mai 1964 Nr. 52
– H. Shickman Gallery in New York; Kat. 1968 Nr. 70 mit Abb.

Nachzeichnung: I) Mit geringfügiger Änderung: bei dem Holzgerüst drei Männer, auf dem Wasser ein Kahn etc.
Schwarze Kreide 193 × 257
Sammlung Gerlings
Sammlung J. de Grez, in Brüssel, 1914 vermacht den MUSÉES ROYAUX DES BEAUX-ARTS IN BRÜSSEL; Inv. Nr. 1381

646

646. BÄUME RECHTS; links zurück der Frontturm einer großen Kirche ⟨Den Haag?⟩.

Rechts unten von späterer Hand voll signiert
Schwarze Kreide 87 × 138

Wasserzeichen: nicht bestimmbares Fragment
Sammlung L. P. Zocher, geschenkt an
TEYLERS MUSEUM IN HAARLEM; Inv. Nr. 049c

647. Flußlandschaft mit Steg (halbrechts); rechts davor
ein Fischer im Kahn, dahinter Bäume; links zurück
ein abgetakeltes Segelboot. – Von A. Waterloo?

Schwarze Kreide (Kohle?) 87 × 140
Zusammengehärig mit Z 644, 645A
Sammlung Prinz Reuß
Kunsthändler G. Nebehay in Wien; Kat. „Die Zeich-
nung“, III, 1928 Nr. 59 mit Abb. (Mk 700)

648. VIERECKIGER TURM MIT TAUBEN-
SCHLAG und Zinnen links in einer Mauer; ein Kirchturm weiter raumeinwärts.

Schwarze Kreide 87 × 143
Sammlung Kröller-Müller im Haag; seit 1935 Staats-
stiftung in Otterlo
RIJKSMUSEUM KRÖLLER-MÜLLER IN OTTERLO; Inv. Nr.
Kl 3.352

649. Hoher Brückensteg mit zwei Figuren; eine dritte
steigt die Treppe herunter. Unter der Brücke ein Mann
im Kahn; links Gebüsch.

Schwarze Kreide, laviert 87 × 143
Sammlung von Beckerath, 1902 erworben vom
KUPFERSTICHKABINETT DER STAATLICHEN MUSEEN BERLIN;
Inv. Nr. 11810

650. Zwei Gehöfte am linken Ufer; davor Gebüsch,
teilweise unbelaubt. Bei einem kurzen Holzdamm ein
Angelfischer im Kahn; rechts auf dem Fluß zwei
Segelboote weiter zurück.

Schwarze Kreide 87 × 178
Sammlung Louis Ryaux in Paris, 1966

651. EINE BÄUERIN MELKT EINE KUH (links
vorn); die Bäuerin als Rückenfigur; von der Seite
gesehen die Kuh, mit dem Kopf nach rechts gewandt.
Weiter links zurück zwei, rechts drei Kühe. Am
Horizont Gebüsch. – Um 1635.

Schwarze Kreide 88 × 177
Versteigerung A. P. E. Gasc in Paris am 11.1.1861
Nr. 145
– Rita M. Johnson aus Iowa/USA in London (Chr)
am 29.3.1966 Nr. 192 (£ 78.15.0)
Kunsthändler B. Houthakker in Amsterdam; Kat. 1969
Nr. 21 mit Abb.

651

652. Blick auf Amersfoort, die Kirche im Zentrum. –
Eine Zuschreibung an A. Waterloo wäre auch denkbar.

Schwarze Kreide 89 × 177
Vergleiche Z 672
UNIVERSITÄTSBIBLIOTHEK LEIDEN; Atlas Bodel Nyen-
huis, P. 301, I, Nr. 23 (zusammen mit Z 672)

653. Weite Flachlandschaft mit Kirche halbrechts im
Hintergrund. Rechts vorn zwei knieende Landleute.
Links Vieh.

Schwarze Kreide, laviert 90 × 146
Wasserzeichen: Teil eines nicht bekannten Wasser-
zeichens
Sammlung Prinz Reuß
Kunsthändler G. Nebehay in Wien; Kat. „Die Zeich-
nung", III, 1928 Nr. 58 mit Abb (Mk. 700)
Versteigerung in Stuttgart am 24.11.1953 Nr. 816
(Mk 125 Otto)
Sammlung E. J. Otto in Berlin
Kunsthandlung C. G. Boerner in Düsseldorf, Herbst
1963
Ausgestellt: Stuttgart, Jan.-Febr. 1964 Nr. 16

654. Ruinenhafter Turm mit Seitentürmen und Blend-
arkaden rechts innerhalb einer Ufermauer, von der ein
kurzer Landungssteg zur Mitte vorspringt. Hier liegt ein
Ruderkahn, dahinter Segelboote. Figuren auf dem
Steg. Links Ausblick über die See.

Schwarze Kreide 90 × 150
Kunsthändler B. Houthakker in Amsterdam, 1964/65
– H. Shickman Gallery in New York; Kat. 1968
Nr. 69 mit Abb.

654a. Weite Landschaft mit einem Fluß und einer
Windmühle.

Schwarze Kreide 90 × 150
Sammlung A. Grahl in Dresden
Versteigerung Bellingham-Smith aus London in
Amsterdam am 5.7.1927 Nr. 210 (fl 170 F. Lugt)
– in Paris am 2.3.1935 Nr. 85

654b. Fischkasten und Segelboote.

Schwarze Kreide 90 × 180
Versteigerung A. W. M. Mensing in Amsterdam am
27.4.1937 Nr. 238 (fl 230)

655. WASSERMÜHLE mit hohem Mühlrad, neben
dem Haus ein Baum (Mitte). Links eine stehende und
eine sitzende Figur.
In der Mitte unten: 135

Schwarze Kreide 92 × 140
Vorzeichnung zu: Z 750
EREMITAGE IN LENINGRAD; Inv. Nr. 14252

655

656. Zwei Pferdewagen; die Pferde fressen aus zwei
Krippen; rechts stehen zwei Männer. – Nicht zweifelsfreie Zuschreibung.
Rückseite: Skizze eines Reiters, nach rechts gewandt,
vom Rücken.

Schwarze Kreide 93 × 150
Sammlung B. Suermondt in Aachen; 1874 erworben
vom
KUPFERSTICHKABINETT DER STAATLICHEN MUSEEN BERLIN;
Inv. Nr. 2766

657. SEGELSCHIFFE auf einem Kanal. Vorn im Zentrum ein teilweise abgetakeltes Segelboot, zwei andere
Boote kreuzen weiter zurück. Rechts in der Ferne ein
viereckiger Turm. – Um 1650.

Schwarze Kreide 93 × 153
Zusammengehörig mit Z 657A.
Sammlung Dr. E. Schilling in Edgware
  – E. W. Kornfeld in Bern
  Ausgestellt: Bern, Febr.-März 1953 Nr. 7
  – Ingelheim, 1964 Nr. 35 mit Abb.

657

657A. MARINE. Im Zentrum landet ein abgetakeltes
Segelboot; an Land zwei Figuren. Rechts vorn ein
Kahn, weiter zurück eine Fregatte.
Schwarze Kreide 93 × 156
Zusammengehörig mit Z 657. – Vergleiche die Skizzen
  Z 846/138-143 des Dresdener Skizzenbuches
Sammlung George S. Abrams in Boston, Mass.
  Ausgestellt: Boston, 1968

658

658. EIN BAUER ARBEITET AM BRUNNEN mit
hohem Hebebalken; rechts daneben ein Radgestell mit
Körben, weiter zurück ein Gehöft.

Schwarze Kreide, laviert 93 × 203
Sammlung G. J. F. Knowles; 1959 vermacht dem
FITZWILLIAM MUSEUM IN CAMBRIDGE; Inv. Nr. PD 50-
1959

659. EINE TREPPE führt neben einer Pforte zu
einem Wall herauf. Links zurück ein Gehöft, von
Gebüsch umgeben. – Um 1645/50.

Schwarze Kreide 94 × 150
Zusammengehörig mit Z 660, 661, 662
Versteigerung in Paris am 23.5.1928 Nr. 66 mit Abb.
  (ffrs 1800)
Sammlung Prof. Dr. J. Q. van Regteren Altena in
  Amsterdam
  Ausgestellt: Leiden und Arnheim, 1960 (VG) Nr. 83

659

660

660. MAUER MIT PFORTE, dahinter Gehöft. Links eine Treppe. – Um 1645/50

Schwarze Kreide 94 × 150
Vorzeichnung zu: Z 291 und 423
Zusammengehörig mit Z 659, 661, 662
Versteigerung in Paris am 23.5.1928 Nr. 65 mit Abb.
    (ffrs 2000)
Sammlung Prof. Dr. J. Q. van Regteren Altena in
    Amsterdam
        Ausgestellt: Leiden und Arnheim, 1960 (VG) Nr. 82

660a. Fischerhütten am Wasser. Segelboote.

Schwarze Kreide, laviert 95 × 130
Wasserzeichen: Schellenkappe
1927 in Frankfurt (von Dr. C. Otto) erworben
Versteigerung Dr. Curt Otto in Leipzig am 7.11.1929
    Nr. 67 (Mk 280 Houthakker)

661. WALDIGES FLUSSUFER mit großem Haus im Zentrum. – Um 1645/50.

Schwarze Kreide, laviert 95 × 145
Zusammengehörig mit Z 659, 660, 662
Versteigerung J. Boussac in Paris am 10.5.1926 Nr. 129
    mit Abb. (ffrs 600)
    – in Paris am 29.4.1927 Nr. 133 mit Abb.
    – P. Geismar in Paris am 15.11.1928 Nr. 148

662. BAUERNGEHÖFTE MIT STALLUNGEN links; rechts zurück ein Tor. – Um 1645/50.

Schwarze Kreide, laviert 95 × 148
Zusammengehörig mit Z 659, 660, 661
Sammlung J. Masson in Paris und Amiens
ÉCOLE DES BEAUX-ARTS IN PARIS; Inv. Nr. M 1.666
    (Kat. Lugt 1950 Nr. 237)

663. GEMAUERTE BOGENBRÜCKE über einen kleinen Kanal rechts vorn; über und hinter der Brücke steht ein Gehöft mit Stallanbau. Links eine Weide hinter einem Zaunstück.

Schwarze Kreide, laviert 95 × 148
Sammlung J. de Grez in Brüssel, 1914 vermacht den
MUSÉES ROYAUX DES BEAUX-ARTS IN BRÜSSEL; Inv. Nr.
    1393

664

664. UTRECHT: im Zentrum der Dom, rechts und links davon andere Türme, beispielsweise die Nicolaeskirche. Vorn ein Torbogen in einer Kanalmauer – Um 1645.
Links von alter Hand: Utrecht Waterloo

Schwarze Kreide, grau laviert 96 × 149
Kunsthandlung Fred. Muller & Co. in Amsterdam
    (um 1920?)
Sammlung Prof. Dr. J. Q. van Regteren Altena in
    Amsterdam

665. MARIAKERK ZU UTRECHT. – Um 1645/50.
Rückseitig von alter Hand: Ruisdael

Schwarze Kreide, grau laviert 97 × 148
Vorzeichnung zu: Z 229
In einer Leipziger Versteigerung, 1859
Versteigerung K. E. von Liphart aus Florenz in Leipzig
  am 27.6.1899 Nr. 236 (Mk 6 Dr. Vogel für Museum)
MUSEUM DER BILDENDEN KÜNSTE IN LEIPZIG; Inv. Nr. 530

666. MÄCHTIGE RUNDBASTION im Zentrum,
nach links schließt ein Gebäude mit Schornstein an,
teilweise von Gebüsch verdeckt. Boote im Mittelgrund.
Rückseite: zwei liegende Schweine.

Schwarze Kreide 97 × 149
Sammlung S. Larpent, 1913 vermacht dem
STATENS MUSEUM FOR KUNST, KGL. KOBBERSTIKSAMLING,
  IN KOPENHAGEN; Inv. Nr. 6664

667. SCHLOSSGEBÄUDE am linken Ufer; weiter
zurück eine Brücke, davor ein Segelboot und ein
Ruderboot.
Rückseite: Dünenweg zum Strand, zwei Segelboote
liegen am Ufer.

Schwarze Kreide 97 × 149
Sammlung S. Larpent, 1913 vermacht dem
STATENS MUSEUM FOR KUNST, KGL. KOBBERSTIKSAMLING,
  IN KOPENHAGEN; Inv. Nr. 6663

668. EINE TREPPE führt in der Mitte vom Ufer
empor zu einem Gehöft; am überdachten Vorbau hängt
eine Laterne. Vor dem Gehöft zwei Figuren in Unterhaltung, eine dritte Figur weiter rechts vor dem Anbau.
Bei einer anderen Treppe, weiter links raumeinwärts,
ein Gehöft mit Kamin. – Um 1650/51.

Schwarze Kreide 97 × 150
Vorzeichnung zu: Z 271 (von 1651)
Kunsthändler R. W. P. de Vries in Amsterdam; Lager-
  katalog 1929, Seite 183 mit Abb. als I. van Ostade
KUPFERSTICHKABINETT DER STAATLICHEN MUSEEN BERLIN;
  Inv. Nr. 12959 als Isack van Ostade

669. GROTE HOUTPOORT in Haarlem. Am
linken Ufer das Stadttor mit vielen kleinen Türmen.
Nach links schließt eine Mauer an. – Um 1645.

Schwarze Kreide 97 × 150
Vergleiche: Z 845/77 und Z 577
Sammlung J. de Grez in Brüssel, 1914 vermacht den
MUSÉES ROYAUX DES BEAUX-ARTS IN BRÜSSEL; Inv.
  Nr. 1388

671

674

675

670. Gehöft, hoher Baum und Zaun am linken Ufer.

Schwarze Kreide 98 × 127
Sammlung Lahmann in Dresden, 1937 vermacht dem
KUPFERSTICHKABINETT DER STAATLICHEN KUNSTSAMM-
LUNGEN IN DRESDEN; Inv. Nr. C 1937-351

671. RUINENHAFTE KIRCHE. Skizze. – Um 1645.

Schwarze Kreide 98 × 139
Sammlung K. T. Parker, 1937 geschenkt dem
ASHMOLEAN MUSEUM IN OXFORD; Kat. 1938 Nr. 136

672. Blick auf Amersfoort mit der Kirche. – In
A. Waterloos Zeichenstil.

Schwarze Kreide 99 × 165
Vergleiche Z 652
UNIVERSITÄTSBIBLIOTHEK LEIDEN; Atlas Bodel Nyenhuis,
P. 301, I, Nr. 23 (zusammen mit Z 652)

673. DÜNEN. Links zwei Figuren. Im Hintergrund
ein Haus und ein hoher Baum.

Schwarze Kreide 99 × 168
Sammlung B. H. in Amsterdam, 1964

674. SECHSECKIGER TURM bei einer Gebäudegruppe erhebt sich über niedrige angebaute Hütten.
Links vorn ein Storch. – Um 1650.

Schwarze Kreide 100 × 151
Sammlung von Beckerath, 1902 erworben vom
KUPFERSTICHKABINETT DER STAATLICHEN MUSEEN BERLIN;
Inv. Nr. 11809

674A. EIN MANN MIT RUCKSACK geht über
einen Holzsteg nach links, wo der Steg durch ein hohes
Gatter, umgeben von Gebüsch, abgeschlossen ist.
Links vorn ein Mann im Kahn.

Schwarze Kreide, laviert 100 × 180
Privatbesitz in der Schweiz, 1970

675. HÄUSER AM RECHTEN UFER. Eine Brücke
halbrechts, vorn ein Kahn. In der Mitte Segelboote. –
Um 1645/50.

Von alter Hand bezeichnet
Schwarze Kreide 102 × 152
Zusammengehörig mit Z 676, 677, 678
Vorzeichnung zu: G 722A
Versteigerung in London (Chr) am 28.6.1960 Nr. 74
Kunsthandlung Seiferheld Gallery in New York, 1961
Sammlung Joseph McGrindle in New York und
London

676. ZWEIBOGIGE BRÜCKE mit Reiter (Zentrum), am rechten Ufer Häuser und Kirche. – Um 1645/50.

Von alter Hand bezeichnet
Schwarze Kreide 102 × 152
Zusammengehörig mit Z 675, 677, 678
Versteigerung in London (Chr) am 28.6.1960 Nr. 74
Kunsthandlung Seiferheld Gallery in New York, 1961
Sammlung Joseph McGrindle in New York und
    London

677

677. STRAND MIT VIELEN FIGUREN, Wagen und zwei Reitern; links zurück die Kirche von Scheveningen. – Um 1645/50.
Rückseitig Figurenskizzen.

Von alter Hand bezeichnet
Schwarze Kreide 102 × 152
Vorzeichnung zu: Z 158
Zusammengehörig mit Z 675, 676, 678
Versteigerung in London (Chr) am 28.6.1960 Nr. 74
Kunsthandlung Seiferheld Gallery in New York, 1961

678. GEHÖFT MIT LATERNE rechts, davor einige Figuren, andere gehen nach links. – Um 1645/50.

Von alter Hand bezeichnet
Schwarze Kreide 102 × 152
Zusammengehörig mit Z 675, 676, 677
Versteigerung in London (Chr) am 28.6.1960 Nr. 74
Kunsthandlung Seiferheld Gallery in New York, 1961

678

679. STUFEN führen einen kleinen Hügel herauf zu einem großen Baum und Gebüsch; ganz rechts ein Holzgatter. – Um 1648.

Kreide 102 × 155
Von Victor Spark in New York, 1955, erworben für die Sammlung Dr. D. Hannema (Stichting Hannema-de Stuers), Kasteel „Het Nyenhuis", Heino; Kat. 1967 Nr. 110

679A. DORFKIRCHE mit zerstörtem Chor, vom Chor gesehen. Viereckiger Turm mit kleinem Spitzhelmdach.

Schwarze Kreide 102 × 160
Vergleiche: die gleiche Kirche auf Z 844/160(?)
Englischer Kunsthandel, Sommer 1968
Kunsthändler B. Houthakker in Amsterdam; Kat. 1970 Nr. 34 mit Abb.

680

680. UTRECHT. Oude Gracht mit Vredenburg und Huis Oudaen. Eine mehrbogige Brücke überspannt rechts einen Fluß. – Um 1650/51.

Schwarze Kreide, grau laviert 105 × 161
Sammlung F. J. O. Boymans in Utrecht
MUSEUM BOYMANS-VAN BEUNINGEN IN ROTTERDAM; Inv. Nr. J. van Ruisdael 4 (als J. van Ruisdael, hieß früher (1852, 1859): H. Saftleven)

681. VIERECKIGER TURM MIT TAUBEN-SCHLAG am Wasser, davor ein Holzvorbau innerhalb einer diagonal raumeinwärts ziehenden Mauer, die in einem Turm endet. Eine Kirche ragt über die Mauer.

Schwarze Kreide 105 × 165
Vorzeichnung zu: Z 251
Versteigerung J. Boussac in Paris am 10.5.1926 Nr. 128 mit Abb. (ffrs 700)
 – P. Geismar in Paris am 15.11.1928 Nr. 149

681a. Blick auf die Mauern von Dordrecht.

Feder, grau und braun laviert 105 × 200
Angeblich aus Sammlung de Kat
Versteigerung Auguste Coster in Brüssel am 17.5.1907 Nr. 658 (zusammen mit Z 169: bfrs 380 Muller)
 – in Amsterdam am 14.4.1908 Nr. 113 (fl 185 Galippe)

682. DORDRECHT. Am linken Ufer die Groote Kerk hinter der Ufermauer; links vorn ein Mauerturm mit polygonalem Kuppeldach ⟨Rondeel Engelenburg⟩. Skizze. – Um 1645/50.

Schwarze Kreide, grau laviert 106 × 156
Sammlung F. J. O. Boymans, 1847 vermacht dem
MUSEUM BOYMANS-VAN BEUNINGEN IN ROTTERDAM; Inv. Nr. Van Goyen 7
Ausgestellt: Amsterdam, 1903 (VG) Nr. 44

683. Brückensteg mit Zaunstück rechts, dahinter ein Mann mit einer Stange. Links vier Figuren, von denen ein Mann sitzt.

Schwarze Kreide 107 × 162
Wasserzeichen: Teil des Wappens von Lothringen
Privatsammlung in London

684

684. ALTER TURM MIT ZINNEN ⟨Bijlhouderstoren bei Utrecht⟩, nach links schließen Häuser an. Figuren skizzenhaft. Rechts Blick über eine Straße auf fernes Gehöft. – Um 1645.

Schwarze Kreide, grau laviert 107 × 167
Versteigerung Freiherr C. Rolas du Rosey aus Dresden in Leipzig am 5.9.1864 Nr. 4532 (Ngr 10)
 – H. Haendcke aus Radebeul (Sammlerstempel entfernt) in Köln am 8.10.1896 Nr. 289
Sammlung Prinz Johann Georg von Sachsen
Versteigerung in Stuttgart am 18.10.1950 Nr. 1707 (Mk 220)
Sammlung Dr. W. Beck (†) in Berlin

685

685. EIN SEGELBOOT, zu dem vom Ufer eine Planke führt, halbrechts. Am Ufer arbeiten links zwei Männer an einem Kahn, weiter vorn ein Mann bei zwei Tonnen. Rechts zurück eine Windmühle. – Um 1650.

Schwarze Kreide, grau laviert 107 × 189
Sammlung L. Bonnat
MUSÉE BONNAT IN BAYONNE; Inv. Nr. 1436/1462

686. EIN GROSSES SCHLOSSARTIGES GEBÄUDE
mit Treppengiebel und sechseckigem Turm hinter
einer Mauer. – 40er Jahre.

Schwarze Kreide, laviert 108 × 129
Sammlung J. de Grez in Brüssel, 1914 vermacht den
MUSÉES ROYAUX DES BEAUX-ARTS IN BRÜSSEL; Inv.
Nr. 1392

687

687. FERNSICHT ÜBER EINEN QUER DIE
LANDSCHAFT DURCHZIEHENDEN FLUSS. Am
jenseitigen Ufer eine Ortschaft, Windmühle und Hügel
⟨Rhein bei Elten?⟩. Rechts vorn Figurengruppe und ein
sitzender Mann. – Um 1645.

Schwarze Kreide 108 × 163
Literatur: Dattenberg, mit Abb.
Versteigerung in Amsterdam am 27.5.1913 Nr. 110
(fl 90 Lugt)
Sammlung Frits Lugt in Paris; Inv. Nr. I. XVIII
FONDATION CUSTODIA IN PARIS

689

688. Gebäudegruppe oberhalb einer Ufermauer; eine
Treppe führt zum Wasser. Links hinten eine Bogenbrücke.

Schwarze Kreide, laviert 108 × 164
STÄDELSCHES KUNSTINSTITUT IN FRANKFURT/MAIN; Inv.
Nr. 3590

689. KAHLE BÄUME vor einigen Bauerngehöften;
vorn ein leerer Kahn auf einem schmalen Kanal.

Schwarze Kreide 108 × 209
RIJKSPRENTENKABINET IN AMSTERDAM (ohne Inv. Nr.)

691

690. Ein dreispänniger Reisewagen hält rechts. Die
Pferde fressen aus der Krippe. Rechts zwei Gehöfte.
Halblinks am Wegrand eine Baumgruppe, eine Kirche
links in der Ferne.

Schwarze Kreide 108 × 228
Wasserzeichen: Wappen von Burgund und Österreich
(Abb. 47)
Vergleiche Z 788d
RIJKSPRENTENKABINET IN AMSTERDAM; Inv. Nr. 48: 498

691. ANSICHT VOM HAAG. Rechts die Grote
Kerk; nach links anschließend Häuser und Windmühlen (ganz links).

Schwarze Kreide, laviert 109 × 142
Sammlung Maurice Delacre, 1949
– E. W. Kornfeld in Bern
Ausgestellt: Ingelheim, 1964 Nr. 36 mit Abb.

692

692. ZWEI LANDLEUTE sitzen links vorn bei einer Kapelle ⟨Petronella-Kapelle in De Bilt⟩. Weiter zurück zwei hohe Bäume, die ein Wirtshaus mit Treppengiebel teilweise verdecken; vor dem Gasthof ein Reisewagen, Reiter und Figuren. Rechts ein Mann am Brunnen. – Um 1640.

Schwarze Kreide 109 × 160
Vergleiche: G 220, 221, 1036 und Z 709
Versteigerung in Berlin am 22.11.1906 Nr. 57
– [J. Rump] in Berlin am 25.5.1908 Nr. 226 (Mk 32)
Sammlung J. Rump in Kopenhagen, geschenkt dem
STATENS MUSEUM FOR KUNST, KGL. KOBBERSTIKSAMLING,
IN KOPENHAGEN; Inv. Nr. 7316

693

693. FERNSICHT ÜBER DÜNEN auf einen von Segelbooten belebten, quer die Landschaft durchziehenden Kanal; am jenseitigen Ufer zwei Windmühlen. Rechts vorn drei Figuren und ein Hund auf einem Hügel. – Um 1645.

Schwarze Kreide 109 × 165
Vergleiche: G 976 (als Vorzeichnung?) und Z 193F und
Z 213 (wohl gleiche Landschaftsszenen)
NATIONAL GALLERY OF SCOTLAND IN EDINBURGH; Inv.
Nr. D 1105

694. DIE OOSTPOORT VON DELFT (von Nordosten); rechts eine Mühle auf dem Wall. – Um 1645.

Schwarze Kreide, grau laviert 109 × 169
Vorzeichnung zu: G 668
Sammlung Prof. Dr. J. Q. van Regteren Altena in
Amsterdam

694

695. DER DOM ZU UTRECHT. Vorn eine dreibogige Brücke ⟨Gaardbrug⟩, hinter Bäumen am rechten Ufer der alte Bisschopshof. – Um 1645.

Schwarze Kreide, grau laviert 110 × 145
Vorzeichnung zu: G 178
Literatur: Möhle, Seite 26 mit Abb. – F. Lugt, mit Abb.
Aus zwei unbekannten Sammlungen
KUPFERSTICHKABINETT DER STAATLICHEN MUSEEN BERLIN;
Inv. Nr. 14401 als Simon de Vlieger

696. MEHRERE HÄUSER AM UFER. Rechts vorn ein Kahn; Segler liegen links weiter zurück an einer Landungsstelle bei einem Turm mit Zwiebelhaube. – Um 1650.

Schwarze Kreide 110 × 165
SAMMLUNG DER KÖNIGIN VON ENGLAND IN WINDSOR
CASTLE; Inv. Nr. 12833. – Kat. 1944 Nr. 132 mit
Abb.

697. DORDRECHT: Papenbolwerk und Rondeel Engelenburg. Gebäude in einen Mauer, rechts führt

eine Treppe zu einem Tor; links zurück ein Kapellen-
turm.

Schwarze Kreide, grau laviert 110 × 170
Vergleiche: Z 849e
Sammlung Earl of Warwick
  – Sir Bruce Ingram, 1963 vermacht dem
FITZWILLIAM MUSEUM IN CAMBRIDGE; Inv. Nr. PD 369-
1963

697

698. Dorf mit überbrücktem Bach (Zentrum). Rechts
zwei Weidenbäume vor Gehöften. Links Häuser an der
Dorfstraße.

Schwarze Kreide 110 × 177
STAATLICHE KUNSTSAMMLUNGEN IN KASSEL; Inv. Nr. 5085

699. ZWEISPÄNNIGER REISEWAGEN mit drei
Figuren hält vor einem Wirtshaus mit Aushängeschild
(rechts); die Pferde werden gefüttert. Rechts und links
sieht man Teile anderer Wagen.

Schwarze Kreide, laviert 110 × 190
Sammlung H J. Holgen in Amsterdam, 1929
Kunsthändler J. Wiegersma in Utrecht, 1942/44
Versteigerung in Utrecht am 20.5.1952 Nr. 250 mit
  Abb.

700. PFANNKUCHENBÄCKERIN rechts vor einem
Zelt; in der Mitte eine Figurengruppe bei einem
sitzenden Brettspieler. Rechts zurück Giebelhäuser, links
Zelte in der Dorfstraße und eine Kirche. – Um 1628/31.

Grau und lila lavierte Kreidezeichnung 110 × 196
Sammlung Herzog Albert von Sachsen-Teschen
ALBERTINA IN WIEN; Inv. Nr. 8517

700

701. Ein Wanderer sitzt am Wegrand, rechts Gehöfte,
das vordere mit hohem Kamin.

Schwarze Kreide, laviert 110 × 200
Sammlung Wilhelm Brandes in Konstanz, vermacht
  der
WESSENBERG-GALERIE IN KONSTANZ
  Ausgestellt: Konstanz, 1951 Nr. 56

702. EIN ZWEISPÄNNIGER PFERDEKARREN hält
vorn; rechts zwei Fässer und zwei Figuren vor einem
geflaggten Zelt. In der Ferne eine Kirche. – Um 1630.
Rückseite: zwei Studien einer Windmühle.

Schwarze Kreide, grau laviert 110 × 207
Sammlung Victor Sieger in München
Kunsthändler J. H. J. Mellaart in London
  – P. & D. Colnaghi & Co. in London
Sammlung Sir Bruce Ingram, 1963 vermacht dem
FITZWILLIAM MUSEUM IN CAMBRIDGE; Inv. Nr. PD 379-
1963

702

703. BAUERNGEHÖFT MIT STALLUNGEN (Zentrum). Beiderseits Gebüsch, links ein Hebebalken, rechts eine Figur. – 30er Jahre.

Schwarze Kreide 110 × 210
Sammlung Dr. A. Welcker in Amsterdam
– Dr. H. C. Valkema Blouw in Amsterdam, 1954
RIJKSPRENTENKABINET IN AMSTERDAM; Inv. Nr. 54:100

704. ALTE, SCHWACH BELAUBTE WETTER-EICHE, links vorn. Skizze.

Schwarze Kreide 110 × 219
Sammlung W. und A. Ames in New London (USA)

705. Alte strohgedeckte Bauernhütte mit Taubenschlag an der schattigen Seitenfront, rechts vorn. Links ein Weg, Gebüsch in der Ferne.

Schwarze Kreide, grau laviert 110 × 220
Sammlung Gruis in Berlin
– Dr. H. P. Schmidt in München, 1961

706. FLACHLANDSCHAFT MIT BRÜCKE (links) über einen kleinen Wasserlauf. – Anfang 30er Jahre.

Schwarze Kreide 110 × 225
RIJKSPRENTENKABINET IN AMSTERDAM; Inv. Nr. 50:11

707. SCHLEUSE (Zentrum). Links ein Haus mit großem Wasserrad; rechts ein hoher Hebebalken vor einem Haus, eine Treppe führt zum Ufer. Boote und Figuren vor der Schleuse. Dahinter Blick auf eine Kirche. – Um 1650/53.

Schwarze Kreide (laviert?) 111 × 187
Vorzeichnung: Z 846/43
Vielleicht identisch mit Z 842e
Versteigerung in Paris am 26.11.1919 Nr. 73 mit Abb.

708. BRÜCKE links; am linken Ufer Gebüsch und, weiter zurück, Kirche mit Dachreiter und Gehöfte. Auf dem Fluß ein Kahn (rechts). ⟨Leiderdorp⟩.

Schwarze Kreide (von späterer Hand aquarelliert) 111 × 191
STAATLICHES MUSEUM IN SCHWERIN; Inv. Nr. 1293

709. Zwei Wanderer knien links vor der Petronella-Kapelle ⟨De Bilt⟩. An der Straße weiter raumeinwärts ein hoher Baum und ein Heuwagen vor einem Gehöft.

Schwarze Kreide 111 × 193
Literatur: Damsté
Vergleiche: Z 692
Privatsammlung in Bielefeld, um 1955

710. ZWEI SOLDATEN ZU PFERD in weiter
Landschaft. Links zurück ein Gehöft, in der Mitte
zwei Figuren. – Um 1630.

Schwarze Kreide 111 × 195
Wasserzeichen: Drache mit Basler Stab, unten drei
    Kugeln (Abb. 71); vergleiche Churchill 285
Sammlung J. de Grez in Brüssel, 1914 vermacht den
MUSÉES ROYAUX DES BEAUX-ARTS IN BRÜSSEL; Inv.
    Nr. 1386

711. EIN JUNGE ist links auf einen Baum geklettert,
zwei andere stehen ganz links, neben dem Stamm. Auf
der Straße, unter den Baumzweigen, drei Figuren.
Rechts in der Ferne ein Wagen. – Um 1630.

Schwarze Kreide 111 × 200
Sammlung J. A. Duval de Camus
  – Louis Deglatigny in Rouen
  – Aymonier in Paris

712. GEHÖFT MIT ZIEHBRUNNEN mit hohem
Hebebalken rechts vorn; in der Mitte, unter dem Hebebalken, ein Karren; weiter zurück ein Heustock.

Schwarze Kreide, wenig Feder 112 × 200
Privatsammlung in London, 1965

713. Alte Hütte in den Dünen rechts. Links eine
Figur mit Hund (von späterer Hand).

Schwarze Kreide 112 × 201
Sammlung J. Masson in Amiens und Paris
ÉCOLE DES BEAUX-ARTS IN PARIS; Inv. Nr. M 1.667
    (Kat. Lugt 1950 Nr. 243)

713A. HÜTTE am Wege. – Die Figuren (mit Feder)
von späterer Hand nachgezeichnet.

Schwarze Kreide 112 × 237
Sammlung J. Masson in Amiens und Paris
ÉCOLE DES BEAUX-ARTS IN PARIS; Inv. Nr. M 1.668
    (Kat. Lugt 1950 Nr. 244)

714. FLUSSLANDSCHAFT mit flachem rechtem
Ufer. Rechts zurück Gehöfte und ein Heustock, links
zurück ein Kahn auf dem Fluß.

Schwarze Kreide 112 × 239
Literatur: J. J. de Gelder, Nr. 69 mit Abb.
Sammlung N. C. de Gijselaer in Leiden, geschenkt dem
PRENTENKABINET DER RIJKSUNIVERSITEIT IN LEIDEN; Inv.
    Nr. 273
    Ausgestellt: Leiden, 1915 Nr. 21

715

716

720

715. WEG IN DEN DÜNEN. Rechts verschließt ein
Zaun einen Brückensteg über einen Bach. – Um 1628/29.

Schwarze Kreide 112 × 250
Skizzenbuchblatt, zusammengehörig mit Z 718
Vorzeichnung zu: G 1176
Sammlung Deiker in Braunfels
   Ausgestellt: Kassel, 1930/31 Nr. 99
Kunsthandlung C. G. Boerner in Düsseldorf; Neue
   Lagerliste 7/1953 Nr. 425
Sammlung Dr. W. Beck (†) in Berlin

716. Arnheim mit Grote Kerk (Zentrum) und St.
Walburgskerk (links) sowie vielen anderen Türmen
im Mittelgrund. Vorn flaches Feld, links ein Baum. –
Rechts oben (von alter Hand): Arnhem

Schwarze Kreide, Tuschpinsel 113 × 203
Kunsthandlung Roland, Browse & Delbanco in London
Sammlung Mrs. J. Weiser (in England), 1967

717. Landschaft mit zwei Flußläufen. Links eine
Brücke, auf der zwei Figuren stehen; rechts am Ufer
liegt ein Gehöft; links davon Bäume.

Schwarze Kreide 113 × 237
Sammlung von Beckerath, 1902 erworben vom
KUPFERSTICHKABINETT DER STAATLICHEN MUSEEN BERLIN;
   Inv. Nr. 11806

718. DÜNEN, rechts und links Holzgatter, zwei
Figuren in der Ferne. – Um 1628/29.

Schwarze Kreide 113 × 248
Skizzenbuchblatt, zusammengehörig mit Z 715
Sammlung Deiker in Braunfels
   Ausgestellt: Kassel, 1930/31 Nr. 100
Kunsthandlung C. G. Boerner in Düsseldorf; Neue
   Lagerliste 7/1953 Nr. 426
Sammlung Dr. W. Beck (†) in Berlin

719. Bauernhaus mit Stallgebäuden; eine Tonne steht
davor. – Skizze. Nicht überzeugend.

Schwarze Kreide 114 × 175
STAATLICHE KUNSTSAMMLUNGEN IN KASSEL; Inv. Nr. 5086

720. STRAND. Links Figuren an einem Dünenhügel.
In der Mitte ein Segler auf dem Strand. Rechts vorn
Figurengruppe. – 40er Jahre.

Schwarze Kreide 114 × 192
Sammlung V. Decock in Paris
   – A. Doucet in Paris, 1925
   – Frits Lugt in Paris; Inv. Nr. I 2340
FONDATION CUSTODIA IN PARIS

721. Baum- und gebüschreiches linkes Flußufer. Ganz
links, verdeckt, ein Gehöft.

Schwarze Kreide 114 × 226
KUPFERSTICHKABINETT DER STAATLICHEN KUNSTSAMM-
   LUNGEN IN DRESDEN; Inv. Nr. C 1183

722. Strasse am Fluß führt in der Mitte über einen Steg. Rechts einige Gehöfte, links ein abgetakeltes Segelboot.

Schwarze Kreide 114 × 238
KUPFERSTICHKABINETT DER STAATLICHEN KUNSTSAMM-
LUNGEN IN DRESDEN; Inv. Nr. C 1185

722

723. BAUERNHOF MIT NEBENGEBÄUDEN im Zentrum; rechts ein Ziehbrunnen; andere Gehöfte weiter zurück.

Schwarze Kreide, grau laviert 114 × 241
Sammlung H. I. A. Raedt van Oldenbarnevelt im Haag
   Ausgestellt: Amsterdam, 1903 (VG) Nr. 96
   Versteigerung in Amsterdam am 19.1.1904 Nr. 133
   (fl 30 Hofstede de Groot)
Sammlung Kröller-Müller im Haag; seit 1935 Staats-
   Stiftung in Otterlo
RIJKSMUSEUM KRÖLLER-MÜLLER IN OTTERLO; Inv. Nr.
   Kl 10.88

723

724. HÄUSER RECHTS AN EINEM STILLEN GEWÄSSER (links). Ganz rechts ein Baum. Keine Figuren.

Rechts von späterer Hand: J. van Goyen
Schwarze Kreide laviert 115 × 168
Versteigerung in Paris am 23.5.1928 Nr 64 mit Abb.
   (ffrs 4900 Godefroy)

724a. Bauernhof mit Brunnen und Hebebalken am Rand einer Landstraße.

Schwarze Kreide 115 × 170
Sammlung H I. A. Raedt van Oldenbarnevelt im Haag
   Ausgestellt: Amsterdam, 1903 (VG) Nr 97
   Versteigerung in Amsterdam am 19.1.1904 Nr. 139
   (fl 23 van Gogh)

725. MEHRSTÖCKIGES HAUS innerhalb eines größeren Gebäudekomplexes; rechts dahinter Kirche mit Dachreiter; davor Figuren. Ruder- und Segel-boote haben angelegt. Ein Mann geht eine Treppe zum Fluß herunter, wo zwei Ruderboote liegen. Weiter nach links Segelboote. – Um 1650.

Schwarze Kreide, laviert 115 × 195
Gestochen von H. Spilman
Kunsthandlung R. M. Light & Co. in Boston; Kat. 1960.
   mit Abb.
Sammlung Robert Lehman in New York, 1964

725

725a. Fünf Weidenbäume am Flußufer bei einer kleinen Brücke.

Schwarze Kreide 115 × 205
Versteigerung E. Wauters aus Paris in Amsterdam am
    15.6.1926 Nr. 77 (fl 280 Cassirer)

726. GEHÖFT UND GEBÜSCH am Wasser.

Schwarze Kreide 115 × 225
Sammlung J. Masson in Paris und Amiens
ÉCOLE DES BEAUX-ARTS IN PARIS; Inv. Nr. M 1.664
    (Kat. Lugt 1950 Nr. 238)

727. Häuser am schmalen Kanal. Rechts am Ufer mehrere Giebel von Gehöften, diagonal raumeinwärts ziehend. Vorn in der Mitte ein leerer Kahn. Links leicht ansteigendes Ufer.

Schwarze Kreide 115 × 225
Versteigerung Dr. R. Alexander-Katz in Berlin am
    21.6.1917 Nr. 67 mit Abb. (Mk 200)
    – in Leipzig am 8.5.1941 Nr. 598

727a. Zwei verfallene Bauernhäuser, im Vordergrund eine Gruppe von vier Personen, links ein Eseltreiber.

Schwarze Kreide, laviert 115 × 240
Versteigerung E. Habich aus Kassel in Stuttgart am
    27.4.1899 Nr. 319 (Mk 17 Scheltema)
Sammlung N. Massaloff in Moskau
Museum der Schönen Künste in Moskau
    Versteigerung in Leipzig am 29.4.1931 Nr. 95
    (zurück)
    – in Berlin am 15.3.1932 Nr. 666

727b. Baumgruppe bei einem Gehöft mit Scheune und Heustock.

Schwarze Kreide 115 × 240
Versteigerung J. D. Böhm in Wien am 4.12.1865
    Nr. 1293 (?)
    – im Amsterdam am 15.6.1908 Nr. 242 (fl 11 Schrey)

728. VIER FIGUREN unter einer Signalstange an der Küste (rechts), links ein Fischerkahn auf dem leicht bewegten Wasser, weiter zurück Segelboote. – Um 1640/45.

Schwarze Kreide 116 × 167
KUPFERSTICHKABINETT DER STAATLICHEN MUSEEN BERLIN;
    Inv. Nr. 2752

729. Weg in den Dünen; in der Ferne die Kirche von Scheveningen. Rechts vorn zwei Figuren. – Fragliche Zuschreibung.

Links mit einem falschen Monogramm bezeichnet
Schwarze Kreide, grau laviert 116 × 185
Sammlung H. I. A. Raedt van Oldenbarnevelt im Haag
    Ausgestellt: Amsterdam, 1903 (VG) Nr. 94
    Versteigerung in Amsterdam am 19.1.1904 Nr. 136
      (fl 41 van Stockum)
Versteigerung im Haag am 24.5.1905 Nr. 318
MUSEUM BOYMANS-VAN BEUNINGEN IN ROTTERDAM; Inv.
    Nr. Van Goyen 9

730. Auf einem sandigen Uferweg vier Ochsen, gefolgt von einem Hirten und einem Reiter; der Weg kommt aus einem zurückliegenden Gehölz. – Um 1630 (echt?).

Falsch bezeichnet: VG 1651
Schwarze Kreide, grau laviert 116 × 199
Wasserzeichen: einköpfiger, gekrönter Adler mit Basler
    Stab (Abb. 63)
Versteigerung Prof. Dr. F. Heimsoeth aus Bonn
    in Frankfurt/Main am 5.5.1879 Nr. 72 (Mk 13
    F. Muller)
Sammlung J. de Grez in Brüssel, 1914 vermacht den
MUSÉES ROYAUX DES BEAUX-ARTS IN BRÜSSEL; Inv.
    Nr. 1402

730

731. EINE BAUMGRUPPE UND GEBÜSCH verdecken rechts hinter einem Weg ein Gehöft, etwa in der Mitte ein Schuppen, links Gebüsch.

Schwarze Kreide 116 × 242
Wasserzeichen: Wappenschild mit Basler Stab über
    einem Haus (vergleiche Briquet 1356)
Angeblich Sammlung Dr. H. C. Valkema Blouw
Kunsthandlung Schaeffer Galleries in New York, 1967

732. BAUMREIHE von links nach rechts hinten ziehend, davor ein Zaun. Rechts Fernblick.
Rückseitig hd.: Ruisdael

Schwarze Kreide 116 × 245
Im Himmel leicht blaue Wasserfarbe
Wasserzeichen: Wappenschild mit Basler Stab über
    einem Haus (vergleiche Briquet 1356)
Versteigerung Freiherr C. Rolas du Rosey aus Dresden
    in Leipzig am 5.9.1864 Nr. 4811 (als S. van Ruysdael:
    Ngr 2)
Sammlung B. Hausmann, 1875 erworben vom
KUPFERSTICHKABINETT DER STAATLICHEN MUSEEN BERLIN;
    Inv. Nr. 12898

732

732a. Dünenlandschaft. Rechts ein Gehöft.

Blei (?) 117 × 227
Sammlung C. Wiesböck
  – J. D. Böhm
Versteigerung in Luzern am 28.6.1934 Nr. 120 (sfr 115)

733

733. EIN BAUERNHOF mit Stallungen, links etwas zurück; ein Zaun führt schräg vom Haus nach der Mitte vorn. Rechts steigt ein Mann mit einem Jungen an der Hand (später zugefügt?) einen Dünenhügel herauf.

Schwarze Kreide 117 × 233
Sammlung Christiaan Kramm
Versteigerung Rita M. Johnson aus Iowa/USA in London (Chr) am 29.3.1966 Nr. 191 (£ 36.15.0)

734. BÄUME UND GEBÜSCH am Wegrand.

Schwarze Kreide 117 × 243
Im Himmel leicht blaue Wasserfarbe
Versteigerung Freiherr C. Rolas du Rosey aus Dresden in Leipzig am 5.9.1864 Nr. 4812 als Sal. van Ruysdael (Ngr 1.-)
 - Dr. R. Alexander-Katz in Berlin am 21.6.1917 Nr. 89 als W. Knyff (Mk 60)
Kunsthändler R. Puppel in Berlin; Lagerkatalog XVII, 1943 Nr. 81
Sammlung Dr. W. Beck (†) in Berlin

735

735. STROHGEDECKTES GEHÖFT mit einem Kamin hinter einem Zaun rechts. Den Hintergrund durchziehen Gebüschgruppen.
Rückseitig hd.: J. Ruisdael

Schwarze Kreide 117 × 244
Wasserzeichen: nicht bestimmbares Fragment
Sammlung Freiherr C. Rolas du Rosey in Dresden
 - B. Hausmann, 1875 erworben vom
KUPFERSTICHKABINETT DER STAATLICHEN MUSEEN BERLIN; Inv. Nr. 12900

736. Heustock, Räder, ein Wagen und Geräte.

Schwarze Kreide 117 × 245
Sammlung P. Crozat? (L. 474)
Kunsthändler W. von Wenz in Eindhoven, 1954
 - Schaeffer Galleries in New York, 1967

737. VOR EINEM WIRTSHAUS MIT AUSHÄNGESCHILD am linken Ufer hält ein zweispänniger Wagen; weiter links Marktszene vor einem Zaun. Im Zentrum liegen Segelboote und ein überdachtes Boot am Ufer. Rechts vorn zwei Fischkörbe im Wasser. Im Hintergrund ein Kirchturm.

Schwarze Kreide, laviert 118 × 198
Wasserzeichen: gekröntes Wappen mit Basler Stab (vergleiche Abb. 55 und 56)
Sammlung J. F. Gigoux, vermacht dem
MUSEUM IN BESANÇON; Inv. Nr. 772

738. WEIDENBÄUME AN EINER DORFSTRASSE,
Gehöfte zum Teil durch Bäume verdeckt. Der Weg
führt nach links in die Tiefe. – Mitte 30er Jahre.
Oben rechts: 6

Schwarze Kreide 118 × 237
Literatur: Möhle, Seite 25 mit Abb.
1935 erworben vom
KUPFERSTICHKABINETT DER STAATLICHEN MUSEEN BERLIN;
Inv. Nr. 15374
Ausgestellt: Wiesbaden, 1946, Seite 38/39

738A. TAUBENSCHLAG und Räder links vorn, weiter
zurück Gehöft.

Schwarze Kreide 118 × 237
Wasserzeichen: Teil einer Krone (vom großen Lilien-
wappen)
HERZOG-ANTON-ULRICH-MUSEUM IN BRAUNSCHWEIG

738B. ZWEI GEHÖFTE an der Straße, vor dem weiter
zurück befindlichen Gehöft ein Leiterwagen.

Schwarze Kreide 118 × 238
HERZOG-ANTON-ULRICH-MUSEUM IN BRAUNSCHWEIG

739. BAUERNHÜTTEN UND BÄUME in den
Dünen.

Schwarze Kreide 118 × 239
Kunsthandlung C. G. Boerner in Leipzig
Versteigerung in Leipzig am 7.11.1929 Nr. 68 (Mk 80)
Sammlung Prof. Dr. J. Q. van Regteren Altena in
Amsterdam

740. FLACHLANDSCHAFT mit einem Gehölz links. –
30er Jahre.

Schwarze Kreide 118 × 245
STAATLICHES MUSEUM IN SCHWERIN; Inv. Nr. 1255

741. MEHRTÜRMIGER TORKOMPLEX mit Mauer
und Bastion. ⟨St. Janspoort in Arnheim⟩
Rückseite hd.: ...poort tot Arnhem

Schwarze Kreide, wenig braune Feder 119 × 196
Sammlung Sir Bruce Ingram, 1963 vermacht dem
FITZWILLIAM MUSEUM IN CAMBRIDGE; Inv. Nr. PD 370-
1963

742. Gehöft und Zugbrücke (nach rechts) am Wasserlauf.

Schwarze Kreide 119 × 197
Wasserzeichen: Wappen von Bern, Fragment (Abb. 49)
Sammlung J. de Grez in Brüssel, 1914 vermacht den
MUSÉES ROYAUX DES BEAUX-ARTS IN BRÜSSEL; Inv.
Nr. 1384

742a. Ein Weg, auf dem sich zwei Wagen vorbei an gebüschbewachsenen Hügeln entfernen. Links ein Bauernhof. Am Weg einige Figuren.

Schwarze Kreide, laviert 119 × 198
Versteigerung in Amsterdam am 11.6.1912 Nr. 104
(fl 220 Haverkamp)

743. Einige Häuser am rechten Kanalufer. In der Mitte ein Baum; zwei Figuren bei einem Boot.

Schwarze Kreide, grau laviert 119 × 212
Sammlung Dr. A. Welcker in Amsterdam
Versteigerung in London (So) am 29.1.1964 Nr. 261
(£ 12 Folio Society)
Antiquariat Alister Mathews in Poole, Dorset
Kunsthandlung H. Shickman Gallery in New York;
Kat. Okt. 1965 Nr. 53 mit Abb.

744

744. BÄUME UND GEBÜSCH am rechten Ufer verdecken zum Teil ein Gehöft (ganz rechts).
Am linken Oberrand (hd.): op de lage mors

Schwarze Kreide 119 × 241
Zusammengehörig mit Z 745; vergleiche auch Z 761, 765 und 766
Sammlung C. Fairfax Murray in London, um 1920
– J. P. Morgan in New York
THE PIERPONT MORGAN LIBRARY IN NEW YORK; Inv. Nr. 175 A

745

745. DREI FIGUREN auf einem Steg (halbrechts); links vorn ein Bach, am jenseitigen Ufer Gebüsch und Gehöft.
Im Oberrand (hd): achter den moniken boogaert

Schwarze Kreide 119 × 242
Zusammengehörig mit Z 744; vergleiche Z 761, 765 und 766
Versteigerung William Stirling of Keir in London (So) am 21.10.1963 Nr. 43 (£ 25 Brod)
Kunsthändler A. Brod in London
– Gebr. Douwes in Amsterdam, Herbst 1964

746

746. MARIAKERK IN UTRECHT. Die große Kirche erhebt sich im linken Mittelgrund über einer Ufermauer. Vorn in der Mitte zwei Männer im Kahn. – Um 1640/45.

Schwarze Kreide 120 × 169
Sammlung George Clausen in London
– F. Springell
In London 1947 erworben für die
Sammlung F. Lugt in Paris; Inv. Nr. I 5927
FONDATION CUSTODIA IN PARIS

747. TAUBENSCHLAG AUF HOLZFUSS am rechten Ufer; daneben zwei Männer, von denen sich einer über einen Geflügelkorb bückt. Dahinter ein Gehöft. Links landet ein Kahn mit zwei Männern. In der Ferne ein Schloß. – Um 1630/35.

Schwarze Kreide 120 × 170
Sammlung H. I. A. Raedt van Oldenbarnevelt im Haag
   Ausgestellt: Amsterdam, 1903 (VG) Nr. 98
   Versteigerung in Amsterdam am 19.1.1904 Nr. 138
   (fl 21 Mos)
Versteigerung in Amsterdam am 15.6.1908 Nr. 241
   (fl 32)
   – in Amsterdam am 14.12.1911 Nr. 1333 (fl 50
   Houthakker)
   – J. Boussac in Paris am 10.5.1926 Nr. 130 mit Abb.
   (ffrs 2700)

748. Oostpoort in Delft. Nach rechts und links schließen Gebäude mit Wassertoren an.

Schwarze Kreide, grau laviert 120 × 190
Kunsthändler Charles Sedelmeyer in Paris, 1897 erworben vom
RIJKSPRENTENKABINET IN AMSTERDAM; Inv. Nr. 3418
   Ausgestellt: Amsterdam, 1903 (VG) Nr. 35

749. Zwei Torgebäude mit Zugbrücke. Das rechte vordere Gebäude mit Treppengiebel, das linke hintere mit Zinnen.

Schwarze Kreide 120 × 193
Sammlung J. de Grez in Brüssel, 1914 vermacht den
MUSÉES ROYAUX DES BEAUX-ARTS IN BRÜSSEL; Inv.
   Nr. 1385

750. ALTE WASSERMÜHLE AM BACH (rechts). Links drei Figuren in Unterhaltung, daneben ein Baum. – Um 1650.

Schwarze Kreide, grau laviert 120 × 210
Vorzeichnung: Z 655
Erworben 1907 vom
METROPOLITAN MUSEUM OF ART IN NEW YORK; Inv.
   Nr. 07.282.11
   Ausgestellt: Lyman Allyn Museum, New London/
   Conn., 1936 Nr. 74

750a. Flußlandschaft.

Schwarze Kreide 120 × 210
Versteigerung W. P. Knowles aus Wiesbaden in
   Amsterdam am 25.6.1895 Nr. 264 (zusammen mit
   Z 88: fl 5)

751. BAUERNHÜTTEN UND BÄUME zu beiden Seiten einer Straße, vorn in der Mitte ein Wanderer.

Schwarze Kreide, gering laviert 120 × 230
Versteigerung in Amsterdam am 19.1.1904 Nr. 134
   (fl 33 Boerner)
Kunsthandlung C. G. Boerner in Leipzig; Lager-
   liste XXII/Mai 1904 Nr. 27 mit Abb. (Mk 145)
Versteigerung in Leipzig am 13.11.1924 Nr. 193 mit
   Abb. (Mk 380 Halberstamm)
   – in München am 27.4.1928 Nr. 158

748
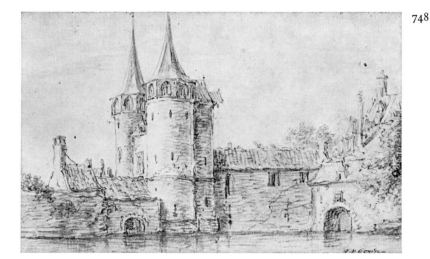

750

752. EINE KUHHERDE rechts vorn bei einem Zaunstück auf der Weide; alle Kühe nach rechts gewandt. Links weite Wiese mit einzelnen Kühen und ferner Windmühle. – 30er Jahre.

Schwarze Kreide, laviert 120 × 235
Versteigerung A. Köster in Leipzig am 13.11.1924
   Nr. 134 mit Abb. als A. Cuyp (Mk 340)
Kunsthandlung C. G. Boerner in Leipzig, Lagerliste XL, 1925 Nr. 26 (Mk 400)
Versteigerung Dr. C. Otto in Leipzig am 7.11.1929
   Nr. 47 mit Abb. als A.Cuyp (Mk 450 J. Birnbaum in Warschau-Zolliborts)
Kunsthandlung C. G. Boerner in Düsseldorf, Sommer 1964; Neue Lagerliste 44/1966 Nr. 38 mit Abb. und 47/1967 Nr. 16 mit Abb.

753

753. HÜTTEN UND KAHLE BÄUME an der Straße, die nach links in die Tiefe zieht. Vor dem vordersten Haus mit Aushängeschild sitzt eine Figur.– 30er Jahre.

Schwarze Kreide 120 × 237
Fries Genootschap Leeuwarden, als Leihgabe im
MUSEUM BOYMANS-VAN BEUNINGEN IN ROTTERDAM; Inv. Nr. F. G. 59

754. EIN STEG MIT GELÄNDER halblinks; links davon zwei Figuren mit Hüten, rechts zurück Häuser an einer Straße und Gebüsch.
Rechts oben: 116

Schwarze Kreide 120 × 240
Privatsammlung in London, 1965

755

755. EIN BAUERNKARREN, Rad, Schubkarre, Brunnen, Gehöft. – 30er Jahre.

Schwarze Kreide 120 × 244
STAATLICHES MUSEUM IN SCHWERIN; Inv. Nr. 1256

756. MEHRERE FISCHERHÜTTEN mit Kaminen, rechts ein Zaunstück. Links im Hintergrund die See.
Oben (hd.): tot (Catwyk?) aan zee

Schwarze Kreide 120 × 244
Sammlung Ivan J. Betzkoy, St. Petersburg, 1767
EREMITAGE IN LENINGRAD; Inv. Nr. 15042

756

757. Flachlandschaft mit Ortschaft, verdeckt von Gebüsch; halblinks eine Kirche.

Schwarze Kreide 121 × 186
Sammlung Kröller-Müller im Haag; seit 1935 Staatsstiftung in Otterlo
RIJKSMUSEUM KRÖLLER-MÜLLER in Otterlo; Inv. Nr. Kl 4.352

758. BAUERNGEHÖFT UND GERÄTE. Links ein
Baum und Radgestell. – Anfang 30er Jahre.

Schwarze Kreide 121 × 222
Vorzeichnung zu: Z 628
Sammlung Ch. Drouet, 1909 vermacht der
ÉCOLE DES BEAUX-ARTS IN PARIS; Inv. Nr. 35.673
(Kat. Lugt 1950 Nr. 235)

759. STRASSE MIT ZWEI FIGUREN links; rechts
ein Gehöft, Hütte und Bäume. – 30er Jahre.

Schwarze Kreide 121 × 227
Fries Genootschap Leeuwarden, als Leihgabe im
MUSEUM BOYMANS-VAN BEUNINGEN IN ROTTERDAM; Inv.
Nr. F. G. 58

760. BAUERNGEHÖFT MIT STROHDACH am
linken Ufer. Weiter raumeinwärts Bäume am Ufer.
Rechts in der Ferne Gehöfte

Schwarze Kreide 121 × 230
1963 in Stockholm erworben
Sammlung Prof. Dr. Einar Perman in Stockholm

760A. Ein Baum im Zentrum; links Gehöfte und,
weiter zurück, ein Wirtshausschild. Rechts ein Planwagen.

Schwarze Kreide 122 × 212
Versteigerung in London (So) am 26.6.1969 Nr. 66 mit
Abb. (£ 650 A. Delon)

761. WELLIGE FLACHLANDSCHAFT MIT WEG-
WINDUNGEN, rechts zwei Figuren.
Im Oberrand (hd.): voor by den Deyl

Schwarze Kreide, grau-braun laviert 122 × 238
Zusammengehörig mit Z 765, 766
Sammlung Sir Bruce Ingram, 1963 vermacht dem
FITZWILLIAM MUSEUM IN CAMBRIDGE; Inv. Nr. PD 371-
1963

762. DÜNEN. Vorn im Zentrum zwei Figuren. Am
Horizont eine Kirche. – Um 1640.

Schwarze Kreide 123 × 215
Literatur: Vorenkamp, mit Abb.
Sammlung Doodkorte in Leeuwarden
1929 von Prof. A. P. A. Vorenkamp geschenkt dem
SMITH COLLEGE MUSEUM OF ART IN NORTHAMPTON/MASS.;
Kat. 1958 Nr. 32; Inv Nr. 1929: 4-1

762A. GEHÖFTE AN DER DORFSTRASSE, in der Mitte ein Baum, auf der Straße entfernt sich nach links ein Reiter.

Schwarze Kreide 123 × 216
Wasserzeichen: Wappen von Burgund und Österreich, mit dem goldenen Vlies (ähnlich Churchill 266)
Versteigerung in London (So) am 26.6.1969 Nr. 68 mit Abb. (£ 1100 Alain Delon)

763. Ruine mit Turm, links Blick auf Kirche.

Schwarze Kreide 123 × 237
Sammlung Tessin-Hårleman
NATIONALMUSEUM IN STOCKHOLM; Inv Nr. THC 5019
Ausgestellt: Stockholm, 1967 Nr. 221

764. BAUERNHAUS AM WEG; rechts, von Gebüsch verdeckt, das Gehöft; links auf dem Weg Figuren.

Schwarze Kreide 123 × 239
MUSEUM BOYMANS-VAN BEUNINGEN IN ROTTERDAM; Inv. Nr. H 219 als A. van Croos

765. FLACHLANDSCHAFT. Links eine Kirche bei einem Gehölz, weiter zurück Gehöfte. Links vorn ein Wanderer.
Im Oberrand zweimal hd.: het huys ten Deyl (die obere, mit Kreide, ist die originale Inschrift)

Schwarze Kreide, grau laviert 123 × 243
Zusammengehörig mit Z 761, 766
Unbekannte Sammlung GV (L. 1222)
Versteigerung E. Habich aus Kassel in Stuttgart am 27.4.1899 Nr. 315 (Mk 11 Scheltema)
Kunsthandlung Fred. Muller & Co. in Amsterdam
    Ausgestellt: Amsterdam, 1903 (VG) Nr. 56
Sammlung Prinz Johann Georg von Sachsen (Inv. Nr. I/1286)
Versteigerung in Stuttgart am 25.4.1951 Nr. 1153 mit Abb. (Mk 625)
Sammlung Dr. W. Beck (†) in Berlin

766. LEICHT ANSTEIGENDER WEG mit zwei Figuren; links ein Gehöft; rechts Bäume mit zwei Aushängeschildern, Zaunstück und verdecktem Gehöft. – Im Oberrand (hd.): by Adriaen Willemsz steenplaets

Von alter Hand links: Jo. v. Goyen
Schwarze Kreide 123 × 243
Zusammengehörig mit Z 761 und 765
Sammlung J. F. Gigoux, vermacht dem
MUSEUM IN BESANÇON; Inv. Nr. 758

767. DORFSTRASSE MIT GEHÖFTGRUPPE am linken Straßenrand. Auf der Straße zwei Figuren, etwas rechts von der Mitte; am rechten Straßenrand zwei Bäume. In der Ferne eine Kirchturmspitze.

Schwarze Kreide 124 × 233
Privatsammlung in London, 1965

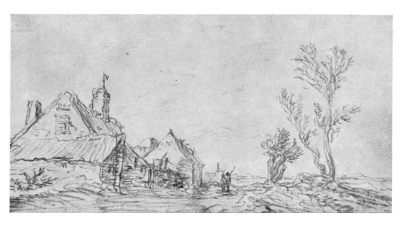

767

768. GEHÖFT MIT KAMINEN (rechts) an der sandigen Landstraße.

Schwarze Kreide, laviert 125 × 210
HESSISCHES LANDESMUSEUM IN DARMSTADT; Inv. Nr. AE 673

769. DÜNEN, links Zaunstück und ein Steg über einen Bach, dahinter ein fernes Gehöft. – 30er Jahre.

Schwarze Kreide 125 × 215
Sammlung F. Koenigs in Haarlem, seit 1940 im
MUSEUM BOYMANS-VAN BEUNINGEN IN ROTTERDAM; Inv. Nr. H 248 als Nachfolger van Goyens

770. GEHÖFT MIT STALLUNG (Zentrum). Vorn eine umgestürzte Schubkarre, weiter zurück zwei Bäume hinter einem Zaun und zwei Figuren. – 30er Jahre.

Schwarze Kreide 125 × 220
KUNSTHALLE IN HAMBURG; Inv. Nr. 21995

770

771. EINE GROSSE WINDMÜHLE hinter einer ruinenhaften Mauer bei zerfallenen Gebäuden (rechts). Links weiter Fernblick.

Schwarze Kreide 125 × 225
Versteigerung in Amsterdam am 19.1.1904 Nr. 132 (fl 40 Fred. Muller & Co.)
Sammlung N. Massaloff in Moskau, seit 1924 im
Roumiantzoff-Museum in Moskau
STAATL. A. S. PUSCHKIN-MUSEUM DER BILDENDEN KÜNSTE IN MOSKAU; Inv. Nr. 4668

772. HÜTTE UND KAHLE BÄUME im Zentrum; rechts zurück ein hoher Taubenschlag, links zwei Weidenbäume. – 30er Jahre.

Schwarze Kreide 125 × 237
KUNSTHALLE IN HAMBURG; Inv. Nr. 21996

772

773. DREI GEHÖFTE MIT STALLGEBÄUDEN
rechts; links sitzt eine Figur auf einer Mauer, die ein
Gehöft verdeckt. – Ende der 30er Jahre.

Schwarze Kreide 125 × 237
Versteigerung [J. Rump aus Kopenhagen] in Berlin am
25.5.1908 Nr. 229 (Mk 11 Mallmann)
Sammlung Deiker in Braunfels
    Ausgestellt: Kassel 1930/31 Nr. 101
Sammlung J. von Beroldingen, 1949
    – Dr. W. Beck (†) in Berlin

774. DORFRAND; links vorn ein Gebüsch. Im rechten
Mittelgrund mehrere Gehöfte an der Straße, die von
rechts vorn schräg nach links in den Hintergrund
führt. Rechts zwei Bäume.

Schwarze Kreide 125 × 240
Sammlung F. de Charro in Tilburg, 1936 geschenkt
    den
GEMEENTEMUSEA, AMSTERDAM; Inv. Nr. A 18026

775. BAUERNHAUS HINTER EINEM BRETTER-
ZAUN und hohen Bäumen. Rechts zurück ein Fluß.
In der Ferne ein Kirchturm.
Rechts unten: 33

Schwarze Kreide 125 × 243
Literatur: Stechow (SVR) Tafel 44, als Sal. van Ruysdael
Sammlung B. Suermondt, 1874 erworben vom
KUPFERSTICHKABINETT DER STAATLICHEN MUSEEN BERLIN;
    Inv. Nr. 3354 als Sal. van Ruysdael

Nachzeichnung: I) Wie beschrieben, in der Mitte zwei
    Figuren.
    Links falsch signiert. Aufgezogen
    Schwarze Kreide 106 × 199
    Sammlung P. Crozat?
        – Lady Marfold, Southwell
        – Le Roy M. Backus, Seattle, ausgestellt in San
        Francisco, 1941
    Versteigerung in Stuttgart am 24.11.1954 Nr. 419
    mit Abb. (Mk 300)
        – in München am 18.3.1964 Nr. 1134 (Taxe Mk
        1500)

776. DÜNEN. Links ragt das Dach eines Gehöftes
über Dünen, in der Mitte zwei Figuren.

Schwarze Kreide 126 × 214
Sammlung Sir Robert Witt in London
COURTAULD INSTITUTE OF ART IN LONDON; Inv. Nr. 902

777. Bäume und Gebüsch rechts vorn; weiter zur
Mitte zurück, ein Taubenschlag auf Stangen und ver-
deckte Häuser; links zwei Kühe.

Schwarze Kreide 126 × 216
Kunsthändler G. Nebehay in Wien; Kat. „Die Zeichnung", III, 1928 Nr. 55 mit Abb. (Mk 600)

777a. Ein Fischer am Strand.

Schwarze Kreide 126 × 228
Sammlung P. H. Lankrink
Versteigerung F. Leverton Harris in London (So)
   am 22.5.1928 Nr. 25 (£ 6.15.0 Stenman)

778. EIN GESTRANDETER WALFISCH (Mitte),
links Figuren, Reiter und Wagen. Rechts vorn Figuren-
skizze. – Um 1650.

Schwarze Kreide 126 × 237
Vorzeichnung zu: Z 372
Kunsthandlung E. Parsons & Sons in London, 1919
Sammlung Frits Lugt in Paris; Inv. Nr. I 269
   Ausgestellt: Brüssel, Rotterdam, Paris, Bern, 1968/69
   Nr. 64 mit Abb.
FONDATION CUSTODIA IN PARIS

778

779. GEHÖFT MIT STALL, unter dem Vorbau
einige Figuren, weiter links ein Ziehbrunnen, rechts
Bäume. – 30er Jahre.

Schwarze Kreide, braun laviert 126 × 248
Versteigerung Gerard Leembruggen in Amsterdam
   am 5.3.1866 Nr. 275 (zusammen mit Z 169, 243, 258,
   608a: fl 7 Ellinckhuysen)
   – J. F. Ellinckhuysen aus Rotterdam in Amsterdam
   am 19.11.1878 Nr. 147 (fl 18 van Gogh)
Sammlung J. de Grez in Brüssel, 1914 vermacht den
MUSÉES ROYAUX DES BEAUX-ARTS IN BRÜSSEL; Inv.
   Nr. 1390

779

780. Flußlandschaft mit je einem Gehöft am rechten
und linken Ufer, davor Bäume; ein drittes Gehöft mit
Türmchen im Hintergrund.

Schwarze Kreide 127 × 225
Kunsthändler Schallehn
ST. ANNEN-MUSEUM IN LÜBECK; Inv. Nr. AB 205;
   Kat. 1969 Nr. 58
   Ausgestellt: Lübeck, 1948 Nr. 30

780 A. Ein Wasserschloß rechts; auf dem Gewässer
ein Kahn. Vorn Bäume.

Schwarze Kreide 127 × 225
ST. ANNEN-MUSEUM IN LÜBECK

781. Brückensteg halbrechts, dahinter Bäume und
Gehöfte.

Schwarze Kreide (von späterer Hand aquarelliert)
   127 × 249
STAATLICHES MUSEUM IN SCHWERIN; Inv. Nr. 1291

781

782. Kanalszene. Rechts Gehöfte und ein Hebebalken,
links ein abgetakeltes Segelboot.

Kreide 128 × 198
Wasserzeichen: unbestimmbarer Teil
STAATLICHE KUNSTSAMMLUNGEN IN KASSEL; Inv. Nr. 5088

783. EIN BAUERNPAAR steht halbrechts vor einem sitzenden Landmann, der eine Stange geschultert hält. Links davon ein Baum. Im Hintergrund rechts ein Gehöft, links eine Kirche.

Schwarze Kreide 128 × 228
Sammlung P. Crozat? (L. 474)
Sammlung Mr. und Mrs. J. Theodor Cremer in New York, 1965

784. Zwei Segelboote liegen links vor dem gebüschreichen Ufer.

Schwarze Kreide 129 × 197
STAATLICHE KUNSTSAMMLUNGEN IN KASSEL; Inv. Nr. 5087

785. Landstraße, die von der Mitte in das Blickfeld hineinläuft und einen mit Zäunen abgedämmten Hügelzug durchquert. Rechts am Wegrand eine sitzende Gestalt.

Schwarze Kreide 129 × 241
1898 erworben vom
KUPFERSTICHKABINETT DER STAATLICHEN MUSEEN BERLIN;
     Inv. Nr. 12899

786. Heustock und Gehöft im Zentrum, links davon entlaubte Bäume, rechts zurück ein Gehöft.

Schwarze Kreide (von späterer Hand aquarelliert)
     129 × 251
STAATLICHES MUSEUM IN SCHWERIN; Inv. Nr. 1257

787. EINE ALTE WETTEREICHE links vorn; Gehöft und Bäume im Hintergrund.

Schwarze Kreide, grau laviert 130 × 159
Kunsthandlung P. & D. Colnaghi & Co. in London
Sammlung Sir Robert Witt in London
COURTAULD INSTITUTE OF ART IN LONDON; Inv. Nr. 4065
     Ausgestellt: Leiden und Arnheim, 1960 (VG) Nr. 76

787A. Flachlandschaft mit Kirche am Horizont.

Schwarze Kreide 130 × 173
MUSÉE DES BEAUX-ARTS IN GRENOBLE

788. GROSSER BAUM UND ZAUNSTÜCK im Zentrum; ein Weg führt links in die Tiefe zu einer Kirche, rechts ein Gehöft. – Um 1631/33.

Rechts von alter Hand bezeichnet
Schwarze Kreide, grau laviert 130 × 180
Sammlung Blenz, 1844 erworben vom
KUPFERSTICHKABINETT DER STAATLICHEN MUSEEN BERLIN;
     Inv. Nr. 2757

784

786

787

788a. Flachlandschaft mit einem Zaun auf einer Anhöhe; dahinter ragt das Dach eines Bauernhauses empor. Auf der Straße führt ein Bauer einen Esel, der Frau und Kind trägt.

Aquarell 130 × 190
Versteigerung Grünling in Wien am 25.2.1823 Nr. 445
  – A. Ritter von Franck aus Graz in Frankfurt/Main am 4.12.1889 Nr. 88 (Mk 20)
  – L. H. Storck aus Bremen in Berlin am 25.6.1894 Nr. 231 (Mk 13 Leib)
  – in Berlin am 8.6.1896 Nr. 259

788

788b. Gehölz (links) an der zum Dorf führenden Landstraße; vorn sitzt ein Bauer.

Schwarze Kreide 130 × 205
Sammlung C. B. Brüsaber in Hamburg
Versteigerung Bog. Jolles in München am 28.10.1895 Nr. 277 (Mk 18)
  – in München am 9.3.1939 Nr. 245

788c. Baumreiches Flußufer, links eine Hütte.

Schwarze Kreide 130 × 230
Sammlung C. B. Brüsaber in Hamburg
Versteigerung Bog. Jolles in München am 28.10.1895 Nr. 279 (Mk 3)
  – in München am 9.3.1939 Nr. 247

788d. Landstraße mit Wirtshaus, vor dem ein Wagen mit Reisenden hält.
Links unten: 8. – Vergleiche Z 690

Schwarze Kreide 130 × 240
Wasserzeichen: gekröntes Wappen, unten das goldene Vlies (wahrscheinlich ähnlich Abb. 47; Wappen von Burgund und Österreich)
Versteigerung Bog. Jolles in München am 28.10.1895 Nr. 278 (Mk 6)
  – in München am 9.3.1939 Nr. 246

789. FLUSSSZENE. Am linken Ufer landet ein Kahn bei unbelaubten Bäumen; am rechten Uferrand liegen Boote. Auf dem Ufer Gehöfte zwischen Bäumen und Gebüsch.

Schwarze Kreide 130 × 240
Seit 1893 im
MUSÉE DES BEAUX-ARTS IN LYON

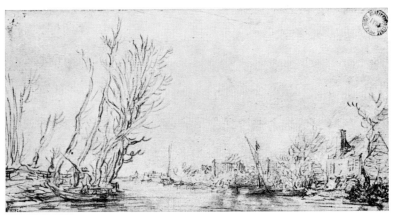

789

790. Dorfstraße und Herberge mit Aushängeschild, Heustöcken und Bäumen rechts. Links Bäume; in der Mitte die Straße.

Links unten von späterer Hand: VG 1630
Schwarze Kreide 130 × 240
Versteigerung Mme Jules Ferry in Paris am 11.2.1921 Nr. 125 mit Abb. als P. Molyn (ffrs 1010)

792

793

795

796

791. LÄNDLICHE KANALSZENERIE mit Bäumen und einem Bauernhaus im linken Hintergrund. Auf dem Wasser Enten, rechts ein Weg.
Links unten: 9
Gehört zum „Skizzenbuch der Albertina" (Z 843)

Schwarze Kreide 130 × 241
Wasserzeichen: NH (Abb. 80)
Sammlung Geheimrat E. Ehlers in Göttingen
Versteigerung in Leipzig am 19.2.1942 Nr. 458
Sammlung Dr. W. Beck (†) in Berlin

792. Zwei Figuren auf einem Uferweg, links Bäume und Gehöft.

Schwarze Kreide (von späterer Hand aquarelliert) 130 × 246
STAATLICHES MUSEUM IN SCHWERIN; Inv. Nr. 1258

793. Gehöfte, Heustock, Ziehbrunnen, Dorfkirchturm.

Schwarze Kreide (von späterer Hand aquarelliert) 130 × 247
STAATLICHES MUSEUM IN SCHWERIN; Inv. Nr. 1292

794. Ein Gebäude mit Wassertor, Anbauten und einem schlanken Türmchen mit Zwiebelkuppel; rechts eine Treppe, links zwei Figuren auf einer Brücke.

Rechts unten von alter Hand: J. v. Goyen
Schwarze Kreide 132 × 133
THE FOGG MUSEUM OF ART IN CAMBRIDGE/MASS.; Inv. Nr. 1932-192; Kat. 1940 Nr. 508

Nachzeichnung: I) Wie beschrieben.
Schwarze Kreide, laviert 136 × 145
Wasserzeichen: Fragment
Sammlung J. F. Gigoux, vermacht dem
MUSEUM IN BESANÇON; Inv. Nr. 765

795. EIN SPITZER KIRCHTURM ragt mitten aus einer gebüschumgebenen Gehöftgruppe. Vorn ein Fluß, der links überbrückt ist. Im Hintergrund eine Kirche.

Schwarze Kreide, laviert 133 × 242
Wasserzeichen: Schellenkappe mit 5 Kugeln, unten DC (Abb. 25)
HESSISCHES LANDESMUSEUM IN DARMSTADT; Inv. Nr. AE 678

796. Ein voll besetzter, zweispänniger Pferdewagen naht in der Mitte über eine kleine Bogenbrücke; ein Mann geht entgegen. Weite Wiesenlandschaft mit Kirche links in der Ferne.

Schwarze Kreide (von späterer Hand aquarelliert) 137 × 247
STAATLICHES MUSEUM IN SCHWERIN; Inv. Nr. 1251

797. Mit vier Personen besetzter einspänniger Pferdeschlitten rechts vorn; dabei vier andere Figuren zum
Teil mit Lanzen. Links, weiter zurück, eine Mühle und
eine Bogenbrücke. Um 1627/29?

Schwarze Kreide 138 × 215
KUNSTSAMMLUNG DER UNIVERSITÄT GÖTTINGEN

798. Gehöfte und Zaun am Flußufer, rechts vorn ein
Kahn mit einem Insassen; ein leerer Kahn weiter
zurück.

Schwarze Kreide, laviert 139 × 255
Wasserzeichen: kleiner, einköpfiger, gekrönter Adler mit
   Basler Stab (Abb. 64)
Sammlung von Beckerath, 1902 erworben vom
KUPFERSTICHKABINETT DER STAATLICHEN MUSEEN BERLIN;
   Inv. Nr. 11811

799. DORFSTRASSE MIT KAPELLE ⟨Petronella
Kapelle in De Bilt⟩ links vorn. Zu beiden Seiten
Gehöfte und Bäume. Ein Heuwagen naht aus der
Ferne. – 30er Jahre.

Schwarze Kreide 140 × 196
STAATLICHE KUNSTSAMMLUNGEN IN KASSEL; Inv. Nr. 5080

799

800. WEG AM FLUSS, der rechts überbrückt ist.
Links Fernblick
Links unten: 16
Gehört zum Skizzenbuch der Albertina (Z 843)

Schwarze Kreide 140 × 235
Sammlung Lahmann in Dresden, seit 1937 im
KUPFERSTICHKABINETT DER STAATL. KUNSTSAMMLUNGEN
   IN DRESDEN; Inv. Nr. 1937-352

801. Gebüsch am rechten Flußufer, am jenseitigen Ufer
eine Windmühle.

Schwarze Kreide 143 × 245
Sammlung Karlsberg
NATIONALMUSEUM IN STOCKHOLM; Inv. Nr. NM Z 358/
   1957

800

802a. Zwei Schiffe am Kai.

Schwarze Kreide 144 × 181
Versteigerung William Bateson in London (So) am
   23.4.1929 Nr. 214 (£ 25 Lambert)

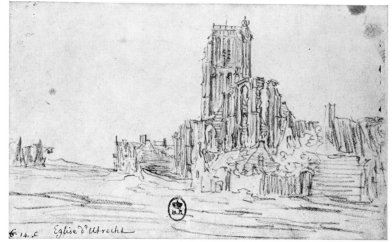

803

805

806

803. BLICK AUF DIE KIRCHE VON EGMOND-AAN-ZEE mit dem zerstörten Chor, umgeben von Häusern. – Um 1640.

Schwarze Kreide 145 × 180
Vorzeichnung zu: G 935
Literatur: Beck (1), mit Abb.
Zusammengehörig mit Z 804, 805, 806, 807, 808, 809, 810, 811
Sammlung Gaignières, seit 1716 in der
BIBLIOTHÈQUE NATIONALE IN PARIS; Kat. Lugt 1936 Nr. 208 mit Abb.

804. WINDMÜHLE AUF EINER BASTION links, weiter zurück ein zweitürmiges Stadttor ⟨Oostpoort in Delft⟩.

Schwarze Kreide 145 × 185
Zusammengehörig mit Z 803, 805, 806, 807, 808, 809, 810, 811
Sammlung Gaignières, seit 1716 in der
BIBLIOTHÈQUE NATIONALE IN PARIS; Kat. Lugt 1936 Nr. 212

805. GROTE KERK VOM HAAG (von Südwesten), obere Teilansicht.

Schwarze Kreide 147 × 173
Literatur: van de Waal, mit Abb.
Zusammengehörig mit Z 803, 804, 806, 807, 808, 809, 810, 811
Sammlung Gaignières, seit 1716 in der
BIBLIOTHÈQUE NATIONALE IN PARIS; Kat. Lugt 1936 Nr. 209 mit Abb.

806. SCHLOSS IJSSELSTEIN.

Schwarze Kreide 147 × 193
Vorzeichnung zu: G 641
Zusammengehörig mit Z 803, 804, 805, 807, 808, 809, 810, 811
Sammlung Gaignières, seit 1716 in der
BIBLIOTHÈQUE NATIONALE IN PARIS; Kat. Lugt 1936 Nr. 211 mit Abb.

807. KLEINES STADTTOR MIT TREPPENGIEBEL hinter einer geschützten Brücke, weiter zurück eine Kanone vor einem Bretterhaus.

Schwarze Kreide 147 × 198
Zusammengehörig mit Z 803, 804, 805, 806, 808, 809, 810, 811
Sammlung Gaignières, seit 1716 in der
BIBLIOTHÈQUE NATIONALE IN PARIS; Kat. Lugt 1936 Nr. 214

808. SCHLOSS MONTFOORT.

Schwarze Kreide 147 × 200
Vorzeichnung zu: G 768
Zusammengehörig mit Z 803, 804, 805, 806, 807, 809,
810, 811
Sammlung Gaignières, seit 1716 in der
BIBLIOTHÈQUE NATIONALE IN PARIS; Kat. Lugt 1936
Nr. 210 mit Abb.

809

809. RUNDTURM VORN AM WASSER, weiter
zurück ein vieltürmiges Tor ⟨Houtpoort von Haarlem⟩,
dabei eine Brücke.

Schwarze Kreide 148 × 199
Zusammengehörig mit Z 803, 804, 805, 806, 807, 808,
810, 811
Sammlung Gaignières, seit 1716 in der
BIBLIOTHÈQUE NATIONALE IN PARIS; Kat. Lugt 1936
Nr. 213

810. STADTTOR UND ANDERE GEBÄUDE am
Fluß. Vorn ein Hebebalken, links zurück eine Mühle.

Schwarze Kreide 149 × 202
Zusammengehörig mit Z 803, 804, 805, 806, 807, 808,
809, 811
Sammlung Gaignières, seit 1716 in der
BIBLIOTHÈQUE NATIONALE IN PARIS; Kat. Lugt 1936
Nr. 216

811. ALTER TURM links, rechts zurück Gehöfte.

Schwarze Kreide 149 × 203
Zusammengehörig mit Z 803, 804, 805, 806, 807, 808,
809, 810
Sammlung Gaignières, seit 1716 in der
BIBLIOTHÈQUE NATIONALE IN PARIS; Kat. Lugt 1936
Nr. 215

812. ORTSCHAFT MIT KIRCHE (links) in leicht
hügeligem Gelände. Rechts zwei Hütten und Fernblick.
Am Horizont eine Kirche ⟨St. Bavo, Haarlem?⟩

Schwarze Kreide, grau laviert 149 × 244
Vergleiche: Z 845/6 (ähnliche Landschaftsszene)
Versteigerung in Amsterdam am 22.6.1910 Nr. 147
(fl 120 van Gelder)
– in Amsterdam am 11.6.1912 Nr. 106 (fl 210
Haverkamp)
Sammlung Kröller-Müller im Haag; seit 1935 Staats-
stiftung in Otterlo
RIJKSMUSEUM KRÖLLER-MÜLLER IN OTTERLO; Inv. Nr.
Kl 7.88

812

813. Vier Figuren links vorn im Gespräch; weiter zurück ein Gehöft und eine hohe Baumgruppe (Zentrum). Rechts ein Boot auf dem Wasser.

Schwarze Kreide (laviert?) 150 × 230
Literatur: Stechow (SVR) S. 60
Sammlung Baron Sellières, Wien 1844
  – J. D. Böhm in Wien
Versteigerung [J. Rump aus Kopenhagen] in Berlin am 25.5.1908 Nr. 453 als S. van Ruysdael (Mk 32 Mallmann)
  – G. Ritter von Mallmann in Berlin am 13.6.1918 Nr. 222 mit Abb. als S. van Ruysdael
  – in Amsterdam am 24.1.1922 Nr. 227 als Jan van Goyen

814. GROSSES GEHÖFT mit Strohdach rechts; dahinter ragt ein Heustock über das Dach, weiter raumeinwärts ein Zaun und zwei Figuren am Ufer eines Baches; ein Gehöft am jenseitigen Ufer. – Um 1630.

Schwarze Kreide 153 × 263
Vorzeichnung zu: G 1090
Literatur: Beck (1) mit Abb.
ALBERTINA IN WIEN; Inv. Nr. 8557

Nachzeichnung (?) I) Wie beschrieben, der Heustock hat nur zwei Pfähle.
  Schwarze Kreide 158 × 267
  Literatur: Grosse, mit Abb.
  KUPFERSTICHKABINETT DER STAATLICHEN MUSEEN IN BERLIN; Inv. Nr. 2744

815. EIN PFERDEWAGEN MIT REISENDEN fährt halbrechts über einen Hügel raumeinwärts zu einem Gehöft. Links Fernblick. Rechts vorn steht ein Mann neben einem sitzenden Mann mit Hund. – Um 1627/28.

Schwarze Kreide 154 × 225
Wasserzeichen: Wappenschild mit doppelköpfigem Adler, unten Basler Stab (wie Abb. 60)
Sammlung Ch. Gasc in Paris
  – Prof. Dr. Einar Perman in Stockholm
Ausgestellt: Laren, 1962 Nr. 47

815A. KLOSTERKIRCHE mit Anbauten und Torbogen; weiter rechts zurück ein Turm an einem Teich.

Schwarze Kreide 155 × 196
Vergleiche: dieselbe Kirche auf G 1192 und 1208a, außerdem auf einer Zeichnung von A. Waterloo im Britischen Museum (Inv. Nr. 1836.8.11.576)
Sammlung Alexander Dyce, 1869 vermacht dem VICTORIA UND ALBERT MUSEUM IN LONDON (Dyce Bequest 410)

Nachzeichnung: I) Wie beschrieben. Unsigniert.
  Schwarze Kreide 143 × 193
  Sammlung H. Reveley
  NATIONAL GALLERY OF IRELAND IN DUBLIN; Kat. 1928 Nr. 2126

816. Düne mit zwei Figuren und Hund halblinks;
zurück Gehöfte und in der Ferne eine Kirche.

Schwarze Kreide (von späterer Hand aquarelliert)
  155 × 226
Wasserzeichen: Wappenschild mit doppelköpfigem
  Adler, unten Basler Stab (wie Abb. 60)
STAATLICHES MUSEUM IN SCHWERIN; Inv. Nr. 1246

817. Dorfstraße mit Gehöften und Bäumen zu beiden
Seiten; weiter rechts zurück drei Figuren am Wegrand.

Rechts mit Feder von späterer Hand: VG
Schwarze Kreide 155 × 240
Sammlung C. Fairfax Murray in London
  – J. Pierpont Morgan in New York
THE PIERPONT MORGAN LIBRARY IN NEW YORK; Inv.
  Nr. III, 175 B

817a. Auf einem Hügel (rechts) drei Figuren und ein
Hund. Im Hintergrund ein Wagen vor der Tür eines
Gehöftes.

Schwarze Kreide, laviert 155 × 240
Vergleiche (der Beschreibung nach): Z 184, 849c
Versteigerung Mme E. Warneck in Paris am 10.5.1905
  Nr. 165 (an Wauters)
  – E. Wauters aus Paris in Amsterdam am 15.6.1926
  Nr. 78 (fl 110)

818. DORFSTRASSE MIT VIELEN FIGUREN;
rechts vorn kaufen drei Figuren bei einer Bauersfrau,
in der Mitte naht eine Bäuerin mit zwei Kindern,
im Hintergrund Zelte. – Um 1630.

Schwarze Kreide, grau laviert 155 × 268
Sammlung Herzog Albert von Sachsen-Teschen
ALBERTINA IN WIEN; Inv. Nr. 8530

Nachzeichnung: I) Wie beschrieben. Unsigniert.
  Schwarze Kreide, laviert mit Sepia 159 × 288
  Sammlung Jacques Arnal, 1924
  Versteigerung Julian G. Lousada in London (Chr)
    am 30.6.1950 Nr. 16 (mit einer anderen Zeichnung:
    £ 35.14.0 Barnon)
  Privatsammlung in London, 1965

819. KIRCHENRUINE, vom zerstörten Chor her
gesehen.

Schwarze Kreide 156 × 203
Sammlung Earl of Warwick
  – Sir Bruce Ingram, 1963 vermacht dem
FITZWILLIAM MUSEUM IN CAMBRIDGE; Inv. Nr. PD 365-
  1963

818

819

820

820. Ein Wagen mit Figuren und ein Reiter rechts vorn auf einem Deich; andere Figuren und eine Windmühle weiter zurück. – Nicht überzeugend.

Schwarze Kreide, grau laviert 158 × 249
Wasserzeichen: Schellenkappe mit 7 Kugeln (Abb. 29)
Literatur: Steenhoff, mit Abb.
Versteigerung Jacob de Vos Jbzn in Amsterdam am 22.5.1883 Nr. 212 (fl 44 Balfoort)
RIJKSPRENTENKABINET IN AMSTERDAM; Inv. Nr. A 339
    Ausgestellt: Amsterdam, 1903 (VG) Nr. 37
    – Amsterdam, 1923 Nr. 21
    – Hamburg 1961 Nr. 39

820a. Bauerngehöft in hügeligem, bewaldetem Gelände.

Schwarze Kreide, laviert 159 × 249
Wasserzeichen: Schellenkappe
Versteigerung [Freiherr Heyl zu Herrnsheim aus Worms] in Stuttgart am 25.5.1903 Nr. 147 (Mk 21 Boerner)
    – Louis Deglatigny aus Rouen in Paris am 22.11.1937 Nr. 140 (ffrs 650 Huteau)

821. Zwei Zelte bei einer Brücke, über die sich ein Reiter entfernt. Links vorn umstehen mehrere Kauflustige eine Marktfrau. Rechts sitzt eine andere Bäuerin, vor ihr drei Figuren. – Nicht zweifelsfrei, vielleicht Nachzeichnung nach verschollenem Original.

Links unten von späterer Hand: A. van der Cabel
Schwarze Kreide, grau laviert 160 × 253
Literatur: Dobrzycka, mit Abb. – Pauli, I, 1924, mit Abb.
Versteigerung W. Esdaile in London (Chr) am 18.6.1840 Nr. 913 (mit Nr. 912: 6/- H. Graves)
KUNSTHALLE IN HAMBURG; Inv. Nr. 21987
    Ausgestellt: Leiden und Arnheim, 1960 (VG) Nr. 80 mit Abb.

822

822. EINE UFERSTRASSE führt über eine Brücke (Mitte) nach einem Dorf. Verschiedene Gruppen auf der Straße und am Fluß, ein Reiter auf der Brücke. Ruderboote und Wäscherinnen. – Um 1630.

Schwarze Kreide, laviert 165 × 280
Wasserzeichen: Lilienwappen
Sammlung N. Massaloff in Moskau
Versteigerung „aus dem Besitz des Museums der Schönen Künste in Moskau" in Leipzig am 29.4.1931 Nr. 91 (Mk 205 Brandt)
    – in Utrecht am 5.11.1946 Nr. 56 (fl 575 Mellaart)
Kunsthändler François Parry im Haag, 1964

823. Winter. Am linken Ufer ein Gehöft, ein großer Heustock und kahle Bäume. Ein Kahn ist am Ufer eingefroren. Rechts vorn nahen drei Figuren neben einem Gestürzten. Links zieht ein Mann einen Baumstamm über das Eis.

Schwarze Kreide, grau laviert 166 × 272
Wasserzeichen: gekröntes Lilienwappen mit WR
Versteigerung J. Tak in Haarlem am 10.10.1780
Nr. 44 (zusammen mit Z 379: fl 32 van der Vinne)
TEYLERS MUSEUM IN HAARLEM; Inv. Nr. 045

Nachzeichnung: I) Wie beschrieben. Unsigniert.
Schwarze Kreide, laviert 180 × 275
Versteigerung A. Köster in Leipzig am 13.11.1924
Nr. 192 mit Abb.
Kunsthandlung C. G. Boerner, Lagerkatalog XL,
1925 Nr. 49 mit Abb.
Versteigerung Dr. C. Otto in Leipzig am 7.11.1929
Nr. 65 mit Abb. (Mk 440 Colnaghi)

824. EIN HEUWAGEN naht links auf einem Weg
zwischen Dünen. Rechts Fernblick.

Schwarze Kreide 172 × 280
Vielleicht: Versteigerung J. C. Ritter von Klinkosch
in Wien am 15.4.1889 Nr. 433 (Kr 12 H. Müller
in Hamburg)
Versteigerung in Berlin am 22.11.1906 Nr. 60 mit Abb.
– Louis Deglatigny aus Rouen in Paris am 4.11.1937
Nr. 174 (ffrs 500 Popoff)
– in München am 20.5.1941 Nr. 409 mit Abb.
(Mk 800)

825

825. GEHÖFTE UND HEUSTOCK am rechten
Flußufer. Figuren am Ufer und in Ruder- und Segelbooten.

Schwarze Kreide, braun und grau laviert 173 × 275
Wasserzeichen: unbekannt
Vielleicht Sammlung Knutsford
Sammlung Sir Bruce Ingram, 1963 vermacht dem
FITZWILLIAM MUSEUM IN CAMBRIDGE; Inv. Nr. PD 375-
1963

Nachzeichnung: I) Wie beschrieben. Unsigniert.
Laviert 170 × 275
Kunsthandlung R. W. P. de Vries in Amsterdam;
Lagerkatalog 1917 Nr. 1421 mit Abb.

825a. Soldaten lagern am Flußufer bei einem Turm.

Schwarze Kreide 174 × 279
Versteigerung A. C. Bowring in London (So) am
23.2.1955 Nr. 44 (£ 37 Schidlof)

826

826. EINE GROSSE STADT MIT VIELEN KIR-
CHEN, TÜRMEN UND GEBÄUDEN im Mittelgrund; nach rechts ziehen Gebäude und eine Mauer
einen Hügel herauf. Rechts vorn Boote auf einem
Fluß. – Um 1653.

Schwarze Kreide, grau laviert 177 × 279
Wasserzeichen: gekröntes Lilienwappen
Literatur: Bernt (2), I, Nr. 266 mit Abb.
Privatsammlung in Leipzig
Sammlung Dr. Walther Bernt in München, 1960

827. Großes Gehöft und Nebengebäude rechts. – Nicht überzeugend.

Links unten von späterer Hand: 1637
Schwarze Kreide 183 × 292
Sammlung von Radowitz, seit 1856 im
KUPFERSTICHKABINETT DER STAATLICHEN MUSEEN BERLIN;
Inv. Nr. 2748

828. ZWEI GEFANGENE werden von zwei Soldaten abgeführt. Links treibt ein Soldat ein Lastpferd; rechts, weiter zurück, ein Reiter und zwei Soldaten. – Um 1627.

Schwarze Kreide 184 × 293
Wasserzeichen: Lilie über Wappen mit diagonalem Band (Abb. 32)
STAATLICHE KUNSTSAMMLUNGEN IN KASSEL; Inv. Nr. 5070

829. KIRCHE UND HÄUSER im Mittelgrund. Rechts drei Figuren vor einem Zaun. Weiter zurück ein Wagen. Links vorn drei Figuren auf einem Sandhügel. – Um 1650.

Schwarze Kreide, grau und braun laviert 187 × 296
Sammlung Herzog Albert von Sachsen-Teschen
ALBERTINA IN WIEN; Inv. Nr. 8524

830. EIN LANDMANN MIT VOGELKÄFIG steht links vor einem sitzenden Mann, der sich auf seinen neben ihm abgelegten Sack stützt. Rechts in der Ferne ein Kirchdorf. – Um 1627.

Schwarze Kreide 187 × 297
STAATLICHE KUNSTSAMMLUNGEN IN KASSEL; Inv. Nr. 5069

831. Figurengruppe am Strand: ein Mann mit Faß im Arm, eine sitzende Frau, ein Junge mit Rückenlast und ein kniender Junge. Rechts dahinter zwei Figuren. Links unten der Strand mit Booten.
Im Oberrand hd.: schevelingen
Abweichende Figurendarstellung

Schwarze Kreide 188 × 148
Versteigerung A. G. de Visser in Amsterdam am 16.5.1881 Nr. 160 (fl 11 van Gogh)
Sammlung N. Massaloff in Moskau, seit 1924 im Roumiantzoff-Museum in Moskau
STAATL. A. S. PUSCHKIN-MUSEUM DER BILDENDEN KÜNSTE IN MOSKAU; Inv. Nr. 4669

832. Ein Segelboot und zwei Fischerkähne rechts; Fischer ziehen ein Netz ein.

Schwarze Kreide 191 × 290
Sammlung Graf Solms-Braunfels, seit 1919 (als Geschenk) im
KUPFERSTICHKABINETT DER STAATLICHEN MUSEEN IN BERLIN; Inv. Nr. 9885

833. RUINEN MIT TURM am rechten Ufer, links ein Fährboot mit etwa sechs Personen. Links in der Ferne eine Ortschaft mit viereckigem Turm. – Um 1645/50.

Schwarze Kreide, laviert 200 × 300
Versteigerung in Amsterdam am 24.11.1896 Nr. 1056
  (fl 12)
Seit 1897 im
RIJKSPRENTENKABINET IN AMSTERDAM; Inv. Nr. A 3189
  Ausgestellt: Amsterdam, 1903 (VG) Nr. 39

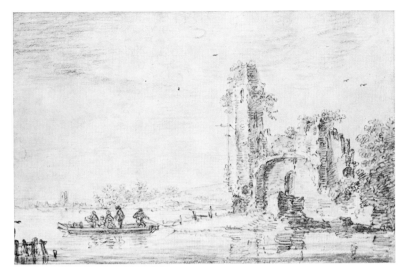

833

834. Fähre mit zwei Pferden, etwa vier Figuren und einem Hund rechts vorn. Segelboote beleben den Fluß. Am linken Ufer ein Gehöft, weiter zurück eine Kirche. – Fragliche Zuschreibung.

Schwarze Kreide 202 × 314
Wasserzeichen: gekröntes Wappen mit Horn, unten Buchstaben WR
Sammlung A. Stroelin, 1923
– Frits Lugt in Paris; Inv. Nr. I 1312
FONDATION CUSTODIA IN PARIS

834

835. GROSSES WASSERSCHLOSS rechts; in der Mitte führt eine Zugbrücke nach links zu einem Haus am Ufer. Links vorn arbeitet ein Mann. In der Mitte ein Kahn mit zwei Fischern. – Um 1645.

Rechts von alter Hand signiert
Schwarze Kreide 210 × 321
Wasserzeichen: doppelköpfiger Adler mit Basler Stab im Herz (wie Abb. 65)
Versteigerung in Amsterdam am 5.6.1905 Nr. 1234 mit Abb.
Sammlung A. Mos in Arnheim
– Frits Lugt in Paris; Inv. Nr. I 42
FONDATION CUSTODIA IN PARIS

835

836. Zwei mächtige Eichen am Straßenrand, rechts von der Mitte; vor einem Zaun ganz rechts vier Figuren auf einem Sandhügel. Weiter links zurück ein Wagen vor einem Bauerngehöft.

Schwarze Kreide 257 × 362
Wasserzeichen: Lilie über Wappen mit diagonalem Band, unten Buchstaben WR (Abb. 31), ähnlich Heawood 141
Vergleiche: fraglich eigenhändig, da so großformatige Zeichnungen van Goyens nicht bekannt sind. Vielleicht Nachzeichnung nach verschollenem Gemälde; ein Gemälde dieser Darstellung mit zusätzlicher Tierstaffage vorn, wahrscheinlich nicht Original, war in einer Versteigerung in Philadelphia am 24.10.1932.
Kunsthändler W. von Wenz in Eindhoven, 1954
Sammlung Dr. Walter Beck (†) in Berlin

837. DORDRECHT mit Grote Kerk und Hafenanlagen; ganz rechts eine große Windmühle. Vorn der breite Fluß.

Schwarze Kreide, betontes Querformat
Sammlung Gregoire Marasli in Odessa, 1917
MUSEUM IN ATHEN (?) als Sal. van Ruysdael

838. DIE PETRONELLA-KAPELLE in De Bilt (rechts). Links ein gedeckter Brunnen. Im Hintergrund einige Gehöfte skizziert.

Schwarze Kreide
Literatur: Damsté
Eingeklebt in einem topographischen Atlas von Utrecht und Umgebung

838a. Heuschober am Flußufer.

Sammlung H. P. Bremmer im Haag
   Ausgestellt: Amsterdam, 1903 (VG) Nr. 49

839. EIN KAHN MIT ZWEI FIGUREN landet in der Mitte vorn; ein Mann mit Rucksack läuft darauf zu. Links drei Landleute in Unterhaltung. Dahinter, am jenseitigen Ufer, Gehöfte in zwei Reihen. Rechts vorn drei Enten; in der Ferne ein Kirchturm. – Um 1626/27.

Die ehemalige Signatur links unten ausradiert (?)
Schwarze Kreide, laviert
Kunsthandlung Komor Gallery in New York, 1962
Sammlung W. Suhr in New York, 1965

840. Kleines Gehöft mit großem Kamin in der Mitte des Daches. Links davon eine Figur und Fernblick.

Kreide
Kunsthändler J. Wiegersma in Utrecht, 1944

841. FIGURENGRUPPE IN DEN DÜNEN, rechts zurück ein viereckiger Wachtturm. Rechts vorn steht ein Mann hinter einer sitzenden Frau mit Kind. Links Blick über den Strand auf die See.

Rechts unten Reste der Bezeichnung (?)
Schwarze Kreide
Privatsammlung in Utrecht, 1962

842a. Ein Vogel- oder Geflügelmarkt.

Wahrscheinlich bezeichnet und datiert
Tuschpinsel(?)
Vielleicht identisch mit Z 124
Versteigerung Jacob de Vos in Amsterdam am
30.10.1833 Nr. D 20 (zusammen mit Z 52A: fl 22
de Vries)

842b. Wagen und Reisende auf einer Landstraße.

Tuschpinsel, laviert
Versteigerung E. Norblin in Paris am 16.3.1860 Nr. 68
(ffrs 20)
– D. G. de Arozarena in Paris am 29.5.1861 Nr. 52

842c, d. Dorfansichten. Zwei Blätter.

Schwarze Kreide
Versteigerung Mendes de Leon in Amsterdam am
20.11.1843 Nr. C 29 (fl 14 Roos)
– G. Leembruggen in Amsterdam am 5.3.1866
Nr. 273 (fl 9 Jonkers)

842e. Ein Kanal, von einer Schleuse begrenzt.

Schwarze Kreide
Vergleiche: Z 707
Versteigerung Gerrit Muller in Amsterdam am 2.4.1827
Nr. B 40 (fl 5.50 Leembruggen)
– G. Leembruggen in Amsterdam am 5.3.1866
Nr. 274 (fl 5.25 Roos)

842f. Ruine am Flußufer.

(Kreide?) Tuschpinsel
Angeblich Sammlung de Kat
Versteigerung Neville D. Goldsmid in Paris am
25.4.1876 Nr. 68 (zusammen mit Z 324, 482, 560,
842g: ffrs 207 Charlet)

842g. Dorfansicht.

Angeblich Sammlung de Kat
Sammlung Vis Blokhuyzen (?)
Versteigerung Neville D. Goldsmid in Paris am
25.4.1876 Nr. 69 (zusammen mit Z 324, 482, 560,
842f: ffrs 207 Charlet)

842h. Ortschaft am Strand, Figurenstaffage.

Sammlung John Barnard (?)
Versteigerung Sir James Knowles in London (Chr)
am 27.5.1908 Nr. 65 (zusammen mit einer anderen
Zeichnung: £ 19 Paterson)

842i. Landschaft mit Windmühlen, Figuren in einem
Wagen.

Versteigerung R. P. Roupell in London (Chr) am
12.7.1887 Nr. 978 (zusammen mit Nr. 977: 16/-
Campbell)

842j. Flußszene mit Booten in frischer Brise.

Versteigerung R. P. Roupell in London (Chr) am
12.7.1887 Nr. 985 (zusammen mit Z 475 und 575:
£ 1.15.0 Hewlett)

842k. Landschaft mit Gebäuden.

Versteigerung R. P. Roupell in London (Chr) am
12.7.1887 Nr. 987 (6/- Hewlett)

842l. Flußlandschaft mit einem Fährboot.

Versteigerung R. P. Roupell in London (Chr) am
12.7.1887 Nr. 988 (5/- Permain)

842m. Figuren vor der Tür einer Schenke.

Versteigerung R. P. Roupell in London (Chr) am
12.7.1887 Nr. 992 (zusammen mit Z 843n: £ 2
Thibaudeau)

842n. Dorf am Kanal, mit zahlreichen Figuren.

Versteigerung R. P. Roupell in London (Chr) am
12.7.1887 Nr. 993 (zusammen mit Z 843m: £ 2
Thibaudeau)

842o. Flußlandschaft mit Figuren und Booten.

Sammlung Ploos van Amstel
Versteigerung John McGowan in Edinburgh am
26.1.1804 Nr. 272 (14/ - Williams)

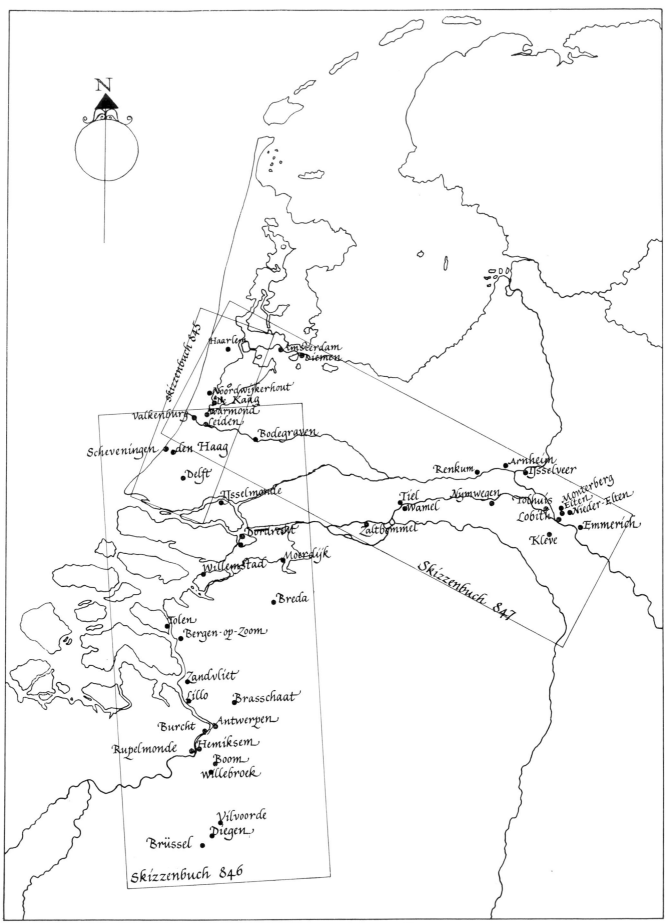

N

Skizzenbuch 845

Haarlem
Amsterdam
Diemen
Noordwijkerhout
De Kaag
Warmond
Valkenburg
Leiden
Bodegraven
Scheveningen
den Haag
Delft
Renkum
Arnheim
IJsselveer
IJsselmonde
Tiel
Nijmwegen
Monterberg
Wamel
Tolhuis
Elten
Nieder-Elten
Dordrecht
Zaltbommel
Lobith
Emmerich
Moordijk
Kleve
Willemstad
Skizzenbuch 847
Breda
Tolen
Bergen-op-Zoom
Zandvliet
Lillo
Brasschaat
Burcht
Antwerpen
Rupelmonde
Hemiksem
Boom
Willebroek
Vilvoorde
Diegen
Brüssel

Skizzenbuch 846

DIE WANDERZIELE JAN VAN GOYENS, GEZEICHNET NACH EINER KARTE AUS DEM 17. JAHRHUNDERT

D) SKIZZENBÜCHER

Zeichenbuch A und Zeichenbuch B der Federzeichnungen: siehe Z 1-13 und Z 13a-19

Das Zeichenbuch von 1627: siehe Z 73-88

843. Das Skizzenbuch der Albertina (um 1630)

Es handelt sich um Kreideskizzen (ohne Tuschpinsel-
lavierung) aus einem aufgelösten Skizzenbuch, dem
einst auch Z 791 und Z 799A angehört haben. Der
Zeichenstil entspricht dem der frühen 30er Jahre. Alle
Blätter tragen links unten eine Seitenzahl (von späterer
Hand). Zwei Zeichnungen sind im Unterrand (von
späterer Hand) bezeichnet. Die Blattgröße ist nicht ganz
einheitlich.

843/1   Dünenhügel mit zwei Figuren rechts; im Hin-
tergrund durch Gebüsch verdecktes Gehöft.
(Inv. Nr. 8549)
Schwarze Kreide 125 × 232

/2   Häuser und Weg am Fluß, der rechts in die
Tiefe zieht. (Inv. Nr. 8548)
Schwarze Kreide 110 × 232

/3   Gehöft mit Stallung. (Inv. Nr. 8551)
Schwarze Kreide 120 × 248

/4   Gehöft mit Stallung – Blatt /3 von einer
anderen Seite. (Inv. Nr. 8543)
Schwarze Kreide 123 × 251

/5   Reiter und zwei Figuren auf einer Brücke
rechts vorn. Links, jenseits des Baches, eine
Kirche und Gebüsch. (Inv. Nr. 8555)
Schwarze Kreide 115 × 248

/7   Dorfstraße mit Gehöften und Heustock. (Inv.
Nr. 8547)
Schwarze Kreide 120 × 241

/9   Siehe: Z 791

/10   Zwei Bauernhütten im Zentrum, vorn ein
Bach. (Inv. Nr. 8550)
Schwarze Kreide 100 × 220

/11   Großes Gehöft mit Nebengebäuden und Heustock hinter einem Zaun. (Inv. Nr. 8540)
Schwarze Kreide 130 × 250

/12   Drei Gehöfte am rechten Flußufer, Bäume.
(Inv. Nr. 8539)
Schwarze Kreide 153 × 248
Literatur: Bernt (2), I, Nr. 262 mit Abb.

843-3

843-4

843-5

843-10

843-14

843/13 Dünenhügel, halblinks vorn drei Figuren und
ein Zaun. (Inv. Nr. 8558)
Schwarze Kreide 110 × 260

/14 Gehöfte, in einem Baum steckt ein Schild.
(Inv. Nr. 8542)
Schwarze Kreide 122 × 225

/15 Flußlandschaft mit Hütten am linken Ufer,
davor Segelboote. (Inv. Nr. 8544)
Schwarze Kreide 131 × 251

/16 Siehe: Z 799A

/17 Flachlandschaft mit einem Bauernpaar links
vorn; rechts zurück Hütten. (Inv. Nr. 8554)
Im Unterrand von späterer Hand: v. Goyen
inv. & fec.
Schwarze Kreide 117 × 235

/19 Flußlandschaft mit Boot und ferner Windmühle. (Inv. Nr. 8552)
Im Unterrand von späterer Hand: v. Goyen
inv. & fec.
Schwarze Kreide 115 × 242

/20 Hütten und ein kleiner Brückensteg am Fluß.
(Inv. Nr. 8545)
Schwarze Kreide 140 × 249

/21 Fluß mit Kahn, am rechten Ufer Gehöfte, links
Bäume. (Inv. Nr. 8553)
Schwarze Kreide 120 × 249

/22 Mehrere hintereinander liegende Hütten an
einem Bach. (Inv. Nr. 8537)
Schwarze Kreide 157 × 278

/23 Bauerngehöft mit Stallung, überragt zu beiden
Seiten von Bäumen. (Inv. Nr. 8546)
Schwarze Kreide 114 × 234

/24 Zwei Figuren hinter einem Zaun in den
Dünen; weiter zurück ein Steg. (Inv. Nr. 8559)
Schwarze Kreide 111 × 260

/25 Dünen mit Zaun und abgetakeltem Boot
rechts; links zurück Häuser. (Inv. Nr. 8538)
Schwarze Kreide 135 × 251

/27 Mehrere Gehöfte an der Straße. (Inv. Nr. 8556)
Schwarze Kreide 134 × 265

/28 Hütte links; rechts Figurengruppe vor einem
Zaun, in der Mitte Blick auf den Strand mit
Booten. (Inv. Nr. 8541)
Schwarze Kreide 135 × 254

843-27

844. Das Londoner Skizzenbuch (um 1627-1635)

In diesem Album mit 182 Handzeichnungen befindet sich auch eine Federzeichnung von Esaias van de Velde, bezeichnet und datiert 1626 (Blatt 6); ebenso sind die Zeichnungen auf Blatt 1, 3, 4 und 5 nicht von van Goyen, sondern von unbekannten Künstlern.

Das Album besteht aus mehreren zusammengebundenen Teilen verschiedener, etwa gleichzeitiger Skizzenbücher van Goyens. Die Blattfolge im Album ist wahllos, sodaß zusammengehörige Blätter meist nicht aufeinander folgen. Einige Zeichnungen tragen alte Seitennumerierungen, bei anderen sind die Zahlen wohl abgeschnitten; auch die Zeichnung von E. van de Velde ist rechtsseitig beschnitten. Einige Zeichnungen sind (von späterer Hand?) mit dem Monogramm VG bezeichnet.

Auf den Skizzen sind typisch holländische Flach- und Flußlandschaften dargestellt, zum Teil mit Figurenstaffage. Bisher hat sich fast keine Zeichnung als Vorstudie für ein anderes Werk finden lassen. Topographisch deutbar sind nur wenige Skizzen; gesichert identifiziert ist Blatt 69 mit den Ruinen des Huis te Cleef. Blatt 46 könnte Schloß Oud-Haerlem bei Heemstede sein; das Kirchdorf im Hintergrund dieser Skizze finden wir auf Blatt 47, 48 und 49 wieder. Zandvoort: Blatt 144.

Die Numerierung erfolgt nach der Albumseitenzahl. Die alte Skizzenseitennumerierung steht rechts unten (mit einer Ausnahme: Blatt 94) und ist im folgenden in Klammern nach der Albumseitennummer aufgeführt.

Schwarze Kreide, nur ganz wenige Skizzen leicht laviert
Größe: 130 × 234/244
    oder 125 × 245
    oder 126 × 249
Literatur: A. E. Popham im Katalog der Sammlung T. Fitzroy Phillipps Fenwick, 1935, S. 186/187
Sammlung John Percival, Earl of Egmont, 1736 (am 7.6.1726 im Haag für 9 Gulden erworben)
Versteigerung Andrew Geddes in London (Chr) am 8.4.1845 Nr. III/361 (£ 12.12.0 H. Bohn)
Antiquariat H. Bohn, 1870 (£ 15.15.0)
Sammlung Sir Thomas Phillipps, Bart.
– T. Fitzroy Phillipps Fenwick, Thirlestaine House, Cheltenham; Kat. 1935, S. 186/187.
Seit ca. 1946 im
BRITISCHEN MUSEUM IN LONDON; Inv. Nr. 1946.7.13.1076 (1-182)

Auf der Deckelinnenseite haften das Exlibris des Earl of Egmont von 1736 und ein beschreibender Ausschnitt eines Antiquariatskatalogs.

844/1   Brückensteg im Wald – nicht von van Goyen

/2   Haltender zweispänniger Pferdewagen am Strand

/3   Gehöft am Weg auf der Anhöhe – nicht von van Goyen

/4   Wegbiegung umsäumt von Bäumen – nicht von van Goyen

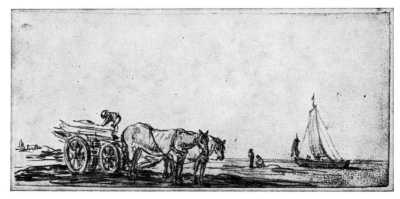

844/2

844/16

844/19

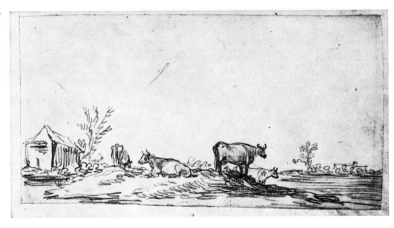

844/23

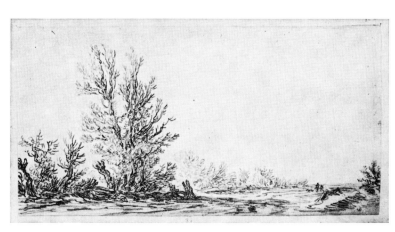

844/28

844/38

844/48

844/52

844/54

844/71

844/75	Zaun und Gehöfte links am Weg
/76	Gehöft und Bäume im Mittelgrund am Weg
/77	Figuren am Zaun rechts auf einem Dünenhügel, links ein Weg
/78	Im Mittelgrund ein Gehöft, rechts ein Reiter
/79	Figur in den Dünen, in der Ferne das Meer
/80	Hütten, zum Teil von Dünen verdeckt
/81	Steg im Zentrum, links ein Mann vor einem Gehöft
/82	Zwei Figuren und zwei Hütten links am Weg
/83	Zwei Figuren rechts, links ein Gehöft
/84	Gehöftgruppe
/85	Karren vor einem Gehöft im Mittelgrund
/86	Zaun, Bäume und Steg vor Gehöften
/87	Dünen, Gehöfte in der Ferne
/88	Dünenrand
/89	Steg im Zentrum, links ein Mann mit Rucksack, Gehöft rechts zurück
/90	Dünenweg, in der Ferne ein Gehöft
/91	Dünenrand, in der Ferne ein Gehöft
/92	Gehöft hinter einem Zaun und Bäume rechts, links ein Reiter
/93	Dünen
/94 (134)	Gehöfte an der Dorfstraße
/95	Zwei Figuren auf einem Dünenweg
/96	Dünen mit fernen Gehöften
/97	Zwei Figuren schreiten durch die Dünen
/98	Reise- und Planwagen halten im Mittelgrund vor einem Wirtshaus
/99	Dünenweg, ein Gehöft weiter zurück
/100	Zwei Pferdefuhrwerke
/101	Gehöfte an der Straße
/102	Gehöfte an der Straße, links ein Bach
/103	Gehöfte an der Straße, links ein Baum

844/77

844/86

844/103

844/104

844/110

844/124

844/131	Zwei Figuren links in den Dünen, rechts ein Zaun. Wolkenhimmel	

844/131

/132   Bäume am Weg

/133   Gehöft rechts hinter einem Zaun, von Bäumen teilweise verdeckt

/134   Jenseits eines Baches Dünen und Gehöfte

/135   Weg, links in der Ferne Bäume um ein Gehöft

/136   Dorfstraße mit einem Gehöft und viereckigem Turm

/137   Dünen

844/140

/138   Gehöft und Bäume im Mittelgrund

/139   Gehöfte an der Dorfstraße, ein Wagen mit Figuren im Hintergrund (wie auf /60)

/140   Gehöft rechts, Bäume im Zentrum, links eine Kuh

/141   Dünenrand, rechts im Hintergrund Gebüsch

/142   Gehöftgruppe im Mittelgrund

/143   Vereinzelte Bäume und Gehöfte

/144   Der Leuchtturm bei ZANDVOORT, dahinter Häuser und Kirche

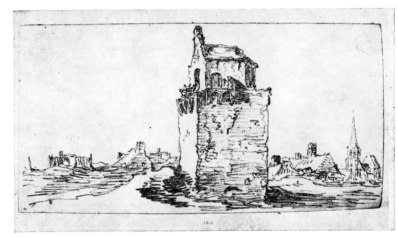

844/144

/145   Gehöftgruppe, links davon ein Radgestell

/146   Zaun und Gebüsch verdecken rechts Gehöfte am Dünenrand

/147   Ein Wagen steht im Mittelgrund vor Gehöften am rechten Wegrand

/148   Dünen, Gehöftdächer rechts

/149   Zwei Figuren rechts an einer Düne, im Hintergrund Bäume und Gehöft

/150   Gehöft und Stallungen im Mittelgrund

844/153

/151   Bäume und Gehöft am rechten Wegrand

/152   Bäume rechts am Wegrand, ganz rechts ein Gehöft

/153   Dünen mit fernem Gehöft und Bäumen, Wolkenhimmel

/154   Gehöfte und entlaubte Bäume im Mittelgrund

/155   Gehöft, Baumgruppe und Wirtshaus mit Planwagen davor

844/157

844/170

844/174

845. Das Skizzenbuch der Sammlung Bredius
(um 1644-1649)

Ebenso wie bei dem Dresdener Skizzenbuch (Z 846)
liegt hier noch ein zusammenhängendes Skizzenbuch
mit etwa einhundert Kreidezeichnungen vor. Alle
Zeichnungen sind auf Wanderungen in der näheren
Umgebung vom Haag entstanden oder nordwärts bis
Haarlem. Es sind liebevoll gezeichnete, kleine Land-
schaftsstudien mit anspruchslosen Darstellungen, keine
Motivsuche mit routiniertem Zeichenstrich wie die
Skizzen der späteren Skizzenbücher.
Auf den letzten Seiten sehen wir Interieurskizzen, Tür-
und Wandvertäfelungen mit Supraporten sowie
Maßangaben verschiedener Räume und noch nicht
geklärte Numerierungen und Beschriftungen.
Alle Blätter mit Landschaftsstudien sind ohne eigen-
händige Beschriftung oder Numerierung.
Die Zahlenfolge des Katalogtextes bezieht sich auf die
fortlaufende Folge der Blätter im Buch.

Schwarze Kreide; Lavierung wird erwähnt
Blattgröße: etwa 100 × 150
Literatur: H. U. Beck, Ein Skizzenbuch von Jan
   van Goyen, Den Haag (1966) mit Abbildungen sämt-
   licher Skizzenbuchseiten. – Oud-Holland, XIV, 1896,
   Seite 118
Kunsthändler E. Warneck in Paris, 1900 geschenkt an
Sammlung Dr. A. Bredius im Haag; seit etwa 1935
   in der
Sammlung Joseph O. Kronig in Monaco

845/1   Titelblatt (drei verschiedene Handschriften)

   a) den 15 May 1644

   b) NB Dit sijn alle onbekende gesichten
   van mijn allen...
   Tekeninge van Jan van Goyen 1719 $\frac{12}{6}$

   c) offert à M. A. Brédius, Directeur du Musée
   de La Haye, par son très dévoué E. Warneck
   Ce 10 mars 1900

/2   Ruinen mit Torbogen. – Laviert

/3   Torturm am Ufer. – Laviert

/4   Windmühle halbrechts erhöht; weiter rechts
   zurück ein zweitürmiges Tor ⟨Oostpoort von
   DELFT?⟩
   Vorzeichnung zu: Z 153 (von 1644)

/5   Dünen mit fernen Gehöften

/6   Dünen; links Kirche, in der Mitte Gebüsch,
   rechts Gehöfte
   Vergleiche: Z 812 (ähnliche Landschaftsszene)

/7   Düne halblinks; rechts zurück Gehöfte. –
   Laviert

/8   Düne mit Gesträuch; Gehöfte rechts zurück

/9   Baumgruppe links, Fernblick rechts. – Laviert

/10   Baumgruppe im Zentrum, eine andere rechts
   zurück. – Laviert

845/3

845/10

845/27

845/66

845/71

845/76 HAARLEM: Kleine Houtpoort

/77 HAARLEM: Grote Houtpoort; in der Mitte
eine Brücke, an der ein Segler liegt
Vorzeichnung zu: G 176
Vergleiche: Z 577, 669

845/78

/78 Haus mit Kamin am linken Ufer ⟨in HAAR-
LEM?⟩
Vorzeichnung zu: Z 176 (von 1649)
Vergleiche: Z 445

/79 Skizze einer Ortsansicht, für /80-81

/80-81 (/80 ist die Rückseite von /79) Ortschaft mit
Kirche

/82 Bäume, Brunnen, Gehöfte. – Laviert

/83 Skizze: Ortschaft mit Kirche am linken Ufer,
Segelboote nahebei ⟨DE KAAG⟩

/84 Flachlandschaft mit Heustock (rechts) und
Turm, der Dünen überragt (links)

845/83

/85 Ortschaft mit großer Kirche und Heustöcken

/86-87 (/86 ist die Rückseite von /85) Flachlandschaft
mit Windmühle (ganz rechts) und Ortschaft

/88 Figurenstudie am Strand. Rechts Figuren-
gruppe; in der Mitte Reiter und Wagen;
links ein einzelner Mann mit Faß unter dem
Arm (eine zweite Studie für eine Figur aus der
Gruppe rechts)
Vorzeichnung zu: Z 201 (von 1651)

/89 Fischerkarren am Strand wird beladen

/90 = Rückseite von /89: Figurengruppe am
Strand: in der Mitte fünf Figuren

/91 Figurengruppe am Strand: Reiter und sechs
Figuren rechts, andere Figuren links zurück
bei einem abgetakelten Boot

845/88

/92 Figurengruppe am Strand, acht Figuren

/93 Zwei Studien eines mit Passagieren besetzten
Pferdeschlittens

/94 Ein Kahn mit drei Personen landet bei einem
Fischkastengestell rechts; dahinter ein Haus.
Zwei Figuren an Land. – Laviert

/95 Mit Feder oben rechts: No 86
Mühle erhöht im Zentrum; rechts davon
Figuren und ein wartender Pferdekarren.
Links eine andere Mühle weiter zurück

Drei leere Seiten

/96 = Rückseite eines leeren Blattes: Zahlenreihe
und Maße

845/103

845/105

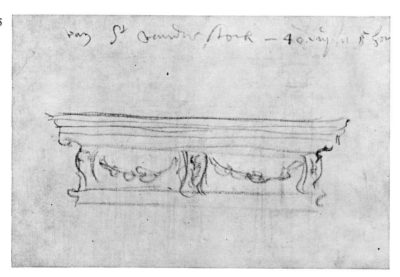

846. Das Dresdener Skizzenbuch (um 1648)

Wie bei allen Skizzenbüchern van Goyens, so ist auch dieses Büchlein nicht die zeichnerische Ausbeute einer Reise, sondern die Skizzen sind auf mehreren Ausflügen entstanden. Allerdings stammen die meisten Zeichnungen von einer Wanderung, die van Goyen südwärts bis nach Antwerpen und Brüssel führte, wo er zuvor wohl noch nicht gewesen war. Diese Reise unternahm er um das Jahr 1648, wie wir aus dem Zusammenhang mit den Vorlageskizzen und den danach ausgeführten datierten Gemälden und Zeichnungen schließen können. Die Skizzen dieser Reise füllen die ersten, etwa 75 Seiten des Skizzenbuches: Landschaften, viele kleinere Ortschaften zwischen Dordrecht und Brüssel und Stadtszenen aus Antwerpen und Brüssel. Mehrfach fügte er am Oberrand eine Ortsangabe handschriftlich (hd.) hinzu. Die genaue topographische Auswertung dieser Skizzen soll einer gesonderten Veröffentlichung vorbehalten bleiben; eine Deutung wurde im folgenden Katalogtext nur dann vermerkt, wenn sich die Topographie ohne weiteres klären ließ. Vielleicht hat van Goyen auf dieser Reise auch das Maastal besucht; einige Zeichnungen von 1651/53 sind wohl nach Skizzen aus dem Maastal entstanden (Z 257, 274, 279, 282, 521).
Der zweite Teil, die restlichen Blätter, zeigt Motive und Studien der heimatlichen Umgebung und Eindrücke vom Besuch eines großen Volksfestes ⟨in Valkenburg?⟩. Wahrscheinlich sind diese Zeichnungen einige Zeit später (bis 1651?) entstanden.
Besonders auffallend ist im ersten Teil die waagerechte Zwei- und Mehrteilung einiger Skizzenseiten mit Ansichten von Ortschaften am Meer und aus der Scheldemündung. Diese Teilung des Skizzenbuchblattes hat van Goyen auch in anderen Skizzenbüchern wiederholt angewandt.
Besonders aus dem ersten Teil hat van Goyen viele Skizzen als Vorlagezeichnungen für später ausgeführte Zeichnungen und Gemälde verwendet. So bedeutete diese Reise für ihn gleichzeitig eine Motivsuche für die Staffelei zu Hause. Im Gemäldekatalog wird ebenso wie im Zeichnungskatalog und bei der folgenden Katalogisierung jeweils auf solche Vorlageskizzen hingewiesen. Bemerkenswert ist, daß van Goyen seine Skizzen noch nach Jahren auswertete.
Der Verbleib der heute fehlenden Blätter (82, 84, 85, 86), die vielleicht um 1900 (?) dem Skizzenbuch entnommen und nicht wieder eingefügt wurden, ist unbekannt. Das Skizzenbuch enthielt einst 152 (?) Studienskizzen (144 Vorder- und 8 Rückseiten mit Skizzen). Die Numerierung der Seiten ist (von späterer Hand) in die rechte obere Ecke geschrieben. Alle Zeichnungsblätter tragen auf der Vorderseite in der rechten oberen Ecke den Stempel der Staatlichen Kunstsammlungen Dresden (L. 1647).

Schwarze Kreide
Blattgröße: 130 × 190
Wasserzeichen: Horn, obere und untere Wasserzeichenanteile; unten mit den Buchstaben LA (Blätter 8-81) und LB (Blätter 93-143)
Sammlung Bento Coelho (da Silveira);
  – Andrea Goncalves (1691-1762), um 1710
  – Pietro M. Guarienti (1700-1753), war von 1733 bis 1736 in Portugal, wo er das Skizzenbuch wahr-

846/2

846/3

846/6

scheinlich von Goncalves erwarb. Er verkaufte das Buch im Jahre 1747 in die

Sammlung Christian Wilhelm Dietrich (Dietricy) in Dresden; mit ihr 1774 erworben vom

Ausgestellt: Berlin, 1958 Nr. F 41

Pergamenteinband. Vorn die Zahl 152. Maße 139 × 204

Vorderdeckel (innen): handschriftliche Notiz mit Unterschrift:

a) Po. Guarienti aquisto dal S. Andrea Gonsalues

b) Jo Christiano Wilhelmo Ernesto Dietricy hó vicevuto questo Libró de paesi dal Signor Pietro Guarienti l'anno 1747 in Dresda

Vorsatzblatt (eingeklebt) handschriftlich:

Am Schluß des Buches ist ein Attest des Portugiessen Malers Andr: Gonsalves, welcher dieses Buch von dem Maler Bento Coelho erhielt, von da kam es in die Hände des Gallerieinspectors Guarienti, von welchem es wieder in Besitz Dietrichs kam, aus dessen Nachlaß es von Sr. Majestät dem verstorbenen König nebst anderen Zeichnungen für das Königl. Kupferstich Cabinet gekauft wurde. (1774)

846/1   oben: Kirche mit spitzem Turm und Gehöfte zwischen Bäumen am linken Ufer ⟨IJSSELMONDE⟩, rechts weiter Flußblick
unten: Windmühle auf Sockel und Hütte am Fluß; dabei Mann im Kahn
In der Mitte unten die handschriftliche Signatur: Pº Guarienti

/2   Vorderseite: oben: hohes Ufer mit Gehöft, links Kühe. Am Ufer ein Kahn bei einem Signal; eine Kirche in der Ferne
Vorzeichnung zu: Z 470 (von 1653)
unten: Kirchdorf und Türme am linken Ufer; rechts Flußblick
Rückseite: Skizze einer Kirche mit Schiff und Chor, dahinter hoher Turm mit Galgen ⟨Grote Kerk in GEERTRUIDENBERG⟩

/3   Mehrtürmiges Schloß mit Giebel ⟨BREDA⟩; rechts Gebüsch, links Häuser

/4   Viereckiger Turm und Anbauten mit zwei kleinen Türmchen links; ganz links Treppe zum Wasser und Haus. – Vergleiche /8: der Turm von der anderen Seite

/5   Mehreckiger Turm mit kleinkegeligem Dach, Wassertor und Haus. ⟨Stadtbefestigung von BREDA⟩

/6   links: hoher Hebebalken auf dem Ufer vor einem Haus; rechts zurück: Kirche (von /7)

846/7 Kirche und Gehöfte am rechten Ufer; davor
ein Kahn. – Vergleiche /6
Vorzeichnung zu: Z 258 (von 1651)

/8 Hoher viereckiger Turm und Anbauten mit
zwei Türmchen; andere Gebäude und
Bogenbrücke im Hintergrund. – Vergleiche /4:
der Turm von der anderen Seite

/9 Kirche mit Bogentor im linken Anbau
(rechts); Gehöfte links zurück

/10 Häuser und Turm hinter Mauer mit Tor am
rechten Ufer. Hebebalken am Fluß

/11 Dorfgasthaus mit Aushängeschild (vergleiche
/12); davor zwei Männer; weiter rechts zurück
Hütte ⟨BRASSCHAAT⟩

/12 hd.: Bras caed ⟨BRASSCHAAT⟩
Dorfgasthaus mit Aushängeschild (vergleiche
/11); links zurück eine kleine Kirche und
Gehöfte

/13 oben: Flachlandschaft mit Windmühlen,
Häusern, Turm, Brunnen
unten: große Flußbucht mit Segelboot links;
rechts vorn zwei Türme; Kirche im Hintergrund. – Vergleiche /14 oben und unten
sowie /16 oben

/14 hd.: ostruweel ⟨AUSTRUWEEL⟩
oben: weite Flußbucht mit Seglern links vor
befestigter Insel. Vorn Kühe, rechts zwei
Türme (ähnlich /67 unten)
unten: weite Flußbucht; links viereckiger
Turm, im Hintergrund befestigte Insel und
Turm (vergleiche /16 oben)

/15 hd.: De Roo poort
Torturm mit kleinen Ecktürmen und Giebel
⟨Roodepoort in ANTWERPEN⟩

/16 oben: gleiche Gegend wie /14 unten. Zwei
Türme rechts vorn; Kirche und Festung im
linken Hintergrund
unten: Gebäude mit sechseckigem Turm;
Anbauten und viereckiger Turm am rechten
Ufer

/17 Durch Ufermauer befestigte Gebäudegruppe
rechts

/18 ANTWERPEN. Turm mit Zinnen ⟨Vis-
koperstoren⟩, Uferbefestigung und Rundturm
am linken Ufer

/19 oben: nach rechts ansteigender gebüschbewachsener Hügel mit einem Schloß. – Vergleiche eine Zeichnung von J. de Grave
„bij Brussel" in der École des Beaux-Arts in
Paris; Kat. Lugt 1950 Nr. 250 mit Abb.
unten: über Gebüsch ragende Kirche und
Nebengebäude ⟨HEEMBEECK⟩. – Vergleiche /52 oben

846/7

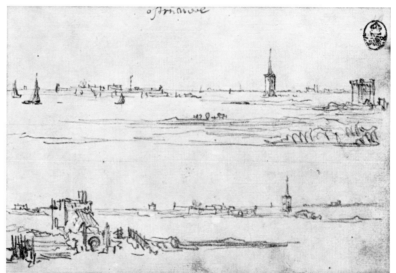

846/14

846/18

846/21

846/24

846/28

846/20 oben: Kirche (links), Windmühle (Mitte am Horizont), Gehöft (rechts)
unten: Buschlandschaft mit Kirche (vielleicht /19 unten?) und nach rechts ansteigender Hügel

/21 BRÜSSEL. Stadtbild mit großer Kirche ⟨St. Gudule⟩ und vielen Gebäuden

/22 hd.: Haren. – HAEREN. Flachlandschaft mit verstreuten Gehöften und Kirche (links)

/23 Verfallene Arkaden, viereckiger Turm und Torgebäude mit hohem, schlankem Turm (vielleicht /35?). – ⟨BRÜSSEL, Porte de Namur?⟩

/24 BRÜSSEL. Stadtansicht mit großer Kirche ⟨Église de la Chapelle⟩, rechts und links davon kleinere Kirchen; vorn Ufermauer. ⟨Links: St. Gudule, rechts Palais de Nassau⟩
Vorzeichnung zu: G 418

/25 BRÜSSEL. Torturm mit Giebelfront und zwei Rundtürmen (rechts). Bogenbrücke in der Mitte, andere Gebäude links ⟨Porte de Flandre⟩

/26 Torgebäude (vielleicht /25?), Mauer, links vier Windmühlen

/27 BRÜSSEL. Torgebäude (/25 von der anderen Seite) ⟨Porte de Flandre⟩ mit Anbauten.

/28 Kirchdorf am Wasser (rechts); dahinter Hügel mit Windmühle
Vorzeichung zu einem bislang unbekannten Originalwerk
Dieselbe Landschaft auf einem fälschlich van Goyen zugeschriebenen Gemälde:
Falsch bezeichnet: VG 1652
Kunsthändler Singer in London, 1941
(Dieselbe Landschaft auch auf einem Gemälde von Jacob van der Croos, abgebildet bei: Bernt (1), I, Nr. 208)

/29 BRÜSSEL. – hd.: De Lake Poort. – Torgebäude ⟨Porte de Laeken⟩ mit Giebeln und Brücke zu Vortürmen am Wasser

/30 BRÜSSEL. Mauer mit Torturm und kleineren Befestigungstürmen; rechts angedeutet große Kirche ⟨St. Gudule⟩. – Vergleiche /49

/31 Vorderseite: BRÜSSEL. Große Kirche links ⟨St. Gudule⟩ und Gebäude; viele Türme rechts zurück – Vergleiche /21 und /49
Rückseite: drei Mauleselstudien, beladen mit zwei großen, runden Lasten

/32 Vorderseite: Großes Gehöft mit Anbauten und Hebebalken am Fluß (links).

Vorzeichnung zu: Z 456 (von 1653)
Rückseite: Studienskizze von fünf Frauen mit
Lasten

846/33 Haus mit zwei Kaminen links innerhalb einer
Mauer

/34 Kirche und Gehöfte bei einer Mauer

/35 BRÜSSEL. Torgebäude in einer Mauer; vorn
ein angebauter Rundturm ⟨Porte de Namur,
Coudenberg⟩. – Vergleiche /47

/36 BRÜSSEL. Großer Palastkomplex mit reich
verziertem, hohem Turm und kleineren
Türmchen ⟨Palais de Nassau⟩

/37 Zwei Gehöfte rechts, davor ein Wasserrad

/38 Gehöft, Hebebalken, Wasserrad links

/39 Gehöft mit Wasserrad, weiter zurück Bogen-
brücke und andere Gehöfte
Vorzeichnung zu: Z 484 (J. de Visscher
Nr. 12)

/40 Häuser und Hebebalken links

/41 Häuser mit Vorbau (rechts)

/42 BRÜSSEL. Häuser, Wasserrad, Kirche ⟨Cla-
rissen-Kloster⟩
Vorzeichnung zu: Z 468 (mit einigen Änderungen)

/43 Häuser, Wasserrad, Brücke, Hebebalken,
Kirche
Vorzeichnung zu: Z 707

/44 Häuser am Wasser, Kirche im Hintergrund;
Haus mit Wasserrad rechts

/45 hd.: De Lvevens Poort. – BRÜSSEL. Torgebäude mit zinnenbewehrtem Rundturm und
Anbau, der zu zwei kleinen Rundtürmen
führt ⟨Porte de Louvain⟩

/46 Ausschnitt aus der Stadt mit mehreren Kirchen, nach links ansteigender Hügel

/47 BRÜSSEL. Torgebäude mit angebautem
Rundturm; andere Türme weiter zurück
⟨Porte de Namur, Coudenberg, Palais du
Roi⟩. – Vergleiche /35

/48 BRÜSSEL. Treppengiebel und Tor über
einer Mauer; andere Gebäude rechts ⟨Porte
à Frais-Perdus⟩

846/35

846/39

846/45

846/50

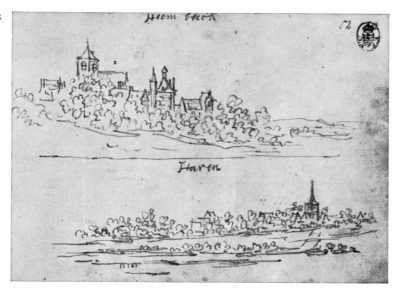

846/52

846/57

846/49 BRÜSSEL. Stadtansicht hinter einer Mauer mit vielen Häusern und Türmen; rechts zurück eine große Kirche ⟨St. Gudule, Porte de Louvain, Kloster der Annuntiataren⟩
Vorzeichnung zu: G 407 und G 411

/50 oben: hd Brüsel. – BRÜSSEL. Stadtansicht wie /49, von weiter entfernt (vergleiche /31); die Stadt breitet sich hinter nach links ansteigendem Hügel und Mauerbefestigung aus.
unten: hd.: Haeren. – HAEREN. Buschlandschaft mit Kirche (Mitte) und einem links erhöht stehenden Gebäude. – Vergleiche /22

/51 oben: hd.: Laken. – LAEKEN. Kirche und Windmühle
unten: hd.: Diegom. – DIEGOM. Kirchdorf, umgeben von Gebüsch

/52 oben: hd.: Heembeeck. – HEEMBEECK. Kirche, Torgebäude hinter Gebüsch, nach links ansteigende Landschaft. – Vergleiche /19 unten
unten: hd.: Haren. – HAEREN. Flachlandschaft mit Kirchdorf und Buschwerk. – Vergleiche /22, /50 unten und /53 oben

/53 oben: hd.: Haren. – HAEREN. Flachlandschaft mit Kirchdorf (weiter links zurück). – Vergleiche: /22, /50 unten und /52 unten
unten: hd.: Boom. – BOOM. Größerer Kirchenkomplex und Hütten. – Vergleiche /57, von der anderen Seite

/54 Skizze eines Torturmes, links

/55 oben: hd.: Vilvoorde. – VILVOORDE. Stadtansicht mit großer Kirche links ⟨Notre-Dame⟩, rechts das Schloß und Türme
unten: Flachlandschaft mit viereckigem Turm links, eine Kirche überragt Buschwerk

/56 hd.: Wille Brouck. – WILLEBROUCK. Große Kirche

/57 hd.: Boom. – BOOM. Kirche am Fluß, Gehöfte weiter zurück. – Vergleiche /53 unten, von der anderen Seite
Vorzeichnung zu: Z 435 (von 1653)

/58 hd.: de Star. – FORT DE STERRE an der Rupel. Wachtturm inmitten von Gebäuden am rechten Ufer

/59 oben: hd.: Het Tol Huys. – Fort TOLHUYS an der Rupelmündung. Großer Gebäudekomplex mit Befestigungsanlagen. Links ein Segelboot
unten: hd.: S Bernaerts. – St. BERNAERTS, Abtei in Hemiksem an der Schelde. Klosterkirche rechts in der Ferne, nach links ansteigender Hügel mit Gehöften und Turm. – Vergleiche: /62 oben
Vorzeichnung zu: G 539

846/60   oben: großes Wasserschloß links, rechts am
         Ufer Kirche
         unten: hd.: Ryvermonde. – SCHLOSS
         RUPELMONDE. Großes Wasserschloß
         etwas zurück. Rechts am Ufer eine Kirche
         Vorzeichnung zu: G 701 und G 705

/61   oben: Klostergebäude (wohl nicht St. Ber-
      naerts, /59 unten)
      unten: Uferlandschaft

/62   oben: hd.: St Bernaerts. – St. BERNAERTS,
      Abtei in Hemiksem an der Schelde. Kloster-
      kirche, näher als /59 unten; vorn zwei
      Männer im Kahn
      Vorzeichnung zu: G 539
      unten: SCHLOSS RUPELMONDE. Wasser-
      schloß in der Ferne, nach rechts ansteigendes
      Ufer mit Kirche und Windmühle. – Ver-
      gleiche /60 unten
      Vorzeichnung zu: G 682 und G 696

/63   Vorderseite: oben: hd.: Burcht. – BORCHT.
      Kirche und andere Gebäude
      unten: BORCHT. Die Kirche von einer
      anderen Seite, hinter einem Zaun.
      Vorzeichnung zu: Z 449 (von 1653)
      Vergleiche: die Kirche von Borcht auch auf
      einer Zeichnung von J. de Grave, von 1674,
      Kunsthandlung C. G. Boerner in Düsseldorf,
      Neue Lagerliste 19/1957 Nr. 38 mit Abb.
      Rückseite: Anschlußskizze zu /64 Vorderseite:
      weiter Fluß mit Uferszenerie ⟨ANTWER-
      PEN: Vlaamse Hoofd am der Stadt gegen-
      überliegenden Scheldeufer⟩

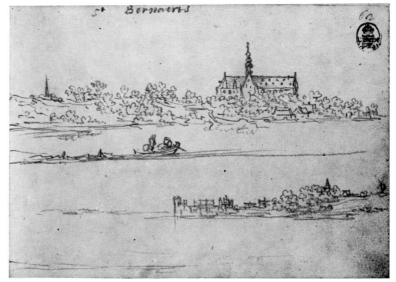

/64   Vorderseite: ANTWERPEN
      oben und unten: Stadtansicht über die Schelde
      mit vielen Kirchen und Türmen. – Ver-
      gleiche /64 Rückseite – /65 Vorderseite
      Vorzeichnung zu: G 408 (von 1648)
      Rückseite: Anschlußskizze zu /65 Vorderseite

/65   ANTWERPEN. Blick über die Schelde auf
      die Stadt mit vielen Kirchen und Türmen.
      Man erkennt etwa dieselben Gebäude wie
      auf /63 Rückseite – /64 Vorderseite, die
      Ansicht jedoch von einem etwas näheren
      Standpunkt betrachtet ⟨von links nach rechts:
      Kran, St. Walburgskerk, Viskoperstoren,
      Stadhuis, Onze Lieve Vrouwekerk, Jezuïten-
      kerk, St. Andrieskerk, Michielsabdij⟩

/66   oben: hd.: Bergen. BERGEN-OP-ZOOM.
      Stadtsilhouette, aus der Ferne betrachtet, mit
      Groote Kerk, anderen Türmen und zwei
      Windmühlen
      unten: ANTWERPEN. Ausschnitt von /64
      und /65 von nahebei: Hafen mit Turm und
      Kirche ⟨von links nach rechts: Kran,
      St. Walburgskerk, Viskoperstoren etc.⟩
      Vorzeichnung zu: G 698

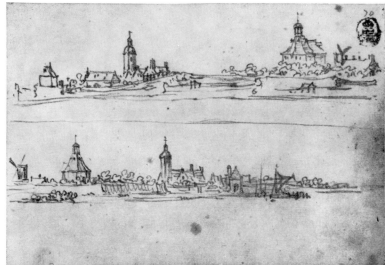

846/70

846/71

846/72

846/67   oben hd.: Santvliet. – ZANDVLIET, an der Scheldemündung. Flußmündung mit Segelboot, Signal und ferner Kirche mit Windmühle
2. Reihe: Silhouette von ANTWERPEN, von weit entfernt
3. Reihe: Torgebäude, unvollendete Skizze (?)
unten: viereckiger Turm rechts und hoher Turm an weiter Flußbucht, ähnlich /14 oben ⟨vielleicht Scheldemündung bei Ostruweel?⟩

/68   oben: hd.: Lief Kens Houck. – FORT LIEFKENSHOECK in der Scheldemündung. Windmühle, Kirche hinter einer Mauer; links zurück Wachtturm an weitem Fluß
Mitte: hd.: Lillo. – FORT LILLO in der Scheldemündung; Befestigungsanlage
unten: hd.: Brchvliet. – BURGVLIET bei Bergen-op-Zoom. Landschaft mit viereckigem Turm und Windmühle, weiter rechts zurück

/69   oben: Galgensignal, ferne Kirche; zwei Männer, Hütte, Kahn
unten: hd.: Tertolen. – THOLEN. Große Stadt mit vielen Kirchen am jenseitigen Ufer

/70   oben: WILLEMSTAD. Stadt mit Kirche und Häusern
Vorzeichnung zu: G 419
unten: WILLEMSTAD. Dieselbe Stadt von einem anderen Standpunkt, mit Kirche (Mitte), Windmühle (links) und Häusern; am Fluß ein Segelboot

/71   oben: hd.: De Kil. – Auf der KIL bei Dordrecht. Links Gehöfte am Ufer, in der Mitte Ruder- und Segelboot auf dem Fluß; rechts ein Stangensignal, in der Ferne die Grote Kerk von Dordrecht
Literatur: Gerson (4) mit Abb.
unten: links ein Haus auf Pfählen mit Anlegestelle ⟨das Oude Wachthuis an der Kil⟩. Weiter zurück Gehöfte, Segler; rechts ein Signal
Literatur: Gerson (4) mit Abb.
Vorzeichnung zu: G 586, 624 und G 874a

/72   oben: DORDRECHT. Die Grote Kerk, Hafenanlagen und Windmühle am rechten Ufer; links zurück ein Segler. ⟨Blauwpoort, Rondeel Engelenburg⟩
unten: Haus mit Kamin und Türmchen am Ende einer Mauer. Zwei Segler auf dem ruhigen Fluß links vor fernem Ufer

/73   DORDRECHT. Kapellenartiger, mehreckiger Turm an einer Anlegestelle, auf der zwei Leute stehen ⟨Rondeel Engelenburg⟩. Links landet ein Fischerkahn

Rechts vorn landet ein Fischerkahn am Ufer-
damm. Auf dem breiten Fluß mehrere Boote.
Im rechten Hintergrund die Ruine des HUIS
TE MERWEDE; auf dem linken fernen Ufer
eine Windmühle, ein Turm und Gehöfte
Vorzeichnung zu: Z 175 und 848t

846/74

/75 Haus mit Nebengebäude und Taubenschlag in
einer Mauer am rechten Ufer. – Vergleiche /76

/76 Dasselbe Haus wie auf /75, von der Seite
gesehen. In der Ferne eine Zugbrücke
Vorzeichnung zu: G 96, 97 und 213

/77 oben: Flußszene mit bewaldetem linkem Ufer;
   Boote rechts
unten: große Segelfähre mit zwei Pferde-
   fuhrwerken. Rechts zurück eine Kirche

/78 Bauernhaus mit Treppengiebel und über-
dachtem Vorbau. Links oben Figurenstudie

/79 Baumreihe rechts an einem raumeinwärts
ziehenden Weg

846/75

/80 Drei Baumgruppen rechts und ein einzelner
Baum an einem raumeinwärts ziehenden Weg

/81 Zeichner und zuschauender Mann rechts am
Wegrand. Links Blick über Felder auf ein
gebüschumstandenes Gehöft

/83 Baumgruppe links und Heustock. Rechts
zurück überragt ein Kuppelbau Bäume.
⟨Huis ten Bosch in DEN HAAG⟩

/87 Dorfstraße mit Gehöften (rechts) und Kirche
(links). Viele Wagen und Figuren vor Zelten.
⟨VALKENBURG⟩

/88 Zeltboot von der Breitseite mit Figuren; am
Bug liegt ein kleiner Kahn

/89 Fest im Dorf VALKENBURG. Geflaggte
Zelte links; Kirche halbrechts. Viele Wagen
und Figuren. – Vergleiche G 1025

846/89

/90 VALKENBURG. Blick auf das Dorf, weiter
zurück als /89; rechts ein Heuschober. –
Vergleiche G 1025

/91 Zwei Segelboote

/92 Studienblatt: zwei stehende und eine sitzende
Figur, ein Mann trägt einen Eimer, zwei
Figuren schleppen Balken auf dem Rücken

/93 SCHEVENINGEN. Kirche vom polygonalen
Chor aus gesehen; rechts und links zurück
Gehöfte

/94 Dorfstraße mit Gehöften (rechts) und Heustock (links). Pferde werden gefüttert

846/102

846/106

846/110

846/112 Flußszene bei einer größeren Ortschaft mit Kirche (links). Viele Ruder- und Zeltboote liegen entlang dem Ufer. – Vergleiche /116
Vorzeichnung zu: Z 570 (von 1656)

/113 Flußufer mit Bäumen, Gehöften und Booten (rechts)

/114 Flußufer links mit Bäumen, die Gehöfte verdecken, ein Kirchturm überragt; weiter zurück Segelboote
Rückseite: Skizze von zwei Zeltbooten mit Figuren

/115 Mehrere Zeltboote hintereinander liegend

/116 Dorfstraße mit Wirtshaus mit Aushängeschild rechts; Kirche und Gehöfte links. Auf der Straße viele Figuren zu Fuß oder im Wagen. – Vergleiche /112

/117 Heustock und Gehöfte am rechten Ufer, einige Boote am Uferrand

/118 Gehöfte und Häuschen am rechten Ufer, einige Boote am Uferrand

/119 Dorfstraße. Bei einer Baumgruppe (rechts) Gerätschaften. Häuser und Wirtshaus weiter zurück

/120 Dünenhügel links mit Gebüsch und Figuren. Fernblick rechts

/121 Gehöft mit Bäumen hinter einer Hecke (links) am Weg

/122 Vor der Schmiede: Räder und Wagen liegen am Rand der Dorfstraße; Gehöfte weiter zurück
Vorzeichnung zu: Z 212 (von 1651)

/123 Gehöfte entlang dem rechten Ufer; vor einem Häuschen ein abgetakeltes Segelboot

/124 Vorn am linken Ufer zwei abgetakelte Segelboote bei Bäumen und Häusern. Das rechte Ufer weiter zurück; ein Segelboot liegt vor Gehöften
Vorzeichnung zu: Z 265 (von 1651)
Vergleiche /131

/125 Gehöfte und ein Häuschen auf dem raumeinwärts ziehenden linken Ufer; vorn ein abgetakeltes Segelboot
Vorzeichnung zu: Z 267 (von 1651) und Z 501

/126 Vorderseite: Kalköfen ⟨bei LEIDEN⟩ und Gehöfte. Vorn ein Ruderboot mit einem Fischer
Rückseite: Skizze für /126, weiter entfernt

/127 Skizze: Kalköfen und Gehöft
Vorzeichnung zu: Z 495 (?)

/128 Haus mit Nebengebäuden und Bäume am rechten Ufer
Vorzeichnung zu: Z 474 (von 1653)

846/124

846/125

846/128

846/130

846/135

846/138

846/129 Zeltboote, zum Teil abgetakelt
Vorzeichnung zu: Z 572 (teilweise)

/130 Dorffest. Vorn ein Tanzbär an der Leine; ein
Trommler, Reiter, Figuren und ein Wagen
auf der Straße. Links zurück Zelte. Wirtshaus
mit Fahne und ein Mann auf einer Leiter rechts.
Vorzeichnung zu: Z 376 (von 1653)

/131 Gruppe hoher Bäume
Vorzeichnung zu: Z 265 (zusammen mit /124)

/132 Bäume am Flußufer (rechts). Weiter zurück
eine Kirche

/133 Dünenhügel mit zwei Figuren. Links Bäume

/134 Düne am Teich. Bäume im Hintergrund

/135 Zwei Figuren rechts auf kleinem Hügel; links
Baumgruppe. Im Hintergrund der Kirchturm
der Grote Kerk ⟨DEN HAAG⟩

/136 Skizze: hölzernes Zugbrückentor im Zentrum; rechts davon Gehöft, Bäume und ein
leerer Kahn

/137 Skizze: drei Bäume rechts vorn; links zurück
die Grote Kerk ⟨DEN HAAG⟩

/138 Marine. Großes Segelboot mit Beiboot im
Zentrum. Links im Hintergrund eine Fregatte
Vorzeichnung zu: G 818
Literatur: Beck (1) mit Abb.
Vergleiche: Eine Zeichnung mit demselben
Motiv (innerhalb einer Serie von neun
gleichgroßen Kreidezeichnungen mit ähn-
lichen Sujets), zugeschrieben an *Allaert van
Everdingen*, Schwarze Kreide 82 × 142, im
KUPFERSTICHKABINETT IN DRESDEN, Inv.
Nr. C 1611; desgleichen eine Kopie von
schwerfälliger, etwas ängstlicher Hand,
gleichgroß, Kreide, ebenfalls im KUPFER-
STICHKABINETT IN DRESDEN, Inv. Nr. 1642

/139 Zwei Fischer im Kahn rechts; links zurück
ein abgetakeltes Segelboot, bei dem ein Feuer
an Land brennt
Vergleiche: G 885 (von 1655). Möglicher-
weise mit einigen Änderungen nach dieser
Skizze entstanden

/140 Strand mit Reiter rechts. Boote liegen am Ufer
weiter links; in der Ferne eine Fregatte.

/141 Fischerkahn und Fischkörbe links vorn. Rechts
zurück eine feuernde Fregatte und andere
Boote

/142 Strand. Links zwei Figuren. Rechts zurück
liegen einige abgetakelte Boote am Ufer. Links
zurück eine Fregatte und andere Boote.

846/143 Strand mit Dünenhügel, rechts zurück. Vorn eine sitzende Figur; links zurück am Ufer einige Segelboote, zum Teil abgetakelt

/144 Rückseite: handschriftliche Notizen:
Ciento é quaienta e quatro Debuijos feitos à maom do / famoso Renbrant du Ry aquistados pᵃ mim, / Andrea Gonsalues Pintor Portuguez ò anno / 1710 do estudo do men amado / Sen. e Maestro Bento Coelho Pintor del Rey / gᵉ noso. Senhor o consivua no Cao pᵃ men Empave
144 Zeichnungen gemacht von der Hand des berühmten Malers Rembrant van Ry / erworben für mich, Andreas Gonsalvez, Portugiesischer Maler 1710 zum ... / von meinem vielgeliebten Herrn und Meister Bento Coelho Königl. Maler. Unser / Herr Jesu erhalte ihn noch lange zu meinem Schutze.

Innenseite des hinteren Buchdeckels: Verschiedene Handschriften:
oben: Blattzahlen (mit Feder)
unten: fehlen S. 82, 84, 85, 86 (mit Blei)
    vorh. 139 Bl. 1960 (mit Blei)
    139 Bl. (1937) (mit Blei)

Wieviele Skizzenblätter einst zu diesem Buch gehörten,
läßt sich heute nicht mehr feststellen. Bereits vor seinem
ersten Auftauchen in der Literatur waren Blätter in
vergangenen Jahrhunderten dem Buch entnommen
worden. A. Bredius sah das Skizzenbuch 1895, als es zum
Ankauf für holländische Museen in Den Haag ange-
boten wurde. Hofstede de Groot fertigte sich eine
Handliste an, in der er etwa 170 Blätter mit kurzen
Beschreibungen aufführte (im folgenden mit HdG
bezeichnet); er hat aber wohl nur einen Teil der damals
vorhandenen Blätter gesehen, da wir heute Skizzen
kennen, die er nicht beschrieb, aber unzweifelhaft noch
zu dem Buch gehörten. Als das Skizzenbuch 1918
und 1937 versteigert wurde, zählte man 179 (bei
Dodgson) und später 190 (bei Fred. Muller & Co.)
Zeichnungen; ob dabei die Skizzen auf den Vorder-
und Rückseiten einzeln oder zusammen gezählt wurden,
ist nicht bekannt. Nach der Versteigerung im Jahre 1918
(ca. 210 Skizzen auf ca. 200 Seiten) wurden die ehemals
in einem festen Einband aufbewahrten Blätter von dem
Sammler und Kunsthändler A. W. M. Mensing unter
Passepartouts gebracht; damit entfiel der Charakter
eines Skizzenbuches. Der Kunsthändler Dr. Lilienfeld
in New York, der 1957 in den Besitz aller Skizzenblätter kam, hat diese einzeln verkauft und somit das
Buch aufgelöst. Nur mühsam sind Photographien der
verstreuten Blätter zu erhalten; so ist es erklärlich, daß
nicht von allen Blättern Abbildungen existieren und
damit schließlich auch die Gesamtzahl der Skizzen
unbekannt ist.

Die folgende Aufstellung enthält Beschreibungen der
Skizzen nach vorhandenen Photographien sowie Ergän-
zungen nach Hofstede de Groots Handliste und dem
Aufsatz von Dodgson. Ob diese Aufstellung vollständig ist, wird sich noch erweisen.

Van Goyen war 54 Jahre alt, als er im Sommer 1650
von Kleve und Arnheim den Rhein entlang abwärts
wanderte und seine Eindrücke von der Landschaft und
ihren Städten in diesen Skizzen festhielt. Auffallend
zahlreich sind die Skizzen aus Kleve, wo sich van
Goyen wohl längere Zeit aufgehalten hatte.

Die Skizzen geben nicht nur die Eindrücke einer Reise
im Jahre 1650 wieder, sondern mindestens die Hälfte der
Blätter stammt aus dem Jahr 1651, als van Goyen Amsterdam und Haarlem besuchte. Diese Datierung ermög-
lichten uns die Skizzen von den Verwüstungen nach dem
Bruch des Antoniusdammes bei Houtewael (5. März
1651) und die Skizze des Amsterdamer Rathauses vor
dem Brand vom 6./7. Juli 1652.

Auch die Skizzen dieses Buches sind von van Goyen
mehrfach als Vorlagezeichnungen ausgewertet. Dabei
ist wieder bemerkenswert, daß er die Studienblätter
nicht nur als Vorlage für seine Gemälde benutzte, sondern nach ihnen auch ausgeführte große Handzeichnungen schuf. In Verbindung mit den anderen Skizzenbüchern werfen diese Vorlagestudien und ihre weitere
Verarbeitung ein neues Licht auf van Goyens Arbeitsweise in seinen letzten Lebensjahren.

Mit Ausnahme zweier Blätter tragen alle Zeichnungen
in der rechten oberen Ecke eine (wahrscheinlich nicht
eigenhändige) Numerierung; sofern auch die Blattrück-
seite mit einer Zeichnung versehen ist, kann hier die
Seitenzahl manchmal in der linken oberen Ecke stehen.
Über die heute nicht mehr zu klärende Unregel-
mäßigkeit dieser durchlaufenden Numerierung äußerte

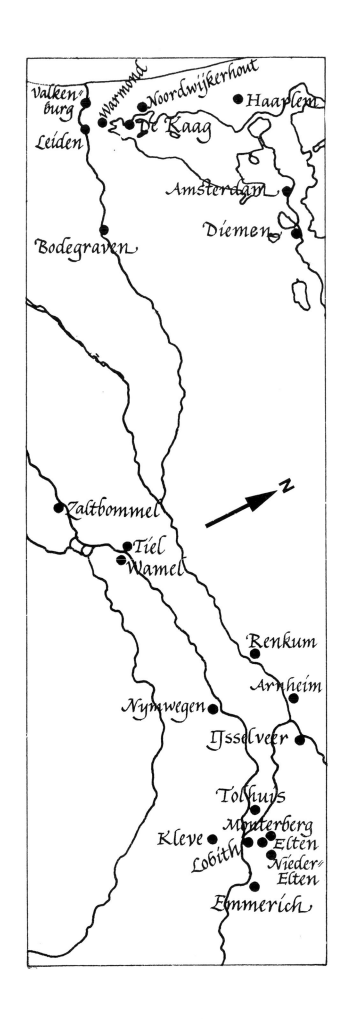

sich schon Dodgson. Bis 100 sind fast alle Nummern vertreten, dann meist nur noch die Zehner, jedoch manche doppelt oder dreifach. Vielleicht sind die Blätter, deren Zahlen mehrfach vorkommen – und deren Motiv auch nicht in die fortlaufende Folge paßt, – einem anderen Skizzenbuch entnommen; denn abgesehen von geringen Größenabweichungen finden wir auf diesen eingefügten Blättern keine Wasser- und Ölflecke an den Stellen, an denen mehrere der Numerierung nach folgende Blätter sie sonst aufweisen. Manche Seitenzahlen sind früher unrichtig gelesen oder auch heute kaum noch zu entziffern. Die mehrfach vorkommenden Blätter gleicher Numerierung werden durch die Buchstaben A, B, C unterschieden, wobei sich A stets auf das eigentliche Skizzenbuch beziehen soll.

Zu dem Skizzenbuch, wie es 1918 versteigert wurde, gehörten nicht die Blätter: 68, 95, 127/128, 131/132, 133, 138, 155/156, 180 D/190 der Sammlung Frits Lugt (1927 im Pariser Kunsthandel erworben) und 165/166 im Rijksprentenkabinet Amsterdam (ehemals Sammlung Dreesmann). Diese Blätter sind mit noch vielen anderen in früheren Jahrhunderten dem Buch entnommen; sie gliedern sich mit ihrer Darstellung vollständig in die Numerierung der Skizzenbuchseiten ein.

Alle Zeichnungen sind in schwarzer Kreide ausgeführt, einige Blätter sind außerdem mit dem Tuschpinsel laviert.

Blattgröße: ca 97/98 × 153/157 bis 105 × 157 (das Buchmaß betrug 105 × 160)

Wasserzeichen: auf einigen Skizzen Wasserzeichenanteile des Wappens von Lothringen

Literatur: Verslagen omtrent 's Rijks Verzamelingen van Geschiedenis der Kunst, XVIII, 1895/96, S. 64/65
Dodgson, C.: A Dutch Sketchbook of 1650
  Burl. Mag., XXXII, 1918, S. 234/240 m. Abb.
  Burl. Mag., XXXIII, 1918, S. 112
  Burl. Mag., LXVI, 1935, S. 284
Beck, H. U.: Jan van Goyens Handzeichnungen als Vorzeichnungen, Oud-Holland, LXXII, 1957, S. 241/250 mit Abb.
Beck, H. U.: Jan van Goyen am Deichbruch von Houtewael (1651), Oud-Holland, LXXXI, 1966, S. 20/33 mit Abb.
Gorissen, F.: Conspectus Cliviae, Kleve 1964, mit Abb.

Dattenberg, H.: Niederrheinansichten holländischer Künstler, Dusseldorf 1967
Sammlung Johnson Neale (auf dem Kontinent erworben)
  – T. Mark Hovell in London
Versteigerung in London (So) am 3.7.1918 Nr. 124 mit Abb. (£ 610 Colnaghi)
Kunsthandlung P. & D. Colnaghi & Co. in London
Versteigerung A. W. M. Mensing in Amsterdam am 27.4.1937 Nr. 218 mit Abb. (fl 7200 Hirschmann)
Sammlung A. Mayer im Haag und in New York
Kunsthändler Dr. Karl Lilienfeld in New York, 1957

Diese Provenienz des Skizzenbuches bis zu seiner Auflösung wird bei der folgenden Beschreibung der einzelnen Skizzen nicht noch einmal aufgeführt.

847/1

847/1 Zwei Wanderer (Rückansicht) mit wehenden Mänteln steigen einen Hügel herunter. In der Ferne die Kirchen von KLEVE ⟨Kleve von der Nimweger Straße⟩. Am Himmel ein Regenbogen.
Im Oberrand hd.: Den 7 Juni 1650

Literatur: Van de Waal, S. 3 mit Abb. – Gorissen, mit Abb. – Hall 11 (als Selbstporträt van Goyens). – Versteigerungskatalog der Sammlung Mensing, 1937, mit Abb. – Dattenberg, mit Abb.
Sammlung C. F. Louis de Wild in New York
  – Mr. und Mrs. Carel Goldschmidt in New York

847/2 Windmühle links auf einer Bastion am Fluß; weiter rechts breitet sich der ruhige Fluß aus.

Sammlung C. F. Louis de Wild in New York
– Mr. und Mrs. Carel Goldschmidt in New York

/3 Schloßgebäude mit Satteldach und Treppengiebel; nur die oberen Gebäudeteile sind gezeichnet.

Sammlung C. F. Louis de Wild in New York
– Mr. und Mrs. Carel Goldschmidt in New York

847/3

/4 HdG: Bauerngehöft mit Schutzdach

/5 Dorfkirche mit Dachreiter (links), Bogentor (halbrechts) und angrenzendem Haus (rechts). – Vergleiche /6 und /14

Sammlung W. Suhr in New York

/6 Dorfkirche von Südosten, Anbauten links. – Vergleiche /5 und /14; vielleicht dieselbe Kirche wie auf Z 414

Sammlung W. Suhr in New York

847/5

/7 Kleines Kastell mit zwei polygonalen Türmen (halbrechts) und Anbauten (links). Rückseitig hd.: d'kerck te tiel (bezieht sich auf /8)

Sammlung C. F. Louis de Wild in New York
– Dr. Leo Steinberg in New York, 1964

847/8 Große Kirche (von Ostsüdost) mit viereckigem, dickem Frontturm ⟨TIEL⟩ über einer Ufermauer mit Strebepfeilern. – Vergleiche /10

Vorzeichnung zu: G 717
Literatur: Burl. Mag., 1918 mit Abb.
Sammlung C. F. Louis de Wild in New York
– Hubert van Ryckevorsel in Helsinki

847/8

/9 Ufermauer von TIEL, dahinter Häuser und Kirche mit Dachreiter. – Vergleiche /11

Sammlung Mr. und Mrs. M. Victor Leventritt in New York, 1964

847/10

847/11

| 847/19 | hd.: De keerck te Wamel. – Kirchenruine von WAMEL. |

Sammlung C. F. Louis de Wild in New York
– Mr. und Mrs. Carel Goldschmidt in New York

/20   Dorfansicht; vor den Häusern ein hoher Baum (Mitte).

Vorzeichnung zu: Z 416
Sammlung W. Suhr in New York

/21   Ansicht von NIMWEGEN mit Valkhof und St. Steven; links die Waal. Rechts oben Skizze von Windmühle auf Stadtmauer.

Vorzeichnung zu: G 369
Sammlung C. F. Louis de Wild in New York
– Hubert van Ryckevorsel in Helsinki

/22   Stadttor links: Hertsteegpoort in NIM-WEGEN.

Sammlung C. F. Louis de Wild in New York
Kunsthändler Dr. Lilienfeld in New York, 1966
Privatsammlung in Augsburg

/23   Großer Kran am Flußufer; rechts Häuser; vorn ein Pferdekarren; links Segelboote ⟨NIMWEGEN⟩.

Vorzeichnung zu: Z 589
Literatur: Beck (1) mit Abb. – Versteigerungskatalog der Sammlung Mensing, 1937, mit Abb.
Kunsthändler Dr. K. Lilienfeld in New York

847/25

847/28

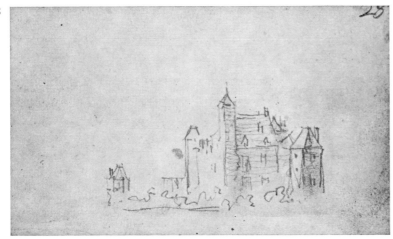

847/30

Sammlung C. F. Louis de Wild in New
York
– Mrs. Warner Muensterberger in New
York, 1963 geschenkt dem

847/31 ELTERBERG mit Abtei (Mitte); links am
Flußufer ein Kastell ⟨HUIS TE LOBITH⟩
und Windmühle (mit Rückseite von /30).
Rückseite (nach HdG): Boote auf einem
Fluß (= /32?)

Vorzeichnung: Originalgemälde nicht bekannt
Kopie: G 322a I

Sammlung C. F. Louis de Wild in New
York
– Mr. und Mrs. Carel Goldschmidt in
New York

847/31

/32 Nicht bei HdG und Dodgson. – Vielleicht
Rückseite von /31?

/33 hd.: Cleef. – KLEVE vom Lamersberg.
Halblinks der Schwanenturm, rechts die
doppeltürmige Stiftskirche, links die Minoritenkirche.

Literatur: Gorissen, mit Abb. – Dattenberg,
mit Abb.
Sammlung W. Suhr in New York

847/33

/34 HdG: Gebäude, links Fluß und Fernsicht.
⟨KLEVE?⟩

/35A KLEVE: rechts der Raventurm, links
zurück Stadtmauer mit Ruine des Kuhhirtenturmes, zu der eine Treppe führt. –
Vergleiche /36

Vorzeichnung zu: Z 399 (von 1653)
Literatur: Gorissen, mit Abb. – Dattenberg,
mit Abb.
Sammlung C. F. Louis de Wild in New
York
Kunsthändler Dr. K. Lilienfeld in New
York
Ausgestellt: Leiden und Arnheim, 1960
(VG) Nr. 107

847/
35A

/35B HdG: Bauernhäuser zwischen dürren Bäumen an einem Fluß. – Wohl falsch gelesene
Seitenzahl

847/36   KLEVE: Detail von /35, Ruine des Kuhhirtenturmes.

Vorzeichnung zu: Z 399 (von 1653)
Literatur: Dattenberg, mit Abb.
Versteigerung in München am 14.10.1964 Nr. 169 (zusammen mit /149)
Kunsthandlung C. G. Boerner in Düsseldorf, Neue Lagerliste 44/1966 Nr. 40 mit Abb. und Antiquitätenmesse in München, 1966
Privatsammlung in Augsburg

/37   KLEVE: die Burg von Westen (vom Raventurm) mit Schwanen-, Spiegel- und Quartierturm

Literatur: Gorissen, mit Abb. – Dattenberg, mit Abb.
Sammlung C. F. Louis de Wild in New York
   – Mr. und Mrs. Carel Goldschmidt in New York

/38   hd.: de guese kerck tot kleef. – KLEVE: Vieltürmiges Gebäude der alten reformierten Kirche in der Großen Straße (um 1670 abgerissen).

Literatur: Gorissen, mit Abb. – Dattenberg, mit Abb.
Sammlung C. F. Louis de Wild in New York
   – Mr. und Mrs. Carel Goldschmidt in New York

/39   KLEVE: Häuser an der Stadtmauer, die Stadtmühle beim Hagschen Tor und Kampturm.

Wasserzeichen: Teil des Wappens von Lothringen
Literatur: Gorissen, mit Abb. – Dattenberg, mit Abb.
Sammlung C. F. Louis de Wild in New York
Kunsthändler Dr. K. Lilienfeld in New York
RIJKSPRENTENKABINET IN AMSTERDAM (1961 erworben); Inv. Nr. 62: 9

/40   KLEVE: Melatenkapelle, davor der Brunnen, links Hofmauer mit Renaissancetor (von Norden). – Vergleiche /41, /42

Literatur: Gorissen, mit Abb. – Dattenberg, mit Abb.
Sammlung C. F. Louis de Wild in New York
   – Mr. und Mrs. Carel Goldschmidt in New York

/41   KLEVE: Melatenhaus von Westen. – Vergleiche /40, /42

847/37

847/38

847/40

Literatur: Gorissen, mit Abb.
Sammlung C. F. Louis de Wild in New
    York
   – Mr. und Mrs. J. Theodor Cremer in
    New York

847/42   KLEVE: Melatenhaus von Südosten. – Ver-
        gleiche /40, /41

        Literatur: Gorissen, mit Abb. – Dattenberg,
        mit Abb.
        Sammlung C. F. Louis de Wild in New
           York
        Kunsthändler Dr. K. Lilienfeld in New
           York
        THE ART INSTITUTE OF CHICAGO (1961
        erworben)

/43   hd.: schenken schans. – SCHENKEN-
        SCHANZ: weite Fernsicht über Win-
        dungen von Waal und Rhein. In der Mitte
        die Schanze mit Mühle und Kirche, links
        Burg Halt, halbrechts Tolhuis, dahinter
        Doesburg.

        Literatur: Gorissen, mit Abb. – Dattenberg,
        mit Abb.
        Sammlung P. und N. de Boer in Amster-
        dam, 1962
        Ausgestellt: Laren, 1966 Nr. 97

847/43

/44   Vorderseite: hd.: cleef. – Blick vom
        Galgenberg auf KLEVE, links vorn
        die Heideberger Mühle, Schwanenturm
        (Mitte), Stiftskirche (rechts).

        Literatur: Beck (1) mit Abb. – Gorissen,
        mit Abb. – Dattenberg, mit Abb.
        Vorzeichnung zu: Z 408 (von 1653)

/45   = Rückseite von /44: KLEVE, die Altstadt
        von Montebello, links Minoritenkirche
        und Heideberger Mühle, rechts die Burg.

        Literatur: Gorissen, mit Abb. – Dattenberg,
        mit Abb.
        Sammlung F. A. Stern in New York, 1960

847/44

/46   Vorderseite: hd.: cleef. – Blick auf KLEVE,
        die Neustadt vom Galgenberg, die Stifts-
        kirche halblinks, davor die Stadtmühle.
        In der Ferne ein Höhenrücken (Monter-
        berg).

        Literatur: Gorissen, mit Abb. – Dattenberg,
        mit Abb.

/47   = Rückseite von /46: Die Rheinebene ober-
        halb ELTEN (von Tingerten); links
        Hochelten, Griethausen, Münsterkirche
        und St. Adelgundis von Emmerich.

        Literatur: Gorissen, mit Abb. – Dattenberg,
        mit Abb.
        Kunsthandlung C. G. Boerner in Düssel-
        dorf, 1964
        STÄDTISCHES MUSEUM IN KLEVE (Haus
        Koekoek)

847/46

847/48

847/51

847/52

847/48 KLEVE. Stadtmauer mit Heideberger Tor, dahinter die Burg mit Schwanen- und Spiegelturm; links Fernblick über die Turmspitze der Minoritenkirche.

Literatur: Gorissen, mit Abb. – Dattenberg, mit Abb.
Sammlung W. Suhr in New York

/49 Die Burg von KLEVE (von Nordost) von der Steinbrücke. Ganz links der Pulverturm, rechts der Schwanenturm.

Literatur: Gorissen, mit Abb. – Die Weltkunst vom 15.8.1964, S. 619 mit Abb. – Dattenberg, mit Abb.
Sammlung C. F. Louis de Wild in New York
Kunsthändler Dr. K. Lilienfeld in New York, 1961
RIJKSPRENTENKABINET IN AMSTERDAM (1961 erworben)

/50 Die Burg von KLEVE, vom Neuen Wall (von Osten)

Literatur: Gorissen, mit Abb. – Dattenberg, mit Abb.
Sammlung W. Suhr in New York

/51 KLEVE. Palantsturm und Stadtmauer mit Giebelhäusern. Die Mauer zieht nach links den Hügel herunter zum Fluß.

Vorzeichnung zu: Z 489 (von 1653)
Literatur: Gorissen, mit Abb. – Dattenberg, mit Abb.
Sammlung C. F. Louis de Wild in New York
– Mr. und Mrs. Carel Goldschmidt in New York

/52 Vorderseite: KLEVE. Rechts die Stadtmauer mit dem Spiegelturm, links das Mitteltor mit Treppengiebel und Türmchen.
Rückseite: Turmspitze vom Schwanenturm

Sammlung W. Suhr in New York

/53 Vorderseite: KLEVE. Die Burg vom Fischmarkt, der Schwanenturm überragt die Burgmauer.
Rückseite: Bleichenberg vom Neuen Wall

Literatur: Gorissen, mit Abb. – Dattenberg, mit Abb.
Sammlung W. Suhr in New York

/54 KLEVE. Burg und Stadt vom Spoydeich (von Norden).

Literatur: Gorissen, mit Abb. – Dattenberg, mit Abb.
Sammlung W. Suhr in New York

847/55 EMMERICH. Links kleine Kreuzkirche ⟨St. Martini⟩, rechts zurück Gebäude.

Sammlung C. F. Louis de Wild in New York
– Mr. und Mrs. Carel Goldschmidt in New York

847/55

/56 hd.: Elteren Berch. – ELTERBERG mit Abtei.
Rückseite?

Literatur: Versteigerungskatalog der Sammlung Mensing, 1937, mit Abb. – Dattenberg, mit Abb.
Kunsthändler Dr. K. Lilienfeld in New York
Ausgestellt: Leiden und Arnheim, 1960 (VG) Nr. 107
Sammlung P. und N. de Boer in Amsterdam, 1962
Ausgestellt: Laren, 1966 (Nr. 98?)

/57 Vorderseite: ELTERBERG mit Abtei; rechts vorn zwei verkrüppelte Bäume.
Rückseite: nach links abfallender Hügel, Anschlußskizze zu /58

Sammlung W. Suhr in New York

847/57

/58 ELTERBERG mit Abtei, rechts Gehöfte. (mit Rückseite von /57)

Sammlung W. Suhr in New York

/59 ELTERBERG, links zwischen Bäumen die Abtei, rechts unten die Wild.

Sammlung C. F. Louis de Wild in New York
– Miss Frances Shepard in New York

/60-/61 HdG: rechts Baumstudie, links flache Landschaft mit Mühle, Kirche und Stadt ⟨ähnlich Schenkenschanz⟩

/62 Vorderseite: ELTERBERG rechts mit Hochelten; links weiter Fernblick über den Rhein auf Emmerich. ⟨St. Adelgundis und St. Martini von Emmerich⟩
Rückseite: Blick von Elten über Tolhuis auf die Höhen zwischen Kleve und Nimwegen. Rechts vorn Gebüsch.

Literatur: Dattenberg, mit Abb.
Sammlung C. F. Louis de Wild in New York
Kunsthandlung Paul Drey Gallery in New York, 1964
Sammlung C. H. von Gimborn in Emmerich, 1965

847/62

847/63

847/64

847/69

847/63   hd.: Elteren Bergh. – ELTERBERG mit Abtei, zum Teil in Ruine, von nahebei

Sammlung W. Suhr in New York

/64   Blick vom ELTERBERG auf SCHENKEN-SCHANZ und Kleve (in der Ferne rechts). Vorn die Mühle, die etwa auf halbem Wege zwischen Hoch- und Niederelten stand.

Sammlung C. F. Louis de Wild in New York
– Mr. und Mrs. Carel Goldschmidt in New York

/65   Blick vom ELTERBERG auf TOLHUIS. Links vorn die Mühle (siehe /64).

Sammlung C. F. Louis de Wild in New York

/66   hd.: neer Elten. – Die Kirche von NIEDER-ELTEN mit dickem Frontturm links und ruinenhaftem Chor; rechts Gehöfte.

Wasserzeichen: Teil des Wappens von Lothringen
Literatur: Abbildung im Versteigerungs-katalog, 1918. – Dattenberg, mit Abb.
Sammlung Curtis O. Baer in New Rochelle, (USA) 1964

/67   Nicht bei HdG und Dodgson

/68   Vorderseite: hd.: Yselse veer. – Gehöft mit zwei Figuren, links der Fluß und fernes Gehöft.
Rückseite: kleine Baumgruppe am Wasser (Anschlußskizze zu /69)

Im Pariser Kunsthandel 1927 erworben für die
Sammlung Frits Lugt in Paris; Inv. Nr. I 2997(8)
Ausgestellt: Leiden und Arnheim, 1960 (VG) Nr. 106
FONDATION CUSTODIA IN PARIS

/69   hd.: inde wilt baen. – Die Wildbahn bei Arnheim. Baumgruppe rechts, links jenseits eines Flusses ein Gehöft zwischen Gebüsch. (mit Rückseite von /68)
Vergleiche /70. –
Vergleiche G 254 (von 1651)

Sammlung Dr. Lillian Malcove in New York, 1964

847/70 Kleiner Hügel mit großem Baum rechts; links ein Bauernhaus jenseits eines Gewässers. – Die gleiche Gegend wie /69

Kunsthändler Dr. K. Lilienfeld in New York, 1962 gestohlen (Abb. auf der Verlustanzeige)

/71 Panoramalandschaft mit Gebüsch- und Baumgruppe im Mittelgrund. Am Horizont Gebäude.

Sammlung C. F. Louis de Wild in New York
– Mr. und Mrs. Carel Goldschmidt in New York

847/74

/72 Weite Flachlandschaft, rechts Gehöft mit hohem Baum.

Kunsthändler Dr. Karl Lilienfeld, 1965

/73 HdG: Wassermühle am Fuß eines Hügels (links), vor dem Haus ein Karren.

847/75

/74 Bogenbrücke (Zentrum); rechts anschliessend ein Gebäude mit mehreckigem Türmchen.

Sammlung C. F. Louis de Wild in New York
– Curtis O. Baer in New Rochelle (USA)

/75 Ruine mit verfallenen Arkaden, links zurück ein Turm ⟨vielleicht: Kloster Monnikhuizen?⟩.

Sammlung C. F. Louis de Wild in New York
Kunsthändler Dr. K. Lilienfeld in New York
THE ART INSTITUTE OF CHICAGO (1961 erworben)

847/77

/76 Nicht bei HdG; bei Dodgson anscheinend vorhanden?

/77 ARNHEIM: Grote Kerk mit Dachreiter, links und rechts zurück andere Turmspitzen.

Sammlung W. Suhr in New York

847/81

847/83

847/84

847/78   Nicht bei HdG; bei Dodgson anscheinend
          verwechselt mit /87 als fehlend

/79   HdG: inmitten von Häusern ein runder
          Turm, seitlich ein kleines Tor

/80   Vorderseite: Gehöfte mit Treppe (rechts),
          links ein Kahn vor Uferhügel.
          Rückseite: Skizze einer Flußbiegung mit
          hügeligem Ufer (Anschlußskizze zu /81)

          Sammlung W. Suhr in New York

/81   Einspänniger Wagen mit Reiter und Fuß-
          gänger ziehen rechts auf hohem Hügel
          raumeinwärts; links der Fluß mit Gebüsch
          und Häusern am Ufer (mit Rückseite von
          /80)

          Sammlung C. F. Louis de Wild in New
          York

/82   Hügeliges Ufer, rechts vorn zwei Figuren,
          Wagen weiter zurück.

          Sammlung C. F. Louis de Wild in New
          York
          – Mr. und Mrs. Carel Goldschmidt in
          New York

/83   Zweispänniger Planwagen, eine Frau mit
          Krug auf dem Rücken und zwei andere
          Figuren.

          Sammlung C. F. Louis de Wild in New
          York
          – Mr. und Mrs. Carel Goldschmidt in
          New York

/84   ARNHEIM. Blick auf die Stadt mit Grote
          Kerk, St. Walburgskerk, rechts der Rhein.

/85   = Rückseite von /84: Fluß mit Kahn links
          vorn, rechts zurück Segler (Anschlußskizze
          zu /86)

          Sammlung W. Suhr in New York

/86   Gebüschbewachsener Sandhügel rechts (mit
          /85 = Rückseite von /84)

          Sammlung C. F. Louis de Wild in New
          York
          – Mr. und Mrs. Carel Goldschmidt in New
          York

847/87 Pferdewagen und zwei Figuren an einer Wegkrümmung rechts; links zurück Kirche zwischen Bäumen.

Sammlung W. Suhr in New York

/88 Vorderseite: Reiter und Fußgänger (links) auf hügeligem Weg am Fluß; in der Ferne eine Kirche ⟨Arnheim⟩

Literatur: Abbildung im Versteigerungskatalog, 1918

Rückseite: Frau mit Krug auf dem Rücken (von /83) und zwei andere Figuren

Sammlung W. Suhr in New York

847/88

/89 ARNHEIM. – Blick auf die Stadt mit Kirchen und Gebäuden. Rechts der Rhein, von weiter entfernt als /84.

Sammlung Dr. Leo Steinberg in New York, 1964

/90 Wagen und Fußgänger links auf einem Sandhügel; in der Ferne rechts eine Stadt mit Kirchen ⟨Arnheim?⟩.

Sammlung C. F. Louis de Wild in New York
– Mr. und Mrs. Carel Goldschmidt in New York

847/89

/89,/90 Bei Dodgson als doppelt vorhanden aufgeführt.

/91 Sandhügel; links vorn ein zweispänniger, mit Personen besetzter Wagen; rechts zurück Fußgänger.

Sammlung C. F. Louis de Wild in New York
– Mr. und Mrs. Carel Goldschmidt in New York

/92 Sandhügel mit Gebüsch, rechts zwei Figuren; links der Fluß.

Sammlung C. F. Louis de Wild in New York
– Mr. und Mrs. Carel Goldschmidt in New York

/93 HdG: Baumstudie, im Hintergrund das Dach eines Gehöftes. Wahrscheinlich Vorderseite von /94.

847/96

847/99

847/
120A

847/94   Reiter, Planwagen und Figuren in hügeligem Gelände (die Seitenzahl steht links
oben, Rückseite von /93?).

Sammlung C. F. Louis de Wild in New
York

/95   ARNHEIM aus der Ferne. Links ein Sandhügel, rechts der Rhein.

Im Pariser Kunsthandel 1927 erworben für
die
Sammlung Frits Lugt in Paris; Inv.
Nr. I 2997(8)
FONDATION CUSTODIA IN PARIS

/96   Flachlandschaft. Ein Heuwagen links, voran
zwei Jungen; rechts vorn zwei Frauen mit
Krügen auf dem Rücken.

Vorzeichnung zu: G 1161 (von 1651)
Sammlung W. Suhr in New York

/97   HdG: Kastell

/98   Häuser am Fluß, dahinter ein Pferdekarren
auf hügeligem Ufer, links vorn ein Kahn.

Sammlung W. Suhr in New York

/99   hd.: Rencom. – Dorfstraße von RENKUM
mit Gehöften rechts. Die Kirche links in der
Ferne.

Vorzeichnung zu: Z 214, 224a (von 1651),
298 (von 1652)
Sammlung C. F. Louis de Wild in New
York
– Mr. und Mrs. Carel Goldschmidt in
New York

/100   hd.: Bodegraven. – BODEGRAVEN;
Flußbrücke mit drei Bögen, rechts am Ufer
Gehöfte und hohe Kirchturmspitze.

Sammlung W. Suhr in New York

/120A   Kran (links) am Wasser, darunter Ruderboote; Häuser weiter zurück.

RIJKSPRENTENKABINET IN AMSTERDAM (1961
erworben)

847/120B   Bauerngehöfte, vorn von einer Mauer umgeben.

Sammlung C. F. Louis de Wild in New York
– Miss Frances Shepard in New York

/120C   Gehöfte unter Bäumen am rechten Flußufer, links zurück ein Turm; in der Mitte ein Kahn.

Sammlung C. F. Louis de Wild in New York
Kunsthändler Dr. K. Lilienfeld in New York, 1958

/120D   Gehöfte unter Bäumen am linken Ufer.

Sammlung W. Suhr in New York

847/121

/121   Windmühle rechts vorn; in der Mitte, weiter zurück, eine Zugbrücke, die ein Reiter überquert; am linken Ufer ein Gehöft, Kähne auf dem Fluß.

Sammlung W. Suhr in New York

/122A   HdG: Brücke mit Reiter und zwei Fußgängern; auf dem Fluß ein Boot.

847/123

/122B   HdG: Hügellandschaft mit Dächern von Gebäuden.

/123   Große Windmühle rechts vor einem Gehöft, links in der Ferne eine Turmspitze.

Sammlung W. Suhr in New York

847/124

/124   Brücke im Zentrum; am rechten Ufer Gebäude und Kirche mit barocker Spitze. Links Bäume, davor ein Kahn.

Sammlung W. Suhr in New York

/125   Nicht bekannt. – HdG /125 ist als /195 zu lesen (s.d.)

847/127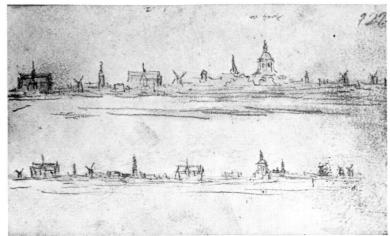

847/
130B

847/133

847/127 Vorderseite: Ansicht von LEIDEN. Zwei Silhouetten mit Beschriftung

Literatur: Abbildung auf der Einladung zur Eröffnung der Leidener Ausstellung, (VG) 1960

/128 = Rückseite von /127: oben: Häuser am linken Flußufer, zwei Segelboote. unten: Häuser und Kirchturm am rechten Flußufer.

Im Pariser Kunsthandel 1927 erworben für die
Sammlung Frits Lugt in Paris; Inv. Nr. I 2997(8)
Ausgestellt: Leiden und Arnheim, 1960 (VG) Nr. 106
FONDATION CUSTODIA IN PARIS

/130A Dorfkirche (von Süden) mit spitzem Turm am jenseitigen Ufer. Vorn ein Fährboot.

Kunsthändler Dr. K. Lilienfeld in New York

/130B Studienskizze von elf Personen, die zumeist eine Last tragen.

Sammlung C. F. Louis de Wild in New York
– Mr. und Mrs. Carel Goldschmidt in New York

/130 = siehe auch /180B

/131 Vorderseite: oben: Fluß mit Segelboot. unten: Binnensee, rechts Segler bei Gehöften, links Kirchdorf (DE KAAG?)

/132 = Rückseite von /131: zwei Segelschiffchen, ferne flache Ufer.

Im Pariser Kunsthandel 1927 erworben für die
Sammlung Frits Lugt in Paris; Inv. Nr. I 2997(8)
Ausgestellt: Leiden und Arnheim, 1960 (VG) Nr. 106 mit Abb.
– Brüssel, Rotterdam, Paris, Bern, 1968/69 Nr. 66 mit Abb.
FONDATION CUSTODIA IN PARIS

/133 oben: Flußszene mit Booten und Windmühle.
unten: Fluß mit zwei Seglern und Ruderboot. In der Ferne eine Kirche.

Im Pariser Kunsthandel 1927 erworben für die

Sammlung Frits Lugt in Paris; Inv.
Nr. I 2997(8)
Ausgestellt: Leiden und Arnheim, 1960
(VG) Nr. 106
– Brüssel, Rotterdam, Paris, Bern, 1968/69
Nr. 65 mit Abb.
FONDATION CUSTODIA IN PARIS

847/134   Mehrere Bauernhäuser an einer Uferstraße.

847/134

Vorzeichnung zu: Z 232 (von 1651)
Literatur: Beck (1) mit Abb. – Versteigerungskatalog der Sammlung Mensing,
  1937, mit Abb.
Sammlung W. Suhr in New York

/134   siehe auch unter /184.

/136   Häuser am Fluß (Mitte); Kähne auf dem
           Fluß. Rechts eine Winde mit zwei Rädern.

           Sammlung W. Suhr in New York

847/136

/138   Kanallandschaft mit Häusern und Hebe-
           balken links; rechts zurück Gehöfte und
           Windmühle. Kähne auf dem Fluß.

           Im Pariser Kunsthandel 1927 erworben für
             die
           Sammlung Frits Lugt in Paris; Inv.
           Nr. I 2997(8)
             Ausgestellt: Leiden und Arnheim, 1960
             (VG) Nr. 106
           FONDATION CUSTODIA IN PARIS

/139   Gehöfte und Bäume am rechten Flußufer;
           davor zwei Kähne. Links ein Mann im
           Kahn an einem Landvorsprung des diessei-
           tigen Ufers.

847/139

           Literatur: Versteigerungskatalog der Samm-
             lung Mensing, 1937, mit Abb.
           Sammlung W. Suhr in New York

/140A   Häusergruppe am Wasser, davor an Land
           gezogene Boote.

           Sammlung C. F. Louis de Wild in New
             York
           Kunsthändler Dr. K. Lilienfeld in New
             York, 1961

/140B   Dorf mit Kirche (Mitte) und zwei Wind-
           mühlen (rechts); am Horizont ein Turm.

           Sammlung Curtis O. Baer in New
             Rochelle (USA), 1964

847/140C Zwei Reiter und Fußgänger am Dünenabhang; in der Ferne ein abgetakeltes
Boot.

Sammlung C. F. Louis de Wild in New
York
– Mr. und Mrs. Carel Goldschmidt in
New York

847/141

/141 Großes Gehöft mit Nebengebäuden am
rechten Ufer, von Bäumen überragt; rechts
ein Mann; Boote am Ufer.

RIJKSPRENTENKABINET IN AMSTERDAM (1961
erworben)

/142 Brücke (rechts vorn) am abgestützten Ufer;
dahinter Gehöfte eines Dorfes. Rechts vorn
ein Mann im Kahn.

Vorzeichnung zu: Z 245 (von 1651)
Sammlung C. F. Louis de Wild in New
York
Kunsthändler Dr. K. Lilienfeld, 1965

847/142

/143 Bauerngehöfte mit Nebengebäuden.

Wasserzeichen: Teil des Wappens von
Lothringen
Sammlung C. F. Louis de Wild in New
York
– Curtis O. Baer in New Rochelle (USA),
1964

/144 Vorderseite: Windmühle auf einem Deich
am rechten Ufer, in der Ferne zwei
Häuser. Vorn auf dem Wasser ein Kahn
mit zwei Fischern.

/145 = Rückseite von /144: Studienskizze mit
sieben Marktleuten bei Warenkörben;
rechts steht ein Mann.

Sammlung C. F. Louis de Wild in New
York
– N. L. H. Roesler in New York, 1964

847/146

/146 Vorderseite: Studienskizze von sechs sitzenden Marktleuten bei Warenkörben; ein
Mann steht im Zentrum.

/147 = Rückseite von /146: Studienskizze von
sitzenden Marktfrauen vor ihren Karren;
Käufer stehen herum

Sammlung C. F. Louis de Wild in New
York

Kunsthändler Dr. K. Lilienfeld in New
York, 1962
– A. Brod in London, 1967
Sammlung Mr. und Mrs. Max Weldon in
London

847/148 Studienskizze mit vier Figuren; zwei
Marktfrauen vor Waren und Karren, ein
Mann steht, eine Mutter mit Kind sitzt.

Sammlung C. F. Louis de Wild in New
York
Kunsthändler H. E. Feist in New York
Sammlung Curtis O. Baer in New Rochelle
(USA), 1964

847/148

/149 AMSTERDAM. Das Oude Stadhuis (vor
dem Brand vom 6./7. Juli 1652).

Wasserzeichen: Teil des Wappens von
Lothringen
Vergleiche: Lithographie von N. Strixner
(nach unbekannter Vorlage van Goyens)
Versteigerung in München am 14.10.1964
Nr. 169 (zusammen mit /36)
Kunsthandlung C. G. Boerner in Düssel-
dorf
Privatsammlung in Augsburg

/150A Windmühle (rechts) auf hohem Deich,
links Gehöfte, vorn ein Boot.

Kunsthändler Dr. K. Lilienfeld in New
York
Ausgestellt: Leiden und Arnheim, 1960
(VG) Nr. 107
1962 aus der Galerie gestohlen (Abb.
auf der Verlustanzeige)

847/
150A

/150B Studienskizze von drei Kühen.

Sammlung Marian H. Phinney, 1962
geschenkt dem
FOGG MUSEUM OF ART IN CAMBRIDGE/MASS.;
Inv. Nr. 1962: 39

/150C Studienskizze: entblätterte Bäume, links
etwas erhöht.

Sammlung Prof. M. Meiss in Princeton/
New Jersey, 1961/62

847/153

/153 Vorderseite: Hoher Signalmast mit Laterne
auf einem Hafendamm; dabei vier Figuren, weiter zurück Segelboote.

/154 = Rückseite von /153: Segelschiffe auf
breitem Gewässer

Sammlung C. F. Louis de Wild in New
York
– George S. Abrams in Boston, 1971

847/155

847/
160A

847/
160B

847/155 Vorderseite: AMSTERDAM. Haringpakkerstoren, zu beiden Seiten Segelboote
vor Hafengebäuden mit Treppengiebeln.

Vorzeichnung zu: Z 230 und G 421
Literatur: Beck (1) mit Abb.

/156 = Rückseite von /155: Weite Flußmündung
mit Booten.

Im Pariser Kunsthandel 1927 erworben für
die
Sammlung Frits Lugt in Paris; Inv.
Nr. I 2997(8)
FONDATION CUSTODIA IN PARIS

/157 Figuren auf einem Deich (Mitte); rechts im
Hintergrund ein Boot auf einem Fluß.

Kunsthändler Dr. K. Lilienfeld in New
York, 1962 gestohlen (Abb.: Verlustanzeige)

/159 Windmühle im Zentrum oberhalb einer
Bogenbrücke; links eine Kaimauer.

Kunsthändler Frederick Mont in New York,
1964

/160A Pferdewagen (rechts) auf einer Brücke; in
der Mitte ein Kahn am Ufer, dahinter im
Mittelgrund ein Stadttor. AMSTERDAM:
vor dem Haarlemer Tor. – Vergleiche /161,
/163

Sammlung W. Suhr in New York

/160B Studienskizze mit vier Kühen.

Sammlung C. F. Louis de Wild in New
York
– Mr. und Mrs. Carel Goldschmidt in
New York

/160C Entblätterte Bäume rechts am Weg.

Sammlung C. F. Louis de Wild in New
York
Kunsthändler Dr. K. Lilienfeld in New
York, 1959
RIJKSPRENTENKABINET IN AMSTERDAM (1961
erworben); Inv. Nr. 62: 4

/161 AMSTERDAM, vor dem Haarlemer Tor,
weiter entfernt als /160A. Rechts vorn ein
Gehöft, etwas erhöht; im Mittelgrund die
Brücke von /160A.

Sammlung W. Suhr in New York

847/162 Am linken Flußufer zwei Gehöfte, rechts zwei Boote.

Sammlung W. Suhr in New York

/163 AMSTERDAM: das Haarlemer Tor von nahebei; davor eine Bogenbrücke und ein Gattertor; links eine Ufermauer mit Laterne. – Vergleiche /160A und 161

Vorzeichnung zu: G 712
Literatur: Beck (1) mit Abb. – Burl. Mag. 1918 mit Abb.
Kunsthändler Dr. K. Lilienfeld in New York

/164 AMSTERDAM. Am linken Ufer liegen Segelboote, sie verdecken Gebäude; im Hintergrund ein hoher, schlanker Turm ⟨Zuiderkerk?⟩.

Literatur: Burl. Mag., 1918 mit Abb.
Sammlung W. Suhr in New York

/165 Vorderseite: AMSTERDAM. Montelbaanstoren rechts vorn; weiter zurück der Turm der Zuiderkerk.

Literatur: Die Weltkunst, 1.10.1961, S. 15 mit Abb.

/166 = Rückseite von /165: Segler in der Ferne; vorn der Diemerdijk
Anschlußskizze zu /167

Literatur: Beck (4) mit Abb.
Sammlung W. J. R. Dreesmann, Kat. 1942, I, S. 199 und 247 mit Abb.
Versteigerung in Amsterdam am 22.3.1960 Nr. 23 mit Abb.
RIJKSPRENTENKABINET IN AMSTERDAM; Inv. Nr. 60: 118
Ausgestellt: Hamburg, 1961 Nr. 40 mit Abb. der Vorderseite

/167 HOUTEWAEL. Bauerngehöft am Diemerdijk; vorn eine Leitertreppe und Figuren (mit /166 = Rückseite von /165)

Literatur: Beck (4) mit Abb. – Stechow (5) mit Abb.
DUDLEY P. ALLEN MEMORIAL MUSEUM IN OBERLIN/OHIO (1958 erworben); Inv. Nr. 58.40

847/162

847/164

847/165

847/170A

847/171

847/172

847/173 HOUTEWAEL: Deichdurchbruch, Blick
weiter nach links; ganz rechts der Deich mit
Figuren; vorn Boote, am jenseitigen Ufer
Gehöfte, Gebüsch und in der Ferne eine
Signalstange.

Literatur: Beck (4) mit Abb.
Sammlung W. Suhr in New York

/174 hd.: tgat vanden dyk. – HOUTEWAEL:
Blick auf die überschwemmten Landstriche;
vorn eine Kette von Ruderbooten.

Literatur: Beck (4) mit Abb. – Abbildung
im Versteigerungskatalog, London, 1918
Sammlung W. Suhr in New York

847/174

/175 HOUTEWAEL. Großes Gehöft am Deich
im rechten Mittelgrund; davor eine Treppe.
Links vorn ein Sandhügel, dahinter Gehöftgruppe.

Literatur: Beck (4) mit Abb.
Kunsthändler Dr. K. Lilienfeld in New
York, 1961/62

/176 HOUTEWAEL: der durchgebrochene
Deich, von weiter entfernt und von einer
anderen Seite als z.B. /170A gesehen.
Boote in der Bruchstelle, Figuren auf beiden
Deichenden. Rechts ein Baum.

Literatur: Beck (4) mit Abb.
Sammlung Mr. und Mrs. M. Victor Leventritt in New York, 1964

/177 HOUTEWAEL: der durchgebrochene
Deich, wie /176, jedoch von weiter entfernt.

Literatur: Beck (4) mit Abb.
Sammlung W. Suhr in New York

847/179

/178 HOUTEWAEL. Großes Gehöft, links
davon Figuren.

Literatur: Beck (4) mit Abb.
Sammlung C. F. Louis de Wild in New
York
– N. L. H. Roesler in New York

/179 HOUTEWAEL. Gebäudegruppe mit
Wirtshaus (von /170). Zwei Leitertreppen
führen zum Deich herauf.

Literatur: Beck (4) mit Abb.
Sammlung C. F. Louis de Wild in New
York
– N. L. H. Roesler in New York

Kunsthändler Dr. K. Lilienfeld in New York
RIJKSPRENTENKABINET IN AMSTERDAM (1961 erworben); Inv. Nr. 62:5

847/184   HOUTEWAEL. Gehöfte am Deich; im Hintergrund das Wirtshaus von /181. Treppen führen zum Deich empor.

Wasserzeichen: Teil eines Waaserzeichens
Literatur: Beck (4) mit Abb.
Sammlung C. F. Louis de Wild in New York
Kunsthändler Dr. K. Lilienfeld in New York, 1959
RIJKSPRENTENKABINET IN AMSTERDAM (1961 erworben); Inv. Nr. 62: 2

/185   Kanal in einer Stadt; rechts eine Holzbrücke, links zurück eine Säule bei einer Bogenbrücke. Große Gebäude und Turm im Hintergrund.

/186   = Rückseite von /185 (nach HdG): Skizze eines Hauses (von anderer Hand?)

Sammlung C. F. Louis de Wild in New York
– Mr. und Mrs. Carel Goldschmidt in New York

/190   Siehe bei /180D

/191   auch fälschlich /121 und /198 gelesen.
Studienskizze mit sechs Figuren; eine Frau sitzt auf einer Karre, rechts eine Mutter mit einem Kind im Schoß.

Sammlung C. F. Louis de Wild in New York
– Mr. und Mrs. Carel Goldschmidt in New York

/192   Studienskizze mit fünf Figuren, in der Mitte eine sitzende Marktfrau.

Sammlung W. Suhr in New York

/193   Ein Pferdewagen links auf dem Deich, im Mittelgrund eine Gehöftgruppe, rechts ein Kahn.

Sammlung C. F. Louis de Wild in New York
– Mr. und Mrs. J. Theodor Cremer in New York

847/185

847/191

847/192

847/194

847/196

847/
210A

847/194   Ein abgetakeltes Segelboot wird kalfatert. Im Hintergrund ein Schloß.

Literatur: Burl. Mag., 1918 mit Abb.
Sammlung W. Suhr in New York

/195   auch fälschlich /125 gelesen. – Steinerne Bogenbrücke links über einen kleinen Bach. Rechts Häuser und Treppe.

Sammlung C. F. Louis de Wild in New York
Kunsthandlung Paul Drey Gallery in New York, 1964
– C. G. Boerner in Düsseldorf; Lagerliste 47/1967 Nr. 17 mit Abb.
Sammlung Prof. Dr. P. Kröker in Essen, 1968

/196   Dorfstraße, zu beiden Seiten Gehöfte; rechts ein viereckiger Turm. – Vergleiche: /197.
Rückseite: Anschlußskizze zu /197

Sammlung W. Suhr in New York

/197   Am Dorfrand; links die Gehöfte mit dem Turm wie auf /196; rechts Blick über einen Weg zu fernem Gehöft (mit Rückseite von /196)

Sammlung Mr. und Mrs. M. Victor Leventritt in New York

/198   oder /199? – Gehöfte rechts; links Gebüsch auf einem Hügel, ein Turm in der Ferne

Sammlung C. F. Louis de Wild in New York
Kunsthändler Dr. K. Lilienfeld in New York, 1959
RIJKSPRENTENKABINET IN AMSTERDAM (1961 erworben); Inv. Nr. 62:6

/200   Wiesenlandschaft mit einem Zaun an einem Hügel (links); Figuren auf der Hügelhöhe; rechts Hausdächer.

Sammlung C. F. Louis de Wild in New York
– Mr. und Mrs. Carel Goldschmidt in New York

/210A   Steinerne Bogenbrücke im Zentrum; rechts Häuser am Kanal. Links ein Baum.

Sammlung C. F. Louis de Wild in New York
– Mr. und Mrs. Carel Goldschmidt in New York

847/210B Dünen, rechts zurück Baumgruppe und Hausdach.

> *Wasserzeichen:* Teil eines Wasserzeichens
> RIJKSPRENTENKABINET IN AMSTERDAM (1961 erworben); Inv. Nr. 62:8

/212 nicht bekannt

/220A Dünen, links ein Baum und weiter zurück ein Haus.

> Sammlung C. F. Louis de Wild in New York
> Kunsthändler Dr. K. Lilienfeld in New York, 1959
> Ausgestellt: Leiden und Arnheim, 1960 (VG) Nr. 107
> THE ART INSTITUTE OF CHICAGO (1961 erworben)

/220B HdG: Holzhäuser.

/220C HdG: Dünen, Bauernhaus und Baumgruppe

/221 Dünenhügel rechts; weiter zurück ein Dorf wie auf /196, /197.

> THE ART INSTITUTE OF CHICAGO (1961 erworben)

/222 Sandhügel nach links ansteigend, im Mittelgrund Gehöft.

> *Vorzeichnung zu:* Z 216 (von 1651)
> Rückseite: *Literatur:* Burl. Mag., 1918 mit Abb.

hd.: een stucken her... (herberg? hercles?)	
een stucken Jan lieuens samen	24.–v
een Jan lieuens	14.–
een lagoor	10.–
een stucken sachtleuen	
een Jacob samen (savery?)	6.–
een stucken tomas Wyck	10.–
een tronje van Rembrandt	
een stuck van lieuens	
een stucken tomas Wyck	40.–
	104.–v

> Sammlung C. F. Louis de Wild in New York
> – Mr. und Mrs. Carel Goldschmidt in New York

847/230A   Dünenweg, links entlaubte Baumgruppe, **weiter zurück Gehöft** (wie auf /220B)

/240A   = Rückseite von /230A: Links Hügel, rechts Flachlandschaft mit Blick auf Kirche (Mitte) und drei Mühlen.

Sammlung W. Suhr in New York

847/230B

/230B   Reihe von Gehöften, vorn eines mit Aushängeschild, dazwischen entlaubte Bäume. Rechts ein Boot auf dem Fluß.

Sammlung P. und N. de Boer in Amsterdam
Ausgestellt: Laren 1966 (Nr. 98?)

/230C   auch 290 gelesen. – Haus links; in der Mitte Blick auf ferne Mühle; rechts Gebüsch am ansteigenden Sandhügel.

Sammlung C. F. Louis de Wild in New York
Kunsthändler Dr. K. Lilienfeld in New York, 1962 gestohlen (Abb.: Verlustanzeige)

847/240B

/240B   Reiter und Fußgänger am linken Ufer; rechts Gehöfte und Bäume.

Sammlung Marian H. Phinney, 1962 vermacht dem
FOGG MUSEUM OF ART IN CAMBRIDGE/MASS.; Inv. Nr. 1962: 40

/250   Blick auf HAARLEM von Overveen mit St. Bavokerk (Mitte), Bakenesser Kerk (links) und St. Annakerk (rechts).

Literatur: Versteigerungskatalog der Sammlung Mensing, 1937, mit Abb.
Sammlung W. Suhr in New York

847/250

/260A   Blick auf HAARLEM, von weiter entfernt als /250. Links vorn Dünenanstieg.

Sammlung W. Suhr in New York

/260B   Bauernhaus, links davor Baumgruppe.

Sammlung C. F. Louis de Wild in New York
– Mr. und Mrs. Carel Goldschmidt in New York

/270A   Weite Fernsicht über Dünen, im Mittelgrund ein Kirchdorf

THE ART INSTITUTE OF CHICAGO (1961 erworben)

/270B Kirchdorf am linken Ufer, rechts Fernblick ⟨DE KAAG⟩.

    Sammlung C. F. Louis de Wild in New York

847/
270B

/280A Dünen, rechts gebüschbewachsener Hügel, links zurück ein Haus.

    Sammlung C. F. Louis de Wild in New York
    Kunsthändler Dr. K. Lilienfeld in New York, 1962 gestohlen (Abb.: Verlustanzeige)

/280B Bauernhaus mit zwei Kaminen.

    Sammlung W. Suhr in New York

/280C – ? –

/290 Dünenhügel links mit Zaun; rechts zurück einige Gehöfte.

    Sammlung C. F. Louis de Wild in New York
    Kunsthändler Dr. K. Lilienfeld in New York, 1961

847A

/290 siehe unter /230C

/A hd.: Bommel. – ZALTBOMMEL; die Stadtsilhouette mit St. Maartenskerk und Gasthuiskerk. – Ohne Skizzenblattnumerierung.

    Literatur: Burl. Mag. 1918 mit Abb.
    Sammlung C. F. Louis de Wild in New York
    – Mr. und Mrs. Carel Goldschmidt in New York

847B

/B Flußlandschaft mit Gehöften und Bäumen am rechten Ufer. Ein abgetakeltes Segelboot im Zentrum, weiter links ein Fischkastengestell. – Ohne Skizzenblattnumerierung.

    Kunsthändler Dr. K. Lilienfeld in New York
    Ausgestellt: Leiden und Arnheim, 1960 (VG) Nr. 107
    Kunsthändler Frederick Mont in New York, 1965

848a. Flußlandschaft. In der Mitte hält ein Reisewagen vor einem Gasthof; Hütten und Bäume zu beiden Seiten der Uferstraße. Halbrechts zurück ein zweiter Wagen. Halblinks vorn ein Fischer im Kahn.

Nachzeichnung: I) Unsigniert.
Schwarze Kreide, laviert 116 × 215
Sammlung Mesnard, 1873 vermacht dem
MUSÉE DES BEAUX-ARTS IN GRENOBLE

848b. Zwei Fischer und ein Fischkorb in einem Ruderboot, rechts dahinter ein Wasser schöpfender Mann in einem Segelboot; in der Mitte und links davon Fischkörbe an Stangen im Wasser.

Nachzeichnung: I) Unsigniert.
Schwarze Kreide, laviert 110 × 212
Sammlung Graf S. Potocki, portef. 1158 Nr. 26
GRAPHISCHE SAMMLUNG DER UNIVERSITÄTSBIBLIOTHEK
WARSCHAU
Ausgestellt: Warschau 1959 Nr. 25

848c. Ufermauer mit Wassertor und eingebautem Haus. Über dem Wassertor zwei Figuren. Rechts dahinter eine Kapelle und eine große Kirche. Rechts vorn zwei Fischer im Kahn. Im Mittelgrund Segler am Ufer.

Nachzeichnung: I) Unsigniert.
Schwarze Kreide, laviert, Spuren farbiger Kreide
126 × 256
HESSISCHES LANDESMUSEUM DARMSTADT; Inv.
Nr. AE 682

848d. Ziehbrücke im Zentrum, links davon Reiter und drei Figuren. Rechts Häuser unter Bäumen. Vorn zwei Figuren im Kahn.

Nachzeichnung: I) Unsigniert.
Schwarze Kreide, grau laviert 114 × 200
Wasserzeichen: Lilienwappen, unten Buchstaben LR
(Abb. 36)
Sammlung F. J. O. Boymans in Rotterdam, 1847
vermacht dem
MUSEUM BOYMANS-VAN BEUNINGEN IN ROTTERDAM;
Inv. Nr. Van Goyen 6
Ausgestellt: Amsterdam, 1903 (VG) Nr. 46

848e. Überdachter Taubenschlag auf hölzernen Füßen am rechten Ufer; links davon ein Kahn mit Figuren, rechts zurück Gehöfte.

Nachzeichnung: I) Unsigniert.
Schwarze Kreide 105 × 188
Sammlung Flury-Hérard (wahrscheinlich: Versteigerung in Paris am 13.5.1861 Nr. 145 – ffrs 6,50
Charles Leblanc)
Versteigerung Mrs. A. L. Snapper in London (So)
am 10.5.1961 Nr. 79 mit Abb. (£ 140 Houthakker)
Kunsthändler B. Houthakker in Amsterdam
Ausgestellt: Amsterdam, 1961 Nr. 28 mit Abb.

848f. Eine Kuhherde wird am linken Ufer über ein Brett auf ein Segelboot getrieben; neben dem Segelboot liegt ein Ruderkahn. In der Ferne kreuzen rechts zwei Segelboote vor einem Kirchdorf.

Nachzeichnung: I) Unsigniert.
Schwarze Kreide, laviert 158 × 260
Versteigerung in Amsterdam am 20.11.1882 Nr. 80
Sammlung P. Langerhuizen in Crailoo
Ausgestellt: Amsterdam, 1903 (VG) Nr. 86
Versteigerung in Amsterdam am 29.4.1919 Nr. 333
(fl 100 Muller)
Versteigerung A. W. M. Mensing in Amsterdam
am 27.4.1937 Nr. 234 (fl 100)
Sammlung B. Houthakker in Amsterdam
Ausgestellt: Amsterdam, 1964 Nr. 34

848g. Vor einem tor- oder schloßähnlichen Gebäude mit Treppengiebel im Zentrum halten zwei Reiter; weiter zurück ein Planwagen vor einem Wirtshaus. Halblinks vorn drei Figuren im ansteigenden Gelände; weiter links zurück zwei Kühe und eine Kirchturmspitze.

Nachzeichnung: I) Unsigniert.
Schwarze Kreide, laviert 187 × 280
Sammlung Dr. C. Hofstede de Groot im Haag
Ausgestellt: Leiden, 1916 Nr. 60
– Den Haag, 1930, I, Nr. 56
1931 vermacht dem
GRONINGER MUSEUM VOOR STAD EN LANDE IN GRONINGEN; Kat. 1967 Nr. 33 mit Abb. (Inv. Nr. 1931-161)
Ausgestellt: Groningen, 1931 Nr. 62

848h. Flußlandschaft mit Segel- und Ruderbooten, alle mit Figuren besetzt. Links vorn zwei Fischer mit Fisch-

korb im Kahn bei Schilf, im Zentrum Segler in Ufernähe; rechts auf dem Ufer Figuren vor Gehöften, eine
Kirche in der Ferne, noch weiter zurück eine Mühle.

Nachzeichnung: I) Unsigniert.
Schwarze Kreide, grau laviert 118 × 219
Literatur: Dobrzycka, mit Abb.
STAATLICHE KUNSTSAMMLUNGEN IN WEIMAR; Inv.
Nr. KK 4576

848i. Ein Bauer mit langer Stange treibt Kühe auf ein
Fährboot; im Boot drei andere Bauern. Im Hintergrund waldige Uferbegrenzung.

Nachzeichnung: I) Unsigniert. Rückseitig von alter
Hand: SvRuysdael
Schwarze Kreide, laviert 108 × 193
STAATLICHE GRAPHISCHE SAMMLUNG IN MÜNCHEN; Inv.
Nr. 2035

848j. Dorfstraße. Im Vordergrund ein Fleischer, der ein
Schwein ausweidet. Rechts vier Schweine.

Nachzeichnung: I) Links unten ein falsches Monogramm
Schwarze Kreide, grau laviert 165 × 255
Versteigerung R. P. Roupell in London (Chr) am
12.7.1887 vielleicht Nr. 979 (5/- Thibaudeau)
– E. Habich aus Kassel in Stuttgart am 27.4.1899
Nr. 312 (Mk 39 Sagert)
Sammlung Brandes in Konstanz, vermacht der
WESSENBERG-GALERIE IN KONSTANZ
Ausgestellt: Konstanz, 1951 Nr. 55 mit Abb.

848k. Bäuerlicher Planwagen mit Reiter und Frauen
auf der Landstraße. Links ein Fluß, weiter zurück ein
Dorf.

Nachzeichnung: I) Mit einer falschen Bezeichnung
rechts: VG 1653
Schwarze Kreide, grau laviert 170 × 275
Angeblich: Sammlung Fürst von Liechtenstein
Versteigerung in Stuttgart am 24.11.1954 Nr. 418
mit Abb. (Mk 730 an Norddeutschen Privat-
sammler)

848l. Heuboote mit niedergelassenen Segeln und
Ruderboote. Auf dem rechten Ufer Heuwagen in einer
Dorfstraße. Bäume überragen die Gehöfte.

Nachzeichnung: I) Mit einer falschen Bezeichnung:
VG 1652
Schwarze Kreide, laviert 120 × 196
Kunsthandlung Paul Drey Gallery in New York,
um 1962

848m. Hütten am Ufer. Vor der vordersten sitzt eine
Frau bei einer umgestürzten Schubkarre im Gespräch
mit einem stehenden Mann und Jungen. Rechts stößt
ein Mann einen Ruderkahn vorwärts.

Nachzeichnung: I) Mit einer falschen Bezeichnung:
VG 165...
Schwarze Kreide, laviert 166 × 267
Sammlung Gaston Delestre in Paris
Ausgestellt: Paris, Galerie Férault, Dez. 1930 Nr. 19
mit Abb.
Versteigerung in London (So) am 28.11.1962 Nr. 13
(£ 260 Goetz)

848n. Nach rechts ansteigendes Gelände, hinter einem
Zaun ein Gehöft und Heustock; davor drei Figuren.
Links ein Reiter.

Nachzeichnung: I) Rechts unten mit einer falschen
Bezeichnung
Schwarze Kreide, laviert
Privatsammlung in London, 1965

848o. Rundturm mit Galgensignal und Windmühle
am rechten Ufer. In der Mitte Segelboote an einem
Landungssteg; vorn legen drei Fischer von einem Kahn
ein Netz aus, links ein Mann im Kahn.

Nachzeichnung: I) Rechts unten falsch signiert: VG 1653
Schwarze Kreide, grau laviert 171 × 274
Versteigerung Graf Gregorio Stroganoff in Rom am
18.4.1910 Nr. 489
Sammlung J. W. Boehler in Luzern
– F. Koenigs in Haarlem
Ausgestellt: Haarlem, 1936 Nr. 15
– Rotterdam, 1938 Nr. 283
1940 vermacht dem
MUSEUM BOYMANS-VAN BEUNINGEN IN ROTTERDAM;
Inv. Nr. H 237 – Seit etwa 1940 nicht mehr in
Museumsbesitz

848p. Ein Bauer arbeitet an einem zweirädrigen
Karren, der links vorn vor einer Hecke steht. Hinter
der Hecke, im linken Mittelgrund, ein Bauerngehöft,
aus dessen Schornstein Rauch aufsteigt; rechts daneben
ein hoher Baum und Figuren auf einem Weg. In der
Ferne ein Kirchturm.

Nachzeichnung: I) Wie beschrieben. Unsigniert.
Schwarze Kreide 165 × 266
STAATLICHE GRAPHISCHE SAMMLUNG IN MÜNCHEN; Inv.
Nr. 14993
II) Wie beschrieben. Unsigniert.
Sammlung A. Sigwalt in Paris (als P. Molyn)
III) Wie beschrieben.
Links mit der falschen Signatur: VG 1645
Schwarze Kreide, grau laviert 174 × 269
Sammlung Allen Evarts Foster, 1906 geschenkt der
YALE UNIVERSITY ART GALLERY, NEW HAVEN/CONN.;
Inv. Nr. Egmont VI, 20

848q. Dorffest. Rechts Figuren auf einer Bühne, davor Figuren, Reiter und ein Wagen; weiter links ein fahnengeschmücktes Zelt und ein Kirchturm. In der Mitte sitzen zwei Figuren; links umstehen Figuren das Zelt einer Marktfrau. Andere Zelte und Wagen in der Ferne.

Nachzeichnung: I) Rechts falsch signiert: VG 1653
　　Kreide, laviert 190 × 268
　　Versteigerung in Paris am 17.3.1943 Nr. 5 mit Abb

848r. Flußufer mit Gehöften und einem Wirtshaus weiter zurück; davor hält ein Wagen. Rechts vorn Figuren. Links auf dem Fluß Boote.

Links bezeichnet: VG 16...
Schwarze Kreide, grau laviert 115 × 196
Wasserzeichen: WK (Abb. 82)
Literatur: J. J. van Gelder, Nr. 71 mit Abb.
PRENTENKABINET DER RIJKSUNIVERSITEIT IN LEIDEN; Inv. Nr. 275

848s. Flußlandschaft mit zwei Fischern rechts vorn im Kahn. Am linken Ufer ein knorriger Baum und Gebüsch, hinter dem ein Segel aufragt. Weiter raumeinwärts ein Fischerkahn und eine Fähre mit einem Planwagen vor Bäumen und Hütten.

Nachzeichnung: I) Wie beschrieben.
　　Rechts unten signiert: VG 16...
　　Schwarze Kreide, laviert 149 × 253
　　Sammlung Dr. A. Nitzschner, 1929 erworben vom
　　KESTNER-MUSEUM IN HANNOVER; Inv. Nr. N 174
　　(Kat. 1960 Nr. 101 als Sal. van Ruysdael)

848t. Die Merwede mit Huis te Merwede (halbrechts) in der Ferne. Rechts vorn landet ein Ruderboot am Damm, links zurück ein Segler vor fernem linkem Ufer mit Gebäuden.

Vorzeichnung: Z 846/74
Vergleiche: Z 175 (gleiche Landschaftsszene)

Nachzeichnung: I) Wie beschrieben.
　　Rechts falsch signiert: VG
　　Schwarze Kreide, grau laviert 111 × 194
　　KUNSTSAMMLUNG DER UNIVERSITÄT GÖTTINGEN;
　　Ausgestellt: Stuttgart, 1965 Nr. 67

848u. Ein Pferdekarren mit Waren und Vogelkäfig fährt links auf einem Weg raumeinwärts zu einer Mühle und Gehöften. Ein Mann geht nebenher. Halbrechts sitzen zwei Männer am Wegrand.

Nachzeichnung: I) Wie beschrieben.
　　Links falsch signiert: VG
　　Schwarze Kreide 125 × 200
　　Sammlung Jhr. Mr P. A. van der Velden, 1892 vermacht dem
　　RIJKSPRENTENKABINET IN AMSTERDAM; Inv. Nr. A 2571
　　Ausgestellt: Amsterdam, 1903 (VG) Nr. 30

848v. Fischer in Segel- und Ruderbooten am Ufer. Viele Fischkörbe. In der Mitte ein abgetakeltes Segelboot.

Nachzeichnung: I) Rechts falsch bezeichnet: VG 1652
　　Schwarze Kreide 122 × 195
　　Sammlung J. de Grez, 1914 vermacht den
　　MUSÉES ROYAUX DES BEAUX-ARTS IN BRÜSSEL; Inv. Nr. 1406

848w. Ein Reiter und ein zweispänniger Wagen links auf einem Deich: weiter zurück ein Gehöft. Kähne liegen entlang dem Ufer, halblinks drei Fischer beim Auslegen des Netzes. Das rechte Ufer in der Ferne.

Nachzeichnung: I) Rechts unten datiert 1652
　　Schwarze Kreide, laviert 125 × 254
　　Gestochen von Marie Felsenberg mit einigen Änderungen, beispielsweise ohne den Reiter ganz links
　　ALBERTINA IN WIEN; Inv. Nr. 8520

848x. Vier Figuren, unter ihnen eine Bäuerin mit Kopflast und ein sitzender Bauer, rechts von der Mitte auf einer Straße in Unterhaltung. Weiter links zurück ein Gehöft.

Nachzeichnung: I) Wie beschrieben.
　　Falsch signiert: VG 1647
　　Schwarze Kreide, grau laviert 134 × 192
　　KUNSTSAMMLUNG DER UNIVERSITÄT GÖTTINGEN; Inv. Nr. 1130

848y. Eine Herde von sechs Kühen am diesseitigen Ufer, von dem links vorn ein beladenes Fährboot abstößt. Am jenseitigen Ufer einige Gehöfte, andere um eine Kirche weiter rechts auf halber Höhe eines Hügels, auf dessen Höhe ein Schloß steht. Boote auf dem Fluß.

Nachzeichnung: I) Wie beschrieben. Unsigniert.
　　Schwarze Kreide, laviert 170 × 273
　　Versteigerung [Freiherr Heyl zu Herrnsheim aus Worms] in Stuttgart am 25.5.1903 Nr. 153 (Mk 350 Schiller)
　　– in Amsterdam am 5.7.1927 Nr. 332
　　– A. W. M. Mensing in Amsterdam am 27.4.1937 Nr. 231 (fl 85 Brandt)
　　Privatsammlung in New York, 1967

848z. Flußlandschaft mit einem Kahn mit zwei Fischern der links von der Mitte bei einem von Gebüsch umgebenen Gehöft liegt. Weiter zurück am linken Ufer ein anderes Gehöft. Rechts vorn zwei Fischkörbe im Wasser.

Nachzeichnung: I) Wie beschrieben.
　　Falsch signiert: VG 1651
　　Schwarze Kreide, laviert 115 × 195
　　Versteigerung Tony Mayer in Paris am 3.12.1957 Nr. 8 mit Abb.
　　– in Paris am 1.4.1965 Nr. 24 mit Abb.

849a. Häuser in einer Mauer und ein Stadttor am Flußufer (rechts); ein Haus hat einen Erker. An der Mauer lehnen Mühlsteine; Figuren auf der Straße am Fluß; Boote weiter zurück.

Nachzeichnung: I) Wie beschrieben.
Falsch signiert: VG 1653
Schwarze Kreide, laviert 179 × 276
Wasserzeichen: gekröntes Lilienwappen, unten RW (Abb. 44)
Literatur: Bernt (2), I, Nr. 269 mit Abb.
Versteigerung in Amsterdam am 2.12.1913 Nr. 1206
Sammlung Dr. C. Hofstede de Groot im Haag
Ausgestellt: Leiden, 1916, A, Nr. 55
– Den Haag, 1930, I, Nr. 59
1931 geschenkt dem
GRONINGERMUSEUM VOOR STAD EN LANDE; Kat. 1967 Nr. 32 mit Abb. (Inv. Nr. 1931-164)
Ausgestellt: Groningen, 1931, Nr. 65
– Den Haag, RKD, 1955 Nr. 27

849b. Ein Kahn mit Fischkorb links vorn am diesseitigen Ufervorsprung; auf dem dominierenden linken Ufer (ganz links) ein Mann, der einem Angler zuschaut; weiter raumeinwärts Gebüschgruppen um Gehöfte.

Nachzeichnung: I) Wie beschrieben. Rückseite: Amsterdamer Tor in Haarlem
Falsch signiert: VG 1652
Schwarze Kreide 163 × 274
Wasserzeichen: RP
Versteigerung Mrs. N. J. van Lessen aus Wassenaar in London (So) am 11.3.1964 Nr. 185 (zusammen mit Z 849c)
Kunsthandlung Schaeffer Galleries in New York, 1964
II) im Gegensinn, nur die Vorderseite.
Sammlung Ch. Gasc
– J. F. Gigoux, vermacht dem
MUSEUM IN BESANÇON; Inv. Nr. 771 (auf der Rückseite). – Die Vorderseite beschrieben unter Z 849 d I

849c. Ein Planwagen hält vor einem Gasthaus im Mittelgrund; die Pferde werden gefüttert. Nach rechts schließt ein ansteigender Hügel an, auf dem (ganz rechts) drei Figuren. – Ähnliche Komposition wie Z 184 und 817a (?).

Nachzeichnung: I) Wie beschrieben.
Falsch signiert VG 1652
Schwarze Kreide 163 × 274
Wasserzeichen: Schellenkappe
Versteigerung Mrs. N. J. van Lessen aus Wassenaar in London (So) am 11.3.1964 Nr. 185 (zusammen mit Z 849b an Schaeffer)
Kunsthandlung Schaeffer Galleries in New York, 1964

849d. Gebäude mit kleinem Balkon (rechts vorn) und verfallener Rundturm (Mitte) am Uferrand. Vorn sitzt ein Mann; Boote liegen bei dem Rundturm.

Nachzeichnung: I) Wie beschrieben.
Schwarze Kreide 162 × 273
Wasserzeichen: Schellenkappe mit 4 Kugeln
Sammlung Ch. Gasc
– J. F. Gigoux, vermacht dem
MUSEUM IN BESANÇON; Inv. Nr. 771 (die Rückseite beschrieben unter Z 849b II)

849e. Dordrecht. Rondeel Engelenburg und Papenbolwerk rechts am Ufer, an dem im Zentrum ein Kahn mit mehreren Figuren anzulegen versucht. In der Ferne Segelboote, links vorn zwei Figuren. – Vergleiche: Z 697

Nachzeichnung: I) wie beschrieben
Rechts falsch bezeichnet: VG 164(8)
Schwarze Kreide, laviert 172 × 273
Versteigerung in London (Chr) am 25.6.1968 Nr. 12 (£ 420)

850a. Flußlandschaft mit einem Dorf am linken Ufer; vorn zwei Ruderkähne bei einem Häuschen auf Pfählen mit hohem Hebebalken; weiter zurück ein Reiter auf einer Brücke. Im Hintergrund ein Kirchturm. Rechts vorn zwei Männer im Kahn an einem Vorsprung des diesseitigen Ufers, auf dem eine Frau mit Kind sitzt. – Nicht überzeugend.

Schwarze Kreide, laviert 168 × 272 (?)
Gestochen von W. BAILLIE (im Gegensinn?) [ganz selten sind Abdrücke in Sepia] mit dem Titel „Alphen near Leiden", 1777 (Weigel 2976); damals in der Sammlung Earl of Bute

851a. Zwei Reiter und drei Männer mit Hunden auf einem Hügel rechts; links im Tal Kühe auf der Weide in der Ferne ein Kirchdorf.

Gestochen von L. BRASSER (im Gegensinn?)

851b. Winter. Links ein Wirtschaftszelt auf einer Geländewelle; davor ist ein Boot eingefroren; Schlitten und Fußgänger.

Gestochen von L. BRASSER (im Gegensinn?)

Das dritte und vierte Blatt dieser Folge: siehe Z 361, 462 (von 1653)

852a. Stadtmauer mit Torbogen (Zentrum), dahinter Hütten. Vorn Figuren und eine Schubkarre (rechts)

Gestochen von J. GRONSVELT (I) (im Gegensinn?) – I. V. GOIEN delini. I. Gronsvelt fec. et ex.

852b. Flußlandschaft. Ein Kahn wird halbrechts entladen, daneben ein Baum, dahinter Ziehbrunnen vor einem Gehöft; eine Steinbrücke und Kirche.

Gestochen von J. GRONSVELT (II)

852c. Flußlandschaft, links ein Segelboot; im Zentrum schaut ein Mann einem Angler zu. Ganz links ein Baum. Am jenseitigen rechten Ufer zwei Hütten und Bäume; Boote und Gehöfte in der Ferne.

Gestochen von J. GRONSVELT (III)

852d. Ruinen im rechten Mittelgrund mit Turm und Haus; ein Mann steigt eine Treppe empor. Vorn zwei Männer, links vier Fußgänger.

Gestochen von J. GRONSVELT (IV)

852e. Rechts vorn am Weg eine Zigeunerfamilie, dabei drei Leute. Im Mittelgrund ein verfallener, viereckiger Turm; links zurück ein zweitürmiges Schloß, weiter vorn ein Teich.

Gestochen von J. GRONSVELT (V)

852f. Vorn ein Reiter und zwei Fußgänger, rechts ein Baum. Ein Weg führt zu einem Bogentor, zu dessen beiden Seiten Häuser stehen.

Gestochen von J. GRONSVELT (VI)

852g. Zwei Männer und ein Hund links vorn auf dem Uferweg, weiter zurück Vieh auf der Weide und eine Kirche. Rechts ein Ruderboot mit fünf Insassen, weiter zurück eine Brücke, ganz rechts ein überdeckter Brunnen und Häuser. (Vergleiche G 218)

Gestochen von J. GRONSVELT (VII) im Gegensinn

Original: Schwarze Kreide, rötlichbrauner Tuschpinsel 124 × 167
Sammlung Thane
Kunsthandlung Gebr. Douwes in Amsterdam, 1969/70 als E. van de Velde

852h. Eine Fähre mit Planwagen, Reiter und drei Insassen links; dahinter hügeliges Ufergelände mit Hütten und Turm. Rechts vorn altes Gemäuer, zwei Männer und ein Baum.
Gleiche Darstellung wie die Radierung Dutuit 1

Gestochen von J. GRONSVELT (VIII)

853a. Fünf Figuren auf einer Brücke, die rechts über einen Kanal führt. Dahinter eine Kirche. Links Figuren in der Dorfstraße.

Gestochen von A. V. D. HAER (van Goyen invenit 1647)
853b. Winter, links Hütten unter Bäumen und ein hoher Heustock; rechts Schlittschuhläufer.

Gestochen von A. V. D. HAER (van Goyen invenit 1647)

853c. Flußlandschaft mit dominierendem rechtem Ufer. Hütten und Heustock unter Bäumen; vorn ein Kahn mit zwei Fischern und Fischkorb. Ein Segler weiter zurück.

Gestochen von A. v. d. HAER

854a. Skizze: Weg, umsäumt von Bäumen.

Kreide
Gestochen von JANE C. HAYLES, um 1800 (Sammlung Thomas Kerrich?)

855a-j. Die Radierungen von J. v. HILTROP (1-10) sind mir bisher nicht bekannt.

855k. Zwei Figuren unterhalten sich vorn auf einem leicht ansteigenden Weg, der zu einer Mühle und Gehöften (links) führt. Rechts im Hintergrund eine Kirche und Häuser zwischen Bäumen.

Gestochen von J. v. HILTROP (11) (im Gegensinn?)

855l. Marine mit zwei Segelbooten links auf ruhigem Gewässer. Ein Kahn liegt an einer flachen Landzunge (Mitte). Im rechten Hintergrund Häuser, Turm und Bäume.

Gestochen von J. v. HILTROP (12) (im Gegensinn?)

856a. Flußlandschaft. Links vorn am diesseitigen Ufer sitzt ein Angler; am jenseitigen Ufer Gehöfte unter hohen Bäumen und Gebüsch; rechts drei Kühe. – Pendant zum folgenden Blatt (?)

Gestochen von R. MUYS, 1761 (im Gegensinn?)

856b. Flußlandschaft mit einem Angelfischer im Kahn links vorn an einer Landzunge, auf der zwei Männer stehen. Am jenseitigen Ufer mehrere Gehöfte (Mitte), Bäume, eine Wäscherin, zwei Ruderboote. – Pendant zum vorhergehenden Blatt (?)

Gestochen von R. MUYS

Nachzeichnungen: I) Wie beschrieben. Unsigniert.
  Schwarze Kreide, laviert 76 × 139
  Sammlung R. von Liphart
  – Dr. A. Nitzschner in Hannover
  KESTNER-MUSEUM IN HANNOVER; Inv. Nr. N 173 und Kat. 1960 Nr. 102 als Sal. van Ruysdael

II) Wie beschrieben. Unsigniert.
  Schwarze Kreide, laviert 80 × 140
  Versteigerung A. Langen in München am 5.6.1899 Nr. 130 mit Abb.
  Privatsammlung in London, 1965

857a. Dünenlandschaft. Links vorn zwei Figuren, von denen eine mit einem Rucksack steht. Rechts zurück eine Kirche am Horizont ⟨Scheveningen?⟩.

Gestochen von C. VAN NOORDE

858a. Zwei Wirtshäuser am Flußufer (rechts); ein Reiter und ein zweispänniger Wagen bei einem hohen Hebebalken am Ufer. Boote und Gehöfte weiter zurück. Vorn zwei Wohnboote.

Vorzeichnung: Z 846/110
Gestochen von G. PARIS, 1795 (Weigel 2982); damals in der Sammlung Basan in Paris (vielleicht aus Sammlung Neyman, 1776?)

Regiunculae amoenissimae eleganter delineatae a Johanne van Goyen et aeri incisae par JOHANNEM DE VISSCHER. – Folge von 12 Blättern

Titelblatt (1): siehe: Z 579 A
Blatt 2: siehe Z 475 A

859a. Kirche auf hohem Ufer. Treppen führen herauf bei einem Festungswall, an dem Segler liegen. Rechts vorn fünf Fischer im Kahn.

Gestochen von JAN DE VISSCHER (3) (im Gegensinn)

859b. Flußlandschaft. Rechts ein von einem Zaun umgebenes, von einem Baum überragtes Gehöft an einem Uferweg, der in der Ferne über eine Brücke zu einer Mühle (halblinks) führt. Vorn Fischer im Kahn, links zurück ein Segelboot.

Gestochen von JAN DE VISSCHER (4) (im Gegensinn)

859c. Zwei Mönche links vorn vor einer Kirche mit Storchennest. Zwei andere Mönche sitzen unter einem Dachvorbau der Kirche. Rechts liegen ein Ruder- und ein Segelboot am Ufer. Rechts in der Ferne das jenseitige hügelige Ufer.

Gestochen von JAN DE VISSCHER (5) (im Gegensinn)

859d. Fährboot mit einem Reiter und sieben Personen landet am linken Ufer; eine Kirche und Gebäude hinter Bäumen und Gebüsch im Mittelgrund. Rechts vorn zwei Ruderkähne.

Gestochen von JAN DE VISSCHER (6) (im Gegensinn)

Kopie: Gemälde.
Leinwand 96,5 × 128 cm. Gleichseitig wie die Radierung. Mit einigen Änderungen: z. B. rechts vorn viele aufgespannte Netze und ein Fischerkahn
Sammlung Joseph Satinover in New York, 1920
MINNEAPOLIS INSTITUTE OF ARTS; Inv. Nr. 20.3

Blatt 7: siehe Z 477
Blatt 8: siehe Z 471
Blatt 9: siehe Z 445

859e. Zwei Kähne mit vier Insassen liegen rechts vorn vor einer Landzunge, auf der ein Paar mit Kind und Hund steht. Links hat ein Segler angelegt. Fernes Ufer mit Gehöften und Windmühlen.

Gestochen von JAN DE VISSCHER (10) (im Gegensinn)

Blatt 11: siehe Z 497
Blatt 12: siehe Z 484

860a. Le Printemps. – Flußlandschaft. Am linken Ufer pumpt ein Mann Wasser am Brunnen; dabei ein Mann mit Hut und eine Bäuerin mit einem Kübel; weiter zurück Gehöft und Heustock unter Bäumen. Rechts auf dem Fluß ein Segelboot.

Gestochen von F. WEIROTTER und im Gegensinn von F. GABET (hier allerdings: van Goyen pinxit?)

Nachzeichnung: I) Wie beschrieben. Unsigniert.
Schwarze Kreide, laviert 185 × 225
Versteigerung in Bern am 21.6.1949 Nr. 638 mit Abb.
(als Pieter Molyn)

L'Esté. Siehe Z 116A.

860b. L'Automne. – Markt. Drei Schweine unter einem hohen Baum (Zentrum). Rechts und links davon zahlreiche Figuren; links karrt ein Bauer ein Schwein. Rechts eine Brücke über einen Kanal, vorn ein Bauer mit einem Schwein im Boot. Häuser und Kirche weiter zurück.

Gestochen von F. WEIROTTER und F. GABET (im Gegensinn)

860c. L'Hiver. – In der Mitte ein Heuschlitten, den zwei Männer über das Eis vorwärtsziehen und schieben. Links drei Herren und ein Mann, der auf einem eingefrorenen Kahn sitzt. Dahinter entlaubte Bäume und zwei Meiler. Rechts zurück Schlittschuhläufer, ein Pferdeschlitten und ein Kirchdorf.

Gestochen von F. WEIROTTER und FRANZ GABET (im Gegensinn)

861a. Eine Windmühle, ein Wachtturm und eine Kanone links auf einer Landzunge; davor ein Kahn mit zwei Männern; ein anderer Kahn mit einem Fischer rechts vorn vor Pfahlwerk. Segelboote weiter zurück.

Gestochen von einem unbekannten Künstler

REGISTER DER STECHER NACH ZEICHNUNGEN

ZUSAMMENSTELLUNG DER WASSERZEICHEN

Bei den Wasserzeichen habe ich mich vielfach auf die Angaben der Versteigerungskataloge, der Sammler und Museen verlassen müssen. Da in manchen Katalogen überhaupt keine Wasserzeichen beschrieben werden und viele Zeichnungen in Graphischen Sammlungen aufgezogen sind, muß die Zusammenstellung leider unvollständig bleiben.

Die originalgroßen Wasserzeichenabbildungen auf den folgenden Tafeln beruhen auf Photographien oder sind mit mehr oder weniger zeichnerischem Geschick (überwiegend von der Rückseite der Zeichnungen) abgepaust. Die meisten Wasserzeichenskizzen verdanke ich dem Rijksprentenkabinet in Amsterdam, dem Museum Boymansvan Beuningen in Rotterdam und dem Musée des Beaux-Arts in Brüssel.

1. AGNUS DEI *(Abb. 1-7)*
Z 204 (1651), 220 (1651), 225 (1651), 237 (1651), 239 (1651), 295 (1652) 482 (1653)

2. HORN *(Abb. 8-19)*
auch mit unbekannten Buchstaben: Z 100 (1631), 360 (1653), 411 (1653), 443 (1653) 449 I, 468 (1653), 475 (1653), 475A, 487 (1653), 492 (1653), 495 (1653), 501a (1653), 501d (1653), 560 (1654), 563 (1656)
mit AB: Z 100 (?), 101 (1631), 107 (1631), 133 (1634)
mit AJ: Z 182 (1649)
mit DM: Z 293 (1652)
mit LA: Z 177 (1649)
mit LA, LB: Z 846 (um 1648)
mit LR: Z 436 (1653), 462 (1653)
mit M: Z 398 (1653), 481 (1653)
mit MC: Z 343 (1653), 358 (1653), 412 (1653)
mit MG: Z 289 (1652), 308 (1652), 316 (1652), 324 (1652)
mit PM: Z 209 (1651), 270

3. GEKRÖNTES WAPPEN MIT HORN, unten WR Z 834

4. SCHELLENKAPPE *(Abb. 20-30a)*
Z 219 (1651), 304b (1652), 304c (1652), 660a, 820a, 849c I
mit 4 Kugeln: Z 849d I
mit 4 Kugeln, unten FC: Z 160 (1647), 161 (1647), 597, 600
mit 4 Kugeln, unten IC oder LC: Z 61 I
mit 4 Kugeln, unten LC: Z 151 (1644), 153 (1644)
mit 5 Kugeln: Z 158 (1646), 235 (1651), 242 (1651), 243 (1651), 247 (1651), 252 (1651), 253 (1651), 258 (1651), 292 (1652), 296 (1652), 307 (1652), 314 (1652), 321 (1652), 568 (1656)
mit 5 Kugeln, unten DC: Z 795
mit 7 Kugeln: Z 371 (1653), 375 II, 473 (1653), 476 (1653), 497 (1653), 529 II, 820

5. LILIE ÜBER WAPPEN MIT DIAGONALEM BAND *(Abb 31, 32)*
Z 828, 836

6. GEKRÖNTES LILIENWAPPEN *(Abb. 33-44)*
Z 121 I, 172 (1648), 350A (1653), 393a I, 431 (1653), 434 (1653), 546 (1653), 628 I 628a, 630, 738A 822, 826
mit LC: Z 140 (1640)
mit LR: Z 130 (1634), 131 (1634), 164 (1647), 166 (1647), 169 (1647), 848d I
mit W: Z 369 (1653), 534 (1653), 543 (1653), 553 (1653)
mit WR: Z 365 (1653), 366 (1653), 368 (1653), 372 (1653), 382 (1653), 427 (1653), 428 (1653), 515 (1653), 527 (1653), 530 (1653), 533 (1653), 545 (1653), 549 (1653), 628, 823, 849a I

7. WAPPEN *(Abb. 45-57, 71)*
von Neuchâtel *(Abb. 45, 46)*: Z 75 (1627), 77 (1627), 80 (1627), 81 (1627), 83 (1627), 86 (1627), 87 (1627)
von Burgund und Österreich *(Abb. 47)*: Z 690, 788d
von Bern *(Abb. 49)*: Z 742
von Lothringen *(Abb. 48)*: Z 236 (1651), 683, 847 (1650/51)
von Amsterdam: *(Abb. 49a)* Z 184 II
Unbekannt: Z 80 (1627), 87 (1627), 141 (1640)

VON BASEL (BASLER STAB)
Greif mit Haus *(Abb. 50-53a)*: Z 64 (1627), 70 (1627), 93 (1629), 128 (1633), 593, 610, 611, 635
Drache, unten drei Kugeln *(Abb. 71)*: Z, 15, 119 (1631), 710
im Wappenschild, unten AV *(Abb. 54)*: Z 18
im Wappenschild *(Abb. 55, 56)*: Z 61?, 437 (1653), 459 (1653), 484 (1653), 579A (1652/53), 737
im Blütenkranz: Z 182 I
im Wappenschild über einem Haus: Z 731, 732

mit Adler *(Abb. 58-66)*:
Großer einköpfiger Adler: Z 51 (1625), 55 (1625), 62 (1626)
Kleiner einköpfiger Adler: Z 111 (1631), 113 (1631), 619, 730, 798
Doppelköpfiger Adler im Wappenschild: Z 68 (1627), 89 (1628), 815, 816
Doppelköpfiger Adler mit Herz: Z 147 (1644), 835
Gekrönter doppelköpfiger Adler mit Herz: Z 229 (1651), 241 (1651), 255 (1651), 263 (1651), 281 (1651), 282 (1651), 330 (1652)
Unbekannt: Z 71 (1627), 154 (1644)

8. KRONE ÜBER DREI KREISEN *(Abb. 67-70)*
Z 207 (1651), 337 (1653), 344 (1653), 345 (1653), 407 (1653), 438 (1653), 446 (1653), 452 (1653), 458 (1653), 566 (1656), 571 (1656)

9. TAUBE IM KREIS *(Abb. 72)*
Z 620

10. PELIKAN (im ornamentierten Rahmen) *(Abb. 73)*
Z 259 (1651)

11. LÖWE IM KREIS (Vryheyt)
Z 392a I

12. BUCHSTABEN UND NAMEN *(Abb. 74-82)*
AB: Z 144 (1642)
D & CB: Z 276 I
FC: Z 286 (1652), 466 (1653)
FS: Z 375 I
HP: Z 170 (1647)
HR: Z 368 I
LC (?): Z 286 (1652)
LR (klein u. groß) Z 214 (1651), 233 (1651), 389 (1653), 397 (1653), 426 (1653), 432 (1653), 511 (1653), 513 (1653), 520 (1653), 526 (1653), 528 (1653), 541 (1653), 547 (1653), 550 (1653), 554 (1653)
MCED: Z 490 (1653)
MCFD: Z 157 (1646), 491 (1653), 503 (1653)
NH: Z 791
PB (oder PR): Z 529 I
PD: Z 145 (1642), 457 (1653)
RB (oder PB): Z 129
RP: Z 849b I
WK: Z 250 (1651), 848r
ADRIAAN ROGGE: G 988 NI
& C. BLAUW: Z 615 I

13. FRAGMENTE UND UNBEKANNTE WASSERZEICHEN
Z 332a (1653), 593, 646, 653, 735, 782, 794 I, 825

Abb. 1 Agnus Dei (Z 239)

Abb. 2 Agnus Dei (Z 237)

Abb. 3 Agnus Dei (Z 225)

Abb. 4 Agnus Dei (Z 220)

Abb. 5 Agnus Dei (*Z 204*)

Abb. 6 Agnus Dei (*Z 295*)

Abb. 7 Agnus Dei (*Z 482*)

2. HORN *(Abb. 8-19)*

auch mit unbekannten Buchstaben: Z 100 (1631), 360 (1653),
    411 (1653), 443 (1653) 449I, 468 (1653), 475 (1653), 475A,
    487 (1653), 492 (1653), 495 (1653), 501a (1653), 501d (1653),
    560 (1654), 563 (1656)
mit AB: Z 100 (?), 101 (1631), 107 (1631), 133 (1634)
mit AJ: Z 182 (1649)
mit DM: Z 293 (1652)

mit LA: Z 177 (1649)
mit LA, LB: Z 846 (um 1648)
mit LR: Z 436 (1653), 462 (1653)
mit M: Z 398 (1653), 481 (1653)
mit MC: Z 343 (1653), 358 (1653), 412 (1653)
mit MG: Z 289 (1652), 308 (1652), 316 (1652), 324 (1652)
mit PM: Z 209 (1651), 270

Abb. 8 Horn, mit AB *(Z* 100[?], 101, 107)

Abb. 9 Horn *(Z* 411, 492)

Abb. 10 Horn *(Z* 487, 495)

Abb. 11 Horn *(Z* 449 I)

Abb. 12 Horn, mit DM *(Z* 293)

Abb. 13 Horn, mit LR *(Z* 436, 462)

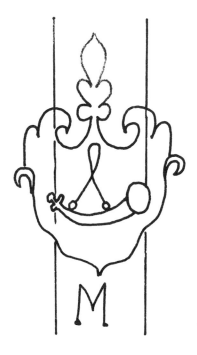

Abb. 14 Horn, mit M (*Z* 398)

Abb. 15 Horn, mit M (*Z* 481)

Abb. 16 Horn, mit MC (*Z* 358)

Abb. 17 Horn, mit MC (*Z* 343, 412)

Abb. 18 Horn, mit MG (*Z* 289, 308, 316, 324)

Abb. 19 Horn, mit PM (*Z* 270)

3. GEKRÖNTES WAPPEN MIT HORN, unten WR Z 834

4. SCHELLENKAPPE *(Abb. 20–30a)*
Z 219 (1651), 304b (1652), 304c (1652), 660a, 820a, 849c I
mit 4 Kugeln: Z 849d I
mit 4 Kugeln, unten FC: Z 160 (1647), 161 (1647), 597, 600
mit 4 Kugeln, unten IC oder LC: Z 61 I
mit 4 Kugeln, unten LC: Z 151 (1644), 153 (1644)
mit 5 Kugeln: Z 158 (1646), 235 (1651), 242 (1651), 243 (1651),
    247 (1651), 252 (1651), 253 (1651), 258 (1651), 292 (1652),
    296 (1652), 307 (1652), 314 (1652), 321 (1652), 568 (1656)
mit 5 Kugeln, unten DC: Z 795
mit 7 Kugeln: Z 371 (1653), 375 II, 473 (1653), 476 (1653),
    497 (1653), 529 II, 820

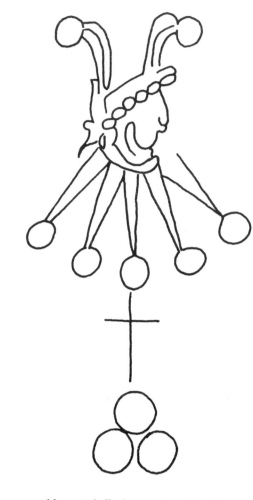

Abb. 22 Schellenkappe mit 5 Kugeln
(Z 242, 247, 253)

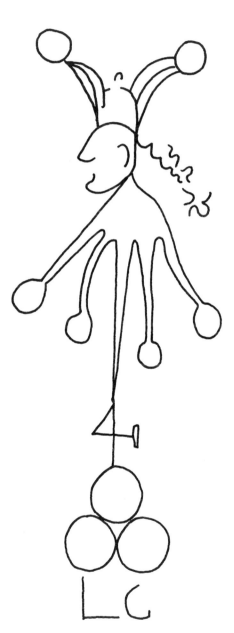

Abb. 20 Schellenkappe mit 4 Kugeln, LC
(Z 151[?], 153)

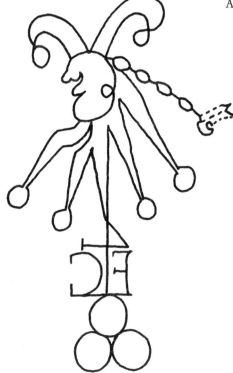

Abb. 21 Schellenkappe mit 4 Kugeln, FC
(Z 160, 161, 597, 600)

Abb. 23 Schellenkappe mit 5 Kugeln
(Z 296)

Abb. 24 Schellenkappe mit 5 Kugeln
(Z 243, 258, 314, 321)

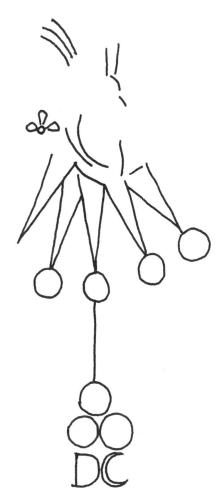

Abb. 25 Schellenkappe mit 5 Kugeln, DC
(Z 795)

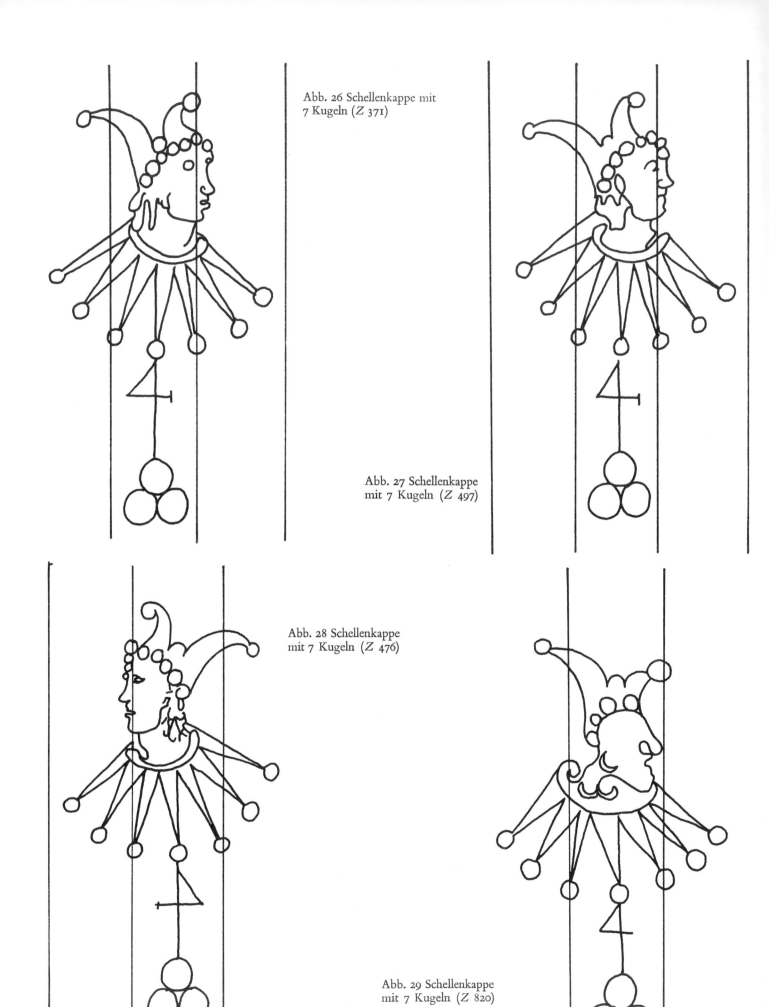

Abb. 26 Schellenkappe mit
7 Kugeln (Z 371)

Abb. 27 Schellenkappe
mit 7 Kugeln (Z 497)

Abb. 28 Schellenkappe
mit 7 Kugeln (Z 476)

Abb. 29 Schellenkappe
mit 7 Kugeln (Z 820)

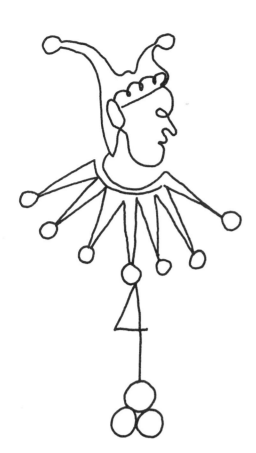

Abb. 30 Schellenkappe mit 7 Kugeln (Z 375 II)

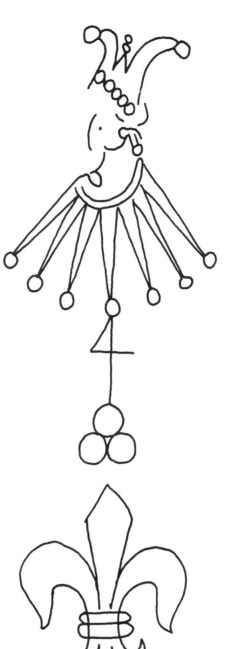

Abb. 30a Schellenkappe mit 7 Kugeln (Z 529 II)

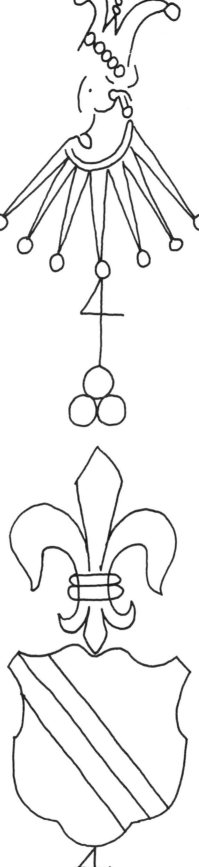

Abb. 32 Lilie über Wappen mit diagonalem Band, unten WR (Z 828)

5. LILIE ÜBER WAPPEN MIT DIAGONALEM BAND
 (Abb. 31, 32)
Z 828, 836

Abb. 31 Lilie über Wappen mit diagonalem Band, unten WR (Z 836)

6. GEKRÖNTES LILIENWAPPEN *(Abb. 33-44)*
Z 121 I, 172 (1648), 350A (1653), 393a I,
    431 (1653), 434 (1653), 546 (1653),
    628 I 628a, 630, 738a 822, 826
mit LC: Z 140 (1640)
mit LR: Z 130 (1634), 131 (1634), 164
    (1647), 166 (1647), 169 (1647), 848d I
mit W: Z 369 (1653), 534 (1653), 543
    (1653), 553 (1653)
mit WR: Z 365 (1653), 366 (1653), 368
    (1653), 372 (1653), 382 (1653), 427
    (1653), 428 (1653), 515 (1653), 527
    (1653), 530 (1653), 533 (1653), 545
    (1653), 549 (1653), 628, 823, 849a I

Abb. 33 Gekröntes Lilienwappen, LR
(Z 130)

Abb. 34 Gekröntes Lilienwappen, LR
(Z 169)

Abb. 35 Gekröntes Lilienwappen, LR
(Z 166)

Abb. 36 Gekröntes Lilienwappen, LR
(Z 848d I)

Abb. 37 Gekröntes Lilienwappen
(Z 172)

Abb. 38 Gekröntes Lilienwappen, WR
(Z 366, 527, 530)

Abb. 40 Gekröntes Lilienwappen, WR
(Z 372, 545)

Abb. 39 Gekröntes Lilienwappen, WR
(Z 368, 382, 427, 428)

Abb. 41 Gekröntes Lilienwappen, WR (Z 628)

Abb. 42 Gekröntes Lilienwappen, W
(Z 369, 534, 543, 553)

Abb. 43 Gekröntes Lilienwappen (Z 121 1)

Abb. 44 Gekröntes Lilienwappen, WR
(Z 849a 1)

Abb. 45 Wappen von Neuchâtel (*Z 81*) Abb. 46 Wappen von Neuchâtel (*Z 83*) Abb. 47 Wappen von Burgund
und Österreich (*Z 690*)

7. WAPPEN *(Abb. 45-57, 71)*
von Neuchâtel *(Abb. 45, 46)*: Z 75 (1627), 77
  (1627), 80 (1627), 81 (1627), 83 (1627), 86 (1627),
  87 (1627)
von Burgund und Österreich *(Abb. 47)*: Z 690,
  788d
von Bern *(Abb. 49)*: Z 742
von Lothringen *(Abb. 48)*: Z 236 (1651), 683, 847
  (1650/51)
von Amsterdam: *(Abb. 49a)* Z 184 II
Unbekannt: Z 80 (1627), 87 (1627), 141 (1640)

VON BASEL (BASLER STAB)
Greif mit Haus *(Abb. 50-53a)*: Z 64 (1627), 70
  (1627), 93 (1629), 128 (1633), 593, 610, 611, 636
Drache, unten drei Kugeln *(Abb. 71)*: Z, 15, 119
  (1631), 710
im Wappenschild, unten AV *(Abb. 54)*: Z 18
im Wappenschild *(Abb. 55, 56)*: Z 61 ?, 437 (1653),
  459 (1653), 484 (1653), 579A (1652/53), 737
im Blütenkranz: Z 182 I
im Wappenschild über einem Haus: Z 731, 732

Abb. 49 Wappen von Bern (*Z 742*)
(Fragment)

Abb. 48 Wappen von Lothringen
(*Z 236*)

Abb. 49a Wappen von Amsterdam (Z 184 II)

Abb. 50 Greif mit Haus (Z 70)

Abb. 51 Greif mit Haus (Z 93)

338

Abb. 52 Greif mit Haus (*Z* 610)

Abb. 53 Greif mit Haus (*Z* 128, 611)

Abb. 53a Greif mit Haus (*Z* 64)

Abb. 54 Basler Stab im Wappenschild, AV
(*Z* 18)

Abb. 55 Basler Stab im Wappenschild
(*Z* 437)

Abb. 56 Basler Stab im Wappenschild
(*Z* 459, 484)

Abb. 57 Basler Stab im Blütenkranz (Z 1821)

Abb. 71 Drache mit Basler Stab,
unten drei Kugeln (Z 119[?], 710)

340

mit Adler *(Abb. 58-66)*:
Großer einköpfiger Adler: Z 51 (1625), 55 (1625), 62 (1626)
Kleiner einköpfiger Adler: Z 111 (1631), 113 (1631), 619, 730, 798
Doppelköpfiger Adler im Wappenschild: Z 68 (1627), 89 (1628), 815, 816

Doppelköpfiger Adler mit Herz: Z 147 (1644), 835
Gekrönter doppelköpfiger Adler mit Herz: Z 229 (1651), 241 (1651), 255 (1651), 263 (1651), 281 (1651), 282 (1651), 330 (1652)
Unbekannt: Z 71 (1627), 154 (1644)

Abb. 58 Großer einköpfiger Adler, Basler Stab (Z 51, 62)   Abb. 59 Großer einköpfiger Adler, Basler Stab (Z 55)

Abb. 60 Doppelköpfiger Adler
im Wappenschild
über Basler Stab (Z 68, 815, 816)

Abb. 60a Doppelköpfiger Adler
im Wappenschild
über Basler Stab (Z 89)

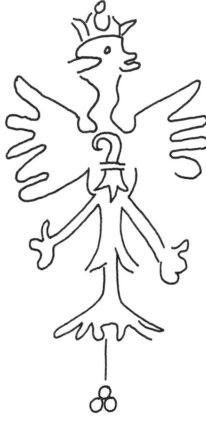

Abb. 61 Kleiner einköpfiger Adler,
Basler Stab (Z 113)

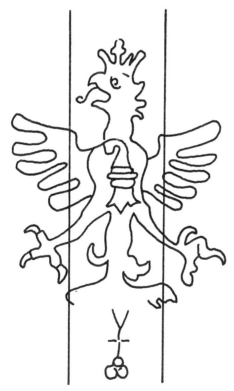

Abb. 62 Kleiner einköpfiger Adler,
Basler Stab (Z 111)

Abb. 63 Kleiner einköpfiger Adler,
Basler Stab (Z 730)

Abb. 64 Kleiner einköpfiger Adler,
Basler Stab (*Z* 798)

Abb. 65 Doppelköpfiger Adler mit Basler Stab im Herz (*Z* 147)

Abb. 66 Gekrönter doppelköpfiger Adler mit Basler
Stab im Herz (*Z* 229[?], 241[?], 255, 263, 281[?], 282)

Abb. 67 Krone über drei Kreisen, Halbmond (Z 458)

Abb. 68 Krone über drei Kreisen, Halbmond (Z 407)

Abb. 69 Krone über drei Kreisen (Z 207[?], 345)

Abb. 70 Krone über drei Kreisen (Z 207[?], 571)

Abbildung 71 auf Seite 340

9. TAUBE IM KREIS *(Abb. 72)*
Z 620

10. PELIKAN (im ornamentierten Rahmen) *(Abb. 73)*
Z 259 (1651)

Abb. 72 Taube im Kreis (Z 620)

Abb. 73 Pelikan (ohne den ornamentierten Rahmen) (Z 259)

11. LÖWE IM KREIS (Vryheyt)
Z 392a I

12. BUCHSTABEN UND NAMEN (*Abb. 74-82*)
AB: Z 144 (1642)
D & CB: Z 276 I
FC: Z 286 (1652), 466 (1653)
FS: Z 375 I
HP: Z 170 (1647)
HR: Z 368 I
LC (?): Z 286 (1652)
LR (klein u. groß) Z 214 (1651), 233 (1651),
   389 (1653), 397 (1653), 426 (1653), 432 (1653),
   511 (1653), 513 (1653), 520 (1653), 526 (1653),
   528 (1653), 541 (1653), 547 (1653), 550 (1653),
   554 (1653)
MCED: Z 490 (1653)
MCFD: Z 157 (1646), 491 (1653), 503 (1653)
NH: Z 791
PB (oder PR): Z 529 I
PD: Z 145 (1642), 457 (1653)
RB (oder PB): Z 129
RP: Z 849b I
WK: Z 250 (1651), 848r
ADRIAAN ROGGE: G 988 NI
& C. BLAUW: Z 615 I

13. FRAGMENTE UND UNBEKANNTE WASSERZEICHEN
Z 332a (1653), 593, 646, 653, 735, 782, 794 I, 825

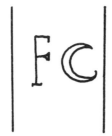

Abb. 74 Buchstaben FC
(Z 286, 466)

Abb. 75 Buchstaben FS
(Z 375 I)

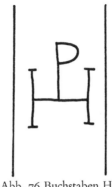

Abb. 76 Buchstaben HP
(Z 170)

Abb. 77 Buchstaben LR (klein)
(Z 214, 233)

Abb. 78 Buchstaben LR (groß)
(Z 389, 432, 526, 550, 554)

Abb. 79 Buchstaben MCFD
(Z 157)

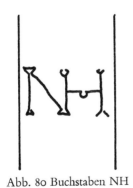

Abb. 80 Buchstaben NH
(Z 791)

Abb. 81 Buchstaben PD
(Z 457)

Abb. 82 Buchstaben WK
(Z 250[?], 848r)

REGISTER

Die Namen der Sammler und Sammlungen sind in alphabetischer Reihenfolge aufgeführt. Museen und andere öffentliche Sammlungen sind unter ihrem Aufenthaltsort nachzuschlagen.

Klammern () weisen auf zitierte Gemälde und Zeichnungen auch anderer Künstler hin.

Römische Zahlzeichen nach der Katalognummer kennzeichnen Nachzeichnungen.

REGISTER DER SAMMLUNGEN UND MUSEEN

Abbot oder Abott, F. 125, 437
Abrams, George S. 20, 608, 657A, 847/153-154
Agnew & Sons, Thos. 298, 443, 540
Ailly 349
Albers, Johann Heinrich 112, 114, 220, 259
Alexander-Katz, Dr. R. 415, 727, 734
Altena, Prof. Dr. J. Q. van Regteren 27, 34, 36, 44, 659, 660, 664, 694, 739
Alverthorpe Gallery 539
Ames, W. und A. 174, 704
Amsler & Ruthardt (*siehe auch* Meder) 156C, 218a, 273a, 333, 404, 450, 467, 471, 562 I
Amstel, Ploos van 392a, 393a, 842O
AMSTERDAM, Rijksprentenkabinet 8, 13, 19, 23A, 23B, 26, 31, 42, 46, 53, 62, 94, 97, 101, 102, 111, 136, 137, 138, 167, 172, 178, 204, 214, 215, 234, 243, 289 I, 295, 314, 325, 326, 327, 347, 371, 375 I, 403, 411, 449 I, 466, 470, 490, 497, 541, 571, 579, 603, 611, 689, 690, 703, 706, 748, 820, 833, 847/25, -/39, -/49, -/120A, -/141, -/160C, -/165-166, -/183, -/184, -/198, -/210B, 848u I
AMSTERDAM, Gemeentemusea 129, 169, 774
ANGERS 338, 346
ANN ARBOR, MICH. 263
Apel-Ermlitz, Th. 78
Argenti, N. 159
Argoutinsky-Dolgoroukoff, Prinz W. 36, 224 I, 529
Armand, A. 439
Arnal, Jacques 818 I
Arnoult, Léon 95
Arozarena, D. G. de 283a, 842b
Artaria, A. und Artaria & Co. 40a, 130, 332a, 350a, 362, 374, 406, 432, 494b, 498, 533, 543a, 579A, 594, 597
Asscher, Martin B. 355
ATHEN 837
A. v. B. 292
Aymonier 711

B., A. v. 292
Backus, Le Roy M. 67, 775 I
Bader, Dr. Alfred 128
Baer, Curtis O. 579A, 847/66, -/74, -/140B, -/143, -/148
Baer & Co., Josef 141
Bailleul, Marquis de 524
Baker, Walter C. 35, 448
Bakker 308

Bale, Charles Sackville 177c, 192a, 431
Balfoort, J. H. 411, 820
Balfour, Lady F. 296a
Barck, Graf Nils 202 I, 425a, 465A, 507a, 567a
Barnard, J. 216, 226, 232, 302, 422, 513, 842h
Barnon 818 I
Basan 484, 858a
Bastiaans 53
Bateson, William 16, 802a
BAYONNE 196, 685
Beck, Dr. W. 9, 16, 98, 116A I, 132, 160, 233, 345, 406, 432, 437, 562 I, 576, 593, 612A I, 684, 715, 718, 734, 765, 773, 791, 836
Beckerath, von 41, 45, 66, 71, 209, 300, 311, 369, 392a III, 416, 433, 481, 583, 586, 641, 649, 674, 717, 798
Beeftingh, P. van der Dussen van 306
Beek, van der 560
Beels van Heemstede-van Loon 167, 178, 327, 371
Beets, Dr. 16, 145, 194a, 205, 224 I, 231
Bellingham-Smith 270a, 378, 654a
Berg, A. 131
BERLIN 41, 45, 52, 54, 65, 66, 71, 73, 76, 84, 90, 91, 108, 120, 121, 124, 134, 146, 149, 182, 184 II, 190, 209, 218, 270, 300, 311, 315, 333, 369, 384, 392a III, 404, 416, 433, 450, 451, 458, 464, 467, 471, 481, 483, 525, 529 II, 583, 585, 586, 599, 602, 604, 618, 622, 641, 649, 656, 668, 674, 695, 717, 728, 732, 735, 738, 775, 785, 788, 798, 814 I, 827, 832
BERLIN (OST) 71, 425, 506
Berner 230a
Bernt, Dr. Walther 826
Beroldingen, J. von 773
BESANÇON 229 I, 276 I, 339, 473, 547, 615 I, 737, 766, 794 I, 849b II, 849d I
Betzkoy, Ivan J. 756
Beurdeley, A. 209 I, 230, 644
Beurnonville, Baron de 14, 35
Bicker, Jhr. D. 28, 29, 30
Bier, H. N. 168, 271, 448
Bil... (= Knowles?) 524c
BIRMINGHAM, Barber Institute 99
Birnbaum, J. 752
Bishirgian, G. 549
Blake, H. E. 245
Blenz 218, 788
Bligny 445d, 501b
Blokhuyzen, D. Vis 324, 482, 483, 505, 544, 842g

Blouw, Dr. H. C. Valkema 276, 417, 703, 731
Böhler, Dr. Julius 420, 494, 573
Böhler, J. W. 173, 848 O I
Böhm, J. D. 332a, 727b, 732a, 813
Boer, P. (und N.) de 10, 11, 12, 67, 110, 177, 222, 847/13, 847/43, -/56, -/230B
Boerner, C. G. 16, 20, 37, 78, 127, 134a, 139, 140, 142a, 142b, 168, 181, 208, 209 I, 217, 222, 224, 237, 257, 261, 282, 285, 287, 297, 300a, 317, 328, 344, 365, 378, 406, 412a, 424, 431, 435, 454, 475, 488, 520, 543, 564, 568, 575, 580, 644, 653, 715, 718, 739, 751, 752, 820a, 823 I, (846/63), 847/36, -/46-47, -/149, -/195
Boers, E. 375 I
Bohn, H. 844 (I-182)
Bonn, Max J. 183, 524b
Bonnat, L. 196, 685
Bottellier-Lasquin, G. 249
Boussac, J. 125, 200, 328, 437, 637, 661, 681, 747
Bowring, A. C. 448, 825a
Boymans, F. J. O. 170, 225, 402, 514 I, 610, 680, 682, 848d I
Brackley, D. E. 298
Brame 330b
Brandes 505, 701, 848j I
Brandt, P. 130, 316, 612A, 822, 848y I
BRAUNSCHWEIG 165, 339 I, 346 I, 570, 738A, 738B
Bredius, Dr. A. 80, 254, 845
BREMEN 112, 114, 174, 220, 259, 370, 386, 395, 396, 597
Bremmer, H. P. 276, 838a
Brightwen, Mrs. 224b
Brissac 187a, 507
Brockhaus 56
Brod, A. 20, 37, 61 I, 64, 80, 89, 134 I, 208, 257, 308 I, 316 I, 356, 357, 378, 389, 390, 434, 454, 498, 549, 554, 555, 566, 568, 584, 619, 640, 745, 847/146-147
Brondgeest 274
Brown, J. N. 192
Brownlow 422
Brück, Anton 16
BRÜNN (BRNO) 362
Brüsaber, C. B. 85, 788b, 788c
BRÜSSEL 22, 24, 25, 32, 33, 68, 105, 107, 166, 251, 274, 289b, 293, 296, 306, 368, 382, 397, 426, 427, 428, 462, 529 I, 538, 589,

Goldschmidt, Rudolf Philip 123, 128, 173, 198, 218a, 236a, 248, 278, 287, 405, 543, 617
Goldsmid, Neville D. 324, 482, 560, 842f, 842g
Goll van Franckenstein, Jhr. J. 236a, 248 I, 258b, 308, 331a-m
Goncalves, A. 846
Gosselin 292
Goupy, Le 644
GR 14
Graff, Everett D. 374
Grahl, A. 654a
Graupe, Paul 122
Graves, H. 189, 821
Greevy, Milton Mc 240
GRENOBLE 436A, 787A, 848a I
Gretor, William 269, 623
Grez, J. de 22, 24, 25, 32, 33, 68, 105, 107, 166, 251, 274, 289b, 293, 296, 306, 368, 382, 397, 426, 427, 428, 462, 529 I, 538, 589, 645A I, 663, 669, 686, 710, 730, 742, 749, 779, 848v I
Grient, van der 415
Grindle, J. S. Mc 675, 676
GRONINGEN 70, 237, 277, 358, 484, 848g I, 849a I
Grosjean-Maupin 388
Grünling 62d, 788a
Gruis 116 A I, 705
Gruiter 331a-m
Grunelius, Dr. 229
Guarienti, P. M. 846
Güterbock, Dr. F. 430
Guichardot 50a, 99, 421
Gutekunst, H. G. 12a, 50a, 99, 156b, 177b, 207a, 207b, 214, 232, 233, 235, 243, 258b, 273a, 289, 308a, 505, 596a, 608a, 613a
Gutekunst & Klipstein 80, (322b), 415, 520, 566
Guttmann, J. H. 229
GV 765

H., B. 106, 199 I, 323, 673
H., E. 501c
HAAG, DEN, Museum Bredius 254
HAARLEM 180, 253, 379, 436, 581, 588, 600, 646, 823
Habich, E. 16, 69, 374, 543a, 579A, 597, 727a, 765, 848j I
Haendcke, H. 684
Halberstamm 751
Halle, J. 544
Hallsborough Ltd., William 394, 519
HAMBURG 2, 3, 41A, 41B, 42A, 48, 49, 187, 285, 496, 609A, 770, 772, 821
Hamburger 334
Hamel 128, 617
Hannema, Dr. D. 679
HANNOVER 635, 848s I, 856b I
Harris, F. Leverton 777a
Harzen, Ernst 2, 3, 48, 49, 187
Hausmann, B. 384, 458, 732, 735
Haverkamp 110a, 169, 742a, 812
Hazard, James 336, 557a, 557b
Heath 17
Heemskerk 48, 49
Hehewerth 292
Heim-Gairac 52A, (444A), (445A)

Heimsoeth, Prof. Dr. F. 159, 181, 218a, 221a, 229, 328, 333, 404, 432, 450, 467, 471, 596a, 632, 730
Heinemann, Dr. und Mrs. Rudolf 594
Held, Prof. Dr. Julius S. 587, 847/180B
Hellen, G. von der 496, 609A
Hensé, St. 370
Herxheimer, Dr. 177c
Heseltine, J. P. 159, 239, 461a, 469
Hewlett 475, 575, 842j, 842k
Heyl zu Herrnsheim, Freiherr 9, 135b, 237, 430, 549, 820a, 848y I
Hirschmann, Dr. 278, 352, 847
His de la Salle 272A, 302, 531
Hoek, Dr. H. 418
Hofer, Philip 219 A
Hofstede de Groot, Dr. C. 53, 70, 98, 237, 277, 358, 360, 375 I, 484, 539, 723, 848g I, 849a I
Hogarth & Sons 1a, 1b, 156c, 158, 202
Holford, Robert Stayner 207a, 207b, 287
Holgen, H. J. 699
Hollstein 177
Hollstein & Puppel 608
Hoogendijk, D. A. 207, 518
Houthakker, B. 188, 209 I, 216, 224, 237 I, 248 I, 263, 284, 297, 378, 392a II, 422, 431, 437 I, 500, 561, 568, 645A, 651, 654, 660a, 679A, 747, 848e I, 848f I
Hovell, Mark T. 847
Hudson, Th. 150, 249, 318
Huldschinsky, Oskar 304b, 368 I, 501a, 522
Huteau 820a

Ingen-Housz, Arnold 68, 251, 274, 368
Ingram, Sir Bruce 100, 131, 145, 151, 164, 241, 256, 330, 363, 399, 421, 463, 480, 605, 620, 697, 702, 741, 761, 819, 825
Innes, Ernest C. 188
Isendoorn à Blois, Baron d' 80, 136, 137, 280, 329, 387, 424, 491
Ivry, Baron L. d' 116A, 151, 174, 187a, 213, 346a, 349, 363a, 398, 507, 512

James, Miss 214, 243, 273a
Jiskoot, L. J. 191
Jitta, Josephus 222
Johnson, Rita M. 651, 733
Jolles, Boguslaw 82, 115, 788b, 788c, 788d
Jonkers 842c, d
Jordan 596c
Joseph-Rignault, E. 15
Josephus Jitta 222
Jurié von Lavandal, E. 577

Kabrun, J. 630
Kalkoen 62a
Karlsberg 801
Kartner (Kastner?) 421
KASSEL 698, 719, 782, 784, 799, 828, 830
Kat, Herman de 324, 482, 560, 681a, 842f, 842g
Katz, Dr. W. 110
Kay, Arthur 130, 158, 249, 318, 348 I, 532, 552, 605
Kaye Dowland 17
Keppel 289
Kerrich, Th. 854a
KIEL 119, 440, 631

Klein, Jacob 544
KLEVE 847/46-47
Klinkhamer 252
Klinkosch, J. C. Ritter von 62d, 72, 211a, 395, 518, 533, 824
Knebel 633
Knight, Richard Payne 486
Knowles, G. J. F. 658
Knowles, Sir James 159, 431, 842h
Knowles, William Pitcairn 8, 13, 53, 88, 128, 139, 140, 159, 173, 181, 214, 218a, 235, 243, 273a, 286a, 328, 344, 377, 387, 424, 432, 500, 524c, 543, 562 I, 564, 593, 617, 750a
Knutsford 825
Koch, Victor 189, 222, 438
KÖLN 161, 340
Koenigs, Frans 15, 55, 147, 153, 173, 201, 205, 213, 224 I, 247, 375 II, 398, 509, 512, 553, 607, 769, 848 o I
Köster, A. 752, 823 I
Kok 495
Koller, W. 292
Komor Gallery 839
KONSTANZ 505, 701, 848j I
KOPENHAGEN 21, 23, 43, 85, 87, 140, 154, 193A-L, 202, 252, 513, 528, 633, 666, 667, 692
Kops, W. A. 62b, c
Kornfeld, E. W. 365, 422, 487, 657, 691
Kramer 415
Kramm, Christiaan 733
Kröker, Prof. Dr. 847/195
Kröller-Müller 88, 127, 139, 387, 429, 590 I, 609, 632, 639, 648, 723, 757, 812
Kronig, Joseph O. 845
Kyte, F. Cockburn 59

Lacroix 173a, 289a, 330a
Lagoy, Marquis de 106, 287
Lahmann 670, 800
Lambert 802a
Langen, Albert 123, 145, 248, 297a, 299, 307, 335, 405, 445, 606, 856b II
Langerhuizen, P. 147, 258, 270b, 322a, 343, 345, 387, 393a II, 414a, 429, 443b, 511, 515, 550, 574, 632, 848f I
Lankrink, P. H. 777a
Lanna, Baron A. von 10, 11, 12
Laporte 443a
Laprat 494
Larpent, S. 87, 202, 528, 633, 666, 667
Larsen 151
L'Art Ancien 587
Lasquin 116A, 151, 262b
Lasquin B. 93a, 195, 466 I, 593b
Lavandal, E. Jurié von 577
Lawrence, Sir Thomas 262, 264, 282, 286
Leblanc, Charles 848e I
Leembruggen, Gerard 169, 243, 258, 608a, 779, 842c-d, 842e
LEEUWARDEN, Fries Genootschap 753, 759
Leger 296a
Le Goupy 644
Lehman, Robert 168, 281, 725
Leib 788a
Leib, I. 394, 519
LEIDEN, Prentenkabinet 51, 109, 130, 308, 316, 321, 459, 560, 714, 848r I
LEIDEN, Universitätsbibliothek 652, 672